D1267927

HISTORIA DE LA LITERATURA ESPAÑOLA

El siglo XX
Literatura actual

|c| Instrumenta

Colección dirigida por
FRANCISCO RICO

HISTORIA DE LA LITERATURA ESPAÑOLA
Nueva edición

1. A. D. DEYERMOND
LA EDAD MEDIA

2. R. O. JONES
SIGLO DE ORO: PROSA Y POESÍA
Revisado por Pedro-Manuel Cátedra

3. EDWARD M. WILSON y DUNCAN MOIR
SIGLO DE ORO: TEATRO

4. NIGEL GLENDINNING
EL SIGLO XVIII

5. DONALD L. SHAW
EL SIGLO XIX

6/1. GERALD G. BROWN
EL SIGLO XX. DEL 98 A LA GUERRA CIVIL
Revisado por José-Carlos Mainer

6/2. SANTOS SANZ VILLANUEVA
EL SIGLO XX. LITERATURA ACTUAL

SANTOS SANZ VILLANUEVA

HISTORIA DE LA LITERATURA ESPAÑOLA

EL SIGLO XX

Literatura actual

EDITORIAL ARIEL, S. A.
BARCELONA

1.ª edición: octubre de 1984
7.ª impresión: julio de 2011

Avda. Diagonal, 662-664 - 08034 Barcelona

Editorial Ariel es un sello editorial de Planeta, S. A.

ISBN: 84-344-8326-2 (obra completa)
978-84-344-8380-4 (tomo 6/2)

Depósito legal: B. 26.258 - 2011

Impreso en España por
Book Print Digital
Botànica, 176-178
08901 L'Hospitalet de Llobregat
(Barcelona)

El papel utilizado para la impresión de este libro
es cien por cien libre de cloro
y está calificado como **papel ecológico**.

Para Begoña.

PRÓLOGO

A no ser por la insistencia amistosa de Francisco Rico, quizá nunca hubiera llegado a escribir un libro como el presente. Ahora, redactada su última página tras varios años de esfuerzos, siento el contento por la labor hecha y, a la vez, la incertidumbre por el resultado. Antes, sin embargo, de que se produzca la sentencia del lector, me parece oportuno decir algo respecto de los propósitos y de los criterios básicos que me han guiado.

Esta *Literatura actual* —destinada a ser el último volumen de la renovada edición de una veterana y acreditada «Historia de la Literatura»— es una descripción bastante sintética —a pesar de su extensión— de la creación literaria española en castellano a partir de 1936, fecha que puede considerarse como un jalón prominente en la periodización histórica, política y cultural de nuestro país. Con mínimas excepciones, las referencias llegan hasta los últimos meses de 1983. Tan dilatado período ofrece resistencias al tratar de presentarlo dentro de un panorama orgánico, pero hallamos curiosas coincidencias estéticas (desde la temática hasta la técnica, por no hablar de la actitud moral de los escritores) que sirven de valioso apoyo al crítico que quiere poner un mínimo de orden en la selva de títulos que se editan en este casi medio siglo de literatura española. Esas coincidencias constituyen la espina dorsal que vertebra cada uno de los capítulos que, con un criterio tradicional, práctico y de universal aceptación, se centran en los géneros convencionales (novela, teatro y poesía), a los que precede un recorrido por el marco histórico-cultural en el que se inserta la creación artística. Esos movimientos de relativa homogeneidad estética guardan estrecha relación con fenómenos generacionales, a los cuales acudo con cierta frecuencia. Ya sé que hoy cunde un notable descrédito de estos procedimientos, bien merecido por culpa de la aplicación mecánica de unos rígidos principios teóricos. Sin embargo, creo que los criterios generacionales, planteados con flexibilidad y prudencia, describen con bastante propiedad los movimientos culturales y se observará en las páginas siguientes cómo coinciden actitudes éticas y principios literarios en gentes de edades próximas, que han tenido semejante formación y han sentido parecidas inquietudes. Hay en cualquier tiempo —más allá de lo peculiar que distingue a cada escritor— una cosmovisión que permite —o exige— relacionar obras diferentes, y ello es particularmente cierto en nuestra historia reciente, en la que intereses extraartísticos han permeado siempre la labor del creador. De esta manera, se puede presentar un panorama estructurado que no sea un simple centón de datos o una nómina canónica de prestigios ya acrisolados.

En efecto, mi propósito ha sido aunar en una explicación comprehensiva lo genérico y lo particular, los movimientos literarios y los individuos que en ellos militan (siempre quedará, sin embargo, como fenómeno marginal la singularidad que se sustrae a las tendencias más comunes). Se observa, además, que en este período que ya abusivamente denominamos postguerra se da una notable adecuación entre lo que son proyectos estéticos colectivos y la práctica individual de cada escritor. Así se explica el tono mimético o reiterativo que por momentos —en épocas cuyos perfiles cronológicos resultan bastante bien delimitables— adquiere nuestra literatura desde la contienda civil. Y no se piense sólo en imposiciones extraliterarias más o menos formuladas —la precisa práctica realista conocida como social, por ejemplo— sino también en tendencias que, curiosamente, reivindicaban la libertad —es el caso de algunas corrientes vanguardistas—. No era fácil, sin embargo, encontrar el tono de exposición que permitiera dar cuenta razonada de lo general y de lo particular, pues se podía caer fácilmente en una inmoderada acentuación de cualquiera de ambos extremos. Si no me engaño, creo haber hallado ese punto de equilibrio en que se describen los rasgos comunes y, a la vez, se preserva la individualidad de cada creador.

Otros peligros acechan constantemente al autor de un libro como el presente. Doy por supuesto el más inquietante, para mí, de todos: la limitación de espacio, tan inevitable, y que, de todas maneras, he sobrepasado con holgura y con el beneplácito de Marcelo Covián, director de Editorial Ariel, a quien deseo testimoniar mi gratitud por su comprensión. No menos espinoso era el asunto de equilibrar información y valoración. Tal vez ésta se ha preterido en alguna ocasión en favor de aquélla, mas es una servidumbre, aceptada, de este tipo de obras. Desde luego, no podía convertir esta *Literatura actual* en un repertorio de datos ni, tampoco, en una relación de juicios personales. De nuevo, he tratado de hallar el equilibrio idóneo que me permitiera conjugar documentación y enjuiciamiento. Los datos son abundantes, pero tampoco escasean las opiniones, menos explicitadas, sin embargo, de lo que hubiera querido por mor de la razonable extensión que debía dar a mi escrito.

Confío en que el curioso lector apreciará el ingente esfuerzo de lectura y síntesis que estas páginas suponen. Temo, no obstante, no complacer ni a tirios ni a troyanos. Para algunos, sobrarán autores; para otros, a pesar del abultado índice final, todavía faltará alguno. (El propio director de *Letras e Ideas* ha sido el primero en poner el grito en el cielo para reprocharme el no haber dedicado, por ejemplo, sendos largos párrafos a *La vida nueva de Pedrito de Andía* y a *Helena o el mar del verano.*) Temo, también, que a quienes menos satisfará es a los propios escritores, que suelen medir lo que de ellos se dice por el baremo de lo que les gustaría escuchar o por criterios de cantidad (el número de adjetivos que ha merecido tal competidor o las tres líneas más que se le han dedicado a otro). Quienes escribimos sobre temas recientes siempre corremos la aventura de padecer la irritación de los creadores, peligro ignorado por quienes se dedican a épocas pretéritas. Si la exactitud informativa ha sido un designio permanente de mi trabajo, junto a él siempre he colocado la meta primordial de lograr un máximo de objetividad y de imparcialidad. Aquél quizá sea una desiderata utópica, pues no creo que exista la medida exacta que permita eliminar la presencia del yo del crítico (el gusto personal, una determinada formación, la mayor estima de algunos modos artísticos...), aunque sí contamos con instrumentos de análisis (más pomposamente, una metodología científico-crítica) que oponen cautelosas barreras a la irrupción de la pura subjetividad. Al fin y al cabo, todos aspiramos a convertir la crítica literaria en una disciplina científica, en la medida en que esto sea posible y conscientes siempre de la inviabilidad de poner puertas al campo. Sería presuntuoso suponer que todos los juicios de valor que se hacen resultarán acertados al cabo del tiempo; siempre son razonados —y confío que razonables—, aunque la argumentación no se halle en cada caso del todo explícita en el texto. La imparcialidad no es una categoría crítica sino moral, y de ella sí que respondo al ciento por ciento. Este libro no comulga con escuelas (el autor no cree que exista una sola que almacene toda la verdad) ni con capillas (el auténtico azote de la crítica literaria española). El oficio de estudioso de la literatura ofrece tan magras sinecuras que la mayor recompensa a la que uno puede aspirar es a la satisfacción de acabar sus días sin renunciar a la opinión propia. Juicios equivocados los habrá, qué duda cabe, pero no he escrito nada que no piense (y, por si acaso, aclararé que he pensado lo que he escrito).

Decía CLARÍN que en España no había crítica literaria sino sociedades de bombos mutuos. La situación no ha cambiado mucho un siglo después, pero no merece la pena insistir contra esos raquitismos de nuestra vida cultural tantas veces y tan inútilmente denostados. En cambio, me parece oportuno un breve comentario sobre un sector de la crítica, de notable influjo y pocas veces aludido. Hoy, afortunadamente, han desaparecido las prevenciones que los círculos universitarios tenían sobre el estudio académico de autores vivos o de fenómenos de la actualidad artística. Una reacción pendular ha sustituido al anterior menosprecio y cada día nuestros estudiantes y estudiosos muestran mayor inclinación a la literatura del momento presente. Seríamos ciegos de ignorar el criterio de supuesta mayor facilidad que les lleva a ello. El fenómeno, además, tiene especiales dimensiones en medios del hispanismo extranjero. Vaya por delante el reconocimiento de la enorme labor que centenares de entusiastas estudiosos llevan a cabo allende nuestras fronteras, más meritoria, incluso, que la que se realiza en nuestro propio país. Sin embargo, conviene llamar la atención sobre el deslumbramiento que con frecuencia patentizan frente a cualquier mediano escritor al que pronto procuran entronizar como si de un clásico se tratara. La balumba de monografías hipergenerosas y, sobre todo, acríticas que surcan las páginas de las revistas del hispanismo occidental y oriental produce grandes distorsiones en la valoración de un escritor, con grave perjuicio para éste, que se cree aupado a cimas que sólo podrá conseguir con un mayor esfuerzo. Un librito de poemas, un texto teatral lleno tan sólo de buenas intenciones o una correcta novela son demasiado poco para lanzar las campanas al vuelo. Creo que debe pedírsele al hispanismo —y, en general, a la crítica universitaria— una mayor severidad en sus análisis de la literatura actual. De ser cierto lo que por esas revistas se lee, estaríamos en una permanente Edad de Oro de nuestras letras.

En fin, hora es de poner punto final a este exordio. La enorme amplitud de la materia tratada en este volumen me permite sospechar que en él pueda descubrirse algún olvido involuntario. Dispuesto estoy a enmendar cuantos se hallen. Siempre me ha resultado simpático el lema heráldico de Jorge Manrique, «ni miento ni me arrepiento», pero, menos soberbio que el caballero castellano, mi ánimo está abierto a rectificar cuanto sea preciso. Por ello, acogeré con la mejor disposición toda sugerencia —que no injerencia— que reciba para mejorar en posteriores salidas —si las hubiere— el presente libro.

Madrid, julio, 1984.

Capítulo 1

EL MARCO HISTÓRICO-LITERARIO

1. 1939, FECHA DE LA RUPTURA

Es ya un hábito de las periodizaciones de la cultura española contemporánea el tomar la guerra civil como punto de referencia para la determinación de una etapa diferente —la última, o, quizás, penúltima— de nuestra historia literaria. Existe, incluso, la inclinación —casi consagrada por la costumbre— a fijar la fecha del final de la contienda como llave que abre el nuevo período. De esta manera, los tres años de lucha quedan como un paréntesis entre las diversas tendencias que conviven —a veces enfrentadas en incruenta oposición— durante la década de los treinta y la literatura que se desarrolla después del conflicto. Tal vez sea una manera un tanto simplificadora de describir los fenómenos, pero, en esencia, responde a la verdad de los hechos.

Durante la guerra, la cultura, y por tanto, la literatura, se hace militante —salvo las inexcusables y escasas excepciones— y se pone al servicio de una causa. En ocasiones, es el entramado ideológico de los textos el que apuesta por la defensa explícita de unas ideas. En otras, el arte llega, incluso, a convertirse en un arma más del combate: se escribe una literatura ocasional e instrumental destinada ya a enardecer el ánimo de los soldados, a adoctrinarlos o a distraer su descanso en el frente, ya a mantener la moral de la vida cotidiana en la retaguardia. Ese carácter funcional y apologético es común a la obra de los artistas de uno y otro bando contendientes. La mayor ecuanimidad —dentro de un planteamiento de compromiso—, la ausencia de crispación de una revista como *Hora de España* —la más importante de aquel momento— no es la tónica generalizada. Al contrario, predomina una clara idea de la perentoria necesidad de una literatura circunstancial y de la obligatoriedad del escritor de poner su pluma al servicio de una doctrina. Éste es el rasgo unificador de la literatura del período 1936-1939 y lo que permite aislarlo, relativamente, de los años anteriores y subsiguientes. Más adelante —en los sucesivos capítulos de este libro— nos referiremos a algunas realizaciones concretas de este tipo de literatura porque ahora lo que nos interesa destacar es cómo la noción del compromiso del escritor —que ya se venía gestando con anterioridad y que se había ensayado ampliamente durante la República— se convierte en el motor central de su actuación. El compromiso fue asumido —según relató María Zambrano [1939] * poco después— con profunda convicción, como la más importante justificación de una actividad antaño inútil y hogaño noble y necesaria. Una prueba contundente de la respuesta cívica de los escritores ante unas circunstancias que exigen la movilización general de la cultura la constituye la celebración en Valencia, en 1937, del II Congreso de Escritores Antifascistas (minuciosamente estudiado y documentado por Aznar Soler [1978]), que contó con una excepcional y solidaria participación de intelectuales extranjeros y nacionales. Diferentes publicaciones y actividades —que no enumeraremos, dado el carácter general de este libro— confirman la necesidad sentida por los hombres de letras de comprometerse y de hacer una literatura a la «altura de las circunstancias», por decirlo con expresión machadiana. Se trataba, en primerísimo lugar, de una reacción instintiva y natural frente a quienes deseaban imponer por las armas la desigualdad social. Pero se amparó, además, en reiteradas afirmaciones teóricas que subrayaban el apremio de un «arte de urgencia», un arte concebido como parte sustancial de la lucha y en el que la palabra quisiera tener la misma eficacia que las balas. Es lo que expresan los últimos conocidos versos de un soneto de Antonio Machado:

si mi pluma valiera tu pistola
de capitán, contento moriría.

* Las referencias de los estudios y trabajos citados se hallan en la bibliografía de las páginas finales. El nombre de un autor acompañado de un paréntesis rectangular remite a la correspondiente ficha bibliográfica, que se localiza por el nombre del autor y la fecha señalada entre paréntesis. En el caso de varias publicaciones de un autor aparecidas en el mismo año, se agrega una letra minúscula que las identifica (por ejemplo, [1975b]). La bibliografía final sigue un orden alfabético y cronológico dentro de cada uno de los cuatro capítulos del libro. Normalmente, en éstos se mencionan estudios específicos de la materia tratada, pero, también, a veces, pueden aparecer citados en diferentes capítulos. En este caso, la referencia sólo se incluye una vez y su identificación se logra mediante el número arábigo que, seguido de una barra, precede al año de publicación del trabajo en cuestión; por ejemplo, [2/1970] remite al autor mencionado dentro de la bibliografía del capítulo segundo.

Entre otros abundantes y explícitos textos de época, hay uno del crítico Santiago Ontañón (publicado en *El Mono Azul*: 47, febrero, 1939) que, aunque resulte algo extenso, merece la pena reproducir porque sintetiza admirablemente esta concepción de la literatura:

> ¿Cómo no vamos a insultar? ¿Cómo podremos dejar de gritar? ¿Cómo vamos a pintar en estos momentos para exponer al mundo algo que no se relacione con esta horrible guerra? ¿Cómo quieren que exaltemos las cosas nobles, bellas de la vida, si por dentro nos come (nos tiene que comer) el odio? No; hay que seguir atacando. Mientras silben balas, que nuestros lápices no se rindan y rocen contra la pared de una manera enérgica, viril, como soldados que somos. Porque es necesaria esta pintura. Cuando se contempla una de estas estampas se siente la misma sensación que ante la noticia inesperada de la muerte de un amigo en el frente, que levanta más odio, más deseo de venganza.
>
> ¿Estamos en guerra? Pues guerra. Ya vendrán otros tiempos y la historia dirá. Porque no está el pintor aislado en su mundo, sino comunicándose con el espectador. Y esto de hoy es pintura al servicio suyo, de su idea, que es la nuestra, la de todos los españoles leales.
>
> Yo creo [...] que es necesaria esta pintura de urgencia como es necesario el «teatro de urgencia», y no hablamos «por boca de ganso». [...] Tenemos una experiencia. Sabemos de las reacciones del pueblo ante la sátira, la crudeza y la agresividad con que hemos reproducido sus problemas. Hemos escuchado comentarios, oído gritos espontáneos, imposibles de frenar. Observamos los rostros sencillos en los cuales se puede leer claramente como en los libros más hermosos. Y de esta experiencia hemos sacado en conclusión la eficacia de este *arte de urgencia*. [...]

Semejante postura militante y comprometida adoptó la producción de los escritores llamados nacionales, los cuales, en correlato con lo que se hizo en la España republicana, fomentaron publicaciones que dieron acogida a sus postulados de lo que debía ser el arte del «nacional-sindicalismo». Mientras Torrente Ballester —según luego recordaremos— reclamaba un teatro que fuese «épica nacional, hazaña» y explicaba que la tragedia de mañana debía ser «la liturgia del Imperio» desde la revista navarra *Jerarquía,* otra publicación de mayor empuje, *Vértice,* daba cabida con frecuencia a relatos belicistas y apologéticos. En fin, toda esta literatura, de una y otra tendencia ideológica, bastante mal conocida (en especial la republicana, que sólo desde hace poco ha empezado a estudiarse con seriedad y a ser accesible gracias a ediciones facsimilares), se construye sobre estímulos muy inmediatos y dramáticos. Está más atenta a la exposición de unas ideas, a la expresión corajuda de emociones o a su efectividad ideológica (así surgió un «Teatro de Guerrillas», por ello proliferaron los romanceros de la guerra) que a una elaboración artística reposada. Con frecuencia, los estímulos literarios son idénticos en ambos bandos y resultaría abultada una relación de paralelismos temáticos, pero de significación contrapuesta. Por indicar un único ejemplo, menudea la literatura panegírica y, así, el soneto de Antonio Machado «A Líster» tiene su correspondencia en el «Soneto a Franco», de Dionisio Ridruejo. Ni la inmediatez comunicativa que estas obras pretenden ni la precaria decantación de vivencias y sentimientos las hacen muy valiosas. Estamos, por lo común, ante una creación circunstancial que como tal debe ser considerada y cuyo valor, hoy, no excede casi nunca el mérito de un interesante documento histórico.

En 1939 se suele datar —según decíamos— el inicio de una nueva etapa de la historia del pensamiento español. Descartada la rutina como razón que avale esta fragmentación del discurrir cultural (y sin olvidar por completo las motivaciones didácticas que llevan a seccionar procesos que, de por sí, no admiten tajos abruptos), parece apropiada la ya habitual frontera que deslinda un antes y un después del triunfo de la sublevación militar contra la República. Así lo entiende la autorizada opinión de Dionisio Ridruejo [1972], uno de los más distinguidos artífices de los precarios intentos de reconstrucción cultural en la inmediata postguerra, ya que para él, el período que se abre en 1939 se caracteriza «por tener su arranque en una conmoción de vastas proporciones, destructora y dispersiva que, en su primer momento, no deja sobre el solar español sino residuos de la etapa precedente y éstos sometidos a condiciones muy limitativas». Debemos ser conscientes, sin embargo, de que recurrimos a un fenómeno político-militar para referirnos a un orden de realidades, las culturales, muy distintas. Semejante disociación, no obstante, sería ficticia porque, a partir de la victoria «nacionalista», se produce una estrechísima relación entre el nuevo ordenamiento político y la vida intelectual. Tan íntima que, en verdad, es preciso hablar de una dependencia absoluta establecida, a veces, con una simple intencionalidad propagandística y, otras, con el propósito de crear unas formas culturales características del nuevo orden sociopolítico, las cuales se sustentan —según ahora veremos— sobre una ruptura con el pasado inmediato. Dicho propósito resultó visiblemente infructuoso al poco tiempo por una serie de razones cuyo peso es difícil aquilatar: el carácter artificial de un proyecto sin sólidas raíces; la desconfianza de los nuevos mandatarios hacia la inteligencia, que limita la cultura más a un adorno que a una sentida necesidad; la dimensión personal y voluntarista de los empeños que trataron de materializarlo. En cualquier caso, el afán de forjar una nueva cultura fue cierto y produjo una discontinuidad que conforma una etapa tan diferenciada de la precedente como quizás no se halle otra en toda nuestra historia. De esta manera, el proceso de recuperación cultural de la postguerra —en sus líneas maestras— está constituido por unas grandes tendencias que, a veces, coincidieron en un mismo momento: en primer lugar, unos aurorales y tímidos esfuerzos para superar esa estrecha dependencia de la guerra y de sus resultados políticos (fase relativamente corta, aunque durante tiempo pervivan títulos de marcado acento propagandístico); luego, algunos azarosos intentos de conseguir la entonación crítica irrenunciable a cualquier auténtica actividad intelectual; en fin, pero no en último lugar, variados afanes encaminados a restablecer sucesivos eslabones de enlace con las tradiciones nacionales y foráneas cercenadas. A esta gavilla de cuestiones nos referiremos con obligada brevedad en las páginas siguientes.[1]

La vida cotidiana de los años cuarenta padece hasta en sus más mínimas manifestaciones las consecuencias de la guerra, tanto en lo material (ruina económica, amplias zonas devastadas, hambre...), como en lo político (muertes, represión, depuraciones...) o en lo espiritual (consignas, himnos, exaltación patriótica, catolicismo tridentino). Otro tanto ocurre en la cultura: deliberación de erradicar cualquier precedente perturbador, censura que permita controlar todas las actuaciones intelectuales o creativas, instrumentalización apologética... Ya durante la misma guerra, Falange se preocupa de crear y fomentar publicaciones periódicas que sean, a la vez, soporte de propaganda ideológica y vehículo para mostrar la vitalidad intelectual y creativa de sus adictos. Entre otras empresas de menor significación, revistas de larga vida —*Vértice*— o de efímera existencia —*Jerarquía*— consti-

1. La bibliografía sobre el compromiso durante la guerra civil y los estudios relativos a la literatura en este período empiezan a ser abundantes. Información detallada sobre lo que aquí presento en síntesis apresurada puede verse en M. Aznar Soler [1978], M. Bertrand [3/1980], M. Bilbatúa [3/1976], N. Calamai [4/1979], F. Díaz Plaja [1979], V. Fuentes [1980], J. Lechner [4/1968], J. C. Mainer [1971], R. Marrast [3/1978], J. Monleón [3/1979].

tuyen buena prueba de ese afán, aún más patente en las lujosas ediciones patrocinadas por esta última, de sorprendente calidad material. Semejantes propósitos pervivieron acabada la contienda y llama la atención que, cuando tantos esfuerzos materiales hacían falta para la reconstrucción del país, no se escatimaran medios para esta labor cuyo carácter propagandístico no se puede olvidar (ocurrió también en otros órdenes de la vida nacional: Carlos Sambricio [1983] ha subrayado cómo fueron criterios publicitarios los que presidieron la distribución de los cuantiosos fondos de la Dirección General de Regiones Devastadas). Desde instancias oficiales —dependientes, en buena medida, de la Dirección General de Prensa y Propaganda— se auspiciaron no pocas publicaciones culturales y literarias, algunas aparecidas en fechas muy tempranas: *Destino, Escorial, El Español, La Estafeta Literaria, Juventud, Haz, Garcilaso, Cuadernos de Literatura Contemporánea, Fantasía, Artes y Letras*...

El signo de esas publicaciones —y de otras más, pero de menor importancia— no es idéntico y nos obligaría a establecer significativas diferencias. Así, por un lado, tenemos empresas (primero, *Escorial*; luego su, en cierto sentido, heredera, *Cuadernos Hispanoamericanos*) vinculadas con sectores falangistas propicios a incorporar otras formas de pensamiento que pudiesen resultar asimilables y a establecer un precavido puente con escritores de significación contrapuesta, pues, según ha declarado varias veces Dionisio Ridruejo, lo que pretendían era contrarrestar un clima de intolerancia intelectual, crear unos supuestos de comprensión del adversario y de integración de los españoles. Por otro, diversas publicaciones (*Arbor, Cuadernos de Literatura Contemporánea*) deben su fundación, incluso, al deseo de replicar a esas actitudes más tolerantes y al designio de consolidar una ortodoxia que presentían amenazada. Dentro de una beligerancia falangista, deben subrayarse también las interesantes realizaciones del Delegado Nacional de Prensa, Juan Aparicio —en especial *El Español* y *La Estafeta Literaria*—, utilizadas para airear esa sedicente nueva literatura y desde las que procuró animar la vida cultural y fomentó el debate y la polémica.

En conjunto, estas publicaciones —con independencia de sus peculiares y distintivos matices— responden, en buena medida, y de un modo preferente, a un último deseo o, tal vez, necesidad de crear una cultura propia del nuevo Estado surgido de la guerra civil (aunque, curiosamente, planearan sobre ellas acreditados modelos de anteguerra: por ejemplo, *Cruz y raya* sobre *Escorial, La Gaceta literaria* sobre *La Estafeta literaria*). Evidencian la voluntad de forjar un pensamiento y una creación característicos de los vencedores que desmientan las fundadas acusaciones sobre su enemiga respecto de la inteligencia (no era fácil olvidar el anatema pronunciado por Millán Astray en Salamanca). Algunas demuestran, además, un inequívoco compromiso entre el creador y la nueva situación, que resulta meridiano en el lema que campea en *El Español* para patrocinar a los poetas de la «Juventud creadora»: «Una poética. Una política. Un Estado».

La mayor parte de la intelectualidad y del mundo de la cultura se había adscrito a la causa republicana y fueron muy escasos los hombres de letras de alguna valía que se sumaron a la rebelión. La indigencia ideológica de los sublevados les obligó a acudir a aquellos sectores que pudieran proporcionarles ese soporte teórico del que carecían y tuvieron que fundir principios no siempre bien conciliables que son la causa de los conflictos que se producen en los años cuarenta en el interior del Régimen. Contaron con el ideario místico, revolucionario y antiburgués de la Falange. Se apropiaron del pensamiento tradicional conservador, desde Balmes y Donoso Cortés hasta —y muy destacadamente— Menéndez Pelayo. Agregaron las actitudes integristas de una Iglesia tremendamente moralista comprometida con un Régimen convertido en Cruzada católica (a pesar de las inútiles quejas de algunos falangistas). Esta amalgama de factores determina la vida intelectual de la inmediata postguerra y sobre ella se implanta la formación de los jóvenes españoles (F. Valls [1983] ha estudiado cuidadosamente los efectos en la enseñanza de la literatura). En el terreno de la creación literaria, no faltan exposiciones teóricas —bien que imprecisas y bastante enfáticas— sobre cómo debe ser el nuevo arte propio de este momento. Con frecuencia se habla de una poesía imperial (estimulada, por ejemplo, por la conocida antología preparada por Rosales y Vivanco) o de un teatro imperial. No se pasó de unas vagas desideratas y de alguna deplorable realización (tal el drama *Y el Imperio volvía...*, del padre Cué) y aquellos proyectos obtuvieron un rotundo fracaso. Persistía, sin embargo, el propósito de mostrar la fecundidad artística del nuevo Régimen y se proclamaban listas de nombres que, en su mayor parte, conocen hoy un misericordioso olvido; otros, como el de Rafael García Serrano, falangista de primera hora y escritor valioso, se oscurecieron por mor de las disensiones entre la jerarquía eclesiástica y la Falange (aquélla censuró con saña el bronco estilo del narrador navarro) o por la negligencia de una crítica bastante rutinaria, que ha condenado, igualmente, al ostracismo a otros autores dignos de estima, por ejemplo a Agustín de Foxá. En este contexto, el mencionado

Juan Aparicio jugó un relevante papel al promocionar a escritores que —sin participar en esa imposible estética imperial— pudieran representar el vigor artístico de la España nacional. Así, dio su apoyo material al grupo de «Juventud creadora», estimuló insustanciales pero apasionadas polémicas y, según sostiene Jorge Urrutia [2/1982], se propuso elevar a tres autores al pedestal de modelos de la nueva literatura, en representación de los tres géneros tradicionales: el novelista Camilo José Cela, el poeta José García Nieto y el dramaturgo Víctor Ruiz Iriarte. Los tres habían tenido vinculación con la Falange y fueron presentados y ensalzados en su condición de escritores falangistas.

La historiografía sobre este momento inaugural de postguerra ha valorado positivamente el talante de mayor tolerancia del llamado «grupo de *Escorial*» (véase Mainer [1972]), en el que participan, entre otros, Ridruejo, Laín Entralgo, Antonio Tovar, Rosales, Vivanco. Los experimentos de estos hombres, sin embargo, no son los que marcan la tónica de la época, sino que predomina una actitud intelectual signada por la intransigencia, por la exaltación patriótica y por la reivindicación de un nacionalismo trascendente que confiere un carácter confesional a la sociedad nacional. Otro rasgo general debe añadirse a los anteriores, la negación del pasado inmediato, invalidado mediante la recuperación de un período histórico remoto. La creación de la nueva cultura franquista se asienta sobre el doble principio de la discontinuidad y la ruptura, según lo manifiesta con claridad la presentación de los *Cuadernos de Literatura Contemporánea*. Para su editorialista, la literatura

> no sólo debe contribuir a formar el pensamiento y estilo de un naciente Estado, sino también a crear una estética literaria nueva y nacional que no pacte, cobardemente estéril, con la anterior, ya pasada en todos sus aspectos, ni menos finja novedad en un contubernio engañoso con lo extranjero.

«Lo anterior» cubrió toda la literatura republicana, progresista y de compromiso social —silenciada hasta extremos de convertirse en curiosidad de eruditos— y se extendió sobre aquellos autores y obras que encarnasen tendencias liberal-burguesas. Se trata de arrasar y erradicar el influjo de la tradición del liberalismo decimonónico ya que, en cierto modo, con lo que se dice haber terminado es con una corrupción político-social que arranca del sistema parlamentario de la Restauración. Así, escritores que por entonces pertenecían ya a la historia canónica de la literatura

—*Clarín* o Pérez Galdós— ven obstaculizada la difusión de sus libros; es lo que ocurre con *La Regenta* o con las *Obras completas* del gran novelista canario, de quien, en cambio, cobran actualidad los *Episodios Nacionales* (que generarán, por cierto, una extensa y variada corriente narrativa). De la obra de *Clarín* dirá, por ejemplo, Torcuato Fernández Miranda, todavía en 1953, que «ha sido y es radicalmente disolvente de valores esenciales a ese modo de ser que es ser español». También la generación del 98, no obstante el peso que había tenido en los orígenes de la Falange, entre cuyos idearios se establecen contradictorias relaciones (véanse, por ejemplo, Mainer [1971] y Gómez Marín [1975]), padeció mutilaciones y descalificaciones, que sufrieron, por ejemplo, los textos de Unamuno o Baroja en vida. Y algo semejante ocurrió con la generación novecentista y con el pensamiento orteguiano, quizás el que se recuperó en fechas más tempranas, aunque no sin dificultades ni reticencias.

El designio prioritario es, por consiguiente, ejecutar una profunda ruptura con la inmediata tradición liberal. Sin embargo, la nueva cultura no puede partir absolutamente de cero y, por tanto, el enjuiciamiento radicalmente negativo de esos denostados valores tendrá que compensarse con el rescate de otra tradición anterior, que se corresponda con la idea de una Edad de esencias permanentes, inmutables, nacionales en la que se dice haber entrado y que se presentará como la única valedera. De este modo, y mediante un enorme salto a través del tiempo —dentro del que se incluye la condena de la sensibilidad romántica y del racionalismo europeísta del siglo XVIII—, se acude a la época en que parecen realizarse esas esencias nacionales, la de Carlos V, Felipe II y el Imperio. De ese pasado se ignoran no pocos aspectos y, por contra, adquieren índole paradigmática unas cuantas notas: heroísmo, espiritualidad católica, proyección universal, centralismo, nacionalismo.

De este ramillete de peculiaridades se derivaron algún pintoresco proyecto (la ilusión de fundar un nuevo imperio latino) y, sobre todo, menudos y capitales aspectos de la vida cultural: la intransigencia católica, que extiende su poder sobre el conjunto de la enseñanza y obtiene la facultad de supervisar y sancionar la actividad universitaria; el predominio aplastante del tomismo, convertido en la única vía especulativa aceptada; la propuesta de modelos estéticos... Dentro de este último campo —que es el que aquí más nos interesa—, se enseñorea un gusto clasicizante. Fuera del ámbito de las letras, el fenómeno es bien evidente en la recuperación de una arquitectura historicista y en la reactualización del estilo escurialense (los proyectos de llevar a cabo una arquitectura fascista no pasaron del diseño de megalómanos escenarios de masas, sueño de una noche de verano, aunque dejara su impronta en alguna singular construcción). Ya en la órbita de la literatura, los vestigios de ese gusto son copiosos. Resulta ostensible en el propio nombre de varias de las publicaciones mencionadas: *Escorial* o *Garcilaso* (ambas, sin embargo, responden a cierto antagonismo intencional que aquí no podemos comentar). Las huellas dejadas en la poesía fueron hondísimas. En la batalla librada en la anteguerra entre los defensores de Góngora y los de Garcilaso, fueron estos últimos quienes triunfaron en toda línea. Un garcilasismo muy superficial (como ha señalado García de la Concha [4/1973]) se impone y con él entran avasalladores los metros clásicos y predominan las estrofas tradicionales (una auténtica marea de sonetos agita el océano lírico, si bien no podemos olvidar que su recuperación se había gestado tiempo atrás). Garcilaso constituía, además, para aquellos jóvenes recién salidos de la guerra y todavía exultantes un modelo vital y poseía el atractivo de encarnar un arquetipo muy adecuado a aquellos momentos, la conjunción renacentista del caballero-amante, del guerrero heroico y del hombre de letras.

Algunos otros caracteres completan el diseño de las manifestaciones artísticas de esta efímera nueva literatura. Toda una corriente de belicismo —exhibido como una contundente respuesta antirremarquiana— impregna la letra impresa. Se glorifica la inconsciencia juvenil que reivindica la muerte en el frente como preciado galardón; se enaltece el destino trágico y noble de una generación abocada al autosacrificio. Otra tendencia —no siempre separable de la anterior— se vuelca en la exaltación política, con tonos retóricos y gestos altisonantes, y se acompaña de una intencionalidad propagandística. Ésta, en unas ocasiones, procura vejar al enemigo derrotado, sobre el que se vierten toda clase de ignominias. En las restantes, se hace la apología del propio ideario, de los gestos heroicos, de los hombres que los protagonizaron (razón de ser de compilaciones como la *Corona de sonetos a José Antonio* o la *Antología poética del Alzamiento*). El fervor nacionalista que inspira buena parte de estas creaciones apologéticas, pronto, sin embargo, dará paso a contenidos más alejados de la realidad contingente, síntoma que, según Ridruejo [1972], podría interpretarse como indicio de una soterrada desilusión política. Esta nueva inclinación se manifestará en un pronunciado intimismo (religioso o cotidiano), sobre todo en la lírica, y desembocará en un tono existencialista, tanto en la poesía como en la novela. A la vez, habría que consignar la presencia de una intensa corriente de poesía religiosa comprometida y de unas formas literarias a las que quizás convenga el calificativo de evasivas.

Este conjunto de extremadas vinculaciones entre cultura y política no constituye la única razón que explique la desnaturalizada situación de la literatura española en los años cuarenta. Un elemento a ponderar es el grado de vigencia en aquel momento y dentro del país de los escritores consagrados con anterioridad a la guerra. Conviven durante los años de lucha desde algún valetudinario escritor de los tiempos de la Restauración y del último tercio del siglo pasado hasta unos jóvenes creadores que, a veces incitados por la propia contienda y por los conflictos sociales del período republicano, han nacido entonces a la vocación literaria. Los escritores de la época del realismo decimonónico, en los pocos casos en que perduran, quedan reducidos a una simple supervivencia física por puras razones biológicas. No sucede así con los autores del 98, que, aunque ya mayores, todavía conservan facultades para crear una obra interesante (abundante fue, por ejemplo, la de Baroja o *Azorín* posterior a 1939). Los grupos generacionales siguientes —en especial el llamado «novecentismo» y la generación del 27— son los que, por esa época, se encuentran en fecunda actividad y en plena madurez. Pero la muerte, por causas naturales o por culpa de la violencia del momento, acaba, en un plazo de pocos años, con varios nombres cimeros de la inmediata historia literaria: Machado, Unamuno, Valle-Inclán, entre los mayores; García Lorca y Miguel Hernández, de los jóvenes. Estas súbitas desapariciones —tan madrugadoras en varios casos— constituyen una sustancial limitación para nuestras letras de ese período, pero debemos agregar todavía el motivo más importante —por sus dimensiones y consecuencias— del empobrecimiento cultural del país, el amplísimo exilio republicano de 1939. Varios miles de científicos, pensadores, intelectuales, creadores... deben abandonar España desde los últimos meses de la lucha, y entre ellos figuran los más eminentes hombres de las letras y las ciencias coetáneas. No es éste lugar de mostrar una nómina que resultaría larguísima —y que recientes y aún incompletas investigaciones van alumbrando—, sino tan sólo de señalar que, por lo que concierne a la literatura, en ella están representados desde autores que ya publicaban en el fin de siglo hasta otros de obra recién iniciada, tanto hombres de izquierda como republicanos liberales. Cualquiera que sea la fisonomía cronológica o ideológica del exilio, la involuntaria marcha de un tan elevado número de escritores tiene unas enormes y negativas repercusiones en la creación que se desarrolla en el interior, que se pueden sistematizar —aceptamos los riesgos inherentes a toda generalización— en dos grandes consecuencias: por una parte, se desgaja del tronco común de nuestra literatura una relevante producción por su volumen y calidad; por otra, se fomenta una situación de adanismo literario de los escritores del interior, resultado normal de la pérdida de contacto con su propia tradición, ausente (y también mutilada y perseguida, según ya antes indicamos).[2]

La creación literaria en el exilio posee una gran dignidad media —dentro de las inevitables y acusadas desigualdades entre una producción de muy vastas dimensiones— y, además, protagoniza el alumbramiento de algunos de los títulos señeros de nuestra historia contemporánea y de ciclos poéticos o novelescos con altura pocas veces igualada en las letras españolas, mientras que, en el interior, impera lo mediocre o lo insustancial. Fuera de España escribe su vigoroso verso León Felipe; en sus lugares de residencia forzada reanudan su labor —no sin profundas transformaciones— Jorge Guillén, Pedro Salinas o Luis Cernuda, por citar algunos nombres; desde diversas partes del mundo fluyen incesantes los libros de Rafael Alberti. En fin, para no prolongar más el relato, en el exilio vive y escribe Juan Ramón Jiménez y allí publica, en 1943, la primera muestra del que se considera su gran poema, y una de las cumbres de la lírica occidental, *Espacio* (para ser justos, no se puede olvidar que la edición completa del texto se edita en una revista madrileña, *Poesía Española,* en 1954). Si salimos del campo de la lírica y entramos en el de la narrativa, contrasta la pobreza de lo que se publica en el interior —de lo que sólo merecen circunstancial memoria unos contados títulos— con los proyectos que en el exilio se van dando a conocer. Con un propósito meramente ilustrativo, recor-

2. No es éste lugar de ofrecer bibliografía sobre historia y política de la postguerra. Reseñamos, como una primera introducción de carácter global, los manuales de AA. VV. [1980] y R. Tamames [1973]. Desde una perspectiva cultural, el panorama más satisfactorio es el de E. Díaz [1974], en el que se hallará amplia documentación y debe consultarse también J. C. Mainer [1981]. Tras la desaparición del Régimen anterior, se publicaron varias valoraciones globales: Equipo Reseña [1977], AA. VV. [1979], un número especial de *Tiempo de Historia* (92-93, julio-agosto, 1982). Otros estudios que pueden tenerse en cuenta son los de J. L. Abellán [1971] y S. Clotas-P. Gimferrer [1971]. También es muy interesante la reconstrucción literaria de M. Vázquez Montalbán [1971]. El papel de la Iglesia está documentado en J. J. Ruiz Rico [1977]. No deben olvidarse, tampoco, algunos relatos memorialistas: P. Laín Entralgo [1975], D. Ridruejo [1976], F. Sopeña [1970]. Igualmente hay que recordar las interpretaciones de E. Tierno Galván [1961]. Entre los trabajos que insertan la literatura en su contexto ideológico y social, recordaremos asimismo el tomo III del polémico manual de C. Blanco Aguinaga, J. Rodríguez Puértolas e I. M. Zavala [1979], estudio sin duda muy meritorio aunque discutible.

daré el inicio de las grandes series novelescas de Manuel Andújar («Lares y penares»), Max Aub («Los Campos»), Arturo Barea («La forja de un rebelde»), Ramón J. Sender («Crónica del alba»), o algunos sobresalientes títulos del mismo Sender, de Francisco Ayala... Creo que un mínimo de objetividad obliga a reconocer la incuestionable superioridad de estas obras sobre sus coetáneas de la península.

No es el valor de la literatura peregrina, sin embargo, lo que quiero destacar, pues ahora me importa más subrayar su desgajamiento de un tronco común, que, en consecuencia, resulta mutilado al permanecer una de las partes incomunicada con la otra. Siempre se podrá aducir el ejemplo singular que muestre la relatividad de esta afirmación y habría que establecer distinciones entre los diferentes géneros (el teatro y la novela, por una parte; la poesía, por otra), pero, en términos generales, creo que es constatable dicha incomunicación. Las publicaciones periódicas nacionales no informan de lo que se hace fuera (salvo contadas excepciones) y las editoriales españolas no pueden durante lustros editar a los exiliados (curiosamente, se prohíben títulos, sólo en virtud de la condición trasterrada de sus autores, que hubieran servido de eficaz auxilio al anticomunismo del Régimen; pienso, por ejemplo, en algún relato de Salvador de Madariaga o de Ramón J. Sender). Escritores españoles llegan a figurar en los diccionarios de literatura nacional de los países que los acogieron y nada más ese aislamiento —y el consecuente desconocimiento y mitificación— explica las injustificadas expectativas que despertó el regreso de Alejandro Casona.

Un segundo y negativo efecto del exilio, decía, consiste en una ruptura de la tradición. La obra literaria producida lejos de España —aparte sus intrínsecos valores o deméritos— es el resultado de la normal evolución de la más inmediata tradición de nuestras letras (en alguna medida forzada, claro está, por el impacto emotivo e intelectual del desenlace de la lucha). Quienes habían contribuido a asentarla (de Juan Ramón Jiménez a Benjamín Jarnés o Sender, por citar nombres poco coincidentes en sus planteamientos artísticos) son los que la continúan fuera de nuestras fronteras. Los republicanos, derrotados en el frente, eran conscientes de haberse convertido en los depositarios, aunque peregrinos, de la genuina tradición española. Es lo que venían a decir, no sin rabia, los versos de León Felipe:

¿Y cómo vas a recoger el trigo
y alimentar el fuego
si yo me llevo la canción?

Aunque hiperbólica —y más tarde rectificada—, la afirmación del poeta zamorano no carecía de un fondo de razón, pues ya hemos visto cómo en la España franquista se trata de imponer de manera forzada una tradición esencialista, heroica, que era el resultado de la conciencia de haber roto con los antecedentes inmediatos. No tratamos tanto, ahora, de contraponer la valoración de la literatura hecha en la Península con la de allende nuestras fronteras como de señalar el empobrecimiento de las letras de un país cuando su cultura —que siempre es un fenómeno dinámico y colectivo— se ve violentada en su evolución natural y privada de un sector de sus artífices, en el que, además, figuran las más valiosas individualidades de la época. Hay que plantearse —aunque se trate de un futurible quimérico— que, aunadas todas aquellas voluntades en un marco común, muy otro hubiera sido el rumbo de las letras españolas de la postguerra.[3]

Esta ruptura de la tradición —motivada por el exilio y en no menor medida por el designio político-cultural de los nuevos gobernantes— lleva aparejada un fuerte adanismo de los escritores del interior. La crítica ha venido considerando de manera bastante unánime la discontinuidad cultural impuesta por el nuevo Régimen, no sin que falten en los últimos tiempos voces que la nieguen (Soldevila [2/1980] y [1982]) o que soliciten mayor circunspección en el dictamen (Mainer [1983]). Uno de los argumentos para rechazar tal adanismo es la consideración del número de escritores de preguerra que permanecen en España por su adhesión a la sublevación o por aceptar pasivamente sus consecuencias. El dato, a mi parecer, es interesante, pero insuficiente si, a la vez, no se valora su significación. Bien poco puede suponer, por ejemplo, la presencia de narradores como J. M. Salaverría, P. de Répide, C. Espina o R. León..., y, ni siquiera los nuevos títulos de otros nombres eminentes —un Baroja o un *Azorín,* por ejemplo— constituyen aportaciones de especial interés. Mas no en todos los géneros la situación es idéntica, aunque tenga rasgos semejantes. La ruptura en la novela fue bastante fuerte, como acabo de sugerir, y ello resulta evidente si se considera cómo la rica pluralidad de líneas heterogéneas y aun enfrentadas (desde la narrativa «deshumanizada»

3. La bibliografía sobre el exilio no es abundante y respecto de cada género se harán indicaciones específicas. El trabajo más importante es la serie dirigida por J. L. Abellán, ed. [1976-1978]. A él deben añadirse, con diverso valor informativo y crítico, AA. VV. [1982], M. Fresco [1950], V. Llorens [1975], C. Martínez [1959]. No deben olvidarse la crónica de Otaola [1952] y el *Catálogo...* [Anónimo 1979]. Una sucinta información de la producción literaria se halla en R. Velilla [1981].

hasta la social) que conviven durante el período anterior a la lucha desaparecen tras ésta. En la poesía, sin embargo, el panorama es algo diferente. Fracasados los intentos de una poesía heroica e imperial; agotado el garcilasismo —flor de un lustro—; inviable una «generación del 36», tal como la entendía Pedro de Lorenzo —acuñador de una etiqueta de larga y polémica suerte—..., otros influjos servirán de soporte estético a los poetas de los cuarenta. No es ajena a ello la deliberación enraizadora —si bien cautelosa— del «grupo de *Escorial*» y la coincidencia de que en él menudeen, entre los creadores, los poetas. Dionisio Ridruejo reivindica y defiende a Machado; Rosales, por sus relaciones de anteguerra, establece un puente con Neruda y Vallejo. Por otra parte, la casa madrileña de Aleixandre mantiene vivo el recuerdo del 27, que él mismo convierte en presencia viva, junto con Dámaso Alonso y, en menor medida, Gerardo Diego. Tampoco es extraño un lorquismo superficial y en fecha temprana Rafael Morales asegura la vigencia de Miguel Hernández. Todo ello es posible gracias, en parte, al carácter minoritario de la poesía y a la muy restringida circulación de las revistas poéticas. En cuanto al teatro, pervive y predomina el modelo de comedia fundado por Benavente, salvaguardado, además, por la incesante actividad del longevo dramaturgo. El prestigio social de la «comedia bien hecha», el peso del gusto del público, los intereses de los empresarios y la vigilancia censora coartaron de raíz cualquier intento de evolución. Nada se sabrá durante lustros de las posibilidades innovadoras de la dramaturgia de Valle-Inclán o García Lorca y, de este modo, se frustraron cualesquiera vías de renovación escénica. Mientras, en el exilio, un Max Aub estaba empeñado en un teatro imposible porque le faltaba el destinatario natural de sus piezas.

El recordado empobrecimiento es el resultado, también, de otros factores conexos con ese propósito de autarquía cultural. Fueron prohibidas las obras de numerosos intelectuales extranjeros cuya simpatía hacia la vencida República era notoria (algunos habían luchado en las Brigadas Internacionales). Idéntico veto sufrieron aquellas que discreparan de los principios políticos instaurados o que entraran en conflicto con el moralismo católico. Mucha literatura extranjera se editó en España, pero siempre de escasa significación y casi nunca de los autores que más han representado en el mundo de las ideas y de las formas de nuestro siglo. La literatura extranjera de más éxito y traducida con más frecuencia coincidía, en palabras de V. Bozal [1969], en que:

> Cualquier relación con la realidad [...] era pura coincidencia. Los sentimientos habían sido suplantados por la gazmoñería, los conflictos sociales y políticos se habían convertido en lucha de buenos y malos, la humanidad, un conjunto de tópicos más o menos acaramelados bajo la apariencia de grandes pasiones o de enormes conflictos dramáticos.

Nada más expresivo que la lista de narradores que tienen prioridad en los catálogos editoriales de los años cuarenta y que gozan del favor del público, según el mismo Bozal: M. Baring, V. Baum, P. S. Buck, Maugham, M. van der Meersch, C. Roberts, L. Zilahy, S. Zweig. La representación muy parcial de la cultura foránea es un factor más —de obligado recuerdo— a la hora de estimar el cuestionado adanismo interior. Si los escritores de la inmediata postguerra habían vivido las polémicas estéticas de los años treinta y habían alcanzado a conocer con regularidad desde la literatura soviética —bastante traducida entonces en España— hasta Faulkner, Proust o Joyce —presentes en los fondos editoriales de aquel momento—, los creadores de la siguiente promoción —a la que, a veces, se denomina de «los niños de la guerra»— se ven desasistidos de la mayor parte de las referencias de otras culturas, tan enriquecedoras e imprescindibles para cualquier hombre de letras. La búsqueda en clandestinas trastiendas de librerías no puede sustituir a una formación intelectual y artística sólida y, por consiguiente, un fuerte autodidactismo cultural acompaña a la autarquía político-económica. Las narraciones personales de cómo accedieron a la maduración intelectual aquellos aprendices de escritores de los años cuarenta son abundantes y constituirían un repertorio de situaciones hilarantes si no resultasen tan sórdidas. Pero, en fin, esto es materia de un período distinto que abarcaremos en el apartado siguiente. Añadamos, todavía, que la literatura extranjera de consumo que se traduce —en especial un tipo de novela-río cosmopolita y evasiva— contribuye poderosamente a configurar un determinado gusto en el público lector que, de modo inevitable, actúa sobre las posibilidades creativas —en particular en el terreno de la forma— de nuestros escritores.[4]

No con ánimo de exhaustividad, pero sí con el propósito de reconstruir en sus líneas capitales el perfil histórico de la época,

4. Otras referencias sobre algunas cuestiones aludidas en estas páginas. La bibliografía sobre la polémica «generación del 36» es amplia. Consúltense las páginas que le dedica García de la Concha [4/1973] y la introducción de F. Pérez Gutiérrez [4/1976], donde se hallará más información. En los últimos

debemos dedicar unas líneas, por lo menos, al papel de la censura. Inflexible fue durante los años cuarenta con todo vestigio de liberalismo político, sujeta estuvo, además, a la normativa eclesiástica y con frecuencia resultó mudable y contradictoria. El anecdotario de los usos censores es inacabable y con él se puede confeccionar una insuperable antología del desatino, pero conviene recalcar lo sustancial, la incertidumbre del creador, siempre expuesto al tajo depredador de un funcionario intransigente, malhumorado o temeroso de perder la ocupación. Además, no estaban del todo claros los principios inviolables, y el censor actuaba con enorme subjetividad y se veía presionado desde fuera por simples caprichos personales. A veces, incluso, el texto era víctima de encontrados intereses (eso le sucedió a un libro de tan acusado falangismo como *La fiel infantería,* de García Serrano). Si la censura política era estricta, la eclesiástica amordazó las escasas posibilidades de expresión libre. Recientes estudios sobre la censura van reconstruyendo su oscura historia, pero difícilmente pueden explicar un efecto indirecto de enorme trascendencia, el de la autocensura que el escritor —consciente o no de su actitud— se aplica para no trasgredir las inconcretas barreras de lo prohibido. Menos conocido y todavía insatisfactoriamente estudiado (a pesar de un reciente trabajo de Ilie [1981]) es otro fenómeno, casi siempre olvidado y, a mi entender, de primerísima importancia: el exilio interior de no pocos hombres de letras que, residentes en España, se vieron obligados a adoptar cautelosos pseudónimos, o a llevar una vida intelectual solitaria y marginada.

En conjunto —ya lo hemos dicho— la literatura de los cuarenta es de una acusada pobreza y hoy no tiene, por lo común, mayor interés que el de un documento de época. De la novela, no suelen recordarse más allá de dos o tres títulos; del teatro, es difícil encontrar alguna pieza de interés sobresaliente, dominado como está por el torradismo, el astracán o el neobenaventismo, mientras Mihura no logra estrenar sus revolucionarios *Tres sombreros de copa* y Jardiel, en parte, fracasa; la poesía, no obstante, alcanza mayores niveles de calidad y en estos años destacan, sobre todo, Aleixandre y Dámaso Alonso. Los rasgos generales que hemos considerado no se ofrecen, sin embargo, como un todo continuo que avanza sin modificaciones hacia nues-

---

años se han publicado diversos estudios relacionados con la censura: A. Beneyto [1975], G. Cisquella, J. L. Erviti y J. A. Sorolla [1977], M. Fernández Areal [1971], R. Gubern y D. Font [1975] y, sobre todo, para nuestro tema M. L. Abellán [1980].

tros días, y ni siquiera permanecen inalterables a lo largo de toda la década.

La literatura no sigue, sustancialmente, pasos distintos de los grandes ciclos que se dan en la historia de la cultura o en la historia política y varios estudiosos han reconocido fases distintas en ese proceso que, no obstante, resulta bastante homogéneo. Uno de los más atentos conocedores de esta dinámica, Elías Díaz [1974], ha señalado una frontera de cambio hacia 1945 que indicaría el paso de una concepción totalitaria del Estado hacia la recuperación de algunas precedentes formas culturales asimilables. Ese cambio no es ajeno al resultado de la segunda guerra mundial y de las inmediatas consecuencias que se derivan para nuestro país: cierre de fronteras, retirada de embajadores, autarquía económica, aislamiento político internacional. Todos estos condicionantes fomentan el aislamiento de nuestros escritores y, a la vez, avivan un nacionalismo a ultranza que, en su deseo de crear una cultura nacional propia, de cierta xenofobia intelectual, hará surgir las formas características de este momento. La actitud básica del conjunto de nuestros escritores tiene un signo tradicional, pero supone, al menos, la superación de la más inmediata práctica posterior al fin de la lucha. La literatura de neto compromiso político y de exaltación bélica pierde importancia casi por completo. Es interesante constatarlo en el teatro y en la novela (ya que, en buena medida, la poesía sigue caminos algo diferentes). El drama político de Pemán, o el de Benavente de *Aves y pájaros,* cede su lugar a una comedia burguesa conservadora (por su concepción formal e ideológica) en la que pronto sobresaldrán José López Rubio o Joaquín Calvo Sotelo (lo que no quiere decir que durante más largo tiempo no se produzcan algunas piezas de marcado carácter político); esta comedia —con todas sus limitaciones— es una respuesta al degradado teatro melodramático o pseudocastizo. En novela, se extiende una convencional narrativa de corte tradicional —muy decimonónica en sus planteamientos— que entraña, también, una superación de los relatos de militancia política. El nombre de Ignacio Agustí es representativo de una novelística burguesa dentro de la que, con matices diferenciadores, se hará popular Juan Antonio de Zunzunegui. Se extienden, además, las maneras motejadas de tremendistas y tanto un denso ruralismo como un difuso existencialismo invaden las páginas de la prosa de ficción.

Esta suma de síntomas —más la inclinación intimista de muchos poetas— permite afirmar que la literatura de la más inmediata postguerra conoce un discreto e interesante proceso evolutivo. Una fecha, la de 1944, significa, según algún crítico

(Dámaso Santos [1962]), la señal de un resurgimiento. En ella coinciden un par de valiosos y trascendentes poemarios (*Sombra del paraíso,* de Aleixandre, e *Hijos de la ira,* de D. Alonso) y una interesante novela (*Mariona Rebull,* de Agustí), pero, a mi entender, no constituyen sino fenómenos aislados y prominentes en un ambiente de apatía intelectual y de mediocridad creativa. Otros dos acontecimientos se podrían añadir en ese mismo año, aunque sus efectos se dejaran sentir, sobre todo, en tiempos ulteriores: la fundación de la leonesa revista *Espadaña* y el establecimiento del premio Nadal, obtenido en su primera convocatoria por una joven y novel escritora, Carmen Laforet, para su novela *Nada,* que constituyó uno de los episodios literarios más interesantes de la época y que obtuvo notable resonancia en los círculos exiliados (Otaola [1952]). También son atípicas —aunque valiosas— las experiencias del grupo cordobés que se aglutina en torno a la revista *Cántico* (que inicia su primera época en 1947) o de los integrantes madrileños del contestatario postismo (la revista del mismo nombre nace en 1945). Creo que la repercusión real de ambos juveniles movimientos fue mínima. Habrá que esperar el cambio de década para que se produzca una efectiva renovación. Un anuncio del camino que ésta emprenderá es el estreno en 1949 de *Historia de una escalera,* de Antonio Buero Vallejo.

2. Hacia el resurgimiento

Una serie de acontecimientos políticos cierran la década de los cuarenta y abren un nuevo período en el que se producen notables transformaciones socioeconómicas y se manifiestan públicamente actitudes críticas frente al Régimen. No hubo en toda esta época ninguna voluntad política de apertura, pero los condicionamientos externos obligaron —en contra de las propias convicciones de los círculos dirigentes— a emprender caminos de mayor modernización económica que, a la larga, acarrearon una renovación de la sociedad española. Así, la normalización de un masivo turismo internacional descubrió la existencia de una moral y unos hábitos muy diferentes a los de nuestra colectividad y ningún obstáculo pudo oponerse a su difusión a causa de los intereses económicos que iban emparejados. Otro fenómeno, también económico, el inicio del futuro desarrollo industrial, ocasionó grandes transformaciones sociales: movimientos migratorios que despueblan el campo y producen los suburbios proletarios de las grandes ciudades; emigración a Europa de un elevado número de trabajadores. En fin, dos detalles anecdóticos encierran gráficamente esta profunda transformación: a comienzos de la década desaparecen las cartillas de racionamiento y acaba una autarquía no sólo económica; a finales, aparece el popular utilitario de la casa SEAT conocido como el «600», responsable de muchos cambios en los usos y en las costumbres.

Estos fenómenos se dan y se consolidan a lo largo de los años cincuenta, que se inician con esos destacados acontecimientos políticos aludidos más arriba. Precisamente el año que abre la década es pródigo en noticias: las Naciones Unidas suspenden el veto diplomático contra España y Estados Unidos envía a su representante en diciembre. Ello supone el fin del aislamiento y la incorporación del país a la comunidad internacional: en 1952 es admitido en la UNESCO y en 1955 se integra en la ONU; al tiempo, se ha producido el restablecimiento generalizado de relaciones diplomáticas. Las barreras censoras siguen siendo fuertes, pero ya no impermeables, pues resultará más difícil impedir el contacto con el resto del mundo. Nuestros escritores serán muy receptivos de todos estos sucesos y, sobre todo, los jóvenes que por entonces inician su carrera los aprovecharán para viajar al extranjero y nutrir sus ansias de información. Aunque con muchas dificultades y casi siempre de manera subrepticia, irán llegando publicaciones y libros —éstos, sobre todo, en traducciones hispanoamericanas, con frecuencia de editoriales dirigidas por exiliados republicanos— que permiten difundir algo de lo más significativo de la cultura occidental.

La implantación, por tanto, de una fase distinta de la cultura de postguerra en el alborear del medio siglo viene avalada por esa suma de circunstancias, que no dejan de reflejarse en la vida del pensamiento y en las manifestaciones artísticas. El citado Elías Díaz [1974] inaugura una nueva etapa de este proceso en 1951 y enuncia unos epígrafes definidores del lustro entonces empezado que constituyen los elementos sustanciales del cambio: liberalización intelectual y apertura política internacional; diálogo con el exilio, primeras conexiones con el pensamiento europeo y crisis universitaria del cincuenta y seis. En la literatura, de manera paralela, tienen lugar unos iniciales y no bien precisos tanteos, seguidos de un imparable proceso renovador, el cual se patentiza en el transcurso de la década y es evidente en su segundo lustro y primeros años de los sesenta. Ya hemos señalado cómo el estreno de *Historia de una escalera,* de Buero Vallejo, constituye un síntoma apreciable. También en la prosa narrativa aparecen, por las mismas fechas, varios títulos representativos de un cambio de sensibilidad: *Las últimas horas* (1950), de José

Suárez Carreño, *La colmena* (1951), de Camilo José Cela, y *La novia* (1952), de Luis Romero. Tanto el drama de Buero como las novelas que acabamos de citar coinciden —por encima de toda clase de diferencias— en su adhesión a un proceso más vasto que puede describirse como el lento caminar de nuestra literatura hacia la recuperación de la realidad cotidiana e histórica, hasta entonces enmascarada bajo las formas del compromiso panegírico o de la evasión. En la misma línea se manifiesta la producción de un núcleo de poetas —Ángela Figuera, Gabriel Celaya, Victoriano Crémer, José Hierro, Eugenio de Nora, Blas de Otero— que, acordes con el compromiso ético y el valor humanitario de la poesía proclamado en *Espadaña,* avanzan con claridad hacia una concepción cívica de la literatura. Fechas significativas de sus poemarios revelan, incluso, un adelanto sobre los otros géneros en la consolidación de las tendencias realistas y, en cualquier caso, confirman ese amplio movimiento regenerador: *Las cartas boca arriba* (1951), de Celaya; *Ángel fieramente humano* (1950) y *Redoble de conciencia* (1951), de Blas de Otero: *Quinta del 42* (1952), de Hierro; *España, pasión de vida* (1953), de Nora.

Durante los años cincuenta conviven —al margen de algunas meras supervivencias físicas— dos grupos generacionales de escritores distintos: por una parte, la primera promoción de postguerra, integrada por los creadores a los que nos hemos referido en el epígrafe anterior de este capítulo; por otra, una nueva generación —a la que puede denominarse del medio siglo—, que se da a conocer en su gran mayoría por estas fechas, y de cuyas ambiciones y proyectos estéticos hablaremos en seguida. Aquellos consolidan una obra iniciada en la década anterior y confirman su notoriedad pública (por citar unos nombres, López Rubio o Calvo Sotelo, en teatro; Cela, Delibes o Zunzunegui, en novela). La nueva generación alcanza el protagonismo literario en esta década y a lo largo de ella impulsa una estética diferente a la de los mayores. Un dramaturgo, Buero Vallejo, ha hecho su aparición algo tardíamente —en relación con la fecha de su nacimiento— y por su significación debe relacionarse con la literatura más joven. Con ésta, también, hay que vincular a los poetas que hemos mencionado hace un momento.

La generación del medio siglo está integrada por un nutrido grupo de escritores que pueden ser presentados de forma unitaria (sin forzar los hechos en virtud de periodizaciones o de clasificaciones de utilidad pedagógica) porque en ellos coinciden rasgos biográficos y estéticos tan acentuados que forman un auténtico grupo, promoción, generación o como se quiera designar el fenómeno. El primer rasgo distintivo es una cronología que sitúa sus fechas de nacimiento entre el final de la guerra y unos diez o doce años antes. Se trata, por tanto, de una promoción cuyo hecho biológico primordial es no haber participado en la lucha, con la que han mantenido, sin embargo, una decisiva relación en cuanto testigos infantiles o juveniles de la misma. Ya en la madurez, se consideran víctimas de la guerra, herederos morales de los vencidos y espectadores críticos de una degradada situación sociopolítica derivada de la contienda civil. Un segundo rasgo proviene de la coincidencia de las principales fechas de publicación. Si nos atenemos a sus colaboraciones periodísticas o a su participación en revistas, sus primeras comparecencias públicas se sitúan muy a finales de los años cuarenta; a mediados de la década siguiente su presencia es incuestionable como fenómeno vivo de nuestras letras y poco más tarde encarnan y defienden públicamente una nueva concepción de la literatura. Un último rasgo general se concreta en los caracteres específicos de esa concepción, que puede resumirse en una postura realista, de carácter crítico y, a veces, de intencionalidad política. Pronto veremos con más detalle todos estos rasgos.

El proceso de desarrollo de este movimiento artístico generacional fue lento y estuvo, además, condicionado por las peculiares exigencias de cada género literario. Supuso, por otra parte, una nueva vinculación del arte y la política —aunque de signo contrario a la que caracterizó a la década anterior—, sin la cual no es posible entender ni el fondo ni la forma de la nueva literatura. Por eso debemos detenernos, siquiera sea con brevedad, en una fecha de importancia crucial para todo este movimiento, la de 1956. En este año estaba prevista la celebración de un nonato Congreso de Escritores Jóvenes que, en buena medida, recogía una corriente de inquietud juvenil por el estado de nuestras artes que ya había dado lugar a unas agitadas jornadas sobre cine y había mostrado su intranquilidad por la depauperada situación de la escena española. El Congreso, sin embargo, alcanzaba más importancia por su dimensión nacional que concitaba, bajo el patrocinio oficial del rectorado madrileño, regido por Pedro Laín Entralgo, numerosas voces críticas, representativas de un amplio espectro político. Eran momentos en los que se intuía la posibilidad de un cambio, de una liberación que, al menos en la esfera educativa, podían encarnar Joaquín Ruiz Jiménez al frente del ministerio y Antonio Tovar en el rectorado salmanticense. En la cabeza organizadora del Congreso estaba un luego conocido escritor social, Jesús López Pacheco, y tuvo un papel descollante un futuro prohombre del socialismo, Enrique Múgica. Otros nombres más tarde notables participaron en aquel movimiento: José Luis Abellán, Julio Diamante, Fernando Sánchez Dragó. Los papeles ciclostilados que circularon contenían interesantes propuestas: una reivindicación del protagonismo en las letras de aquella juventud que renegaba de casi todos sus predecesores, de la necesidad de un realismo testimonial, de la conveniencia de una literatura documental (de donde surgirían los característicos libros de viaje de la época). También presentaban una explícita defensa del relato breve como forma característica de esta promoción. Pero todo ello es de importancia secundaria frente a lo que el tiempo reveló como sustancial: la confluencia en aquel momento de un acentuado criticismo juvenil y universitario que, bajo el pretexto de una regeneración literaria, manifestaba su protesta política. Este radical inconformismo universitario había de inspirar la estética literaria de los cincuenta. Unos violentos enfrentamientos callejeros fueron la excusa para el cese de Ruiz Jiménez y el retorno a una línea de mayor dureza. El Congreso no pudo llevarse a cabo, pero resultaba clara la existencia de un movimiento colectivo que, minusvalorado por el propio Franco (se refirió despectivamente a aquel grupo de «jaraneros y alborotadores»), tendría un papel relevante tanto en la vida pública como en las letras y, dentro de éstas, impulsaría una confusa amalgama de voluntarismo político y de populismo literario.

La nueva literatura que se asienta durante los años cincuenta ha recibido numerosas denominaciones: del realismo histórico (José María Castellet), testimonial (Juan Carlos Curutchet), generación del cincuenta y cuatro (Pablo Gil Casado), de 1950 (José Ortega), sesentista (Rafael Bosch), Intermedia (Dámaso Santos). Algunos hablan de «los niños de la guerra», otros del realismo social e incluso no sería improcedente sustituir este eufemismo por literatura del realismo socialista. En fin, entre tanto marbete, parece que se va generalizando el uso de «generación del medio siglo», que es el que aquí emplearemos.

Algunos aspectos vitales relacionan a aquellos jóvenes escritores. En primer lugar, una formación cultural y literaria semejante. Se ha hecho hincapié en el origen obrero de algunos de ellos y en su paso por diversos oficios hasta llegar al mundo de las letras (por ejemplo, Juan Marsé, o Lauro Olmo, o Francisco Candel), pero la mayor parte son de extracción social media o media acomodada y casi todos han transitado por las aulas universitarias (predominan los licenciados en Filosofía y Derecho; varios ejercen la enseñanza, otros son funcionarios del Estado, también hay algún ingeniero). El rechazo de la Universidad ha sido generalizado y su formación ha tenido un marcado carácter autodidacta. Los obstáculos que la censura ponía a la difusión de la cultura extranjera hizo que sus lecturas fuesen un tanto azarosas y sólo con el tiempo, y sorteando las dificultades, llegaran a adquirir una formación cultural y artística acorde con los tiempos modernos. Bastantes de estos escritores han narrado su anecdotario personal —tan divertido como desolador— para conseguir los libros vetados y han reconstruido las dramáticas condiciones intelectuales en que vivieron su época de formación, en la que el hecho de poseer uno de aquellos títulos ansiados proporcionaba al afortunado aureola de prestigio. En la medida de lo posible, aquella indigencia era compensada por la rápida difusión de cualquier descubrimiento a través de diversas tertulias y en los círculos de profundas relaciones personales que establecen. Hasta cierto punto, esta literatura surge de los estímulos amistosos de dos grupos afincados en Madrid y Barcelona, en los que las vinculaciones son tan íntimas que, en varios casos, acaban en el matrimonio (Eva Forest y Alfonso Sastre; Josefina Rodríguez e Ignacio Aldecoa y otras parejas más).

En medio de estas adversas circunstancias, los escritores del medio siglo pudieron reconstruir un marco de referencias que está constituido, fundamentalmente, por la generación maldita norteamericana, por el neorrealismo italiano (tanto cinematográfico como literario) y por el objetivismo francés. También contó el existencialismo y más tarde la teoría marxista de la literatura. Entre las referencias hispanas, Machado, Unamuno y Baroja —de los autores del 98—, *Clarín* y Larra, fueron los principales estímulos, ya que con propiedad no puede hablarse de modelos (salvo, quizás, algunos influjos machadianos muy directos en poesía). Ese marco, sin embargo, se forjó de manera paulatina y se logró cuando ya habían realizado una parte significativa de su obra, lo que explica la escasa consistencia intelectual de bastantes de sus primeros escritos, que procedían más de reacciones emotivas ante la realidad —de ahí el desgarro y la visceralidad agresiva de no pocos textos— que de una sólida visión del mundo. Los poetas fueron más afortunados, pues las numerosas revistas de poesía y alguna colección de libros facilitaron traducciones de lo más significativo de la lírica occidental.

La literatura de la generación del medio siglo se desarrolló con enorme pujanza gracias al patrocinio de algunos críticos y teóricos que la defendieron en libros, revistas y periódicos. Es fundamental, en este sentido, la labor de Alfonso Sastre y la publicación de sus manifiestos teatrales, acompañados de una actitud personal polemista y agitadora. A causa de su primordial preocupación por específicos temas teatrales, se suele ceñir su influencia al terreno de la estética dramática, pero, en rigor, sus postulados abarcan mucho más que este estricto dominio. Sastre se convirtió en el teórico más destacado e influyente por sus especulaciones sobre los límites y exigencias del realismo, y fue, de hecho, el paladín de una literatura de compromiso (véanse las pp. 253 y ss., dedicadas a su teatro). También resultó decisiva —y de un eco no inferior al de Sastre— la contribución del crítico y editor catalán José María Castellet. Ensayista certero y escuchado, colaborador en revistas de audiencia y prestigio universitario, en su persona reunió condiciones que le convirtieron en portavoz de la joven generación. Fue madrugador y afortunado recensionista de *La colmena* o *El Jarama,* en las que subrayó los rasgos distintivos de la nueva literatura. Difundió y propugnó la idea de la necesidad de un arte arraigado en sus circunstancias históricas a través de numerosas publicaciones. Escribió, entre otros, tres importantes y polémicos libros, de perdurable memoria, aunque luego se distanciara de las posturas que entonces sostuvo. El primero, *Notas sobre literatura española contemporánea* (1955), recopilación de artículos y reseñas, por su impulsividad juvenil, por la fecha de publicación, por la defensa de un objetivismo realista, tiene algo de manifiesto generacional. El segundo, *La hora del lector* (1957), está dedicado «A los escritores españoles de mi generación» y sobre ellos ejerció una gran influencia, e, incluso, adquirió un valor normativo en su exigencia de un distanciamiento narrativo del escritor, que se dejó sentir en el extremado objetivismo de no pocos relatos mediseculares. Por fin, una antología de poesía precedida de amplio estudio, *Veinte años de poesía española* (1960; titulada después *Un cuarto de siglo de poesía española,* 1965), ofrecía una visión histórica de nuestros líricos de postguerra puesta, en la dedicatoria del volumen, bajo la advocación de Antonio Machado. Otros críticos hicieron una constante labor de propagación de la nueva estética, de manera muy destacada Ricardo Doménech mediante sus artículos de crítica teatral en *Acento Cultural* o sus comentarios en *Ínsula.*

Mención aparte merece la vinculación de algunos estudiosos, críticos y creadores con editoriales que, aconsejadas por ellos, promovieron la literatura del medio siglo. Antonio Rodríguez Moñino asesoró a Castalia, editora de la *Revista Española*; para esta misma casa dirigió una colección de novela cuyo primer título, *Los bravos,* de Jesús Fernández Santos, se reveló, pasado un tiempo, modelo de concisión realista. Rafael Vázquez Zamora contribuyó con una extensa labor periodística y con su ascendiente en la editorial Destino. Aunque de vida efímera, la editorial Horizonte se interesó en los nuevos escritores, solicitados por el también narrador y poeta Jesús López Pacheco, quien, además, recibió un galardón de la Embajada italiana por su labor de divulgación de la cultura contemporánea de la vecina península en España. El mayor peso, responsabilidad y mérito en la consolidación de la estética del medio siglo debe atribuirse al poeta y editor Carlos Barral, quien en estrecha colaboración con Castellet, y con el apoyo de Jaime Salinas y de Joan Petit, dirigió la editorial Seix Barral, la empresa cultural más importante, moderna e influyente del país durante varios lustros. La modernización intelectual de España, la formación de sucesivas promociones universitarias halló un inexcusable soporte en un catálogo atento a las novedades extranjeras —tanto en la creación como en el ensayo— hasta donde los mecanismos censores permitían. Seix Barral fue la auténtica plataforma de los escritores testimoniales y, en cierta medida, otorgaba patente de calidad y vigencia, en tiempos de tanta ignara mediocridad, a quienes en ella publicaban. Su éxito no fue ajeno —aparte la incuestionable calidad y acierto de su línea editorial— a ciertas complicidades políticas con la izquierda, pero su mérito supera cualquier circunstancial limitación.

Un elemento más me parece imprescindible recordar entre los que intervinieron en la difusión de la literatura del medio siglo: las revistas. Varias de ellas, vinculadas con el sindicato universitario oficial —el SEU—, acogieron manifiestos teóricos, reivindicaciones generacionales, proclamas renovadoras, crítica artística —cinematográfica, plástica y literaria— y muestras creativas coincidentes en sus postulados estéticos. En *La Hora* dio a conocer Sastre uno de sus polémicos manifiestos; en la barcelonesa *Laye* escribieron Castellet y Gabriel Ferrater; *Acento Cultural* fue la más importante y la nómina de sus colaboradores congregó a la plana mayor de la literatura social (allí vio la luz en sucesivas entregas algún prototípico libro de viajes). Recordemos, también, las ya mencionadas *Revista Española,* que aglutinó un núcleo germinal de aquellos escritores (en su redacción estaban Aldecoa, Sánchez Ferlosio y Alfonso Sastre) e *Ínsula,* que animó desde sus páginas aquel movimiento.

La suma de este conjunto de factores fraguó en una estética de caracteres homogéneos. En el lugar correspondiente de cada uno de los capítulos posteriores se verán las formulaciones estilísticas y las inquietudes temáticas que afectaron al teatro, la poesía y la novela, pero aquí quiero insistir sobre un par de cuestiones. En cuanto a los temas, es de observar que, frente a la literatura de los cuarenta, estos jóvenes escritores no quieren hablar en sus obras de la guerra. Voluntariamente se distanciaron de unos sucesos en los que no han participado de manera activa y de los que, por consiguiente, no pueden ofrecer un testimonio directo. No ignoran, sin embargo, las consecuencias sociales y políticas del conflicto, que aparecen con reiteración en sus textos. Esta actitud es la que genera uno de los más interesantes motivos de la literatura —sobre todo, de la narrativa— de la época, la frecuencia con que aparecen protagonistas infantiles, desde cuya mirada inocente se filtra el mundo fratricida de los mayores, cuyos comportamientos remedan con un mimetismo de dramáticas consecuencias.

Los temas, en su mayor parte, responden al deseo de presentar un testimonio cuasidocumental de la realidad social del país, con una intencionalidad crítica. Por ello, se desciende al mundo laboral y, para acentuar el testimonio, se recogen numerosos datos de la vida cotidiana (ínfimas condiciones de existencia, míseras comidas, angustias e inquietudes de cada día). Las clases menos privilegiadas ocupan el protagonismo habitual de estas obras y en los escenarios teatrales llama la atención el cambio que se opera respecto de los tradicionales y confortables salones de la comedia burguesa, ahora sustituidos por pobres interiores, escaleras o patios de vecindad, tabernas humildes...

Uno de los aspectos más característicos de toda esta promoción literaria es el debate sobre la función de la literatura, cuestión medular por la frecuencia —casi en los límites del hastío reiterativo— con que se planteó —innumerables mesas y reuniones debatían la misión de la poesía, el teatro o la novela— y por su impacto en la propia creación, supeditada a unas discusiones que, en el fondo, eran más ideológicas o políticas que estéticas. Todos los escritores del medio siglo comparten un sentido ético de la literatura, en la línea del *engagement* sartreano (*¿Qué es la literatura?* devino libro de cabecera no siempre bien entendido). El compromiso moral e histórico del escritor con el hombre postulado por Jean-Paul Sartre se transformó, en no pocos casos, en el auténtico trampolín desde el que se podía dar el salto para exigir una explícita función política de la literatura. Por lo común, una inmensa mayoría de los escritores españoles de los años cincuenta, y no sólo los más jóvenes, coinciden en admitir la función social de la literatura, al margen de sus tendencias artísticas y del grado de su compromiso personal. Concebida esta función en términos más o menos amplios, las poéticas recopiladas por Leopoldo de Luis [4/1965] y los numerosos entrevistados por Eduardo G. Rico [1971] o Sergio Vilar [1964] defienden una misión social del arte: así lo vemos en declaraciones de creadores con estéticas tan distintas como Carlos Bousoño o Jaime Gil de Biedma, Luis Romero o Armando López Salinas. Desde luego, la literatura no es un arte gratuito e inocente, según lo expresaban los conocidos versos de Gabriel Celaya (véase, más adelante, el poema completo en las pp. 354-5):

Maldigo la poesía concebida como un lujo
cultural por los neutrales.
que, lavándose las manos, se desentienden y evaden.
Maldigo la poesía de quien no toma partido hasta mancharse.

Es preciso advertir, sin embargo, que muy pocas son las voces que de manera explícita reclaman una instrumentalización total del arte y, por el contrario, se suele condenar la reducción de la literatura a una función vicaria, por muy estimables que parezcan otros fines humanitarios, sociales o políticos. Sí conviene recordar, no obstante, que existieron planteamientos de un neto populismo (por ejemplo los del narrador Francisco Candel) y postulados que condicionaron la existencia de la literatura al progreso socialista. Así lo hacía Alfonso Sastre en su conocido manifiesto «Arte como construcción» (1958) al sostener que lo social es una categoría superior a lo estético y al defender que la misión del arte en el mundo injusto en que vivimos consiste en transformarlo.

Lo que el debate trató de centrar fue en qué grado debían verse afectados los componentes expresivos por esa función extraliteraria. En el terreno de las manifestaciones teóricas, también hubo sustancial acuerdo en la necesidad de preservar la dignidad del estilo, pero, de hecho, se extendió una estética de la pobreza que, en virtud de una comunicación inmediata y en atención a un destinatario de escasa formación cultural, desatendió los aspectos constructivos y degradó el vehículo lingüístico hasta límites de estricta funcionalidad.

En este contexto, tuvo lugar una polémica de inhabitual interés centrada en lo que vino en llamarse «posibilismo». Diferentes críticos y creadores intervinieron en ella, pero la polarizaron dos dramaturgos, Antonio Buero Vallejo y Alfonso Sastre (su escenario estuvo en las páginas de la revista *Primer Acto* durante los meses de mayo a octubre de 1960). La discusión surgió de la actitud que debía adoptar el creador frente a unas estructuras políticas que coartaban la creación en libertad. Buero se mostró partidario de una postura «posibilista» que, en beneficio de un progreso artístico y social, entrañaba la lucha por conseguir márgenes más amplios para la expresión libre y la utilización de los resquicios que dejaba la censura. Sastre, al contrario, defendió el «imposibilismo», pues prefería negar de raíz ese margen de maniobra y llegó a acusar a las posturas contrarias de colaboracionismo. La polémica —que en algún momento alcanzó expresiones crispadas— es capital para entender uno de los más radicales problemas del escritor español de la postguerra y no puede olvidarse a la hora de valorar los mecanismos internos de la creación. Exteriorizasen o no sus opiniones sobre esta cuestión, todos nuestros autores se vieron condicionados por esa disyuntiva y la decisión adoptada repercutió en los resultados artísticos. Ni es mi intención terciar en la polémica ni este libro resultaría lugar adecuado para ello, pero no podemos sustraernos a una consideración sobre sus resultados. El «imposibilismo» de Sastre desembocó en un teatro realmente imposible, porque no pudo estrenarse. El posibilismo de Buero forzó una acentuación de los componentes simbólicos de su teatro que le hicieron renunciar a un realismo más inmediato y le obligaron a una progresiva alegorización que le aleja, a mi entender, de sus mejores cualidades.

Los diferentes géneros literarios, según antes indicaba, imponen peculiaridades en la evolución cronológica de las letras del medio siglo. La poesía es precursora de las formas del realismo comprometido y, a la vez, acusa los síntomas iniciales de una posterior evolución. El grupo de poetas jóvenes cuya obra se desarrolla desde mediados de los años cincuenta (José Manuel Caballero Bonald, Jaime Gil de Biedma, Ángel González, José Agustín Goytisolo, Claudio Rodríguez, José Ángel Valente...) sostiene una actitud ética y un compromiso histórico, pero supera las exigencias formales y temáticas del realismo social, mientras que éste perdura bastante tiempo en los otros dos géneros. El proceso teatral, por el contrario, es más tardío y reviste caracteres particulares. Las teorías que predican un drama comprometido son tempranas, pero los específicos condicionantes del teatro (una complicada estructura teatral, enemiga del riesgo; una censura mucho más dañina al decidir sobre el texto y, con posterioridad, sobre el montaje) impidieron su desarrollo. Por ello, si hablamos de literatura dramática (editada o no), el proceso sería semejante al de la novela; en cambio, si nos referimos a su materialización como espectáculo, el proceso es más tardío y, en buena medida, inexistente, ya que, cuando, en los años sesenta, los llamados dramaturgos realistas acceden a los escenarios, son contestados por unas nuevas concepciones dramáticas.

El abuso de la literatura obrerista y antiburguesa y su pretendido exclusivismo estético condujeron, a lo largo de los años sesenta, a un generalizado descrédito. Solamente una amplia coincidencia de factores pudo conseguir que en pocos años se pasara de la «escuela de la berza» a la «del sándalo», según las etiquetas que entonces estuvieron de moda. Se cuestionó la validez del testimonio, tal y como hasta el momento se había entendido, pues unas relaciones sociales bastante complejas (las correspondientes a un país en proceso de desarrollo, con profundas tensiones y en un marco político autoritario) no podían atestiguarse mediante criterios simplificadores (el bondadoso obrero frente al desalmado burgués). Se comprendió que sobre la persona no actúan únicamente determinantes socioeconómicos. Pero, sobre todo, se percibió la inutilidad de una estética que había fracasado por sus dos flancos principales: era estéril como vehículo de concienciación y de agitación política y, por tanto, resultaba injustificable la degradación artística que se había postulado en virtud de esos objetivos extraliterarios. Dicho de otra manera, no había servido para derrocar al régimen franquista y, por si fuera poco, la literatura resultante era mediocre. Además, se habían confundido los campos de actuación y gentes moral y políticamente bienintencionadas, pero de dudosa capacidad artística, habían recalado en el puerto de la literatura. En fin, se hacía inevitable y urgente una renovación.[5]

El proceso, pues, seguido durante los años sesenta parte, a grandes rasgos, de una inquietud por hallar un camino que diese salida artísticamente valiosa y moderna a una situación estancada. En un principio, el propósito cívico, ético y crítico permanece en el trasfondo intencional de la mayor parte de los escritores, tanto de los de la generación del medio siglo como de otros más jóvenes que se dan a conocer en el segundo lustro de la década. De manera progresiva, este componente crítico se verá relegado a favor de una literatura pura. El dilema básico que se trata de resolver es el de cómo conciliar visión crítica y

5. La bibliografía sobre la generación del medio siglo es nutrida. En su vertiente estrictamente literaria, daremos la oportuna información en los sucesivos capítulos de este libro, pero adelantamos varios estudios que inciden en el panorama general de época: H. Esteban Soler [2/1971-1973], A. Hernández [4/1978], C. Oliva [3/1979], S. Sanz Villanueva [2/1980]. Sobre los sucesos del año cincuenta y seis puede verse P. Lizcano [1981] y R. Mesa, ed. [1982]. Son sugestivas las explicaciones de F. Morán [1971] y M. Lamana [1965] y resultan interesantes las memorias de Carlos Barral [1975 y 1978]. Para el grupo catalán ha de consultarse L. Bonet [1983]. Sobre la importancia del mundo infantil en la creación puede verse E. Godoy [1979] y D. Villanueva [1971-1973]. Aparte las referencias indicadas en el texto, contiene informaciones interesantes F. Campbell [1971].

modernidad literaria y para ello se indaga una adecuada renovación temática y formal. En cuanto a la forma, se tiende a una reivindicación de los postergados aspectos expresivos, desde la composición hasta el lenguaje y, en consecuencia, predomina la innovación y la experimentación en todos los géneros. Esta inquietud formalista es la que permanece inalterable a lo largo de los sesenta, mientras que la actitud de los escritores respecto de los contenidos se disocia según transcurre la década. Cobran importancia nuevos temas y, por lo común, se huye de una simple representación mimética de la realidad, que es sustituida por alegorías y símbolos. En términos generales, se abandona la descripción de un referente inmediato, pero con diversos grados de intensidad. En el teatro y en buena parte de la novela, esas formas novedosas siguen estando al servicio de un enjuiciamiento crítico de la realidad. En cambio, otro sector de la literatura centra el interés en la exploración de las posibilidades expresivas derivadas de la investigación lingüística. Así, un nutrido grupo de novelas se desentiende de la realidad exterior, de las preocupaciones del hombre de la calle y se dedica a discurrir sobre problemas específicamente literarios (por ejemplo, sobre el propio proceso de creación artística); toda una corriente poética rechaza con energía cualquier testimonialismo. Pero, hasta que se produzcan estas últimas reacciones de corte vanguardista, se desarrolla un largo proceso que, tras diversas singladuras en pos de la renovación, desemboca en una común reivindicación de un arte más imaginativo y menos sujeto a cualquier clase de hipotecas.

Los signos externos más evidentes de este cambio proceden, en primer lugar, de la narrativa. El libro ancilar es *Tiempo de silencio,* que, probablemente, tuvo una función histórica ajena a la deliberación de su autor, Luis Martín-Santos. Sobre un trasfondo histórico y social muy concreto y a partir de una intencionalidad testimonial, levantaba un edificio formal y lingüístico muy novedoso (al menos aquí y entonces). Pero era, sobre todo, un síntoma al que se sumaban otros varios. Si seguimos en el campo de la narrativa, de gran importancia es la adjudicación en 1962 del premio Biblioteca Breve a Mario Vargas Llosa por *La ciudad y los perros.* A partir de este momento se produce una invasión de novelas y novelistas hispanoamericanos y se lleva a cabo una promoción literaria y comercial de amplias dimensiones. Al margen de lo que pudiera haber de oportunismo en esta operación y de la visión parcial que ofrecía de las letras hispanoamericanas, traía a las nuestras una doble incitación novedosa y renovadora, la incorporación de un cierto exotismo en los argumentos y en las situaciones y un estilo neobarroco y antiacademicista muy alejado de la prosa bastante funcional de la más reciente novelística. Esta última literatura, protagonizada en buena parte por autores hispanoamericanos, es una de las fuentes de la renovación formal y, como tal, fue bien aceptada por un sector de nuestros escritores, mientras que otro dio lugar a una incruenta pero, a veces, crispada polémica en torno a lo que se dio en llamar el «boom» hispanoamericano.

Estos factores no son los únicos que contribuyen a la mencionada transformación, pues, como es habitual, una sola causa no actúa como detonante de tan radical cambio. Un jalón importante lo constituye la mudanza de opinión respecto de la literatura anterior de quienes antes había defendido y contribuido a consolidar su estética. Particular influencia tuvo la actitud de Carlos Barral y José María Castellet. Éste, en una serie de artículos publicados en los años sesenta, desautoriza los principios que hasta entonces habían sustentado la materialización del compromiso literario. Barral, por su parte, en un tajante ensayo de 1972, condenaba aquellas prácticas que él mismo había patrocinado como editor —su obra creativa, sin embargo, había discurrido por otros senderos— y denunciaba la desnaturalización lingüística que se había producido, sobre todo en la poesía, en años precedentes. Aparte del indudable eco que estos juicios alcanzaron, su trascendencia fue singular ya que esta nueva orientación privaba a la literatura de compromiso social de sus soportes de difusión básicos al negarle el apoyo editorial de que antes se había beneficiado.

Apenas rebasada la mitad de la década, la publicación de varios sintomáticos libros coincide en un mismo año, 1966, y evidencia (al margen de las diferencias entre ellos y entre sus autores, que ya comentaremos en el capítulo correspondiente) que ese proceso de transformación es irreversible y puede considerarse consolidado. Me refiero a *Señas de identidad,* de Juan Goytisolo, *Últimas tardes con Teresa,* de Juan Marsé, y *Cinco horas con Mario,* de Miguel Delibes. El título mencionado de Goytisolo, y su propia postura personal, encarnan muy bien esa copernicana evolución, ahora desde la perspectiva de los mentores de la generación del medio siglo. En efecto, no sólo los poetas, también los novelistas hicieron bandera de Antonio Machado (otra cosa es el acierto con que se leyera su obra y las distorsiones que sobre la misma produjera la imagen ética y cívica del sevillano). El propio Goytisolo había puesto bajo el patrocinio de un poema de *Campos de Castilla,* «El mañana efímero», su trilogía social y obrerista del mismo título. En los años sesenta se sustituye la advocación de Machado por la de un poeta hasta entonces bastante olvidado, Luis Cernuda, y la segunda persona autorreflexiva de *Señas de identidad* procedía, según ha señalado la crítica, de *La realidad y el deseo*.

De nuevo hay que acudir a criterios generacionales para dar razón —por lo menos, una, entre otras— de los cambios que se están produciendo. Hacia finales de los sesenta hace su entrada pública en el mundo de las letras una promoción cuyas fechas de nacimiento se sitúan entre 1936 y 1950. Es esta nueva promoción la que culmina el anterior proceso y establece sólidamente las bases de una literatura radicalmente distinta a la predecesora. Esto ocurre en los tres géneros. Los poetas recogidos por Castellet en su antología de «novísimos» habían nacido entre 1939 (Manuel Vázquez Montalbán, Antonio Martínez Sarrión, José María Álvarez) y 1948 (Leopoldo María Panero) e incluía, además, a Félix de Azúa (1944), Pedro Gimferrer (1945), Vicente Molina-Foix (1946), Guillermo Carnero (1947) y Ana María Moix (1947). Al menos cuatro de estos poetas son, también, novelistas que publican su primer relato en el tránsito de los sesenta a los setenta. Por las mismas fechas se inician, además, otros narradores (véanse pp. 167 ss.) que comparten un común entusiasmo formalista. Algo semejante ocurre en el teatro, aunque su cronología esté siempre más mediatizada por factores externos. Por aquellas mismas calendas tratan de revelarse los dramaturgos del llamado teatro *underground* (véanse pp. 295 ss.), que, igualmente, aportan una concepción irrealista y experimental y buscan sus fuentes en el absurdo y en el expresionismo esperpentista.

Si en novela no hay un texto teórico o crítico que de forma programática avale la nueva situación, por el contrario, dos títulos, referidos a la poesía y al teatro, son el síntoma claro de que ha adquirido un estatus público. Se trata de dos obras que generaron, cada una en su campo, encendidas polémicas: la antología de José María Castellet, *Nueve novísimos poetas españoles* (1970), y el libro de George E. Wellwarth, *Spanish Underground Drama* (1972). En novela, en cambio, sí que existe un fenómeno —de marcado carácter comercial— que tiene lugar también en 1972 y que supone la constatación de la presencia pública de esa hasta entonces selecta literatura. Me refiero a la presentación, en una operación conjunta, de un grupo de novelistas (predominantemente de la última promoción, pero entre los que también figuraba alguno mayor) que, apadrinados por dos editores tan distintos como Barral (Barral Editores) y Lara (Editorial Planeta), coincidían en esas líneas renovadoras y formalistas.

Como puede observarse, la proximidad de las fechas de esos significativos indicios es evidente y, además, los planteamientos de los escritores implicados en los libros de Castellet y Wellwarth y en la promoción novelesca de Barral-Lara resultaban coincidentes, más allá de las peculiaridades exigidas por el género que practican o por su idiosincrasia (y sin que debamos olvidar lo que antes señalé respecto de las variables actitudes críticas). Por otra parte, en este mismo contexto tiene lugar un doble y sintomático fenómeno —al que aludiré otra vez en su oportuno momento— que encuentra su mejor explicación en las nuevas circunstancias estéticas que viven las letras españolas. Por una parte, Juan Benet logra el reconocimiento de las minorías cultas entre 1968 y 1970. Por otra, Gonzalo Torrente Ballester obtiene, por fin, crédito como novelista en 1972 con *La saga/fuga de J. B.*, un libro culturalista, mítico, fantástico y de no fácil lectura. La consagración de estos dos escritores no debe tomarse como una anécdota, pues ambos poseían obra anterior con caracteres semejantes a los de la ahora triunfadora (mucho más importante y amplia la de Torrente) que había sido ignorada por la crítica y por los lectores. La explicación ha de buscarse, por tanto, no en lo sorpresivo de sus libros recientes sino en un cambio profundo en los gustos estéticos que implica, de un lado, el abandono de la preferencia exclusivista por la literatura realista de parte de nuestro entorno cultural y, de otro, la admisión de la imaginación como rasgo artístico que compite en igualdad de condiciones con otras tendencias. Esta convivencia —por no hablar de extremada exaltación irracionalista y mágica— hubiera sido imposible sólo diez años antes: lo prueba la propia trayectoria de Torrente, siempre indeciso entre la fantasía culturalista y el testimonio (recordemos que ese realismo a ultranza había hecho fracasar otras obras, por ejemplo la primera edición del *Alfanhuí,* de Sánchez Ferlosio).

3. El fin de la postguerra. La literatura después de 1975

Si hay razones de peso para instaurar un nuevo período cultural a raíz de la contienda civil de 1939, parece ya urgente poner una frontera que sirva de límite al cómodo marbete de «literatura de postguerra», pues, de lo contrario, daremos a la época histórica que acoge una extensión poco razonable. Quizás esa frontera se podría establecer hacia finales de los años sesenta en virtud de la coincidencia de específicas circunstancias. En lo económico-social, España ha conocido un desarrollo que la sitúa entre los países industrializados y cuenta con un movimiento obrero organizado. En lo político, el Régimen no ha cedido en sus principios autoritarios, pero vive una crisis interna y un proceso de desintegración (aunque su relativa fortaleza todavía origine luctuosos sucesos), agudizado por la precaria salud física de Franco, todo lo cual puede explicar la relativamente fácil transición hacia otras formas políticas; la oposición, unida en una meta común de lucha por la democracia y la reconciliación, ha adquirido notable fuerza. En lo intelectual, España no es ajena a las convulsiones europeas de mayo del 68. En lo literario, ya hemos dicho que surge una nueva promoción que aporta renovadoras concepciones artísticas y se abre una etapa radicalmente distinta a las anteriores.

Situar, sin embargo, ese hipotético linde a finales de los sesenta no parece recomendable porque —por muchas y pronunciadas transformaciones estéticas que haya habido— sigue inalterable en lo sustancial un elemento condicionante básico, la falta de libertad expresiva que determina, en buena medida, tanto los temas como las formas literarias. De este modo, y aparte planteamientos elusivos o alusivos —los más frecuentes en los cincuenta y sesenta—, se generaliza una expresión oblicua, indirecta, simbólica o alegórica, lo cual fue especialmente acusado en el teatro. Por ello se puede proponer 1975 como el año que cierre el período histórico-cultural de la postguerra, en el que, sin embargo, se ha producido una fuerte evolución desde la autarquía hasta la reivindicación de los valores artísticos de la obra literaria. La de 1975 es una fecha decisiva en la historia política contemporánea de nuestro país y, por lo que se refiere al mundo de la cultura, la del inicio de un proceso que conduce, primordialmente, a la recuperación de la libertad del escritor, no sólo formal sino interior, espiritual. Éste es, a mi parecer, el rasgo de verdad sobresaliente de esta etapa, ya que ahora el artista no dependerá ni de las coacciones de la censura ni de compromisos asumidos para poner su obra al servicio de una causa. Así, el intelectual recupera su papel de voz crítica, vigilante del resto del acontecer nacional y el artista podrá optar por el libre ejercicio de su trabajo. El final del franquismo supuso, sin embargo, unas falsas expectativas respecto de un súbito florecimiento artístico y cultural como consecuencia de la desaparición de la censura. Los magníficos textos que se decía que nuestros autores guardaban en recónditos cajones en espera de tiempos de bonanza, no aparecieron. Aquel planteamiento resultaba algo ilusorio, entre otras, por varias destacadas razones. Los autores de obras prohibidas habían intentado editarlas en otros países y quizás en muchos casos lo habían logrado. Algunos textos cercenados o inéditos hubieran tenido vigencia en el momento de su redacción, pero habían perdido interés u oportunidad en las nuevas circunstancias (este problema afecta de modo primordial al teatro). En fin, la creación en libertad supone, también, una tradición y no podía esperarse que, de repente, desaparecieran los efectos de una sistemática represión de la inteligencia y de un constante empobrecimiento cultural. Estos factores pesan enormemente en los años de formación y desarrollo de un escritor y será a partir de 1975 cuando las nuevas promociones disfruten de un ambiente de libertad formativa y creativa cuyos resultados —cualesquiera que sean— tardarán todavía en conocerse.

Creemos, pues, que a partir de 1975 puede abrirse un nuevo período de la cultura española del siglo XX. Es, sin duda, una cuestión opinable y no ignoramos la postura de quienes sostienen lo contrario, por ejemplo, la de Víctor García de la Concha [4/1983], para quien, «Fijar la atención [...] en la poesía publicada desde 1975 equivaldría a suponer —y no hay base para ello— que el cambio de régimen político en España ha comportado otro en la dialéctica del proceso poético». La frontera que aquí propugnamos se debe, por una parte, a la necesidad de cerrar ese ambiguo ciclo de «postguerra» y, por otra, a la creencia de que no utilizamos un fenómeno histórico de manera forzada, sino que éste se corresponde con un estado general de nuestras letras. En los alrededores de esa fecha, se detectan síntomas amplios de una crisis artística que implica, ante todo, la búsqueda de nuevos rumbos que habrá que detectar cuando tengamos suficiente perspectiva histórica. Nos arriesgaremos a una somera descripción de esas circunstancias que, posiblemente prematura, no tiene otro mérito que la voluntad de afrontar fenómenos tan recientes. La tónica general de hacia 1975 es la de un notable desnortamiento de nuestros escritores, tal vez más patente en la novela y en la poesía que en el teatro (éste continúa en ese estado de crisis permanente, aunque algunos indicios permiten prever un futuro algo diferente). Este desnortamiento tiene su raíz en la infructuosa búsqueda de salidas para el inoperante compromiso formalista que había sido moda hasta poco antes. En efecto, los poetas de corte «novísimo» (no los antologados por Castellet, sino la legión que se adhiere a esa estética) acusan un pronunciado manierismo y los más notables intentan despegarse de una opción que sonaba mucho a «escuela», a la vez que se frustran algunos esfuerzos por prolongarla. Los narradores ven fracasar la novela experimental, también muy manierista y que, además, ha segregado al novelista del público. Tampoco los dramaturgos del apellidado «nuevo teatro» —a pesar de algunos esporádicos e importantes estrenos— han logrado hacer triunfar en los escenarios sus funciones renovadoras.

Parece, pues, que todo el mundo busca algo diferente sin que se sepa muy bien cuál es la meta. Resulta claro que lo que no existe es un proyecto estético colectivo como, en cierto modo, lo hubo en los períodos anteriores, y, por ello, más que de tendencias debe hablarse de singularidades. A la vez, se detectan otro par de síntomas cuyo alcance tampoco podemos valorar: por una parte, las promociones ya consagradas mantienen una pronunciada inactividad, salvo algunas excepciones; por otra, existe un auténtico auge del ensayo sociológico, político..., más o menos serio, en detrimento de la literatura de creación. En fin, este conjunto de circunstancias parece abonar nuestra creencia de que estamos en la situación propicia para que se desarrolle una nueva fase en nuestras letras y para que establezcamos en ella esa aludida frontera que, hacia atrás, clausura el período de postguerra, y, hacia adelante, abre un futuro que todavía no podemos presumir por dónde discurrirá.

Capítulo 2

LA NOVELA

1. De la guerra a la primera postguerra

Los cerca de tres años de duración de la guerra civil no traen consigo ninguna sustancial aportación a la historia de nuestra narrativa. Durante ellos se desarrolla una corriente de literatura comprometida que, en rigor, tiene su origen en un período anterior (el que se inaugura con el final de la Dictadura de Primo de Rivera y la proclamación de la II República) y cuyas consecuencias —con independencia de la causa que la promueva— perdurarán con posterioridad al conflicto. Cuantitativamente, no es mucha la prosa de ficción que en esos años se escribe y publica —más abundante fue el relato corto, pues contaba con mayores posibilidades de difusión—, pero, de todas maneras, existe una interesante actividad creativa que sufre la inevitable polarización del resto de la vida nacional. Por entonces, aparecen algunos libros de escritores ya consagrados que reflejan el sacudimiento personal causado por la guerra (por ejemplo, diversos títulos de Concha Espina) o que sólo indirectamente acusan el conflicto (algún relato de Baroja). La mayor parte de las historias que por aquellos años se escribieron fueron publicadas ya acabada la lucha y las que aparecieron durante la misma contienda tienen un claro sentido político, tanto entre los sublevados como entre los leales a la República. De éstos, tres libros de José Herrera Petere (1910) forman una especie de trilogía en la que se ensalza la revolución (*Acero de Madrid,* 1938), se celebra el espíritu combativo de un joven miliciano (*Puentes de sangre,* 1938) y se describen los sacrificios de las guerrillas extremeñas (*Cumbres de Extremadura,* 1938). El contenido novelesco de estas obras —que oscila entre la épica y la entonación lírica— cede el paso, incluso, al simple reportaje en *Contraataque* (1937), de Ramón J. Sender, relato de los primeros momentos de la lucha en la sierra madrileña. Los escritores llamados «nacionalistas» también dieron a conocer obras propagandísticas y apasionadas como *Eugenio o proclamación de la primavera* (1938), de Rafael García Serrano, o *Madrid de Corte a checa* (1938), de Agustín de Foxá, a las que en seguida nos referiremos.

El desenlace de la guerra con la rendición incondicional de uno de los contendientes comportó, entre otras enormes y negativas consecuencias, la partición de nuestra geografía narrativa en dos grandes bloques, el del interior y el del exilio, según ya hemos avanzado en el capítulo preliminar de este libro. Más allá de los límites peninsulares tendrán que trabajar un número considerable de novelistas con obra ya cuajada o todavía incipiente, pero prometedora (su desarrollo fuera de nuestras fronteras lo habría de demostrar), lo cual supuso un inevitable empobrecimiento de la narrativa del interior. Es cierto que no todos los narradores de anteguerra se exiliaron y dentro de España permanecieron y continuaron escribiendo no pocos cuya significación artística, sin embargo, es escasa. Al menos, no se trata de novelistas que en los años cuarenta alcancen cotas creativas descollantes ni que ejerzan fecundo magisterio sobre los nuevos y más jóvenes narradores que por entonces se están dando a conocer. Además, no es infrecuente que los narradores consagrados desluzcan una producción ya lograda y valiosa al dejarse dominar por la pasión del momento y al convertir la literatura en simple vehículo para exteriorizar rencores o para hacer propaganda (el caso de Wenceslao Fernández Flórez puede ser prototípico y luego mencionaré, a modo de ejemplo, algunos autores más que participan de semejante inclinación). Otros narradores de edad avanzada sobreviven al conflicto y perduran físicamente incluso hasta finales de los sesenta, pero su longevidad no va acompañada de una producción mínimamente interesante (en ocasiones por una disminución de sus facultades creativas; en otras, porque tampoco su obra de preguerra había alcanzado cotas artísticas muy estimables).

De entre los escritores mayores acogidos a la España franquista hay que recordar, en primer lugar, a dos de los grandes narradores de todo nuestro siglo, *Azorín* y Baroja. Ambos regresaron a la Península después de un provisional y corto exilio y escribieron muchas páginas a partir de su reincorporación, pero ninguno de los dos agregó títulos de primera importancia a su labor de anteguerra. AZORÍN trabaja sin fatiga en estos años y, desde su retorno en 1939, es incesante la aparición de nuevos libros que alcanzan dimensiones muy voluminosas (bien es cierto que bastantes recopilan trabajos periodísticos antiguos). Escribe artículos de variada temática (literaria, cinematográfica, incluso elogios políticos...), teatro, evocaciones personales... y varias novelas. En *El escritor* (1942) y *El enfermo* (1943) vuelve, con escasa originalidad, a aquel mundo interior, autorreflexivo de sus relatos de comienzos de siglo y con propiedad habría que hablar de historias vivenciales poco imaginarias. Al contrario, en *Capricho* (1943), desaparece la autocontemplación y encontramos, más que una trama novelesca, un inocente acertijo (diversos personajes opinan sobre los motivos por los que alguien ha abandonado un millón de pesetas) que sirve a los propósitos experimentales del escritor.

En 1944 coinciden tres libros netamente novelescos, *La isla sin aurora, María Fontán* y *Salvadora de Olbena.* No hay unanimidad en la crítica a la hora de juzgarlos, pero predomina una valoración negativa, a pesar de recientes intentos de recuperación. Da la impresión de que *Azorín* se ha impuesto la obligación de seguir en el oficio de creador, pero que ya no tiene dotes suficientes para mantenerlo con la dignidad de sus mejores tiempos. A ello quizás se deba el que su característica capacidad de observación se sustituya ahora por componentes imaginativos que, singularmente en *La isla sin aurora,* convierten el relato en una novela fantástica —tan en contra de las más acreditadas virtudes azorinianas— y, además, ingenuamente nacionalista.

Al igual que la de *Azorín,* también la obra de BAROJA es extensa después de la guerra, pero —y en un nuevo paralelismo— tampoco supone aportación original a una labor consolidada bastantes años antes. Es más, lo que caracteriza al Baroja posterior a 1938 —en que publica *Susana*— es un cierto comportamiento mimético respecto de sus peculiares maneras literarias, un reiterar ese mundo novelesco tan suyo en todos sus extremos: la concepción del relato, la configuración de los tipos, los temas y motivos que tantas veces ha abordado, a los que ahora se agrega un discreto impacto de la lucha. Sus relatos de postguerra son como una prolongación de una materia novelesca que había fijado sus perfiles bastante tiempo antes, incluso con notable anterioridad a la guerra. A veces retoma sus viejos motivos marinos (*El caballero de Erlaiz,* 1943) o vuelve a sus cosmopolitas escenarios (*Laura, o la soledad sin remedio,* 1939). En alguna ocasión llega a utilizar el relato para disertar sobre sus propias preocupaciones de manera tan directa que el resultado está más próximo al ensayo que a la ficción (*Las veladas del chalet gris,* 1952). En fin, también emprende nuevas y no culminadas trilogías (con un libro bastante extraño, *El hotel del cisne,* 1946, o con *El cantor vagabundo,* 1950, en el que retorna a sus típicos y primitivos héroes voluntaristas). Casi todo en estos libros nos resulta ya conocido o nos parece familiar, pero, además, ahora el escritor ha perdido parte de aquella garra con la que sujetaba al lector y le arrastraba tras una historia, y sus mismas ideas —antes tan sagaces como impertinentes— resultan desvaídas aunque no pierdan su deslenguada expresión. En resumen, se trata de la obra de un escritor que ha entrado en una prolongada decadencia y que es víctima, además, en los últimos años, de una precaria salud física y mental.

La valía de Baroja en estos años no debe, sin embargo, ceñirse a esas novelas, ni a algunos volúmenes de relatos que también publicó entonces. Lo más destacado son unas amenas y extensas memorias, tituladas *Desde la última vuelta del camino* (1943-1949), a veces destempladas y puntillosas, con frecuencia superficiales, pero donde recobra el ritmo de un narrador vivaz. Por otro lado, el mérito de Baroja —visto con recelo o menosprecio desde instancias oficiales y eclesiásticas— excede el de la obra creada con posterioridad a 1939, pues, aunque solitario y huraño, fue un punto de referencia, en especial para los jóvenes que empiezan a escribir en los años cincuenta, quienes peregrinaban admirativos a su casa madrileña. Aparte el influjo literario en no pocos novelistas de la postguerra —según han señalado algunos críticos—, ese punto de referencia fue, ante todo, emocional y por ello conectó —al contrario que *Azorín*— con las nuevas generaciones.

Entre la no breve nómina de narradores anteriores a la guerra y que perviven después del conflicto, se pueden citar otros cuantos, cuya obra posee muy escaso interés. Poco después de la lucha muere José María Salaverría (1873-1940), aunque todavía da a conocer diversos libros, *Entre el cielo y la tierra* (1939), *Una mujer en la calle* (1940). En la misma fecha fallece Jacinto Miquelarena (1891-1940), que publica *Don Adolfo el libertino* (1940). La década siguiente a la lucha ve desaparecer a tres novelistas que, procedentes de distintos campos —del costumbrismo, el modernismo y el humor—, impregnan sus obras de apasionamiento ideológico: Pedro de Répide (1882-1947) con *Memorias de un aparecido* (1937), Emilio Carrere (1881-1947) con *La ciudad de los siete puñales* (1939) y Francisco Camba (1884-1947) con *Madridgrado* (1936), *Las luminarias del señor ministro* (1947) y *Los jabalíes del jardín florido* (1948). Algunos perviven más tiempo, como Salvador González Anaya (1879-1955) o Antonio Reyes Huertas (1887-1952), pero tampoco su obra alcanza especial valía. Algo mayor debiera ser la consideración del olvidado, como novelista, Ricardo Baroja (1870-1953), que publica *Bienandanzas y fortunas* (1941) y *Los hermanos piratas* (1945), títulos que padecen un excesivo desconocimiento. En fin, otros nombres más, también de escasa importancia, se pueden añadir, como el de Rafael López de Haro, que vive hasta 1967. Igualmente, en una nómina de popularidad, habría que incluir a algunos escritores subliterarios muy activos, a José María Carretero, tan conocido por su pseudónimo *El Caballero Audaz,* a Rafael Pérez y Pérez y a Carmen de Icaza.

A esta incompleta relación podrían sumarse algunos otros autores, gentes que habían hecho breves apariciones con anterioridad a la guerra, pero cuya producción debe inscribirse, con propiedad, en la órbita de la literatura posterior. En conjunto, el papel desempeñado por los novelistas antes citados es de escasa importancia bien por lo exiguo de su producción, por la insignificancia artística de la misma o por ambos motivos a la vez. Y, además, por un factor que merece consideración aparte: no pocos de esos narradores cuya obra se había realizado ya en su mayor parte se sienten impulsados a desahogar sus zozobras personales durante la República a través de la literatura. Cualesquiera que fueran sus planteamientos narrativos precedentes, ponen sus relatos al servicio de una interpretación comprometida de la época que bordea siempre el puro panfleto y llega a anular las acreditadas cualidades creativas de sus autores. Éste fue un fenómeno bastante amplio, protagonizado por algunos de los nombres ya citados —Camba, Carrere, Miquelarena, Salaverría— y por otros más a los que dedicaré unas líneas por su mayor popularidad y por su ejemplar valor, de una acusada degradación del elemento artístico.

RICARDO LEÓN (1877-1943) había logrado un gran reconocimiento por parte, al menos, de un sector del público lector del primer tercio de siglo, que se había identificado con las ideas patriarcales y aristocratizantes del escritor. Es muy lógico que le afectaran con intensidad los sucesos de los años treinta, que constituían la bancarrota de un ideal, por otra parte, imposible. Su violenta reacción se plasmó en un voluminoso libro, *Cristo en los infiernos,* escrito «en los umbrales de aquellos infiernos rojos de 1936» y publicado en 1941. En él, Ricardo León describe las contrapuestas actitudes políticas de los miembros de una «familia histórica», los Gelves, con el propósito de demostrar cómo el pueblo español expía el pecado de su desviación republicana y cómo la única solución se halla en un catolicismo integrista. Frente a las reiteradas invectivas contra el materialismo burgués, el catolicismo liberal, el escepticismo, la revolución social, hace el panegírico de un sentimiento religioso y militar de la vida, del autoritarismo y de la jerarquización social. Esas creencias que defiende Ricardo León son las que, según sostiene, han evitado que llegara a convertirse «al pueblo más señor y más viril de la tierra en un pueblo de salteadores, de consentidos y rufianes».

CONCHA ESPINA (1897-1955) siguió escribiendo después de 1939 de una manera regular, a pesar de su disminuido estado físico. Sus anteriores planteamientos tradicionales —bañados en cierto componente humanitario cristiano que le había acercado al dolor de los pobres en, por ejemplo, su popular *El metal de los muertos*— se ponen ahora al servicio de la defensa de los triunfadores de la guerra, en varios mediocres y apologéticos libros. Ejemplifican esta línea *Retaguardia* (1937), escrita durante la guerra, en su casa santanderina («en mi cárcel montañesa, bajo el yugo del comunismo libertario español») y publicada con un exaltado prólogo de su hijo Víctor de la Serna; *Las alas invencibles* (1938), «novela de amores, de aviación y de paz», o *Princesas del martirio* (1941), apenas reportaje anovelado en torno a tres enfermeras y cuyas páginas están prestigiadas «sólo porque constituyen un mensaje peregrino y heroico de la España Azul». De regreso al mundo de inquietudes de preguerra, Concha Espina publica nuevos títulos, resultado de una tenaz decisión de escribir —sus últimos años tuvo que hacerlo al dictado— y mostrativos de una irreparable y progresiva decadencia: *Victoria en América* (1945), *El más fuerte* (1947), *Un valle en el mar* (1950) y *Una novela de amor* (1953).

Más llamativo, por su superior categoría artística, es el caso de WENCESLAO FERNÁNDEZ FLÓREZ (1885-1964), quien, en sus características novelas de preguerra, había fraguado una valiosa visión del mundo, desencantada y escéptica, por medio de unos eficaces procedimientos humorísticos. En 1939 publica *Una isla en el Mar Rojo*, de un tono severo y moralista, en la que inventa «hombres y trances, pero no dolores». Éstos no son otros que los sufridos por unos refugiados en una embajada extranjera en Madrid para librarse de los horrores y tropelías con que los republicanos acechaban a las gentes de «orden». Si la inmediatez de la guerra no parece facilitar los habituales registros humorísticos de Fernández Flórez, éstos vuelven un poco más tarde en *La novela número 13* (1941), pero ahora bajo la forma de una desenfrenada parodia. El hilo argumental constituye una atractiva y disparatada anécdota: un detective tiene que localizar en la España republicana un famoso caballo de carreras británico. Este hilo narrativo permite acumular gran número de episodios, incidentes y anécdotas que no tienen otro fin que la ridiculización —con frecuencia con sal gruesa y mal gusto— de los «rojos». Las novelas posteriores de Fernández Flórez muestran la decadencia del escritor: *El bosque animado* (1944) vuelve a funcionar en clave fantástica pero no aporta nada sustancial a su producción anterior, aunque sea, todavía, superior a *El sistema Pelegrín* (1949).

Durante la primera postguerra se distinguen, además, otras peculiaridades que se derivan de la reiteración de algunos núcleos temáticos frecuentados tanto por escritores de generaciones precedentes como por algunos de la más joven, recién aflorada a la vida pública. Destacaremos, al menos por su importancia cuantitativa, dos grandes motivos, la novela de la guerra y la novela de propaganda y, dentro de ésta, la novela del ideario falangista. En realidad, no se puede establecer con ellos compartimentos estancos, pues con frecuencia tienen una íntima conexión, pero constituyen líneas lo suficientemente distintas como para comentarlas por separado.

La guerra civil se ha convertido en tema novelesco abordado una y otra vez por nuestros escritores (también por numerosos extranjeros, a causa de la dimensión internacional del conflicto) y ya en el transcurso de la misma contienda se escriben historias sobre el frente o la retaguardia. Esa preocupación por narrar los hechos de armas o las causas que los promovieron conforma una amplísima tendencia de abrumadoras dimensiones, pues afecta, de forma directa o indirecta, a varios centenares de títulos y perdura incesante hasta nuestros mismos días (como muestra de su actualidad, mientras escribo estas páginas han aparecido tres títulos que vuelven a situar la acción en el marco de aquellos sucesos: *Herrumbrosas lanzas,* de J. Benet, *Mazurca para dos muertos,* de C. J. Cela y *La guerra del general Escobar,* de J. L. Olaizola). A pesar de semejante abundancia, son no pocos los críticos que argumentan que tan relevante acontecimiento histórico no ha obtenido la significación literaria que pudiera esperarse. Esta valoración negativa no atiende a la cantidad sino a la dignidad literaria y ésta, en una parte considerable de los títulos, es escasa (por supuesto que existen notables aunque singulares excepciones, las más importantes entre los exiliados). Incluso, tendrán que pasar varios lustros desde 1939 para que, en general, aquella experiencia se decante como materia literaria eficaz. Al contrario, lo que predomina en aquel primer período es una tónica de exaltación política y de incontinencia belicista que convierte a aquellos relatos en pasionales testimonios, pero no en obras de arte estimables. A título de recordatorio, se podrían mencionar: *Mar y tierra* (1939), de Carlos Arauz de Robles, *La ciudad sitiada* (1939), de Jesús E. Casariego, *Legión 1936* (1945), de Pedro García Suárez, *Luna de sangre* (1942), de Salvador González Anaya, *Frente de Madrid* (1941), de Edgar Neville o *Cada cien ratas un permiso* (1939), de Pedro Álvarez.

Los relatos más inmediatos al enfrentamiento armado parten de un pronunciado interés por el hecho mismo de la guerra, lo cual explica que, incluso, se traslade el escenario a la Alemania de los prolegómenos de la segunda conflagración mundial en, por ejemplo, *Línea Siegfried* (1940), de José Antonio Giménez Arnau. Están presididos por una visión entusiasta de la lucha que se articula como una respuesta contundente al amplio eco que en los años veinte había tenido —en el resto de Europa y también en nuestro país— el pacifismo de Eric María Remarque. Ese belicismo es un sentimiento tan profundo y un principio ideológico tan arraigado que se exhibe como un distintivo generacional, según alardea Rafael García Serrano en las palabras preliminares de su *Eugenio o proclamación de la primavera*:

> Fuimos a la guerra convencidos de que en su fin [*sic*] podríamos decir lo contrario de la generación remarquiana: estamos totalmente salvados, aunque deshechos por las granadas.

La de la lucha constituye una nobilísima causa ante la cual poco importan dolores y sacrificios, siempre compensados por el entusiasmo combativo del soldado, que se deleita, incluso, con los padecimientos en honor de los principios por los que ansía entregar su vida. La muerte, por consiguiente, no es un peligro sino un premio y a esta concepción se subordina el resto del relato, desde los personajes —de una simplificación maniquea— hasta el argumento. Por ello suele haber una trama sentimental, simple adorno anecdótico que será sacrificado porque el amor es algo indigno comparado con la noble empresa de luchar.

El denostado Remarque es un autor muy citado en las obras de este momento y figuró, incluso, en el título de la primera novela de un escritor de enorme aunque efímera fama en los años cuarenta, Cecilio Benítez de Castro. En 1939 publicó *Se ha ocupado el kilómetro seis,* subtitulada *Contestación a Remarque*. En ella percibimos un tono general de época: exaltación bélica —defendida desde un explícito prólogo— y declaración expresa del sustento ideológico del autor, falangista, en cuya defensa y propaganda se cifra la razón última de ser del relato. Una segunda historia, de corte sentimental, y de cierta incontinencia, sirve de hilo narrativo a la suma de estampas del frente. Otro elemento de época aporta Benítez de Castro, una óptica narrativa mediatizada por un entusiasmo casi lírico que impide un auténtico reflejo testimonial. En cuanto al lenguaje, adolece de un mínimo de elaboración artística, con frecuentes descuidos y una clara propensión al énfasis, todo lo cual es el resultado de concebir el libro como una respuesta inmediata, como un testimonio vivencial de las experiencias del autor.

Esta novela proporcionó a Benítez de Castro una pronta popularidad que aprovechó para publicar rápidamente en los años siguientes un buen número de títulos de temática y procedimientos artísticos muy distintos: *La rebelión de los personajes* (1940), *Maleni* (1940), *El creador* (1940), *Cuarto galeón* (1941), *El alma prestada* (1944), *Los días están contados* (1945), *Cuando los árboles duermen* (1946), *La señora* (1948), *Historia de una noche de nieve* (1950). Una carrera tan regular se vio suspendida casi por completo tras su marcha a Argentina a finales de los cuarenta por motivos que desconozco. Una gruesa novela de 1958, *La iluminada,* de ambiente hispanoamericano y publicada en Buenos Aires, mostraba unas innegables cualidades fabuladoras, pero con ella no logró recuperar una notoriedad ya perdida hasta el punto de ser hoy un escritor del todo olvidado.

Esta corriente belicista es indisoluble de unos componentes propagandísticos que defienden las concepciones de los sublevados; otras novelas tienen como trasfondo la guerra, pero en ellas predomina la apología de aquel ideario. Esta narrativa —que más que de la lucha lo es de exaltación política— se inicia durante la misma contienda y se prolonga durante la primera postguerra. Su impacto es bastante considerable y ya hemos visto que afecta a la labor creativa de algunos escritores mayores como C. Espina o W. Fernández Flórez. Dentro de ella, y entre otros temas y motivos más o menos frecuentes, pueden distinguirse dos grandes subgéneros, el de la retaguardia bajo el terror «rojo» y el del ideario de la nueva juventud falangista.

Una no corta lista de títulos se dedicaron a dar cuenta de la vida de las gentes de «orden» dentro del Madrid republicano. Ya hemos mencionado —y hay que recordarla por lo prototípica que resulta—, *Una isla en el Mar Rojo,* de Fernández Flórez. En la misma línea hay que incluir *Madridgrado* (1936), de FRANCISCO CAMBA, que cuenta las peripecias de dos amigos en el Madrid «rojo», donde la guerra les sorprende y de donde no pueden escapar por el cerco a la capital. Las vicisitudes de varios personajes que tratan de huir de las persecuciones gubernamentales y se esconden en legaciones extranjeras constituye el hilo anecdótico de *La ciudad de los siete puñales* (1939), de EMILIO CARRERE, el cual sirve de soporte a continuados insultos al enemigo. En semejante ambiente se localiza *Checas de Madrid* (1944), de Tomás Borrás, pero se centra en un espacio más reducido, el de las cárceles populares, cuyos horrores se describen prolijamente. Se observa que estos libros tienen cierta tendencia a eludir la descripción global de la ciudad y prefieren espacios más limitados, incluso espacios cerrados en los que se sienta el ahogo de las adversas circunstancias. Así, las checas ocupan bastante lugar en diferentes relatos. Otro tanto sucede con la legación extranjera que acoge a los perseguidos, quienes, a cambio de una precaria seguridad, son víctimas del ansia de lucro de desaprensivos diplomáticos.

En todas estas novelas predomina un gran apasionamiento político. Aparte detalles truculentos y situaciones folletinescas, carecen de la menor veracidad literaria por el extremado maniqueísmo de las anécdotas y de los personajes. Éstos encarnan de modo absoluto la bondad o la maldad, sin ninguna clase de perfiles ni matices. El enemigo siempre es un ser sanguinario, cerril, que venga ancestrales odios de clase. Además, la descalificación no procede sólo de los personajes sino que el mismo autor interviene para vejar al contrario, para adoctrinar con desenvoltura, para poner en boca del narrador toda clase de injurias.

Varios de los motivos señalados se dan cita en otro libro de marcado acento propagandístico, pero de superior vuelo novelesco, y quizás el relato de más vigencia y fortuna de cuantos se escribieron desde la perspectiva de los triunfadores, *Madrid de Corte a checa* (1938), de Agustín de Foxá. La novela consta de tres partes de intencionada rotulación —«Flores de Lis», «Himno de Riego» y «Hoz y Martillo»— y vinculadas por las peripecias de un señorito madrileño desde los años estudiantiles hasta la guerra. Las aventuras de José Félix —nombre del protagonista— engarzan numerosos incidentes, algunos ni siquiera relacionados con él, que en su planteamiento inicial recuerdan la configuración valleinclanesca de *El Ruedo Ibérico*. De esta manera, el argumento adquiere la condición de soporte de una novela colectiva, muy jugosa, viva y palpitante de los años treinta. El hilo narrativo nos permite entrar en esferas muy distintas de la vida madrileña, desde los prominentes lugares en que se toman las decisiones políticas o los cenáculos artísticos en los que se discute con pasión hasta, en la última parte del volumen, las checas republicanas. Elemento fundamental en la constitución del relato es la acertada mezcla de ficción y de realidad documental, y la presencia, junto a personajes imaginarios, de los principales protagonistas de la vida pública. Valle-Inclán perora en el Ateneo, se discute en el mentidero de Pombo, actores y artistas —Ricardo Calvo o Ricardo Baroja— hacen tertulia en el café Varela, Manuel Azaña recibe una y otra vez las invectivas de Foxá... Todo ello da a la novela, sobre todo en su primer tercio, un aire de gran veracidad al que contribuye la abundante notación de pequeños datos de la vida cotidiana: temas de discusión en la calle, precio de tal o cual producto, título de un espectáculo de moda...

Esos elementos se presentan en escenas sueltas, de gran plasticidad, que transmiten un auténtico fluir de vida. En consonancia, también el estilo es muy vivo y ágil, sobre todo en los diálogos. Esas escenas son elementos bien articulados de una visión global de la ciudad, que Foxá alcanza por su vinculación con la biografía del protagonista o por una simple yuxtaposición en la que se descubre el carácter panorámico que guía los criterios selectivos del escritor. Los cuales, por otra parte, no son de intrascendencia costumbrista sino muy intencionados. Por ejemplo, al despreciable egoísmo e inconsciencia de la burguesía opone el criticismo regeneracionista de una valerosa juventud que, como veremos dentro de un momento, constituye una línea medular de la narrativa falangista, con la que se puede filiar el libro de Foxá.

Esa rica y polimorfa reconstrucción ambiental no es inocente y Foxá la levanta para hacer expresivo y veraz el tema último de fondo: el grado de degeneración y caos al que ha llegado la capital en los días de la lucha. La ciudad alegre y confiada irá cambiando de aspecto. La vida amable de los amenes alfonsinos se tornará amenazadora en los albores republicanos: desaparecen los signos de distinción, los locales públicos cambian sus rótulos, una masa proletaria, hosca y oscura, invade la ciudad y hace presagiar tiempos de desventuras. Es ese cambio cualitativo de una ciudad señorial y apacible a un lugar plebeyo y peligroso el auténtico proceso narrado en la novela, más importante, incluso, que el paso del protagonista de la inconsciencia burguesa al compromiso falangista. Esa transformación culmina en la fisonomía de la ciudad en los días del cerco franquista al Madrid republicano. Ya se ha convertido en un centro del horror. Ahora las personas «decentes» son asesinadas, y las checas ejemplifican la degradación humana, con el remedo bufo de una justicia popular que se transforma en simple ansia de sangre, en venganzas ancestrales de un pueblo que saca a relucir sus malos instintos, su encanallamiento irremediable.

Este apocalíptico panorama es el de la tercera parte del libro, «Hoz y Martillo», en la cual Foxá abandona el distanciamiento mínimo exigible a un escritor y se convierte en un narrador visceral que supera los límites del panfleto, celebra a la «quinta columna» y lanza la artillería de sus epítetos contra la barbarie «roja». Es la complicidad del autor con su material la que hace que el relato pierda toda verdad literaria y el amplio fresco recreado con gran habilidad en la primera parte del libro, degenere en una simple acumulación de injurias (es interesante constatar cómo, desde un punto de partida por completo opuesto al de Foxá, un semejante proceso de apasionamiento afecta a la trilogía de Barea *La forja de un rebelde,* que describe una trayectoria histórica más amplia, pero bastante parecida).

Por fin, como curiosidad histórica, dentro de esta línea de narrativa de propaganda de unos ideales, cabe recordar un libro titulado *Raza* (1942) que bajo el pseudónimo de *Jaime de Andrade* ocultaba la autoría de Francisco Franco. Las sucesivas «escenas» protagonizadas por el marino Churruca, primero, y, ya fallecido éste, por sus descendientes, se extienden desde la pérdida de las últimas colonias hasta el desfile madrileño de los triunfadores de 1939: todo un ciclo histórico de decadencia, remontado por el desenlace de la lucha, según el autor. A lo largo del relato se multiplican los comportamientos que sirven para demostrar una visión esencialista de lo español basada en los principios de espiritualidad, hidalguía, catolicismo, bravura, sacrificio, heroicidad... El prefacio de la novela —con un léxico tan característico— da ya idea aproximada de su tono general:

> Vais a vivir escenas de la vida de una generación; episodios inéditos de la Cruzada española, presididos por la nobleza y espiritualidad características de nuestra raza.
>
> Una familia hidalga es el centro de esta obra, imagen fiel de las familias españolas que han resistido los más duros embates del materialismo.
>
> Sacrificios sublimes, hechos heroicos, rasgos de generosidad y actos de elevada nobleza desfilarán ante vuestros ojos.
>
> Nada artificioso encontraréis. Cada episodio arrancará de vuestros labios varios nombres... ¡Muchos!... Que así es España y así es la raza.

Belicismo más apología política se suman en diferentes relatos que, sin embargo, pueden ser considerados como una subtendencia diferenciada porque están relacionados por un motivo principal que puede describirse como la presentación panegírica de una nueva concepción del mundo encarnada por una juventud revolucionaria, que rompe con la vida acomodaticia de los mayores y que se ofrece en holocausto por una sociedad futura diferente. Es la juventud que implícita o explícitamente representa a la Falange naciente.

El título inicial de esta tendencia, y en buena medida paradigmático de ella, es *Eugenio o proclamación de la primavera*, de Rafael García Serrano, escrito en el calor de la guerra y que remite al ambiente social previo a su estallido. Es un libro de evocación de un sector de la juventud universitaria, el falangista, que durante los años de la República hace una meta del riesgo, de la aventura y de la exposición de la vida. El protagonista, Eugenio, enfrentado a los convencionalismos burgueses, se suma a la revolución y exalta continuamente la muerte como el destino deseable para él y sus correligionarios. Es un relato que aspira a representar las inquietudes de una generación, sintetizadas por estas palabras del propio García Serrano: «somos jóvenes, elementales, orgullosos, católicos y revolucionarios». También durante la guerra se escribe *Camisa azul* (1939), de FELIPE XIMÉNEZ DE SANDOVAL, de semejante temática, presentada a través de la historia de un muchacho falangista, agitador en el Madrid republicano y muerto, después, en el frente.

El nacimiento al ideario falangista de un muchacho a través de vacilaciones y dudas lo encontramos en *Leoncio Pancorbo* (1942) de JOSÉ MARÍA ALFARO, y en *Javier Mariño* (1943), de GONZALO TORRENTE BALLESTER. Ambas novelas nos cuentan las incertidumbres de un joven que, al final, encuentra un sentido a la vida en la defensa de los ideales encarnados por la sublevación militar. Se trata, en los dos casos, de la reconstrucción de una biografía moral. Son novelas, si se quiere, de acceso a la experiencia y a la maduración personal de unos jóvenes críticos y desnortados que hallan un camino de acción para sus vidas. Pero, sobre este esquema general tan parecido, hay que señalar una diferencia fundamental entre los protagonistas, Leoncio y Javier. Aquél supera dudas y sacrifica la felicidad familiar incorporándose al ejército franquista, en cuyas filas muere. El final de Javier es sensiblemente parecido en la edición publicada pero no es el previsto en el original y tuvo que ser modificado por imposiciones ajenas al autor. Javier Mariño, hijo de familia acomodada, señorito un tanto impertinente, viaja, antes de la guerra, a París. Aquí entra en contacto con diversos grupos intelectuales y políticos, con los que se enfrenta no por defender una ideología firme, de la que carece, o una causa en la que crea, sino por una natural displicencia y un irritante aristocratismo. Se relaciona, en particular, con una joven comunista, Magdalena, a la que, en un principio, desprecia por sus ideas, pero, poco a poco, se produce una fuerte atracción sentimental. Las noticias procedentes de España enardecen a Javier frente al común clima prorrepublicano de los círculos que frecuenta y cada vez va acercándose más a las ideas «nacionalistas», al mismo tiempo que sufre una profunda crisis interior. Tenemos que olvidarnos de menudos y prolijos incidentes novelescos para centrar el hilo argumental: Javier hace mella en las creencias de la joven y termina casándose con ella. Se trata, pues, como advierte con precisión el subtítulo, de la historia de una conversión; o, si se quiere, y para ser más precisos, de dos conversiones, la del escéptico y agnóstico Javier y la de Magdalena, a quien él rescata de sus bien débiles convicciones. Javier ha decidido fundar una familia y marcharse a América, donde se abren grandes perspectivas para un joven enérgico como él. Con el viaje americano debía acabarse la novela. Sin embargo, Torrente tuvo que modificar ese final. Javier volverá a España y se unirá a las filas falangistas. Así, Javier, tras su conversión —impuesta, pero, en todo caso, aceptada por el escritor— pasa a formar parte de la galería de jóvenes protagonistas que, en novelas de la época, representan un vitalismo abnegado y regenerador, dentro de la ortodoxia falangista. *Javier Mariño* no ha obtenido la atención de la crítica que sería deseable (pues ni carece de interés ni debe considerarse sólo como un testimonio histórico) y es un ejemplo importante a tener en cuenta para la reconstrucción del ideario de un sector de la falange cuyo progresivo distanciamiento del anterior Régimen sería palpable ya en los años cuarenta (curiosamente el libro va dedicado a Dionisio Ridruejo). Desde un punto de vista literario, el relato es maniqueo (sobre todo por su fobia anticomunista), la lección final en exceso explícita y publicitaria para ser artísticamente valiosa y el hilo argumental demasiado digresivo y prolijo.

Ya hemos mencionado el nombre de RAFAEL GARCÍA SERRANO (1917), el narrador más importante de cuantos militan en la primitiva Falange y el que de forma invariable ha mantenido sus iniciales convicciones hasta hoy mismo. Su obra novelesca se resiente, sobre todo en sus dos primeras entregas, de una concepción utilitaria —entre panegírica y proselitista— que desvirtúa su veracidad literaria aunque posea un incuestionable valor testimonial. A pesar de esa voluntaria limitación, en García Serrano hay que reconocer a un escritor muy facultado, con un poderoso instinto de narrador, con frecuencia apasionado y bronco, pero siempre eficaz. Sus libros, además, tienen el sentido de ser la recreación testimonial más completa e interesante —y no sólo para el historiador de la literatura— del sector de la generación del 36 que se moviliza contra la República. Una obra, por otra parte, continuada a lo largo del tiempo, frente a tantos desahogos circunstanciales y voluntaristas de aquellos años. Así, la mayor parte de la producción de García Serrano gira en torno a la guerra, se centra una y otra vez en las conflictivas circunstancias que confluyen en ella y tiene una fortísima carga autobiográfica debido al deseo del escritor de constituirse en notario de un movimiento colectivo de sus años mozos. El escritor actúa como un testigo no imparcial sino comprometido con lo que cuenta y por ello en toda su literatura es fundamental una subjetividad autoconfesional que condiciona, obviamente, el enfoque del narrador. Hasta tal punto que la habitual distancia entre autor, narrador y protagonista llega a desaparecer en alguno de sus títulos.

El conjunto de la narrativa de García Serrano responde a ese propósito testimonial, pero tres novelas, agrupadas bajo el título general de «La guerra» (1964), expresan de manera precisa esa concepción: *Eugenio o proclamación de la primavera* (1938), *Plaza del Castillo* (1951) y *La fiel infantería* (1943) (según su cronología argumental, que no coincide, como se ve, con la de publicación).

Eugenio... es una obra muy de circunstancias y adolece de ingenuidad y de apasionamiento. Ya he señalado antes su belicismo y su propósito apologético. La falta de autenticidad literaria se debe a la impericia del autor y a la presentación inmediata y poco decantada de unas experiencias vivenciales. Semejante efecto negativo tiene el carácter simbólico del libro. La anécdota se desarrolla sobre una reactualización forzada de la fábula de Hero y Leandro, que a veces oscila hacia lo épico y otras hacia lo lírico. El protagonista, también simbólico, encarna una historia modélica que hace de él más un prototipo que un ser real, de carne y hueso (se convierte en un ejemplo de español «bien engendrado», etimología del nombre del héroe que varias veces se nos aclara).

Plaza del Castillo cuenta el ambiente de Pamplona en las fechas de los alrededores del levantamiento militar, en las que la ciudad —y el céntrico lugar del que toma nombre la novela— es un continuo espectáculo por su coincidencia con la celebración de los sanfermines. A lo largo de las jornadas que van del 6 al 19 de julio de 1936 se nos presenta la alegría ciudadana y, a la vez, las tensiones locales, junto al ir y venir de quienes conspiran para adherirse a la rebelión que tuvo, precisamente en la capital navarra, uno de sus principales focos. *Plaza del Castillo,* emparentable con las formas del Episodio Nacional, es un relato colectivo de afortunada organización novelesca. El ritmo del cotidiano vivir, el festivo ambiente popular, las tertulias despreocupadas, las historias sentimentales, las premoniciones de los inmediatos sucesos políticos, los destinos individuales implicados en la conspiración... son factores que, sumados, proporcionan una gran autenticidad al relato, una impresión de existencia palpitante. Esa historia colectiva se apoya, además, en una minuciosa cronología y en numerosas referencias costumbristas por las que conocemos multitud de pequeños detalles —bebidas de moda, estrellas en cartel, canciones del momento...— que contribuyen a crear una precisa estampa de época. *Plaza del Castillo* es una continuación en cuanto al tema y a la ideología de *Eugenio...* (aunque no en lo literario, de lo que le separa una gran maduración técnica) y ambas muestran cómo las preocupaciones políticas habían ocupado un lugar primordial en la vida de los españoles de aquellos años.

Al final de *Plaza del Castillo,* varios autobuses con enardecidos falangistas se aprestan a sumarse al ejército, al que se incorporan en el frente próximo a Madrid. Algunos de esos voluntarios son los protagonistas de *La fiel infantería,* que continúa, por consiguiente, la anécdota de la anterior, aunque, por su tono, esté más próxima a *Eugenio...* En efecto, la descripción encomiástica de una juventud que encarna, desde el punto de vista del autor, los valores más genuinos de la raza, continúa el tema central de la primera novela. También prolonga a ésta por su tono exaltado y por su profundo belicismo, a pesar de que las escenas de guerra no ocupan mucho lugar. *La fiel infantería* logra una discreta veracidad en el relato de la vida en el frente y en la retaguardia pero, en conjunto, no alcanza la fortuna literaria de *Plaza del Castillo.* Tal vez se deba a su mayor proximidad a los hechos (su redacción es muy poco posterior a la guerra) el que se evidencie en exceso el estado de ánimo del autor, quien no oculta que le guía la intención de difundir un compromiso político. Literariamente, exhibe un tono bronco que a partir de entonces caracterizará a la prosa de García Serrano. Por él y por algunas situaciones o expresiones «obscenas, moralmente indecorosas o irrespetuosas con la religión», en palabras del Arzobispo de Toledo que condenó la novela, fue retirada de la difusión pública a causa de un veto eclesiástico que el escritor ha explicado en una reedición (1973).

El tema de la guerra es, como antes decía, la motivación última, primordial y casi exclusiva de la dedicación literaria de García Serrano y otras varias novelas suyas desarrollan aspectos menudos o incidentales de la lucha como *Al otro lado del río* (1954), *Los ojos perdidos* (1958), *La ventana daba al río* (1963). García Serrano ha publicado, además, diversos libros de relatos (*Los toros de Iberia*; *El domingo por la tarde*) y de estampas de lugares (*Bailando hasta la Cruz del Sur*; *Madrid, noche y día*).

2. La primera promoción de postguerra

La concordancia de unas negativas circunstancias a las que de forma somera nos hemos referido (escasa valía de la obra de los narradores mayores que viven en el interior, desaparición física de otros significativos, exilio de grandes dimensiones...) determina un factor sustancial de la nueva narrativa de postguerra, su desarrollo autárquico, bastante al margen tanto de su propia tradición nacional inmediata como de la extranjera. Recordemos algo de lo que decíamos en el capítulo primero. Muchos autores españoles son silenciados e ignorados (Sender y los narradores sociales de la época de la República), censurados o limitada su difusión (desde Pérez Galdós a *Clarín* o Baroja), denostados (Unamuno...). La prohibición de editar sus obras cae sobre narradores extranjeros que representaban ideales contrarios al nuevo Régimen o que habían dado su apoyo a la República (A. Mal-

1. La bibliografía sobre la novela de postguerra es ya muy voluminosa, aunque no suele prestar mucha atención a la materia tratada en este epígrafe, sobre la que pueden verse, en especial, los conocidos panoramas generales de Nora [1958], Sobejano [1975] y Soldevila [1980]. Todos ellos compaginan la información con el enjuiciamiento de las obras; un simple centón de datos se halla en Martínez Cachero [1973]. La novela de la guerra cuenta con el completo repertorio de Bertrand [1982], en el que se encontrarán mencionados más estudios, algunos de esta misma profesora, entre los que debe destacarse el de Ponce de León [1971]. Para la literatura falangista es imprescindible el ya mencionado libro de Mainer [1/1971]; respecto de *Raza*, véase Gubern [1977], aunque se refiere primordialmente a la película. Por lo que concierne a la obra de los novelistas de mayor edad, hay que acudir a trabajos sobre la anteguerra, por ejemplo a los volúmenes I y II de Nora [1958] o al tomo anterior de esta misma *Historia de la literatura española*, redactado por G. G. Brown. Ténganse también en cuenta Soldevila [1977] para el primer Torrente y Mainer [1975] para W. Fernández Flórez.

Además de los libros de carácter manual citados en esta misma nota, deben recordarse otros trabajos de distinto enfoque, que enumeraremos para quienes deseen profundizar en la materia: AA. VV. [1968], AA. VV. [1973], AA. VV. [1976], J. L. Alborg [1958 y 1962], F. Álvarez Palacios [1975], A. Amorós [1968], M. Baquero Goyanes [1955], A. Basanta [1979], R. Bosch [1971], R. Buckley [1968], J. M. Castellet [1963], J. Corrales Egea [1971], J. C. Curutchet [1966], J. Domingo [1973], J. I. Ferreras [1970], A. Iglesias Laguna [1969], I. Montero [1972], P. Palomo [1968], D. Pérez Minik [1957], R. Rubio [1970], F. C. Sáinz de Robles [1957], R. C. Spires [1978].

raux, L. Aragon, J. Dos Passos, E. Hemingway, U. Sinclair, G. Greene, I. Ehrenburg). Escritores cimeros, representativos de los nuevos caminos que explora la novelística occidental de nuestro siglo y que se habían difundido con anterioridad, tardan en volver a ser lectura normal en España, como Joyce, Faulkner o Proust.

El conjunto de estas circunstancias produce una intensa incomunicación literaria y, por consiguiente, nuestra novela de la primera postguerra se mueve en un fuerte adanismo (negado, no obstante, por algún crítico) que es el resultado de esa idea de discontinuidad o de ruptura con el pasado inmediato que preside la nueva política cultural de los años cuarenta. Nuestra novela se tiene que forjar una tradición a partir, prácticamente, de cero, de una inexperiencia literaria y de un profundo autodidactismo. Por ello asistimos al nacimiento de una generación nueva que domina casi en solitario la producción narrativa de los años cuarenta, lo cual constituye un fenómeno poco frecuente en los procesos culturales. Así se explica la preponderancia de formas convencionales y tradicionales y la ignorancia durante varios lustros de toda clase de planteamientos renovadores. En esas circunstancias, lo más fácil es acudir a una historia de raíz autobiográfica, despreocupada de problemas formales, o reiterar los establecidos modelos decimonónicos, realistas y costumbristas.

Ha de considerarse, por tanto, un signo distintivo de la novela española reciente la aparición de una nueva generación de prosistas a partir de 1939, que es la que va a marcar las pautas más importantes de nuestra narrativa en la primera década posterior a esa fecha. Se trata de escritores nacidos, fundamentalmente, entre la segunda década y primeros años de la tercera de nuestro siglo, que han sido testigos presenciales o participantes activos en la lucha y que desarrollan la totalidad de su obra después de la guerra (en varios casos, tienen algún libro anterior, pero sus formas narrativas características se establecen con posterioridad). Su obra, por supuesto, coexiste con la de los autores antes mencionados, pero la de aquellos pertenece a una época histórica anterior o es simple testimonio apasionado de un momento. La significación y desarrollo de las creaciones de los autores de esta primera promoción de postguerra es desigual. Unos ofrecen una producción digna de interés, de éxito en su momento, pero poco estimada según avanzamos hacia nuestros días (Zunzunegui, Agustí). Otros se imponen nada más empezar la década (Cela) o tardan en conseguir el reconocimiento de público y crítica (Torrente), pero su obra progresa y se acrecienta con paso firme en el transcurso del tiempo. Alguno escribe un título importante no refrendado por una obra posterior igualmente significativa (Laforet) o da a conocer en estos años un libro que anuncia una novelística regular y valiosa (Delibes).

Por razones expositivas, no siempre escrupulosas con la dinámica de la realidad, presentaremos a estos novelistas en tres grupos. En el primero incluiremos a la mayor parte de ellos, congregados por una novelística que se caracteriza por la práctica de un realismo tradicional, de corte decimonónico, con influencias naturalistas y costumbristas. En el segundo, me referiré por separado a los tres más significativos escritores de esta promoción, Cela, Delibes y Torrente. El distinguirlos se debe a la mayor importancia de su obra y no a sustanciales diferencias técnicas y formales. Por fin, me parece oportuno presentar por separado a quienes practican vías poco frecuentes en aquella época —y, en general, en la postguerra—, la fantasía y el relato humorístico.

1) *El realismo tradicional*

Entre los numerosos narradores que en la postguerra practican un tipo de relato tradicional, realista, dos de ellos merecen ser tratados en primer lugar porque, a pesar de sus sustanciales diferencias, tienen una obra relevante en la que se ofrece una visión burguesa del mundo, Juan Antonio de Zunzunegui e Ignacio Agustí. Ambos ejemplifican bien dos ópticas distintas dentro de un común sentir: Agustí es abogado (no exento de crítica) de una forma de organización social deseable y con futuro; Zunzunegui, desde un radical criticismo, denuncia los vicios y fallos de una moral social que no cumple adecuadamente su cometido y que está a punto de ser barrida.

Juan Antonio de Zunzunegui (1902-1982) es un caudaloso escritor, constructor de una extensa «flota» (como él denominaba al conjunto de su producción) de embarcaciones de todo calado, fletada con una gran regularidad. Rasgos distintivos del escritor son una gran capacidad fabuladora (aunque algo monótona al ponerse al servicio de unas muy pocas cuestiones fundamentales) unida a cierta incontención narrativa y una extraordinaria capacidad de redacción, a consecuencia de la cual se resienten una prosa premiosa y una construcción formal despreocupada dentro de modelos decimonónicos. Nacido en el seno de la burguesía acomodada vizcaína, Zunzunegui prefirió el azaroso camino de las letras —hasta el punto de pasar penurias en sus últimos años— a la seguridad de los negocios familiares, quizás por un arraigado criticismo que le impulsó a dar cuenta del desconcierto del mundo en el que le tocó vivir, según él lo sentía.

La labor creativa de Zunzunegui empieza en fecha temprana y tras *Chiripi* (1925), historia del fortuito éxito y posterior infortunio de un jugador de fútbol, en *Chiplichandle* (1940, pero de redacción anterior) le vemos ya como un fustigador de la subversión de los valores establecidos en la anterior jerarquización social al presentar un ameno relato picaresco en el que se nos narran las aventuras de un jovenzuelo que llega a gobernador civil. A partir de aquí, nuevos y voluminosos libros aparecen sin cesar: *Ay... estos hijos* (1943), *El barco de la muerte* (1945), *La quiebra* (1947), *La úlcera* (1948), *El supremo bien* (1951), *Esta oscura desbandada* (1952), *La vida como es* (1954), *El camión justiciero* (1956), *Una mujer sobre la tierra* (1959), *La vida sigue* (1960)..., y otros muchos títulos en los que, desde los años sesenta, reitera temas y formas y tal vez acentúa su amargo pesimismo.

Toda la literatura de Zunzunegui surge por imperiosos dictados interiores, ya que para él no es torre de marfil sino necesidad de clamar por una regeneración de las ideas y de las costumbres. Su campo temático preferido es el de la burguesía, tanto alta como media, aunque a veces desciende a las clases bajas y al mundo del hampa (por ejemplo en *La vida como es,* cuyos aciertos se encuentran en el pintoresquismo de las situaciones y en el retrato de tipos). Desde unos supuestos conservadores, quiere evocar un modo de dirección social basado en el predominio de una burguesía industriosa, preocupada por el progreso material, pero de arraigados principios morales, consciente de sus derechos y también de sus obligaciones, faro que debiera iluminar al resto de la sociedad. El drama de Zunzunegui, que es el que reflejan buena parte de sus novelas, radica en que esa organización social ideal —presidida por una triunfante burguesía ejemplar— se está desmoronando y lo plebeyo, lo bajo y el materialismo más burdo se van imponiendo. La culpa no es del imparable avance de las clases bajas y de los obreros organizados, sino de esa propia burguesía que después de haberse creado un lugar prepotente en la historia, de haber conquistado el control económico, social y político gracias a su laboriosidad, está ahora haciendo dejación de sus derechos porque ha olvidado sus deberes. El espíritu de sacrificio ha sido sustituido por la vida muelle, por el absentismo o por el hedonismo irresponsable. O, en otras ocasiones, quienes con su esfuerzo alcanzan fortuna, fijan su meta tan sólo en objetivos materiales y entonces el novelista les condena porque el dinero no da la felicidad; ahí está ese enriquecido personaje sin más problemas que los que le produce una úlcera, que añora, una vez operada, porque era su única auténtica compañía; ahí está la denuncia de los nuevos ricos, porque también el dinero requiere una tradición, y las ganancias una mesura.

Este comportamiento irresponsable a los ojos del escritor es el que reitera una y otra vez Zunzunegui. Bien sea la historia del acaudalado hijo de una antigua familia financiera e industrial que acaba mantenido y luego menospreciado por su amante; bien la del rentista inútil, incapaz del menor gesto positivo en la lucha por la vida. Así se pierden las buenas costumbres, se rebajan los principios y el novelista se eleva como notario implacable de una desbandada moral frente a la que no puede hacer otra cosa que ofrecer un amargo y crispado testimonio. Por eso las novelas de Zunzunegui suelen ser muy tristes y hasta el humor, no infrecuente en él, se convierte en una mueca ácida. La variada gama de tipos y situaciones de las novelas de Zunzunegui, que lo mismo entran en los salones burgueses bilbaínos que bajan hasta las clases populares madrileñas, desprende una visión amarga de la vida. Ésta deriva de un radical inconformismo y de un agudo criticismo que ya se preludia en sus relatos primerizos. Desde entonces, Zunzunegui ha tratado de mostrar el ingente desconcierto del mundo. El egoísmo social, el papanatismo cultural, el desmesurado afán de lucro, la inclinación por el dinero, la búsqueda de lo material, el olvido de lo espiritual, la educación jesuítica, los tópicos nacionales... son el conjunto de temas que, aislados o entrelazados, aparecen una y otra vez en su narrativa. De esa mirada implacable no se escapa ni siquiera el propio mundillo literario, con sus vanidades y trampas y, curiosamente, con una novela que rezumaba amargura, resentimiento y menosprecio, *El premio* (1961), obtuvo uno de los más destacados galardones nacionales.

Aunque inicialmente adscrito a la causa de los vencedores en la guerra, chocó con el anterior régimen y, por ejemplo, *El don más hermoso,* escrita entre 1966 y 1968, no pudo publicarse hasta 1979. Ello se debe a que en la raíz última de su novelística se halla un severo moralista que no podía aceptar el estado de degradación moral, de ausencia de principios elevados que se extiende por la España cotidiana de los cuarenta y cincuenta. Así, cuando sus relatos penetran en la postguerra, chocan con la visión oficial de España y, a veces, alcanzan semejante valor testimonial que el que obtienen los novelistas sociales (aunque la óptica de Zunzunegui sea conservadora) y, por ejemplo, *Esta oscura desbandada,* tal vez su mejor novela, se convierte en uno de los testimonios críticos más duros de la sociedad española de los cuarenta, tristísima visión de los rentistas venidos a menos y de las clases medias bajas del Madrid de la época y en la que, además, se planteaba un problema de capital importancia: cómo la guerra era el origen de una moral utilitaria, cómo predominaba un pragmatismo carente de ideales.

Zunzunegui fue escritor muy popular y sus novelas alcanzaron éxitos y reediciones continuadas. Desde hace varios lustros, sin embargo, empezó a ser relegado a causa, seguramente, de su reiteración temática y, también, de la forma adoptada para sus novelas. Esa radiografía moral de la sociedad de nuestro siglo se lleva a cabo mediante unas historias implacables que buscan, ante todo, contar un suceso aleccionador y por ello es escasa su preocupación formal que se acoge, normalmente, a ese tipo de novela-río decimonónica que le permite rastrear la historia del protagonista a través de varias generaciones o de un largo período de tiempo. Sus relatos son, con frecuencia, desmesuradamente extensos por una incontinencia argumental que le lleva a prodigar anécdotas laterales. Su estilo se aqueja de un descuido que lo hace, en ocasiones, reiterativo y farragoso (sin contar con las inocentes innovaciones léxicas de sus primeros relatos).

También una dedicación sostenida al *roman-fleuve* y una concepción burguesa del mundo caracterizan a IGNACIO AGUSTÍ (1913-1974), aunque con notables diferencias respecto de Zunzunegui. Aparte de su producción novelesca, Agustí, vinculado originalmente a la Falange, ha sido una persona destacada de la cultura de postguerra: fundador del semanario *Destino*, director de *El Español,* colaborador de diversas publicaciones y creador del Premio Nadal. Autor de una novela primeriza (*Los surcos,* 1942) y de un libro póstumo entre las memorias y el reportaje (*Ganas de hablar,* 1974), su obra fundamental es «La ceniza fue árbol», integrada por cinco voluminosas novelas publicadas a lo largo de casi treinta años: *Mariona Rebull* (1944), *El viudo Rius* (1945), *Desiderio* (1957), *19 de julio* (1965) y *Guerra civil* (1972).

El título de la pentalogía es suficientemente expresivo de su recorrido temático: la evolución de una familia catalana —el abuelo Ríus, su hijo y, en menor medida, el nieto— desde su encumbramiento económico —el árbol del título— hasta un incierto futuro —la alusiva ceniza—. Esta trayectoria se concretiza en la laboriosidad del viejo Joaquín Ríus, forjador de una sólida empresa textil, continuada no sin dificultades por su hijo, Desiderio, y prolongada después de la República y la guerra —muerto ya el viejo— por el nieto, Carlos, que extenderá en el tiempo el negocio pero ya sin las virtudes de entusiasmo, abnegación y sentido social del iniciador de la dinastía. Con el último heredero —cuya historia completa ya no interesa a la novela— intuimos el desmoronamiento de la ejecutoria familiar. Es, pues, la novela del proceder de una burguesía industrial en la cual confía Agustí —en este sentido mucho más galdosiano que Zunzunegui—, para quien ese modelo socioeconómico es un ideal respetable y logrado. Salvo que Agustí —al igual que los narradores realistas del siglo pasado— presiente las contradicciones y limitaciones de ese sistema y ofrece del mismo una trayectoria declinante, no por culpa del sistema sino por la relativa degeneración de sus integrantes, carentes de la fe y de las virtudes de quienes lo forjaron. Su actitud crítica, por tanto, no enjuicia las realizaciones de la burguesía industrial desarrollada sobre un modelo decimonónico sino la dejación de los herederos, quienes —por comodidad, apatía o señoritismo— hacen peligrar aquellas conquistas. La serie, así, tiene un fuerte carácter ejemplar, aunque la parte dedicada a la postguerra ocupa muy poco espacio, ya que Agustí ha preferido insistir en la fase de desarrollo y primera crisis.

Este planteamiento temático que acabo de hacer no implica una reducción de la fábula novelesca a la simplificación ejemplificadora de una realidad compleja. Al contrario, el tema se desprende de un caudaloso relato, muy vivo en la recreación de ambientes y certero en la configuración de personajes. La trayectoria argumental contiene un proyecto de novelación de la España contemporánea desarrollado al hilo de los avatares de esa familia catalana, a través del cual podemos conocer las convulsiones y transformaciones de la época (desde los atentados anarquistas, víctima de uno de los cuales muere Mariona Rebull, hasta el enfrentamiento de 1936). Los personajes, sobre todo los protagonistas de la trama central, poseen personalidad individual y densidad psicológica, pero alcanzan también dimensión colectiva porque la pentalogía incorpora centenares de figuras secundarias que constituyen un amplio coro. Sin embargo, nunca se pierde o desdibuja la trama particular, ni siquiera en *Guerra civil,* relato de dispersa geografía y de multitudinaria protagonización. Toda la línea argumental familiar sirve de engarce para lo que, de hecho, es la serie: la crónica —montada sobre el plano individual pero a la vez reflejo del colectivo— de esa Barcelona fabril y trabajadora desde fines de siglo hasta terminada la guerra civil.

Una técnica tradicional, de un realismo exigente y matizado de cierto talante lírico, es la utilizada por Agustí para componer esa «saga» desde una posición liberal-burguesa que le lleva, más que a denunciar, a describir la evolución de la sociedad catalana en lo que va de siglo con una cierta nostalgia del tiempo pasado.

La primera novela, *Mariona Rebull,* es la más maciza y mejor organizada, a la vez que una de las más interesantes de los años cuarenta, y en ella los conflictos individuales —las tensiones entre Joaquín y Mariona— engarzan perfectamente con una descripción de época, pero todos los libros de la serie (excepto el tercer volumen, *Desiderio,* de una desconcertante falta de calidad) manifiestan una laboriosa realización. «La ceniza fue árbol», por otra parte, no se circunscribe a ningún trasnochado regionalismo, sino que la trayectoria familiar se presenta como modelo de un proceso social e histórico de alcance general, sin que debamos olvidar, por ello, un cierto homenaje del autor a su tierra natal.

José María Gironella (1917) ha sido durante bastantes años el autor más popular y con más lectores en su haber de toda la postguerra y en torno a él se generaron encendidas polémicas que indican hasta qué punto el país era capaz de conmocionarse, veinte años después de la guerra, por la memoria del conflicto. Porque no debe olvidarse que las agresiones contra Gironella no vinieron fundamentalmente de la izquierda sino de gentes que habían combatido en su mismo bando. Por otra parte, la obra de Gironella tiene abultadas dimensiones. Ha escrito varias novelas entre existencialistas y psicologistas (*Un hombre,* 1946; *La marea,* 1949; *Mujer, levántate y anda,* 1962; *Cita en el cementerio,* 1983) y una nutrida lista de títulos misceláneos (viajes, entrevistas, reportajes...). Todos esos libros, aun con cierto éxito de público, han quedado eclipsados por una voluminosa saga en torno a la guerra civil, compuesta por *Los cipreses creen en Dios* (1953), *Un millón de muertos* (1961) y *Ha estallado la paz* (1966). Desarrollada como una trilogía, ha sido ampliada (no completada, pues en buena parte es reiterativa) por otra novela posterior, *Condenados a vivir* (2 vols., 1971).

La trilogía obedece al propósito de presentar un amplio fresco histórico del más grave conflicto de la España contemporánea, a partir de las convulsiones sociales de la época republicana (*Los cipreses...*), pasando por los años de lucha (*Un millón...*) y hasta desembocar en el período de la inmediata postguerra (*Ha estallado...*, que concluye a finales de 1941). El elemento unificador de la serie es la figura de Ignacio Alvear, joven gerundense testigo de las crisis de anteguerra (*Los cipreses...*), luchador franquista a través de una amplia geografía (*Un milión...*), reincorporado, finalmente, a la vida civil en su ciudad natal (*Ha estallado...*). Familiares, amigos y conocidos de Alvear forman el cañamazo muy amplio de personajes que, en razón de su vinculación con el protagonista, sirven a los propósitos de reconstrucción socio-histórica. La primera y la última de las novelas se desenvuelven más en la esfera de lo personal y familiar, aunque sólo sea el pretexto de una visión panorámica; en ambas lo novelesco, e imaginativo, la prosecución de unas historias individuales, ocupa un lugar importante, aunque todavía quede bastante espacio para la información histórica. La segunda de la serie pierde la concentración espacial y relega la importancia de los protagonistas a favor de una acumulación de noticias e informaciones del momento histórico en el que se desarrolla la acción. Un criterio eminentemente documental destierra casi por completo lo literario, e incluso, lo hace superfluo, impertinente o forzado. El relato se inclina más hacia la crónica intencionada que hacia la literatura, y ésta casi llega a sobrar. La distancia que separa a *Los cipreses...* de *Un millón...*, por lo que se refiere a su concepción narrativa, hace pensar que la trilogía no obedeció a un plan unitario sino que creció a expensas del éxito del título inicial de la serie.

Varios millares de páginas, bastante conflictivas, dificultan un enjuiciamiento sintético que necesitaría de numerosas matizaciones. Además, es imprescindible —pero no fácil de conseguir— adoptar una posición distanciada que permita una valoración serena que —en el caso de obras como la presente— debe partir de la consideración de la trilogía en cuanto obra literaria, labor que el propio autor entorpece al penetrar en el campo de la historia y abandonar el de la ficcionalización. Teniendo en cuenta estas dificultades (y dejando para una crítica histórica los errores y tendenciosidades que se descubren en la serie) y ateniéndonos sólo al plano literario (claro está que con todas sus implicaciones), la falta más sustancial de la trilogía es la propiedad de su argumentación específicamente novelesca. Si ésta existe en la mitad de *Los cipreses...*, desaparece casi por completo en *Un millón...* y se recupera en *Ha estallado...* En cualquier caso, Gironella sustituye la trama novelesca más allá de lo que es lícito en una obra de invención por el documental e incluso bordea el reportaje periodístico basado en amplios recortes hemerográficos. La historia humana de Alvear y los suyos (que incluye desde familiares hasta desconocidos, con el propósito de arropar al protagonista en una especie de coro colectivo) debiera ser el soporte básico de la narración —y en ella tendría que radicar su valor novelesco— en el que se incardinaran cualesquiera otros sucesos contemporáneos. Gironella prefiere, sin embargo, el relato extenso, en ocasiones minucioso —que llega, incluso, a exhibir sus fuentes y a transmitir noticias e informes— de acontecimientos político-sociales y bélicos. A causa de ello, la línea argumental pierde consistencia, se olvida y se transforma en un remoto pretexto. Las consecuencias las pagan los protagonistas, difuminados y hasta abandonados, suplantados por una suma abigarrada de datos, noticias, informaciones... La documentación, además, está seleccionada intencionalmente y la fisonomía de Gerona en la preguerra, que aspira a ser una descripción global de la vida de una capital de provincia, se ofrece nada más que desde un punto de vista. *Los cipreses...* resulta muy esquemática en cuanto testimonio veraz y completo, y, por ello, poco verdadera. Ese esquematismo también es común a *Un millón...*, pero parece más explicable —aunque no deseable— porque tiene más sentido el hablar de la guerra desde una única óptica, que manifiestamente es la de los vencedores. Un cierto escepticismo en *Ha estallado...* parece indicar un cambio en la disposición del autor. Los dos primeros volúmenes —y también en menor medida el tercero— comparten algunos supuestos de la vieja novela de tesis y ello motiva otra limitación narrativa: los personajes asumen una carga ideológica —que transparenta una postura de signo tradicional-conservador— que desvirtúa su veracidad humana, y, por tanto, literaria, y por momentos muestran un acusado maniqueísmo.

El primer premio Nadal lanzó a la fama a una joven escritora, CARMEN LAFORET (1921). El libro galardonado, *Nada* (1945), alcanzó uno de los grandes éxitos literarios de toda la postguerra, y figura entre los títulos más significativos de este período y entre los más destacados de los años cuarenta. Recibido con gran expectación tanto en el interior como en los círculos exiliados, *Nada* protagonizó un cierto escándalo, achacable antes al ambiente en que aparece que al propio contenido. Su argumento es muy sencillo: una joven llega a Barcelona a realizar estudios de Filosofía y convive con unos familiares; el entusiasmo vital de la chica cede paso, poco a poco, a un profundo desencanto para el que quizás sea una solución la marcha de la ciudad hacia un nuevo destino en el que podrá utilizar las amargas enseñanzas recibidas durante su aprendizaje de mujer adulta. El tema, pues, no es otro que el del acceso a la experiencia, el de la maduración de la persona y el de la adquisición de una idea cierta del mundo. Pero este tema daba lugar a otro, seguramente no intencionado, el de la constatación de un estado colectivo. Éste viene caracterizado por la miseria material y moral que refleja la familia que alberga a la joven Andrea y por el ambiente sórdido de la propia ciudad que ella conoce. De esta manera, desde una literatura de la persona, *Nada* adquiría un valor testimonial en cuanto reflejo de una realidad degradada y suponía, implícitamente, y al margen de los propósitos de la autora, una respuesta a tanto falseamiento o escapismo literario y, por ello mismo, ofrecía un posible camino para la recreación novelesca de la España actual.

Nada utiliza una técnica tradicional y emplea una estructura y un lenguaje de gran sencillez e inaugura un tono lleno de futuro en la novela reciente, sin retoricismos ni ampulosidades. El relato destaca por su sinceridad y autenticidad que proceden, tal vez, del notable trasfondo autobiográfico, al que debe responsabilizarse, junto con la inexperiencia y juventud de la escritora, del tono ingenuo de la novela. El valor testimonial que adquirió *Nada* resulta, cuando menos, sorprendente, ya que una historia bastante inocente se monta en un entorno de cierta inverosimilitud por el exceso de anormalidades familiares que rodean a Andrea. Sin embargo, el modo directo de narrar, la escueta y simple presentación de unas amargas y auténticas vivencias personales, el antitriunfalismo del relato, los abundantes detalles de dificultades materiales, el derrumbamiento de unos ideales..., pudieron funcionar como documento colectivo, y, de hecho, eso es lo que sucedió.

Tan brillantes y populares inicios hacían presumir una inmediata e indiscutible confirmación de la escritora que, sorprendentemente, no se ha producido. La obra posterior de Carmen Laforet es escasa y sus restantes títulos no han alcanzado la significación histórica de aquella primera novela, que, de todas formas, ha eclipsado en exceso a los libros posteriores. Sobre presumibles sustratos autobiográficos, ha escrito otras indagaciones intimistas: un nuevo acceso a la experiencia en *La isla y los demonios* (1952), la recuperación de la fe en *La mujer nueva* (1955). Estas tres primeras novelas responden a un idéntico estímulo y son como variantes de una común problemática: frente al sinsentido de una realidad oscura (*Nada, La isla...*) se encuentra un asidero para reafirmarse en el mundo (*La mujer nueva*). *La isla y los demonios* y *La mujer nueva* describen, pues, una trayectoria que arroja luz sobre el ocasional e involuntario sentido testimonial de *Nada,* pues de ellas se desprende una persistente preocupación por la intimidad e, incluso, un desinterés por cuestiones históricas concretas. Esa básica problemática se convierte en la inquietud medular y casi única de la escritora al reaparecer en 1963 con *La insolación,* inicio de la anunciada trilogía «Tres pasos fuera del tiempo». En ella, un adolescente, Martín Soto, vive en la lejanía de la ensoñación, la inconsciencia y el aislamiento del mundo la realidad española entre 1940-1942. Las otras dos prometidas novelas de la serie iban a contarnos la inserción del personaje en los años cincuenta y sesenta.

Ricardo Fernández de la Reguera (1916) se inicia dentro de la órbita existencialista de los años cuarenta (*Un hombre a la deriva,* 1945; *Cuando voy a morir,* 1950), lleva a cabo una variada producción novelística (*Perdimos el paraíso,* 1955; *Bienaventurados los que aman,* 1957; *Vagabundos provisionales,* 1959; *Espionaje,* relatos, 1963; *Roni,* 1982) y es coautor —con su mujer, Susana March— de una de las series —la más larga de todas— que retoman el proyecto histórico galdosiano en la postguerra, *Episodios nacionales contemporáneos.* Su obra más certera, y por la que debiera ocupar un destacado lugar en la narrativa reciente, no ha tenido, a mi parecer, la resonancia crítica que merece: *Cuerpo a tierra* (1954).

Cuerpo a tierra no es, creo, tanto una novela de la guerra como una novela en la guerra. La actividad en el frente no es escasa y hay un cierto protagonismo colectivo de los soldados de a pie que luchan y padecen, pero resulta no menos cierto que sólo aparencialmente se trata de una novela de la guerra civil, pues puede considerarse, antes, como un libro sobre cualquier guerra, sobre la guerra en general. Ello porque por encima de cuestiones ideológicas —no del todo ausentes— el relato se polariza en uno de los combatientes, Antonio Guzmán, y en su dramática historia: habiendo salido ileso de los tres años de lucha, muere bobamente —si así puede decirse— cuando ésta va a concluir. Del fragor de los combates, pasamos a la órbita de lo personal: el desasosiego y el temor del luchador, sus sacrificios y penurias. Y, además, la sombra siempre amenazadora de la muerte, que es motivo reiterado de la narrativa de Fernández de la Reguera. Tanto sacrificio —muy poco heroico, por cierto— concluye en ese aludido final que implica una pregunta sobre el sentido y justificación de la guerra.

Ese conjunto de preocupaciones no se plantea de manera discursiva ni se agrega como reflexiones pegadizas sino que se hace verdad novelesca mediante una historia llena de intenso dramatismo, de gran densidad humana, repleta de pequeñas anécdotas de extraordinaria verosimilitud y en la que se incorporan afortunados conflictos sentimentales y emotivos. El significado de *Cuerpo a tierra* es más claro si se compara con el tono de exaltación bélica de los relatos que antes hemos visto. En *Cuerpo a tierra,* la guerra no es una maldición bíblica, pero, desde luego, no resulta algo noble y deseable; no hay ninguna clase de belicismo. También es verdad que no cae en las espeluznantes descripciones de los horrores de la guerra, tan características de la literatura antibelicista, pero sí creo que se halla en una tradición levemente remarquiana.

Ni los alejados elogios críticos que en su día hiciera Juan Luis Alborg ni la ajustada y reciente reivindicación de Ignacio

Soldevila parecen haber modificado una establecida convención de la crítica literaria por la que casi no se tiene en cuenta a un escritor que empieza también en los cuarenta, que cuenta con una producción amplísima —cerca de un centenar de obras, varias muy voluminosas, entre relatos y novelas— y que merece una indudable consideración: ALEJANDRO NÚÑEZ ALONSO (1905-1982). Llama la atención, en primer lugar, su singular biografía: muy joven se inicia en el periodismo, marcha a México —donde vive más de veinte años— como periodista y guionista de cine y desde 1949 vuelve a Europa como corresponsal extranjero. También son sorprendentes sus peculiares inquietudes novelescas, dentro de una variada temática. En una de sus vertientes, parece partir de situaciones vinculadas con su biografía (hay periodistas entre los personajes de *Gloria en subasta,* 1964, o de *Víspera sin mañana,* 1971) para, sobre ellas, elevarse a la búsqueda de una interioridad desgarrada o de las últimas fronteras del espíritu humano. Esos temas participan de modelos narrativos tan diferentes como el relato de intriga (*Gloria...*) o la ciencia ficción (*Víspera...*).

Estos modelos nos hacen pensar en un escritor más imaginativo que testimonial, preocupado por una literatura pura, que le lleva a una investigación introspectiva desde una situación límite —la inminencia de la muerte voluntaria— en *La gota de mercurio* (1953) o a la creación de grandes frescos históricos sobre remotos tiempos. Éstos constituyen, al menos en la parte de su obra que conocemos, la vertiente más persistente y homogénea de su producción. Una serie de voluminosas novelas evidencian esta tendencia: *El lazo de púrpura,* 1957; *El hombre de Damasco,* 1958; *El denario de plata,* 1959; *La piedra y el César,* 1960; *Las columnas de fuego,* 1967; *Arriba Israel,* 1977. Más que novelas históricas al uso son grandes figuraciones histórico-novelescas-legendarias que tratan de dar vida a las primitivas civilizaciones y al mundo antiguo del próximo Oriente y de la cuenca del Mediterráneo. Aparte la minuciosa documentación (de cuya fidelidad debiera responder un historiador pero que nos parece muy amplia y concienzuda), estas novelas pretenden reconstruir unas formas de vida antiguas con intención de plena verosimilitud por lo que mezcla tanto los destinos de la gente sin historia como los de grandes personajes históricos (apoya esa verosimilitud la inclusión de índices onomásticos y de mapas y planos en el libro). Estos relatos, a veces muy prolijos, tienen el interés de toda narrativa que se propone contar una historia interesante, cualquiera que sea su veracidad. No hay duda de la capacidad de Núñez Alonso para la recreación de un ambiente, para el trazado de psicologías, para la invención de sucesos y de intrigas. Le perjudica un cierto gigantismo en los temas y anécdotas y una acusada incontinencia narrativa que le hace trasponer las barreras de lo folletinesco. De cualquier manera, el conjunto de su obra demuestra grandes dotes de narrador e innegables cualidades inventivas, de observación y de organización del relato. Sus técnicas narrativas —no sin excepciones importantes— son, por lo general, tradicionales. A veces cae en inmoderada verbosidad, poco controlada, que hace pensar en una prosa excesivamente funcional.

SEBASTIÁN JUAN ARBÓ (1902-1984), bien conocido como biógrafo de Cervantes, Verdaguer o Baroja, publica sus primeros libros novelescos en catalán y se inicia en castellano con *Sobre las piedras* (1948). Escritor muy entrañado con la geografía catalana (*Tierras del Ebro,* traducción en edición definitiva en 1956; los relatos *Narraciones del delta,* 1965), sus novelas tienden a presentar un mundo rural de tintes trágicos y de dramáticos conflictos (*Tierras...*, *La espera,* 1968). Diferente es un libro de alguna popularidad, *Martín de Caretas* (2 partes, 1958 y 1959), novela neopicaresca, desenfadada y triste. Tampoco ha obtenido la notoriedad que harían presumir los frecuentes premios que ha logrado.

Durante los años cuarenta se extiende una inclinación de nuestros narradores a incorporar a la materia novelesca un mundo de pasiones, bajos instintos, defectos físicos, taras psíquicas... En los relatos que comparten esta tendencia se presentan de forma más o menos complaciente los aspectos más bajos y sórdidos de la naturaleza humana y no se orillan escenas violentas o desagradables. Algunos de estos rasgos —o varios de ellos— se encuentran en no pocas novelas de la época y dieron lugar a un calificativo peyorativo, tremendismo, empleado con ánimo denunciador desde posturas fuertemente moralistas. Populares novelas de entonces se mueven en esa órbita (el *Pascual Duarte,* de Cela, *Nada,* de Laforet...) y otras muchas se sumaron a este modo bronco de presentar la realidad que, por otra parte, era habitual en la literatura belicista y propagandística de la inmediata postguerra.

Esos ecos tremendistas —sin connotación alguna por mi parte— alcanzan también a la única novela de LUIS LANDÍNEZ, *Los hijos de Máximo Judas* (1950), libro solitario de una enigmática personalidad, hoy injustamente postergado. Pero no lo recuerdo como reivindicación de un texto interesante —otros más andan indebidamente olvidados— sino porque en Landínez confluye el gusto llamado tremendista con otra de las corrientes más persistentes en la postguerra: un ruralismo de intencionalidad crítica. El precedente quizás sea el drama rural de anteguerra, género practicado por buen número de autores (entre otros, López Pinillos, Benavente, el mismo Galdós) que emplazaban la acción dramática sobre un escenario campesino deprimido en lo económico y lo social. Esos lugares situados al margen del progreso y, casi, de la civilización facilitan la explosión de las pasiones humanas, el desarrollo de odios ancestrales. Este tipo de ambiente es el soporte de numerosos relatos de postguerra, los cuales, de una manera indirecta, culpaban a una situación social que permite la existencia de esas formas de vida incultas y bárbaras. Con mayor desarrollo y prosperidad, con un mínimo de cultura, no serían tan fáciles esos sórdidos y terribles dramas. *Pascual Duarte* (al margen de la intencionalidad de Cela) se inserta en esa línea que se prolonga en un más o menos templado ruralismo durante los años cincuenta y que obtiene uno de los más estimables logros con Luis Landínez.

Los hijos de Máximo Judas es un tremendo drama rural que baña de sangre a varios miembros de una familia campesina de imprecisa ubicación espacio-temporal (de manera aproximada localizable en la Castilla de nuestro siglo). Landínez relata con dureza la vida sombría del campo castellano y describe unas formas de comportamiento ancestrales que, por culpa de una ignorancia no redimida, desemboca en terribles y justicieros crímenes. El tono en exceso patético no impide una narración llena de verdad humana que debe situarse entre los ignorados precedentes de la futura novela social.[2]

Otros novelistas más, pertenecientes por cronología a la primera promoción de postguerra, debemos recordar, ya que algunas de sus obras poseen incuestionable interés. Ahora sólo daremos noticia de su nombre por los condicionamientos que pesan sobre un libro como el presente, pero esperamos ampliar la informa-

2. La bibliografía relativa a los autores estudiados dentro del epígrafe «el realismo tradicional» es escasa, aunque existen algunas pocas monografías (por ejemplo, Illanes [1971], sobre C. Laforet, o Carbonell [1965], sobre Zunzunegui). Es conveniente acudir, para una primera información, a los manuales citados en la nota anterior. La historia externa del tremendismo la relata Martínez Cachero [1973]. Tratan obras concretas de algunos de los autores referidos, Gil Casado [1968] y Sanz Villanueva [1980]. En relación con el drama rural, véase Mainer [1972] y M. de Paco [1971-1972]. Información biográfica, comentarios críticos y noticias bibliográficas relativas a narradores incluidos en éste y otros apartados se encuentran también en los estudios de varios de los volúmenes de la serie *Las mejores novelas contemporáneas* publicada por la editorial Planeta bajo la dirección de Joaquín de Entrambasaguas y con la colaboración de María del Pilar Palomo.

ción en una próxima ocasión. De cualquier manera, estos narradores forman también parte inolvidable de la producción novelesca en castellano desde 1936: Enrique Azcoaga, Eduardo Blanco Amor, Juan Antonio Cabezas, José Corrales Egea, Manuel Halcón, Carlos Martínez Barbeito, Juan Perucho, Elena Quiroga, Tomás Salvador, Rafael Sánchez Mazas, Claudio de la Torre.

2) *Los autores «mayores»*

CAMILO JOSÉ CELA (1916) reúne el doble mérito de haber logrado una alta estima de la crítica y una inusual popularidad. Para aquélla, el de Cela es uno de los nombres más significativos de toda la novela reciente. En cuanto a los lectores, ha conseguido rebasar el limitado conocimiento que nuestra sociedad tiene de sus escritores y tal vez sea el más renombrado, popularmente, de los novelistas españoles actuales. La suma de una singular obra literaria y de una acusada personalidad pública es la razón de este infrecuente éxito, y ambos factores deben ser tenidos en cuenta en un enjuiciamiento comprensivo de su labor creativa. Esa singularidad literaria nos lleva a reconocer en él a una de las figuras señeras de la narrativa actual (su labor no se ciñe en el campo de la prosa de ficción al género novela, aparte sus incursiones menores y poco afortunadas en los terrenos de la poesía o el teatro) y ha desempeñado un papel decisivo en el resurgimiento de la novelística de postguerra, por lo cual ha atraído y casi monopolizado la atención de la crítica, tanto de la periodística como de la universitaria. Su amplia popularidad no se basa sólo en sus indudables merecimientos literarios sino que se ha beneficiado de una cuidada imagen pública. En su biografía menudean las anécdotas con ciertos ribetes escandalosos que han atraído la atención del público. En sus intervenciones públicas resulta ingenioso, ocurrente y un punto provocador. Algunos libros suyos han despertado interés por motivos bien poco literarios (su *Diccionario secreto* o *Izas, rabizas y colipoterras*, serie de estampas ilustradas de prostitutas). Es sabida su afición por las palabras malsonantes, su inclinación por lo erótico y su propensión a lo escatológico, todo lo cual ha provocado la curiosidad de la puritana sociedad de postguerra. Esa serie de factores la ha conjugado Cela para crearse una figura marcada por un llamativo pero muy medido inconformismo que nunca se ha atrevido a sobrepasar ciertas convencionales barreras de la sociedad, lo que hubiera producido el rechazo del escritor, mientras que, al contrario, muy joven ingresaba en la Academia de la Lengua.

Esa imagen ha convertido en moneda corriente la opinión de que Cela es un autor irreverente, agresivo y fuertemente comprometido, lo cual no es cierto a la vista de los contenidos de sus libros, muy mesurados y que, con cierta frecuencia, no suelen sobrepasar una mirada superficial, epidérmica de su entorno. Estas puntualizaciones parecen necesarias para no distorsionar la significación de sus obras —y para que no se extremen ciertos tópicos— y no constituyen inconveniente para resaltar lo que de eminente hay en ellas y por lo cual merece el positivo juicio antes expresado. En su haber están no pocos títulos importantes que han alcanzado debida resonancia. Estos títulos, además, tienen una notable significación histórica en cuanto que se han situado durante varios lustros en la vanguardia de la novela española de postguerra y, en buena medida, han marcado sus rumbos. Así, *La familia de Pascual Duarte* (1942) es una de las novelas más destacadas de los años cuarenta y se suele considerar encabezadora de la tendencia tremendista, aunque ello sea una consecuencia ajena a la voluntad del escritor. *Viaje a la Alcarria* (1948) inicia una poderosa corriente de resurgimiento de la literatura viajera. *La colmena* (1951) abre el camino a la narrativa testimonial de la generación del medio siglo en los años cincuenta. Todos estos hechos —más su habilidad en el cultivo del cuento o el relato corto— le conceden a Cela un puesto relevante en nuestras letras actuales.

Ya con su primer libro, *La familia de Pascual Duarte,* de 1942, Cela alcanza la notoriedad. Pese a la juventud del escritor, evidencia una sorprendente madurez, y, en este caso, la expresión no tiene nada que ver con la cómoda fórmula que se suele aplicar a los libros primerizos. No es una obra por completo lograda, pues muestra con claridad tan diversos débitos —desde la picaresca hasta el romance de ciego— e influencias tan claras —de Valle-Inclán, por ejemplo— que se puede hablar de la ausencia de una idea coherente y de una indecisión organizativa por parte del autor, a pesar de lo cual imprime al relato un sello personal. La imperfección de *Pascual Duarte* es mayor, incluso, en lo que concierne al punto de vista del narrador, en el que se detectan fallos que fácilmente hubiera evitado un escritor más experto. Su éxito inmediato se debe a factores ajenos a la obra, como el ambiente de mediocridad literaria en el que disonaba un tema nada triunfalista tratado de forma poco común (aunque haya que vincularlo con los planteamientos del drama rural) y alejado de una problemática directa de la guerra, tan pujante en los años de su primera salida. También contribuyen factores internos, sobre todo la fuerza de su argumento, no exento de cierta truculencia. En *Pascual Duarte* asistimos al relato en primera persona de un mozo extremeño condenado a muerte por una serie de crímenes de los que es ejecutor. El final trágico del protagonista combina tanto un existencialismo difuso como una acusación social no explícita. Responsable de sus crímenes, a su vez ha de considerársele víctima de unos condicionamientos histórico-sociales, el atraso y primitivismo ancestral de algunos sectores rurales. El contenido crítico social, sin embargo, no es obvio y las referencias al período republicano y a la guerra han permitido a algún crítico hacer una lectura de la novela favorable al nuevo orden político (en el éxito de Cela contribuyó no poco el apoyo oficial que recibió desde instancias del franquismo). Distintiva de *Pascual Duarte* era una prosa personal, trabajada, expresiva, que anuncia el peculiar estilo futuro del escritor.

Nuevos libros de Cela confirman la aparición de un narrador de largo aliento. *Pabellón de reposo* (edición en libro, 1944) es una novela unanimista y psicológica centrada en un grupo de enfermos tuberculosos internados en un sanatorio —que por su tema recuerda en algún momento su primer libro, *Pisando la dudosa luz del día,* 1936, poesías, pero no publicadas hasta 1946—, donde reaparece, también de forma difusa, ese tono existencialista ya señalado en *Pascual Duarte*. Con *Nuevas andanzas y desventuras del Lazarillo* (1944), Cela recupera las fórmulas de la literatura picaresca y reactualiza la figura de Lázaro; calificada de pastiche por más de un crítico, la riqueza de su lenguaje, aunque estropeado por forzadas construcciones o términos arcaizantes, es muy superior a la construcción novelesca, poco lograda por la inadecuación del modelo narrativo elegido para la descripción de un marco geográfico y temporal actual. El reencuentro con ese Cela que prometía *Pascual Duarte,* y no confirmado en sus siguientes novelas, llega con *La colmena* (1951, primera edición argentina).

En una ocasión escribió Camilo José Cela que *La colmena* es «un montón de páginas por las que discurre, desordenadamente, la vida de una desordenada ciudad». Esta certera síntesis nos pone en la pista no sólo del tema de la novela sino de su tratamiento literario. En *La colmena,* más de trescientos personajes pululan con el fin de darnos una imagen panorámica de la vida cotidiana del Madrid de la postguerra. El incesante ir y venir de ese amplio censo de protagonistas nos muestra lo único que tienen de común entre sí, su entrega al lacerante ejercicio de la supervivencia.

En *La colmena* no hay hilo argumental. Los personajes pertenecen a varias clases sociales —sobre todo a una burguesía media venida a menos y a sectores humildes—, y aparecen y desaparecen con rapidez de las páginas del libro. La unidad de la obra no procede ni del inexistente argumento ni de la entidad de los personajes sino que viene dada por el ambiente de miseria en el que se mueven éstos. No obstante, se advierten algunos recursos que evitan la total dispersión de las anécdotas. Existen espacios que posibilitan las relaciones de los personajes, sobre todo el café de doña Rosa en el que hacen un alto bastantes de ellos. No todos, por otra parte, son igualmente anónimos y algunos, por ejemplo el escritor Martín Marco, tienen un mínimo interés biográfico y sirven de engarce con otros varios. Estamos, pues, ante una novela de héroe colectivo que quiere convertirse en testimonio de un momento histórico. En *La colmena* no hay, por consiguiente, destinos individuales y sólo el grupo, la masa, la ciudad cuenta. Por eso la novela puede parecer una serie sucesiva de flashes disparados sobre ciertas capas del Madrid de la postguerra, que sorprenden a sus habitantes en su indigencia, abulia y alienación. Por eso los personajes carecen de importancia, ya que en el relato el auténtico protagonista es la difícil existencia cotidiana, hecha verdad, materializada en las breves peripecias personales de esas, por lo general, fugaces figuras.

La pretensión de alcanzar una adecuada verosimilitud impone un desarrollo cronológico breve (la historia externa dura unos pocos días del año 1942) y más que sucesión hay simultaneidad de acciones. Esta reducción temporal se complementa con otra espacial. No puede decirse que *La colmena* sea, con propiedad, la novela de Madrid sino de una parte —urbana y social— de la capital, e, incluso, a veces puede pensarse que se trata de una novela de espacios cerrados (el café, la casa del homosexual Suárez...). Espacio y tiempo sirven a los efectos representativos del libro. Sobre ellos transcurren y se entrecruzan unos destinos paralelos pero indiferentes que dan lugar a la imagen que recoge el título. No obstante, gracias a la intervención planificadora del autor, esos destinos no resultan tan independientes, pues monta una red de causalidades —una compleja y artificial relación de parentescos y vecindades— que nos hace pensar más en un pueblo grande que en una gran ciudad.

El carácter testimonial de *La colmena* obliga a plantearse la cuestión de su dimensión crítica y social, intencionalidad que suele admitirse sin mayores precisiones. Hay que advertir —aunque casi sea obvio— que la crónica completa de una urbe populosa es imposible y que Cela ha utilizado un criterio selectivo que limita el campo de observación a las manifestaciones de época que revelan indigencia material o moral. Es acertada la suficiente homogeneidad de los grupos retratados, pero no parece tan convincente el que Cela haya detenido su mirada en aspectos bastante superficiales de la realidad y el que haya soslayado la investigación de las causas que conducen a ese estado. A pesar de estas limitaciones, debe reconocerse, sin embargo, la sustancial veracidad —documental y literaria— del retrato colectivo. Los personajes de *La colmena* son gentes achatadas y vulgares, reflejo de un Madrid empobrecido y desencantado. Incluso aquellos que poseen una mayor holgura material, se integran en ese conjunto deprimido y constituyen un único fenómeno histórico y social: el modo de ser de la España urbana de la época. Todos los personajes arrojan un mismo sentido ético, comparten una coincidente interpretación de la realidad, sufren unos semejantes problemas y adolecen de una común falta de ilusiones y esperanzas de futuro.

Aunque el reflejo social sea limitado, *La colmena* adquiere una gran veracidad por la notación de un estado de cosas, por la recreación de una época narrada con desencanto. El escritor se convierte en un notario de inquietudes y limitaciones de aquellos años. Hay abundantes datos que permiten reconstruir el medio ambiental (múltiples referencias a dificultades materiales), pero, además, refleja un comportamiento de los personajes pragmático, una falta de creencias profunda, una desilusión generalizada y, en fin, una moral utilitaria que es la respuesta colectiva a un momento histórico. Dicha respuesta no es activa sino que supone conformismo, temor y desconfianza y ahí es donde radica la mayor capacidad de denuncia de *La colmena,* ya que en su ausencia absoluta de triunfalismo recreaba una inquietante imagen de la España real, en nada coincidente con la oficial. Incluso, desde esta perspectiva, el erotismo degradado, obsesivo y triste de la novela —aparte lo que deba a preferencias del escritor— contribuye con eficacia a consolidar esa imagen.

La colmena adopta una forma que, en términos generales, puede calificarse de objetivista, pero el relato no es tan objetivo como se suele repetir, y la aclaración tiene importancia porque guarda relación con el sentido crítico del libro. El lenguaje, trabajado, expresivo, muestra a cada paso, sobre todo en los fragmentos narrativos, la característica prosa de Cela y, por ello, el autor tiene una permanente presencia en el relato. Además, el narrador no se oculta por completo sino que mediatiza los sucesos y llega a intervenir desde una perspectiva omnisciente. Por otra parte, la postura del narrador dentro del relato tiende a una falsa objetividad en la que se encuentra una de las claves del sentido de la obra. Cela transcribe abundantes y discontinuos diálogos y parece que sólo interviene para situar a los personajes en un escenario. Su actuación se reviste, sin embargo, de una actitud distanciada, de un contar como sin darle importancia, como si aquello que presenta —por triste que sea— no fuera con el escritor. En resumen, ese punto de vista implica una falta de compromiso con la materia de su obra y por ello narra completamente despegado de los hechos. De todo esto se desprende el paradójico resultado de un narrador entre displicente y alejado que parece adoptar una postura objetiva pero que, a la vez, controla toda la acción, al modo omnisciente. En fin, otra limitación del objetivismo del relato procede del humor —a veces, negro— que, de nuevo, mediatiza la realidad.

Después de *La colmena,* que todavía hoy ha de considerarse como el libro más valioso de Cela, éste vuelve a ensayar nuevas fórmulas narrativas, pero, a mi parecer, sin semejante acierto. La novela epistolar da forma a *Mrs. Caldwell habla con su hijo* (1953), monólogo en las fronteras del delirio, confesión de comportamientos psicopatológicos, expuesto a través de las cartas de la protagonista a su hijo muerto. Sigue otro título, muy polémico, sobre Venezuela, *La catira* (1955), a propósito del cual la crítica ha expresado los más diferentes juicios; para unos es una obra extraordinaria y para otros un total fracaso. Como valores innegables se pueden reconocer el de una prosa con un riquísimo caudal de voces hispanoamericanas —reputadas por algunos como falsas— y el intenso vitalismo y plasticidad del relato. No es tan convincente ni el retrato de la tierra —creo que demasiado simplificador—, ni cierta propensión algo gratuita a lo erótico, aunque en este aspecto consiga fragmentos de notable expresividad.

Tras un largo abandono de la novela, muy lamentado por la crítica, Cela vuelve a este género en 1969 con *Vísperas, festividad y octava de San Camilo de 1936 en Madrid.* De nuevo estamos ante un relato de la ciudad en el que ésta alcanza, también, carácter paradigmático: ahora nos encontramos con la capital de España en las fechas inmediatas al comienzo de la guerra. El propósito del libro parece ser múltiple: explicar la confusión política y moral en el Madrid de aquel momento, describir cómo se fragua en el ambiente la idea de una guerra que está a punto de estallar, y analizar cierta propensión hispana hacia la violencia fratricida. Paralelos al clima de confusión, la miseria y el sinsentido de toda una vida nacional corren por las páginas de esta historia de héroe colectivo. Pero, en cuanto al contenido, el excluyente criterio de selección, a través del sexo, y la ambigua ideología del libro —aparte de su injusta dedicatoria— hacen dudar de la veracidad testimonial de esta intención, pues hay que pensar que es demasiado lo que el autor deja fuera como para que éste sea un reflejo veraz de los graves problemas que condujeron a España a una guerra civil. Por lo que respecta a la forma, el libro supone una auténtica revolución dentro de los hábitos del autor. Su prosa progresa hacia un gran barroquismo y complejidad sintáctica —que ya empezaba a advertirse desde *La catira*—, pero lo realmente nuevo es el empeño de Cela de utilizar todos los recursos de la actual narrativa mundial, incluso los procedimientos de la novelística experimental: monólogo caótico, narración en segunda persona, libertad de puntuación... No obstante, este laudable propósito de renovación formal parece que tiene mucho de novedoso; aunque consiga espléndidas páginas aisladas de gran expresividad, es dudosa una adecuación de tema y técnica.

Mención aparte merece un género muy frecuentado por Cela, el del libro de viajes. Desde *Viaje a la Alcarria* (1948), otros muchos se suman en su haber a esta modalidad no imaginativa: *El gallego y su cuadrilla* (1949), *Del Miño al Bidasoa* (1952), *Judíos, moros y cristianos* (1956), *Primer viaje andaluz* (1959), *Viaje al Pirineo de Lérida* (1965), *Páginas de geografía errabunda* (1966)... En conjunto, estos libros tienen un matizado carácter testimonial, pues si en ellos no faltan notaciones de formas de vida, de condiciones socioeconómicas, sin embargo, desde este punto de vista, ofrecen una visión superficial, escasamente informativa, poco atenta a lo que no sea accidental, tanto de los hombres como de las tierras. Ello se debe a la preferencia de Cela por lo paisajístico o por el pintoresquismo costumbrista y a su inclinación al rasgo de ingenio, a lo anecdótico, curioso y marginal, a lo escatológico. Cela, más que presentar unas condiciones de vida generales, se entrega y enmaraña con tipos singulares, tiende a visualizaciones plásticas o se entretiene en disquisiciones históricas, literarias, eruditas, lingüísticas... Pero, con independencia de esta concepción del género, con sus libros viajeros Cela actúa como revitalizador de una corriente que alcanza gran importancia a partir de los años cincuenta. En especial, *Viaje a la Alcarria* estimulará una larga lista de obras semejantes que, atentas a la situación socioeconómica de los pueblos —el aspecto casi siempre eludido por Cela—, emprenderán, poco más tarde, la colectiva empresa de narrar las deterioradas formas de vida españolas.

El breve recorrido que hemos hecho a través de la narrativa de Cela demuestra el empleo de una infrecuente variedad de modelos formales: el manuscrito hallado (*Pascual Duarte*), la novela unanimista (*Pabellón de reposo*), el relato de la colectividad (*La colmena*; *San Camilo 1936*), la concepción neopicaresca (*Nue-*

vas andanzas...), el soliloquio (*Mrs. Caldwell*...). La técnica narrativa también revela pluralidad de métodos: objetivismo más o menos matizado (libros de viaje, *La colmena*), instrospección (*Mrs. Caldwell*...), experimentalismo (*San Camilo 1936*), relato en primera persona (*Pascual Duarte*)... Esta flexibilidad formal ha merecido juicios diversos a los estudiosos. Para algunos es manifestación de la autoexigencia del escritor, que no se ha conformado con reiterar un mismo modelo de éxito asegurado. Para otros, es prueba de cierta incapacidad de Cela para crear y profundizar en una estructura narrativa que le permita expresar con plenitud su concepción del mundo. Los diferentes ritmos de creación de sus novelas avalan esta limitación del gallego para el género novelesco. En una primera etapa —durante los años cuarenta y parte de la década siguiente— sus novelas se suceden con regularidad. Desde entonces, su actividad es poco intensa e intermitente, e, incluso, se llegó a pensar en un acabamiento del escritor, desmentido, sin embargo, por *San Camilo 1936*. El fenómeno volvió a repetirse, pues hasta 1973 no publica *Oficio de tinieblas 5* y de nuevo se ha producido un prolongado silencio, roto con *Mazurca para dos muertos* (1983) en el momento mismo en que escribimos estas páginas. Estas dos últimas obras confirman la dificultad de Cela para sostener un argumento y unos tipos. Sólo el carácter proteico del género permite recibir como novela *Oficio de tinieblas 5*, relato abusivamente fragmentado e inconexo, simple suma por yuxtaposición de pensamientos y aforismos, y en el que, de hecho, ha desaparecido todo elemento novelesco. Respecto de *Mazurca*..., de la que sólo hemos podido hacer una rápida lectura, la crítica periodística la ha recibido con elogios hiperbólicos, pero, a nuestro parecer, es una prueba más del agotamiento del escritor, que se repite a sí mismo, y de su siempre precaria capacidad para novelar. *Mazurca*... es una repetición barroquizante de *La colmena* y de *San Camilo 1936*, con la salvedad de haber sustituido el marco urbano por un entorno rural y con el agravante de haber acentuado los flancos más débiles de su literatura.

Mientras, Cela ha gastado el tiempo en empresas menores, apuntes sueltos, bocetos, textos para ilustrar fotografías, guías de ciudades, notas bastante manieristas e inanes que, a veces, ha recogido en volumen (por ejemplo, *El juego de los tres madroños*, 1983). También ha escrito —desde sus inicios, aunque han predominado en estos períodos poco fecundos novelescamente— abundantes cuentos y relatos cortos. No es fácil leer con orden la narrativa corta de Cela, pues los mismos relatos aparecen en diferentes ediciones con diversas modificaciones, pero, en conjunto, forma un interesante y amplio *corpus* dentro del que se pueden destacar algunos títulos: *El bonito crimen del carabinero y otras invenciones* (1947), *Timoteo, el incomprendido* (1952), *Baraja de invenciones* (1953), *El molino de viento* (1956), *Tobogán de hambrientos* (1962), *Las compañías convenientes y otros fingimientos y cegueras* (1963), *Garito de hospicianos* (1963), *El ciudadano Iscariote Reclús* (1965)... En ellos hay siempre ingenio, agudeza para la observación costumbrista, delectación en lo típico o curioso (un personaje, un nombre...) y una prosa exigente y rica.

Esta faceta de Cela como escritor de relatos breves tiene una gran importancia, y algunas de sus piezas perdurarán como muestras significativas de este difícil género, pero quizás le ha faltado decisión para afrontar con mayor constancia obras novelescas y ha perdido muchas energías en múltiples páginas sueltas, afortunadas, pero de menor entidad. En todo caso, es preciso reconocerle su habilidad para el manejo del lenguaje, la riqueza de su léxico, la expresividad de su estilo, que hacen de él un notable prosista.[3]

GONZALO TORRENTE BALLESTER (1910) ha dedicado una dilatada y fecunda vida a la literatura, pero no ha obtenido el reconocimiento debido (salvo el premio March alcanzado en 1959, que le estimuló para continuar una labor que estuvo a punto de abandonar) hasta hace un par de lustros, a raíz de la publicación de *La saga/fuga de J. B.*, aparecida casi treinta años después de su primeriza *Javier Mariño*. Desde 1972 alcanza altas cotas de notoriedad, primero con el reconocimiento y estima de los medios intelectuales, luego con una amplia popularidad acompañada del éxito entre los lectores. Ignorado por el público y poco apreciado por la crítica periodística hasta esa fecha, Torrente ha sido también marginado por la crítica universitaria, y ello hasta ahora mismo. Aparte las más o menos cumplidas noticias de los abundantes panoramas y manuales de la narrativa actual, todavía no se le ha dedicado un análisis amplio y minucioso, y mientras que autores de menor entidad cuentan ya con nutrida bibliografía, son muy escasos los trabajos serios sobre Torrente. Por contra,

3. La bibliografía sobre Cela es amplísima y sólo remito a unos cuantos trabajos que, además de analizar diversos aspectos de su obra, facilitan más amplia noticia de otros estudios: O. Prjevalinsky [1960], P. Ilie [1963], S. Suárez Solís [1969], A. Zamora Vicente [1962]. De las ediciones de su obra, es justo destacar las preparadas por Jorge Urrutia de *La familia...* (Barcelona, 1977) y por Darío Villanueva de *La colmena* (Barcelona, 1983); el trabajo de Urrutia (ampliado en [1982]) es importante, además, para la actividad de Cela durante los años cuarenta; una sucinta, pero interesante introducción a *La colmena* se halla en R. Asún [1982].

el propio novelista ha llevado a cabo una paciente labor de reflexión sobre el proceso creativo de su obra y acerca de las diferentes alternativas formales que se le ofrecen al escritor en su búsqueda del modelo idóneo para una concreta historia, según puede apreciarse en *Los cuadernos de un vate vago* (1982).

Para la fecha en que aparece *La saga/fuga de J. B.*, Torrente ya ha publicado ocho novelas, algunas de gran envergadura, en las cuales, además, se habían planteado temas y motivos que ahora pasan a un primer lugar del relato. No es, pues, ésta, una construcción insólita dentro de las preocupaciones de un autor que, en perspectiva global, ofrece un cierto carácter homogéneo, no obstante el rumbo zigzagueante de su narrativa, al que luego me referiré. Ante todo, una constante se observa a lo largo de toda su producción: la inclinación hacia una novelística a la que convencionalmente se puede calificar de intelectual y que se caracteriza por la frecuencia con que acoge la especulación sobre variados problemas (afectivos, políticos, culturales, históricos, estéticos, religiosos...). Ése quizás sea el hilo conductor de una diversificada creación que, sin embargo, oscila entre dos polos, el tratamiento testimonial y documental de muy específicas realidades socioculturales o el predominio de la imaginación. No creo que esas alternancias sean por completo deliberadas sino que patentizan una reiterada indecisión del escritor; tal vez la falta de reconocimiento crítico de sus libros la ha agudizado y sólo en la última década se ha resuelto a favor de una literatura mágica y mítica que se desentiende —con la seguridad que los años y la experiencia dan al novelista— de una transcripción testimonial, costumbrista del mundo. Esas dudas, sin embargo, no deben interpretarse como algo negativo porque gracias a ellas ahora podemos contar con convincentes testimonios realistas y, a la vez, con relatos de concepción mítica.

Javier Mariño (1943) tuvo una azarosa existencia, pues su difusión fue obstaculizada por la censura y no había vuelto a ver la luz hasta la reciente inclusión en *Obras completas*. *Javier Mariño,* al que ya nos hemos referido en un epígrafe anterior (véanse pp. 63-64), no carece en absoluto de atractivos y es uno de los relatos partidistas de aquellas primeras fechas de postguerra que todavía hoy se lee con indudable interés y muestra, sin duda, la presencia de un escritor con cualidades narrativas y con suficiente aliento para contar cosas y encarnarlas en unos atractivos tipos humanos. Es un primer libro en el que el propio autor debió detectar sus rasgos más débiles porque en ellos no volvió a recaer, hasta el punto de que esa óptica comprometida y unilateral pronto fue sustituida por una técnica perspectivista y más tarde por una radical ambigüedad en la que juegan un destacado papel la ironía y el humor. De lo que nunca se ha desprendido Torrente es de cierta inclinación a la verbosidad y de una afición a historias laterales que hacen que algunas de sus novelas resulten más extensas y prolijas que densas.

Javier Mariño es el pórtico irregular pero no prescindible de la narrativa de Torrente; es la obra de un joven con vocación literaria que todavía no ha depurado su instrumental y que se ha visto sorprendido por las circunstancias históricas y quizás por cierta necesidad de confesión. Prueba es que se distingue bastante del resto de su creación. Ésta, de momento, parece encontrar un objeto propio, personal, en la profundización en los mitos, a los que volverá una y otra vez años más tarde y que ya se preludiaba en *Javier Mariño*. Una mitología vista en escorzo que produce dos inmediatas novelas antimíticas: *El golpe de Estado de Guadalupe Limón* (1946) e *Ifigenia* (1949). Particularmente prefiero la primera, aunque parece que el autor no le tiene un gran aprecio. En ella se distinguen con nitidez algunos de los recursos que serán básicos en la época de su reconocimiento popular: una veta humorística que alcanza el máximo desarrollo en sus últimos libros; una concepción imaginativa que no evita referencias concretas a realidades tangibles; unos tipos novelescos —sobre todo femeninos— singulares y atractivos...

El Torrente de *Guadalupe Limón* es considerablemente distinto al de *Javier Mariño* por cuanto la seriedad desde la que aborda el relato en ésta es sustituida ahora por la ironía, la parodia y el humor sarcástico de corte quevedesco y valleinclaniano. Este segundo título hay que inscribirlo entre las novelas sobre el dictador, a pesar de que Torrente haya protestado de esta habitual vinculación, pues sus quejas no obligan a olvidar lo que tiene —sea deliberado o no— de análisis oblicuo y de parodia de un reiterado tema de las letras hispánicas de nuestro siglo. La acción se presenta como una crónica o investigación histórica (con sus fuentes, documentos y hasta notas a pie de página) y se emplaza en un ambiente sudamericano con gauchos, en un paisaje con los Andes al fondo y en una época poco posterior a las guerras de independencia. La historia posee una extraordinaria originalidad y viveza. Aquélla se debe a las caprichosas razones que mueven al golpe de Estado a dos mujeres, al disparatado dispositivo conspirador y a los infrecuentes procedimientos subversivos. La viveza procede de la acumulación de lances, intrigas y aventuras. El desparpajo y el humor es otro de los méritos del libro, un humor intelectualizado que no procede sólo de las situaciones o el lenguaje sino de la perspectiva distanciada y satírica desde la que se escribe el relato. Éste no es, sin embargo, complaciente o una simple diversión —sin que por ello debamos descartar su dimensión lúdica— porque satiriza las bajas pasiones que llevan al abuso del poder y, además, su negativo final contiene una visión muy pesimista de la naturaleza humana: buena parte de los protagonistas mueren; el mesiánico capitán Mendoza, la figura más noble, se margina del proceso revolucionario; el poder, en fin, permanece en las mismas manos de siempre.

Guadalupe Limón puede leerse como obra crítica, pero ante todo, como relato anti-mítico, aspecto que predomina en *Ifigenia,* y ambas tienen una difícil ubicación en las tendencias novelescas de una época en la que se discutía con calor el llamado tremendismo. Quizás sea por la necesidad que todo autor posee de extender el área de sus lectores o por esa mentada indecisión por lo que Torrente emprende una serie que poco tiene que ver —por tema y tratamiento— con los anteriores títulos. Se trata de *El señor llega* (1957), *Donde da la vuelta al aire* (1960) y *La Pascua triste* (1962), reunidas en la trilogía «Los gozos y las sombras». Con todas las diferencias inexcusables en una novela de mediados de nuestro siglo, «Los gozos y las sombras» puede decirse que es un relato tradicional, a medias decimonónico, de reconstrucción ambiental histórico-social. Su concepción testimonial es clara y con ella Torrente se aproximaba al realismo crítico dominante entonces entre los escritores jóvenes (la llamada «generación del medio siglo»). Pero hay que decir con claridad que «Los gozos...» no es una novela social si por tal entendemos el conjunto de caracteres de la estética del realismo político de los cincuenta. Por ello no es ni mejor ni peor que sus contemporáneas, ni las supera en numerosos rasgos, como ha sostenido algún crítico, sencillamente porque los criterios de análisis y comparación deben ser diferentes.

La trilogía, al modo de las sagas decimonónicas, pero con un lenguaje nuevo y fresco, constituye uno de los empeños novelescos más importantes de los tiempos modernos. A pesar de ciertas reiteraciones (provenientes, sin duda, de la gran capacidad imaginativa de Torrente y de su afición a contar historias laterales), que producen una inevitable morosidad —por lo que en algunos momentos la lectura se hace fatigosa—, es una obra muy conseguida. Lo individual y lo social se entremezclan a lo largo de toda la trilogía, en la que el eje de la acción —situada en un pueblo gallego— está en el enfrentamiento de un médico, Carlos Deza, y un millonario industrial, Cayetano Salgado, que indican dos concepciones de la vida: el prestigio personal frente al poder del dinero; sin embargo, ambos coinciden en el afán de posesión y de dominio, desde las gentes del pueblo hasta el logro de una mujer que es para los dos el símbolo de esa posesión. Pero «Los gozos y las sombras», llena de otros varios incidentes, va mucho más allá de ese anecdótico argumento en cuanto que refleja toda una panorámica de algunos aspectos de la sociedad moderna española: modos de entender la vida, posiciones políticas, valor de la cultura tradicional, significado de una cierta industrialización paternalista... Por otra parte, la serie proporciona una logradísima gama de personajes de los que destacan los variados caracteres femeninos, aparte el recio temperamento de la protagonista; también resalta el retrato del fraile amigo del médico, con su profusa problemática, que, si bien resulta algo marginal, sin embargo constituye un extraordinario tipo con el que Torrente muestra su enorme capacidad para la invención y desarrollo de personajes.

«Los gozos...» es una magnífica serie sobre el estado social y cultural de un sector de la población gallega (aunque transferible a una realidad más amplia, nacional) en la que Torrente describe y analiza problemas colectivos e individuales, cuestiones políticas y asuntos culturales. Un gran retablo de la vida contemporánea en el que pasado y modernidad se enfrentan, en que principios y reacciones viscerales se complementan; en fin, una suma de conflictos de variada índole que consiguen una gran veracidad por el retrato colectivo, por el interés de los problemas personales y por la íntima compenetración de todo ello a lo largo de una entretenida anécdota, repleta de magníficos incidentes.

El siguiente título de Torrente muestra de modo palpable ese oscilar de nuestro autor, pues al mundo cotidiano de «Los gozos y las sombras» sucede una entrega incondicional al tema del mito, que aborda en *Don Juan* (1963), para volver, desde éste, otra vez, al mundo circundante, ahora encarnado por variopintos representantes de la vida artístico-cultural y financiera en *Off-Side* (1969). El punto de partida de *Don Juan* (1963) es la interpretación —sugestiva, personalísima, heterodoxa y muy difícil— del viejo motivo literario presentado como análisis intelectual de una rebeldía. Su concepción es eminentemente imaginativa y, a partir de un narrador de nuestro siglo, el autor nos desplaza a otras épocas y nos lleva por una dilatada geografía. El relato se mueve entre la verdad y la ficción —no llegamos a saber si Don Juan y su criado, Leporello, son lo que representan— y la actualización del mito se aparta, de esta manera, de una convencional interpretación del motivo tradicional del donjuanismo.

El Don Juan de Torrente desafía constantemente a la divinidad pero no tendrá una respuesta de perdón y arrepentimiento a su provocación. Además, frente al papel que desempeña la mujer en el tema clásico, en la versión de Torrente no es sino un instrumento para que el caballero pueda llevar a cabo su desafío. *Off-Side* es una extensísima novela (todas las de Torrente lo son, pero creo que en este caso se ha dilatado en exceso por el afán del autor de contar anécdotas marginales y no necesarias) del Madrid moderno, pero no «travesía de la ciudad», al modo de los relatos realistas críticos, sino investigación palpitante, amena, curiosa del mundo de la cultura y del arte —también de las finanzas—, verdadera desmitificación de unos círculos en los que prestigio, falso empaque y ruindades se dan la mano. La figura de la prostituta intelectual es uno de los personajes más humanos, sinceros y doloridos que haya creado Torrente. Ninguno de los dos libros atrajo la atención del público ni tampoco de la crítica y a un escritor menos vocacional le hubiera llevado posiblemente al abandono. Torrente, en cambio, sin ocultar su decepción, se volcó en la obra que le consagraría como novelista, ya que como crítico su nombre era bien conocido y su *Panorama de la literatura contemporánea* le había proporcionado gran renombre de ensayista independiente, perspicaz y hasta un tanto atrabiliario.

La saga/fuga de J. B. ofrece una amplia, divertida y variada fábula situada en un imaginario pueblo gallego. El libro tuvo éxito clamoroso e inmediato. Bien es verdad que ahora los aires narrativos del país le eran propicios, pues a la altura de 1972 ya había cristalizado el impacto de la narrativa hispanoamericana, se reivindicaba la imaginación y habían tomado carta de naturaleza entre nosotros los mil y un experimentos formales que los más jóvenes novelistas habían recuperado. Algo, es de suponer, influiría en Torrente ese nuevo ambiente estético, pero no es justo suponerle arrimado por oportunismo a ese movimiento regenerador de un, a veces, furibundo irrealismo, porque el escritor gallego retornaba a su vieja inclinación por los mitos y por una literatura intelectual. Y de esta tendencia, que es una de sus dos grandes vetas, ya no saldrá hasta ahora, pues parece que ha encontrado el lugar novelesco que le es propio.

La crítica ha reiterado la densidad de lectura de la novela y la complejidad de sus procedimientos narrativos. Entre los aspectos destacados de la concepción narrativa de la obra no pueden olvidarse sus recursos imaginativos, su problemática intelectual, su fantástica concepción del espacio y del tiempo, sus variados registros técnicos, su reivindicación del humorismo, su desenfadado empleo de los mitos... Por otra parte, el trasfondo céltico, los elementos mágicos, no impiden una reconstrucción potenciadora de la realidad cotidiana. La sabiduría del narrador experimentado se vuelca en una concepción exigente y culta de la novela, que no busca el éxito multitudinario sino un lector capaz de entregarse a un planteamiento exigente del relato y a las muchas posibilidades intelectuales y lúdicas que ofrece. Y esa misma exigencia es fundamental en las siguientes novelas —*Fragmentos de Apocalipsis* (1977) y *La isla de los jacintos cortados* (1980)—, las cuales, sin formar con aquélla un plan unitario, guardan con ella evidente relación. En éstas, la línea argumental se desvanece y ya no hay una historia concreta que se nos cuente ni un protagonista que la encarne. Hasta la misma temática parece fracturada. En *Fragmentos de Apocalipsis* se ha impuesto la libertad más absoluta, predomina la fantasía libre de cualquier traba, y realidad y mundo mágico alternan con toda comodidad. El carácter culto de la novela se acentúa y puede decirse que el principal elemento de relación persistente es la confección de la propia novela, el relato en el relato (aspecto, por cierto, no inédito en Torrente, pues ya lo veíamos funcionar —si bien de manera más convencional— en la realista *Off-Side*; en otro sentido, *Guadalupe Limón* incorporaba poemas y hasta una escena de un drama). Por fin, en esta sedicente trilogía cobra realce un erotismo que se inicia con tintes románticos en *Javier Mariño*, ocupa ya buen lugar en «Los gozos...» y que ahora aparece de modo más desenfadado y franco en *La saga/fuga* y *Fragmentos* y quizás más humanizado, con mayor grado de ternura y hasta de tristeza en *La isla*...

La etapa que inaugura *La saga/fuga* recoge materiales de las anteriores novelas y, así, no resulta insólita para cualquier mediano seguidor de Torrente, si es que lo ha habido. Y esta nueva manera es en la que, pienso, se encuentra más a gusto el escritor porque ha rescatado un cierto sentimiento mágico de su Galicia natal, ha desarrollado una fina ironía y ha escrito con un propósito eminentemente creativo en el que cada vez se van desplazando más las referencias a la realidad. Y ello, además, contando con el beneplácito de lectores y crítica, con el ferviente aplauso de un amplio sector del público lector. Al amparo de esa notoriedad, en estos últimos años Torrente se está convirtiendo en un autor caudaloso. Aparte de las mencionadas memorias literarias, *Los cuadernos de un vate vago*, en 1983 han aparecido dos nuevas novelas suyas, *La princesa durmiente va a la escuela* (empezada a redactar en los años cincuenta) y *Dafne y ensueños*, ambas en una línea imaginativa, fantástica y de concepción bastante culturalista. También imaginativo es otro título más —*Quizás nos lleve el viento al infinito* (1984)—, editado cuando este libro se hallaba en pruebas y que mencionamos sólo a los efectos de patentizar nuestra inquietud por una cierta incontención publicista que parece haberse adueñado de Torrente tras sus recientes éxitos y que puede convertirse en una seria amenaza para el conjunto de su obra dada su natural inclinación a la prolijidad anecdótica y a la verbosidad poco refrenada.

Todos los libros publicados desde *La saga/fuga* suponen la puesta en práctica de una profunda identificación con las admiraciones estéticas y técnicas del propio novelista. Torrente es entusiasta del arte cervantino y ha dedicado un estudio ensayístico al *Quijote*. Estas últimas novelas son profundamente cervantinas por su perspectivismo y, sobre todo, por entender el género como eso que ahora se llama novela total, un relato de libre estructura en el que cabe una anécdota, que puede alcanzar una función lúdica y en el que además tienen holgado acomodo las ideas del autor sobre variadas cuestiones. Este Torrente cervantino es el que ha logrado el reconocimiento popular, pero no sería justo que se olvidase su creación anterior.[4]

Una permanente y metódica dedicación a la novela es el primer rasgo distintivo de MIGUEL DELIBES (1920). De popularidad inferior a la de Cela, ha sido bien acogido por el público y su significación no es inferior a la del gallego, a quien aventaja en la creación sostenida de un orbe novelesco. La crítica —al contrario de lo sucedido con Torrente— le ha dispensado su favor desde el comienzo y sobre él existe una extensa bibliografía universitaria. Su aparición como escritor, es, sin embargo, más tardía, pues no se da a conocer hasta 1948, en que obtiene el Nadal con *La sombra del ciprés es alargada*.

Delibes cuenta con una obra narrativa amplia, resultado de su cualidad de publicista muy regular. Además de varios libros de viajes, de otros que recopilan artículos y de su frecuente colaboración en la prensa, ha escrito un importante conjunto novelesco en el que se aprecia una notable evolución que va de un relato de concepción tradicional —*La sombra del ciprés...*— a otro de técnica novedosa —*Parábola del náufrago*—. Esta evolución permite acotar varios períodos en su producción —diferentes por los temas abordados y por su tratamiento formal— que responden a diversas fases de un largo recorrido guiado por

4. Ya he indicado la injusta y sorprendente ausencia de monografías sobre Torrente. Los trabajos más provechosos son los de J. Marco [1976], A. Giménez [1981] y el ya citado de Soldevila [1977].

la idea de exigencia, superación y perfeccionamiento. Con todas las limitaciones que estas clasificaciones suelen implicar, una época inicial está integrada por los dos primeros libros, *La sombra del ciprés...* y *Aún es de día* (1949). Una segunda está compuesta por los títulos siguientes hasta *Cinco horas con Mario* (1966), que marca el comienzo de una nueva fase. Aparte hay que mencionar su labor como autor de cuentos y relatos —recogidos, por ejemplo, en *Siestas con viento Sur* (1957)—, género que ha practicado con más discontinuidad, pero dentro del que se incluye alguna pieza como «La mortaja», muy encomiada por la crítica.

La etapa inicial de Delibes, vista con perspectiva actual, es la de un escritor que tantea la manera de comunicar un mundo interior de vivencias y reflexiones poco elaborado. Éste se basa en unas argumentaciones ligeramente filosóficas, nada nítidas y algo superficiales que entrañan una acentuada carga pesimista. Tampoco en sus inicios posee una personal concepción de la novela y por ello se acoge a un esquema narrativo tradicional que desarrolla con una técnica no muy afortunada y con cierta confusión en la realización novelesca. Todos estos factores son los determinantes de la escasa consistencia de sus dos primeros libros. Ni el fatalismo de *La sombra del ciprés...*, ni el resignado conformismo de *Aún es de día* resultan, por lo que se refiere a su materialización literaria, por completo verosímiles. No obstante, el primero evidencia una gran habilidad en la plasmación del ambiente cerrado de la ciudad —Ávila— y delata la presencia de unas singulares aptitudes narrativas que la trayectoria del escritor nos confirmaría después.

Este enjuiciamiento no supone la descalificación del novelista en sus inicios sino la valoración de unas limitaciones que de manera progresiva irá superando mediante un proceso que constituye un ejemplo de honestidad profesional infrecuente en nuestras letras. Aquella primera etapa tiene una importancia secundaria en su producción y representa los iniciales esfuerzos del escritor todavía no maduro, impulsado por una necesidad de dar cuenta de unos problemas no convertidos, aún, en sustancia literaria plenamente interesante. La presencia de una problemática actual y viva, desprendida de adherencias especulativas, una técnica más ágil y moderna y un esquema narrativo más flexible abren una nueva época en la narrativa de Delibes. En ella, este atento observador del campo y de la ciudad castellanos adquiere una primera conciencia crítica del mundo y se presenta como un agudo escrutador de una realidad en torno, de la que saldrán argumentos centrados en la censura de la burguesía media. Abre esta nueva etapa una obra sorprendentemente distinta a las precedentes, *El camino* (1950), relato de ajustada prosa, sin las prolijidades ni disquisiciones superfluas de los dos libros anteriores, en el que Delibes aborda, con extraordinario acierto, el difícil tema del acceso a la experiencia. Destaca el logro del escritor en la expresión de la ingenuidad del mundo infantil y en la narración del paso desde éste hasta el acceso pleno a la vida a través de un paulatino descubrimiento de la existencia. La novela se cierra cuando empieza a plantearse el enfrentamiento del niño ya joven con el mundo de los mayores, ámbito en el que al lector le gustaría entrar —atraído por el encanto del proceso anterior— pero en el que el autor, en el ejercicio de sus derechos, ha puesto una frontera. Por lo que este orbe infantil pueda tener de aislamiento, de paraíso perdido, la obra mira hacia la etapa anterior; por la manifestación de solidaridad y por el retrato sencillo de lo cotidiano, apunta hacia la nueva que precisamente este libro inaugura.

La siguiente novela, *Mi idolatrado hijo Sisí* (1953), aporta, de forma incidental, la crítica de una burguesía media, adocenada, desilusionada, tontamente conservadora e inútil (aunque aún muy distante de la irónica crítica de *Cinco horas con Mario*). Supone, sin embargo, un doble retroceso. En cuanto a la técnica, su construcción resulta muy pesada; en cuanto al tema, hay un discutible afán de trascender a los personajes hasta unos modelos para el estudio del egoísmo y de la debilidad humana. Pero, por encima de estas que parecen ser las intenciones del autor —como se desprende de algunas declaraciones públicas—, el retrato de ese matrimonio burgués —el marido, egoísta y sensual; la mujer, malcasada— con lo mucho de típico y poco real, desde un punto de vista literario, que tiene, constituye una crítica de un tipo de vida por la que luego ha de progresar Delibes. No obstante, *Mi idolatrado hijo Sisí,* si no se considera un retroceso, al menos sí supone un estancamiento. El tema de la pequeñoburguesía aparece en *La hoja roja* (1959), descripción de la soledad e incomunicación de un jubilado y, de rechazo, denuncia de la sociedad que conduce a ese aislamiento. El primer relato, no obstante, que refleja una auténtica concienciación social —seguida de una crítica de determinadas condiciones de vida— de Delibes llega con *Las ratas* (1962), que, sin apenas hilo argumental y a través de la presentación de la cotidiana existencia del cazador de ratas y el niño, es, a la vez, un canto a la Arcadia y mucho más una acre denuncia social.

Delibes ha declarado en diversas ocasiones que él no se considera un intelectual ni posee una densa formación. Es, sin duda, el reconocimiento de estos hechos el que le ha llevado a centrar su narrativa no en la exposición de grandes ideas filosóficas, sino en la observación directa de su entorno, Valladolid (donde siempre ha residido, en parte dedicado al periodismo) y el campo castellano. La verdad literaria de Delibes surge, incuestionablemente, de la verdad humana de los tipos y situaciones que describe, procedentes de ese campo castellano y de las capas medias de la capital de provincia. Es bien conocida la devoción de Delibes por el campo, sus actitudes ecologistas, su afición a la caza (sobre la que ha publicado, por ejemplo, *La caza de la perdiz roja,* 1963, y *El libro de la caza menor,* 1964). Notas de este conocimiento de los medios rurales y de sus gentes aparecen en los libros citados y también en dos títulos relacionados entre sí, *Diario de un cazador* (1955) y *Diario de un emigrante* (1958). El protagonista de ambos es el bedel Lorenzo, apasionado de la caza y de la vida natural; frente a las asechanzas de la tecnificación moderna en la primera; en fracasada busca de fortuna en América en la última. En estos dos *Diarios,* Delibes ha conseguido algunas de sus mejores páginas y en ellos ha logrado uno de sus mejores tipos humanos.

La narrativa de Delibes evoluciona, con lentitud pero con seguridad, hacia un sentimiento crítico de la injusticia social y en ella aflora la denuncia de determinados comportamientos humanos. Estos supuestos cristalizan en *Cinco horas con Mario* (1966), que marca el inicio de una nueva etapa caracterizada por un más explícito compromiso del escritor, por un acuciante sentido crítico y por la utilización de recursos técnicos modernos e incluso novedosos. *Cinco horas con Mario* ofrece el prolongado monólogo interior de Carmen, viuda de un catedrático de instituto, a lo largo de una noche en la que vela el cadáver de su marido. A través del reiterativo y obsesionado discurso de la mujer, Delibes va poniendo paródicamente en solfa el mundo de las creencias de esa mesocracia provinciana conservadora que representa la viuda; a través de la ironía, critica una sociedad anquilosada e hipócrita, en especial su clase media, y a la vez expone una respetable actitud de aperturismo en lo político y religioso, que es la que encarna el talante liberal y humanitario del denostado Mario. La autenticidad del relato se basa, por otra parte, en la verdad humana del profundo deterioro de un matrimonio en el que ha desaparecido el amor, sustituido por toda clase de incomprensiones, y en la interna necesidad de los reproches de Carmen. Así, el carácter simbólico de la historia —representativa de determinados comportamientos generalizados— reposa sobre un agudo conflicto individual.

Los libros posteriores de Delibes mantienen ese compromiso, que no puede filiarse a una determinada ideología política sino que se mantiene en el más genérico campo de la defensa de los valores humanos sustanciales. Así, profundiza en un humanitarismo que denuncia una y otra vez no sólo las opresiones sociales y económicas sino todo lo que amenaza con degradar la existencia del hombre. Digamos que, en términos generales, se centra en las múltiples formas de deshumanización de la persona, reafirma una actitud cautelosa y responsable frente a una tecnificación incontrolada y su tradicional apego al campo llega a plantearse en sinceras posturas ecologistas (véanse, para estas cuestiones, sus ensayos recogidos en *S.O.S. El sentido del progreso*, 1976).

Si Delibes no supera *Cinco horas con Mario* en las novelas que siguen, en ellas siempre hay una gran dignidad literaria y son portavoces de esas mentadas inquietudes del escritor. El criticismo de *Cinco horas con Mario* es el anuncio del cáustico ensañamiento contra el absurdo de la sociedad capitalista superevolucionada de *Parábola del náufrago* (1969), parodia de corte kafkiano del hombre moderno. Sorprende en ella al lector habitual de Delibes la práctica de variados procedimientos experimentales, no del todo convincente aunque el autor haya señalado que se trata de una literatura paródica de la propia literatura vanguardista. En *El príncipe destronado* (1973) vuelve de nuevo al protagonismo infantil y desde la óptica del niño presenta una visión crítica del mundo de los adultos. *La guerra de nuestros antepasados* (1975) reflexiona sobre los condicionamientos socio-culturales de los españoles, preocupación que estaba en otros libros anteriores. Una reivindicación de la inteligencia natural y de los valores humanos del mundo rural —frente a una pesimista consideración de la actividad política— se encuentra en *El disputado voto del señor Cayo* (1978). Una exploración epistolar de la soledad y del sentimiento amoroso se desarrolla en *Cartas de amor de un sexagenario voluptuoso* (1983). Poco anterior es *Los santos inocentes* (1981), que constituye una nueva cumbre de una obra, como se ha visto, de notable regularidad. En ella reaparecen sus más queridos temas y paisajes y combina con admirable fortuna su acreditada inclinación hacia la vida rural y un sentido crítico —de claros perfiles sociales— muy alerta y eficaz, bien matizado por un contenido espiritualismo. Delibes supera en este libro todos los peligros que acechan a una obra inserta en la tradición del drama rural y consigue una de las novelas ruralistas más exactas y expresivas de toda la postguerra.[5]

3) *El humor y la fantasía*

En los años cuarenta se entrecruzan el compromiso apologético, la evasión, el llamado tremendismo, los relatos neonaturalistas o costumbristas, y no queda mucho espacio para formas novelescas que sigan diferentes cauces, motivo por el cual una novela como, por ejemplo, *Guadalupe Limón* resulta bastante insólita. Esos moldes narrativos favorables, en último extremo, a una concepción realista y testimonial de la literatura hacen poco viables otras concepciones que postulen un entendimiento distinto de la ficción. A ello hay que achacar la desatención padecida por ÁLVARO CUNQUEIRO (1912-1981), escritor singular e imaginativo que publica silenciosamente desde la guerra, tiene escaso reconocimiento en los años cincuenta y alcanza, por fin, cotas respetables de lectores a partir de los sesenta, cuando el nuevo clima estético le es más propicio.

Cunqueiro ha practicado distintos géneros —poesía, teatro, libros de cocina— y como novelista es escritor homogéneo y coherente. Tras un par de libros narrativos en los años cuarenta, es en la década siguiente cuando con seguridad, sin dudas ni concesiones, empieza a crear un singular mundo fantástico que arranca en *Merlín y familia* (1957; doy la fecha de edición en castellano, aunque varias obras se publicaron antes en gallego), se consolida con *Las crónicas del sochantre* (1959), *Las mocedades de Ulises* (1960) y *Cuando el viejo Simbad vuelva a las islas* (1962) y se extiende en ricas variaciones de unos semejantes temas imaginativos en *Un hombre que se parecía a Orestes* (1969), *Viajes y fugas de Fanto Fantini della Gherardesca* (1973), o en los relatos reunidos en, por ejemplo, *Flores del año dos mil y pico de ave* (1968).

Los mismos títulos nos ponen en la pista de los peculiares motivos que atraen a Cunqueiro, un mundo mágico, de raíz imaginativa (*Simbad*), mítica (*Las crónicas...*) o cultural clasicista (*Ulises, Orestes, Fanto Fantini...*), si bien ensoñado y metamor-

5. De la extensa bibliografía sobre Delibes, mencionaré los siguientes estudios en libro que ofrecen diferentes enfoques de su obra y contienen menciones a otros trabajos: L. Hickey [1968], L. López Martínez [1973], A. Rey [1975], E. Pauk [1975], AA. VV. [1983], E. Bartolomé [1979]. Contiene noticias interesantes C. Alonso de los Ríos [1971], es valiosa la semblanza de F. Umbral [1970] y debe tenerse en cuenta el particular enfoque de R. Buckley [1973].

foseado. En todos estos libros la realidad tangible está deliberadamente ausente y sobre unos escenarios estilizados da rienda suelta a una libertad anecdótica absoluta en la que se transgreden o desaparecen las coordenadas espacio-temporales y en la que lo insólito puede tener lugar al saltar por encima de las barreras de la lógica. Sus historias se mueven entre la ternura, el lirismo y el desencanto, y la estructura del viaje imposible —sin regreso o sin meta alcanzable— es frecuente en sus relatos. En ellos hay, además, otra nota distintiva fundamental: un fino humorismo, un sentido lúdico de corte intelectual que hace de la amenidad una de las virtudes principales de toda la narrativa de Cunqueiro.[6]

Poco tiene que ver el humorismo intelectual y desrealizador de Cunqueiro con la irónica visión de la vida contemporánea de parte de la obra de DARÍO FERNÁNDEZ FLÓREZ (1909-1977). Se da a conocer en la anteguerra (*Inquietud*, 1931; *Maelström*, 1932), publica después libros de una variada temática con perfiles intelectualistas (*Zarabanda*, 1944; *Frontera*, 1953; *Señor Juez...*, 1958; *Yo estoy dentro*, 1961) y logra una creación personal, y bastante popular, con *Lola, espejo oscuro* (1950), continuada más tarde en *Nuevos lances y picardías de Lola, espejo oscuro* (1971) y *Asesinato de Lola, espejo oscuro* (1972). Lola se inserta en una línea medio erótica, medio folletinesca que a partir de la historia de la prostituta que la protagoniza, trazada con recursos humorísticos y de filiación picaresca, deja un amplio resquicio a una desencantada crítica de usos y situaciones de postguerra. Ese mismo tono picaresco, de suave crítica y cierto alcance testimonial, comparten otras novelas de Fernández Flórez como *Alta costura* (1954), *Memorias de un señorito* (1956) y *Los tres maridos burlados* (1957).

Finalmente, dentro de una narrativa en la que predominan los registros humorísticos hay que recordar a FRANCISCO GARCÍA PAVÓN (1919). Una parte importante de su obra está constituida por interesantes relatos (entre otros títulos, *Cuentos republicanos*, 1971; *Los liberales*, 1971; *El último sábado*, 1974), relegados por la popularidad de una amplia lista de novelas irónicas y costumbristas protagonizadas por un común personaje, un intuitivo guardia municipal manchego metido en el esclarecimiento de curiosos y misteriosos sucesos. Los relatos de Plinio —nombre del tomellosero detective— constituyen una singular versión his-

6. Un cierto desvalimiento crítico ha padecido A. Cunqueiro, aunque se está revalorizando su obra con motivo de su reciente fallecimiento. Véase el libro de conjunto de D. Martínez Torrón [1980], el comentario de P. Palomo [1974] a *Vida y fugas...* y el número 6 (marzo-abril, 1981) de *Cuadernos del Norte*.

pana de la literatura negra. *El rapto de las sabinas* (1969), *Las hermanas coloradas* (1969), *Historias de Plinio* (1970), *Una semana de lluvia* (1971), *Voces en Ruidera* (1973) son algunos de los títulos, todos ellos de idéntica concepción, de esta serie.

3. La novela en los años cincuenta

1) *El tránsito al medio siglo*

En el tránsito de los años cuarenta a la década siguiente se produce un importante cambio en nuestra narrativa, promovido por circunstancias extraliterarias, que determina el surgimiento de unas formas novelescas diferentes. Ya nos hemos referido en el capítulo primero a los pormenores que condicionan esa transformación y allí mismo recordábamos cómo varios títulos —con independencia de sus singularidades— constituían señal evidente de un nuevo estado de cosas que puede describirse, en términos generales, como un entroncamiento de la vida con la literatura, sin máscaras ocultadoras. Esa relación es más o menos precisa pero, desde luego, se halla en la base de *Proceso personal* (1950), de José Suárez Carreño, que más de un crítico ha mencionado como precursora de la narrativa mediosecular, y en dos libros muy vinculados por su parecida concepción del mundo, *La colmena,* de Cela, y *La noria,* de Luis Romero.

Frente a la pobreza de la novelística de los cuarenta —según juicio en el que convienen la mayor parte de los críticos—, los años cincuenta son los de un resurgimiento tras el largo paréntesis de los dos lustros precedentes, sólo alterado por algunas ocasionales excepciones. Entre los rasgos de la nueva década, resalta, en primer lugar, la convivencia de dos sucesivas generaciones, la primera, que ya hemos considerado (la de Cela, Delibes o Torrente), y otra, posterior, que despliega su arte a lo largo de estos años, y de la que en seguida hablaremos. Esta convivencia es fecunda en resultados, pues, por una parte, los narradores de la primera promoción editan algunas de sus obras más cuajadas (*La colmena,* de Cela; «Los gozos y las sombras», de Torrente; *Esta oscura desbandada,* de Zunzunegui) o muestran una incuestionable madurez (piénsese, por ejemplo, en los libros que entonces publica Delibes). Por otra, la nueva generación —que llamaremos del medio siglo— aporta una problemática diferente, una personal concepción de la forma y un específico sentido de la literatura, todo ello sin promover una ruptura absoluta con los escritores anteriores. El resultado es un tipo de novela suficientemente distinto que marca toda una época de nuestra historia literaria reciente. Además, en estos años se suman al proceso creativo algunos interesantes autores que, algo mayores, se inician por entonces bajo el influjo de los más jóvenes.

2) *La generación del medio siglo*

En el primer capítulo de este libro hemos expuesto con alguna detención los caracteres sobresalientes de la generación del medio siglo y no insistiremos ahora en ellos (cf. pp. 35 ss.) sino que señalaremos tan sólo algunos rasgos específicos de la narrativa. La nómina de novelistas de esta generación es bastante amplia y en ella, por fecha de nacimiento —que indicamos entre paréntesis—, pueden incluirse, entre otros, A. Ferres, L. Martín-Santos (1924), I. Aldecoa, F. Candel, A. López Salinas, C. Martín Gaite, L. Olmo (1925), J. M. Caballero Bonald, J. Fernández Santos, J. Ferrer-Vidal, A. M. Matute, F. Morán (1926), J. Benet, M. Lacruz, R. Sánchez Ferlosio (1927), M. Arce, J. M. Castillo-Navarro, J. García Hortelano, A. Grosso, J. Mollá (1928), F. Ávalos, N. Quevedo (1929), J. López Pacheco, A. Martínez Menchén, A. Prieto (1930), J. Goytisolo, R. Rubio, D. Sueiro (1931), J. Marsé (1933), R. Nieto, F. Umbral (1934), L. Goytisolo (1935), I. Montero (1936). Dejamos aparte a varios narradores que se inclinan —en la teoría y en la práctica— por posturas irrealistas, y de los que hablaremos más adelante, para centrarnos ahora solamente en los que defienden una concepción realista. Este grupo generacional elige como meta una transcripción testimonial de la realidad social e histórica. Aunque casi todos ellos tienen una deficiente información teórica, fraguan unas formas novelescas bastante próximas cuyos caracteres se determinan en las relaciones amistosas que los unen o en las coincidencias ideológicas que entre ellos se dan. Así se configura una narrativa realista, de enfoque objetivista y de propósito crítico. Aunque esta generación acoge temperamentos y actitudes diferenciados, sí que hay un entendimiento de la literatura de forma bastante homogénea: la novela tiene un carácter utilitario y debe ponerse al servicio del hombre, de la mejora de sus condiciones materiales o espirituales. Ese propósito común oscilará entre un simple compromiso moral y una función política explícita, lo cual da lugar a dos movimientos conexos, pero diferenciados (la narrativa neorrealista y la propiamente social).

Los influjos estéticos e intelectuales que reciben estos narradores son varios. En primer lugar, la idea del compromiso sartreano. Luego, la actitud crítica de los novelistas de la generación maldita norteamericana. Además, acusan el impacto, intenso, del neorrealismo italiano (por la doble vía del libro y del cine, quizás, incluso, más a través de éste) y, en cuanto a la técnica, les influye el objetalismo francés. A pesar de notables coincidencias en la creación, el influjo del realismo socialista soviético fue tardío. De entre los críticos y teóricos españoles —aparte lo indicado en el capítulo primero—, hay que subrayar el influjo de dos libros que recopilan artículos defensores de esta corriente, *La hora del lector* (1957), de José María Castellet, y *Problemas de la novela* (1959), de Juan Goytisolo. Muy importante fue el apoyo crítico desde publicaciones periódicas de Rafael Vázquez Zamora y de Ricardo Doménech.

El desarrollo de la novelística de la generación del medio siglo se produce, como ya he indicado, a lo largo de la década de los cincuenta y ya en 1954 hay suficientes muestras de su vitalidad, pues en esa fecha aparecen *El fulgor y la sangre,* de Aldecoa, *Los bravos,* de Fernández Santos, *Juegos de manos,* de Juan Goytisolo, y *Pequeño teatro,* de Matute. En 1956 se publica uno de los títulos más significativos de toda la época, *El Jarama,* de Sánchez Ferlosio. Y, poco después, en 1958, el movimiento se encuentra en su cima, según se desprende de la floración de libros representativos de la nueva escuela: *Cabeza rapada,* de Fernández Santos; *La resaca,* de J. Goytisolo; *Las afueras,* de Luis Goytisolo; *Central eléctrica,* de López Pacheco; *Entre visillos,* de Martín Gaite; *Ayer, 27 de octubre,* de Olmo; los relatos *La rebusca y otras desgracias,* de Sueiro. En los comienzos de esta, entonces, joven literatura fue *La colmena* el libro que, entre los de los autores de la generación mayor, proporcionó un enfoque valioso de la realidad por su técnica en apariencia objetivista. *Los bravos* suministró, asimismo, un modelo narrativo, y *El Jarama,* con su enfoque conductista de la cotidianeidad, propulsó el tono común más extendido de la nueva literatura: testimonio objetivista —sin intromisión del autor en el relato— de la realidad social de su época. Esta literatura, aparte de los errores estéticos en que incurrió, se debió, ante todo, a una necesidad histórica que, si no justifica sus excesos, sí los explica.[7]

7. Un acertado panorama de las tendencias narrativas en el medio siglo puede verse en H. Esteban Soler [1971-1973]. Información sobre caracteres de la generación del medio siglo ofrezco en Sanz Villanueva [1980]. Explica cómo se entronca la novela y la realidad F. Grande [1975]. Morán expone en [1/1971] los motivos del predominio realista en los años cincuenta.

a) *La tendencia neorrealista*

La idea del compromiso del escritor es compartida, según antes dije, por buena parte de los escritores del medio siglo. No todos, sin embargo, piensan que esa postura ética deba adoptar una expresión literaria extremada, de neta denuncia social o de claros postulados políticos. Algunos se preocupan por la situación histórica del hombre, pero se detienen en una narrativa objetivista y testimonial que, sin ignorar el problema de la injusticia social, descubre los sentimientos de soledad y frustración de la persona. El testimonio de estos escritores es solidario con el sufrimiento humano y se realiza desde concepciones más humanitarias —sin implicaciones religiosas, sin ninguna clase de mesianismo cristiano— que políticas. Los novelistas que vamos a ver en este apartado encarnan una tendencia que puede calificarse de neorrealista. En ellos coinciden un enfoque crítico de la realidad y una técnica objetivista. Las relaciones personales fueron intensas. El vehículo de su promoción fue la *Revista Española* patrocinada por el erudito Antonio Rodríguez Moñino, y en la que tuvieron gran responsabilidad Sánchez Ferlosio y Aldecoa. Allí se publicaron trabajos, entre otros, de éstos y de Fernández Santos. Varios de ellos coincidieron en las aulas universitarias de Salamanca y Madrid y, aunque sea anecdótico, Sánchez Ferlosio casó con Martín Gaite. Otro factor que los relaciona es la semejante evolución de Fernández Santos o Martín Gaite hacia una problemática intimista sin penetrar en las vías de la experimentación, que es común al otro grupo, el de los narradores sociales.

ANA MARÍA MATUTE (1926) es una escritora extraordinariamente precoz, pues ya en 1942 colabora en *Destino* y en 1946 escribe *Los Abel,* que queda semifinalista del Nadal en 1947 y se publica al año siguiente. Esas madrugadoras fechas no deben llevarnos a incluirla entre los novelistas del cuarenta (como hicimos, por ejemplo, con Delibes, cuya primera novela es también de 1948), pues tanto por nacimiento como por relaciones personales (se vincula al grupo catalán de Goytisolo y Castellet), e, incluso, por actitud literaria, pertenece, sin duda, a la segunda generación de postguerra.

Matute es una escritora de singular fuerza narrativa, de poderoso instinto fabulador que pone al servicio de unas inusuales dotes imaginativas. Son éstas, precisamente, por lo infrecuentes en la literatura de su época, las que hacen problemática su adscripción indubitable a una determinada tendencia artística. En efecto, si hay razones para no vincularla a los narradores de los cuarenta, no es claro que se integre en ninguna de las dos corrientes —la neorrealista o la social— de la generación del medio siglo. Su narrativa parte de un acentuado idealismo que evoluciona hacia unos supuestos básicos que coinciden con esa mencionada actitud cívica mediosecular, pero su propensión hacia posturas novelescas subjetivistas —reforzadas por su inclinación a lo fantasioso— le alejan de las formas artísticas predominantes entre sus compañeros de promoción. Con todas esas reservas, creo que su lugar se encuentra entre éstos.

La ya amplia labor de Matute, refrendada por numerosos premios, tiene una trayectoria bastante irregular. A medio camino entre una literatura crítica, o al menos de conciencia histórica, y otra de grandes e intemporales temas humanos, Ana María Matute es un caso muy peculiar en cuanto que, facultada como pocos de nuestros narradores actuales por su gran capacidad de fabulación y en posesión de una prosa rica de recursos, sin embargo, no ha dado todavía un libro de valor indiscutible. A la vez, ha sabido crearse un orbe novelístico con una temática centrada en unos cuantos núcleos (el mundo de los niños, el cainismo, la incomunicación humana, el paraíso imposible...) que proporcionan a su producción una coherencia de pensamiento de la que, por lo general, carecen otros muchos escritores. Sin embargo, una fantasía desbordada, o mal contenida dentro de los cauces de un determinado argumento, y una prosa potente pero muy dada a la retórica y al énfasis, han impedido la consecución de esa gran obra para la que parece estar dotada.

En *Los Abel,* de indudable trasfondo autobiográfico, teje la complicada historia de siete hermanos. Llena de menudos sucesos, configura un tanto intuitiva y desorganizadamente algunos rasgos del oscuro y denso orbe creativo de la escritora: la oposición entre un mundo posible y otro degradado, las pasiones humanas enfrentadas hasta la sangre... En la narración de los sucesos no faltan detalles truculentos y, curiosamente, el verismo de la novela resulta alejado de cualquier realidad. Libro confuso en sus propósitos y planteamientos, destaca en él, sin embargo, la presencia de un escritor con fuertes dotes narrativas. El tema del cainismo —una de las constantes de su obra— también aflora en la siguiente, *Fiesta al noroeste* (1953), libro de comedimiento imaginativo y ejecución mucho más afortunada, donde las pasiones desatadas forman una buena novela psicológica, de tinte trágico. De poca contención imaginativa y de un elemental simbolismo es la siguiente, *Pequeño teatro* (1954), trágica historia de un contrabandista.

En 1956 aparece *En esta tierra,* versión definitiva de un relato primerizo, tan maltratada por la censura que Matute la ha desautorizado entre sus novelas y no ha vuelto a editarla. *En esta tierra* se centra en un conflicto interior, el aislamiento de una joven es alterado por una potente atracción sentimental hacia un muchacho y acaba trágicamente con la muerte de éste. En el desarrollo de ese conflicto juega un papel importante la guerra civil y, así, no se trata sólo de un relato intimista sino que el hilo argumental permite la presentación de un estado histórico concreto. Esta novela parece indicar un giro en la autora hacia una temática más actual —menos desrealizada— que desborda los límites de la subjetividad para entroncar con problemas de alcance más general. También parece mostrar una reducción o contención del aparato imaginativo. Ambos aspectos se confirman con *Los hijos muertos* (1958), donde varias historias incidentales, situadas a finales de los años cincuenta, reflejan las consecuencias de la guerra civil en una tesis final muy ajustada, incluso a pesar, a mi parecer, de que ha recargado las tintas en su conclusión de que el sufrimiento es el resultado más extendido de las actuaciones humanas, ya que ese sufrimiento es consecuencia, en buena medida, no sólo de la naturaleza humana sino de la tragedia política y social que pesa sobre todos los protagonistas. Frente a anteriores evasiones hacia la órbita de lo individual, *Los hijos muertos* relaciona muy adecuadamente los graves conflictos particulares de los protagonistas con el ambiente de depresión moral de una época histórica concreta.

En esta misma línea de acercamiento a una realidad próxima está la trilogía «Los mercaderes» (*Primera memoria,* 1960; *Los soldados lloran de noche,* 1964; *La trampa,* 1969), cuyo argumento, entrelazado en los tres libros, se desarrolla también a partir de la guerra civil. La primera de ellas es la mejor, incluso de toda su producción, por su precisión estilística y propiedad imaginativa. De sabor autobiográfico, a través de un procedimiento evocativo, la historia de esa niña que recuerda los primeros días de la guerra en Mallorca —con la descripción de odios y rencores individuales y colectivos, de clase—, es de una autenticidad, veracidad y sinceridad admirables. *Los soldados...* pierde esta contención argumental y resulta difusa, amén de algo folletinesca. Las inquietudes de los protagonistas —a la búsqueda de un personaje más presentido que realizado y que encarna una especie de meta de identificación personal— son un tanto forzadas y extremadas, y el ambiente nunca se concretiza, a pesar de que quizás sea el libro de Matute que más referencias sociopolíticas posee. Aunque algo maniquea en los caracteres, Ana María Matute retoma el pulso en la tercera, *La trampa,* que continúa una historia que ahora deriva hacia ese ambiente de incomunicación tan querido a la autora; la novela plantea y resuelve, también, de forma interesante y afortunada, un problema generacional.

La tendencia de Matute a las desrealizaciones es tan fuerte que en *La torre vigía* (1971) se vuelca con libertad hacia emplazamientos argumentales poco actuales —la acción se localiza en la Alta Edad Media—, lo que supone un retroceso —o regreso— hacia sus formas más iniciales. Ahora la imprecisión espaciotemporal es absoluta y persiste en sus viejas preocupaciones al abordar de nuevo el tema del cainismo.

Tres novelistas, cuyos primeros libros aparecen mediados los años cincuenta, constituyen una auténtica novedad en el panorama de la narrativa de postguerra: Aldecoa, Fernández Santos y Sánchez Ferlosio. Los tres son partidarios de una sucinta técnica objetivista que será tomada como un ideal artístico por la generación del medio siglo, sobre la que ejercen un impreciso pero muy real influjo. Además, aunque no llegan a las formas más extremas del compromiso político de la literatura, comparten una actitud ética y cívica. De edades semejantes, esto les confiere una proximidad en el modo de entender el hecho estético y un común tono generacional, basado en un sobrio realismo.

IGNACIO ALDECOA (1925-1969) ha padecido un injusto postergamiento entre los escritores de su generación, debido a su andadura independiente, que no le llevó a ampararse ni en los círculos críticos ni en las casas editoras que controlaron buena parte del prestigio literario en el medio siglo. Era, en el momento de su temprano fallecimiento, uno de los nombres más prometedores de toda nuestra narrativa reciente y deja —a pesar de lo mucho más que podía haber dado al desaparecer en plena juventud y madurez artística— una obra no muy amplia pero sí realmente importante.

Dos vertientes se distinguen en la narrativa de Aldecoa, la novelesca y la del relato breve. Su novelística se reduce a cuatro únicos títulos, pero éstos formaban parte de un amplio y ambicioso proyecto que consistía en la realización de tres trilogías en las que iba a tratar el trabajo del mar, el trabajo de las minas y el mundo de los guardias civiles, gitanos y toreros; su idea consistía en hacer la «épica de los pequeños oficios», como él mismo había dicho. De estas trilogías, sólo llegó a escribir, de la primera, *Gran sol* (1957), y de la tercera, *El fulgor y la sangre* (1954) y *Con el viento solano* (1956), que se refieren, respectivamente, a la pesca de altura, a la existencia cotidiana de una pequeña guarnición de la guardia civil y a la vida de los gitanos. Son todos ellos libros de una excelente prosa y de una cuidada construcción, de una ajustada técnica objetiva y en los que se impone una consideración humanitaria por encima de otros valores sociales, no ausentes, pero tampoco establecidos como finalidad, y ello a pesar de su fuerte carga testimonial. Aldecoa no trata de dar ningún mensaje (y en ello se separa su obra de la de sus coetáneos de la generación del realismo crítico), aunque el esfuerzo, sufrimiento e incluso miseria de sus protagonistas constituyan un reflejo de un estado social. Al margen de sus trilogías publicó también otra novela vinculada con el tema del mar, *Parte de una historia* (1957).

Los cuentos y relatos breves de Aldecoa aparecieron en publicaciones periodísticas desde finales de los cuarenta y buena parte se integraron posteriormente en volúmenes tan sugestivos como *Vísperas del silencio* (1955), *El corazón y otros puntos amargos* (1959), *Caballo de pica* (1961), *Arqueología* (1961)... Aldecoa fue un verdadero maestro de ese difícil género e incluso puede decirse que, a partir de su obra, se ha introducido una manera «aldecoana» en nuestra narrativa breve. Sus cuentos son, en buena medida, fragmentos de una vida y presentan historias insignificantes, sin grandes complicaciones argumentales, pero llenas de calor humano. Concisión narrativa, expresividad estilística y magníficas cualidades de narrador son rasgos característicos de esta parte de su obra, que ha aportado algunas de las piezas memorables del género.

La temática de estos cuentos es relativamente variada y, según la certera clasificación de Alicia Bleiberg al frente de *Cuentos completos* (1973), se agrupa en torno a estos motivos: los oficios, la clase media, los bajos fondos, el éxodo rural a la gran ciudad, vidas extrañas, los niños, la soledad de los viejos y la abulia de la gente acomodada. Esta temática constituye un amplio testimonio de la España de postguerra y según a qué sectores sociales se refiera, cambia la actitud del escritor. El mundo de los trabajos y de los marginados refleja, por lo común, un modo de vida y unas condiciones económicas y sociales degradadas; los protagonistas suelen sufrir con impotencia o amarga resignación su estado. El contenido crítico está implícito en esta escueta y testimonial presentación y, a diferencia de otros narradores sociales, su compromiso humano no alcanza unas formulaciones literarias de signo político. Hay, sin duda, una postura del narrador próxima a esos seres dolientes, por lo cual puede hablarse de literatura social y, a la larga, esa ausencia de instrumentalización del tema y de los personajes se ha mostrado literariamente más eficaz que otros planteamientos más propagandísticos. Una inclinación afectiva hacia quienes trabajan —que es admiración por quienes desarrollan labores o tienen ocupaciones especialmente duras o arriesgadas— se transforma en adhesión sentimental, en ternura, en entrañable piedad por el mundo de los niños y de los viejos. La actitud crítica aparece de forma resuelta al hablar de las clases medias, a las que satiriza sin piedad y de las que destaca su hipocresía, su mezquindad y su egoísmo. El conjunto de estos relatos, por otra parte, cumple con holgura el vacío dejado por sus inacabadas trilogías, pues constituyen una pequeña comedia humana de los tiempos actuales que, en su resultado final, logra una visión más amplia, rica y detallada que la de la mayor parte de los llamados novelistas sociales.

También en JESÚS FERNÁNDEZ SANTOS (1926) coincide la doble condición de novelista y autor de relatos o novelas cortas («historias breves», según él las denomina). Salvo las diferencias de composición que uno y otro género imponen, en ambos encontramos núcleos de inquietudes semejantes y sorprende la fluidez con que el autor pasa de la novela a la «historia breve».

El nombre de Fernández Santos se asocia con frecuencia al grupo de los realistas sociales y, en efecto, su primera novela, *Los bravos* (1954), tiene algo de precedente, y, a la vez, de modelo de la futura narrativa testimonial. Bien es cierto que no practica una estética social-realista simplificada, pero la novela ofrece unos rasgos formales sobre los que luego anduvo una literatura de concienciación política. *Los bravos* es, en primer lugar, la novela de un espacio cerrado —localizado en un pueblecito de la frontera astur-leonesa— en el que cualquier transformación resulta imposible. Después, presenta un caso de caciquismo, una reacción individual en contra y una nueva sumisión de las gentes del lugar a un dominio impuesto. Al fin, descubrimos la abulia, apatía e ignorancia colectivas. Todo ello con una gran levedad argumental, una extremada sencillez lingüística y una técnica objetivista. Ésta y el componente crítico inherente a esa historia de «resistencia» pasiva son los elementos que pueden considerarse precursores del realismo crítico.

En esa misma línea testimonial profundiza *En la hoguera* (1957), con la que alcanza el más neto compromiso del conjunto de su producción. El matizado ruralismo de *Los bravos* toma nuevos caracteres en *En la hoguera*. Sobre el escenario de un pueblo próximo a Madrid se entrecruzan diversas historias personales que permiten una reconstrucción colectiva en la que no faltan ni rasgos truculentos ni testimonios de la actividad laboral (el rudo trabajo en el campo o en la mina). Una imaginería fúnebre realza el sentido de soledad, ruina y muerte que caracteriza al pueblo. La dimensión social de *En la hoguera* es incuestionable y vemos cómo, por ejemplo, la injusticia impulsa, incluso, a la comisión de delitos, pero también percibimos la importancia que en la vida colectiva poseen los conflictos individuales.

La dificultad para reconocer a Fernández Santos entre los novelistas sociales viene, precisamente, de su interés por la exploración de mundos interiores y se acrecienta por lo pronto que el escritor se resuelve a abandonar el testimonio crítico —que casi desaparece en sus obras posteriores— y a preferir una temática intimista. Este cambio es ya patente en *El hombre de los santos* (1958), novela intimista centrada en un viajero restaurador de imágenes. Es en la observación del mundo en torno al protagonista en donde se localiza un limitado carácter testimonial. Algo semejante sucede en *Laberintos* (1964), de emplazamiento urbano y centrada en unas clases medias de intelectuales y artistas. Aunque puede situarse en la órbita de la literatura crítica de la burguesía —sus formas de vida, su abulia e irresponsabilidad—, lo que predomina en la atención del escritor son, sin embargo, los conflictos y tensiones de unos personajes que conviven durante unas cuantas fechas.

Una lectura de conjunto de los títulos reseñados hasta el momento revela, entre otras, una casi obsesiva preocupación: la vida encerrada, limitada, la dificultad para escapar de un medio o de unos conflictos que conducen a la soledad, al aislamiento y que dan a la narrativa de Fernández Santos un innegable aire pesimista. Una comunidad protestante es la que protagoniza el *Libro de las memorias de las cosas* (1971). El autor, ya definitivamente, se aleja de las enormes posibilidades testimoniales que ofrece el argumento —las dificultades para integrarse de una minoría religiosa proselitista— y se centra en la exposición de sentimientos (la impotencia de la lucha infructuosa, la incomprensión, el rencor, el aislamiento...). Así, de una manera natural, por evolución lógica, llega Fernández Santos a una narrativa en la que el componente testimonial desaparece, en la que se hace uso de una imaginación libre. Ésta es la explicación de que historias suyas posteriores se inserten en el marco cronológico de un pasado histórico, en la Edad Media (*La que no tiene nombre,* 1977), en el Siglo de Oro (*Extramuros,* 1978) o en la época de la Guerra de la Independencia (*Cabrera,* 1981). A la vez, un motivo que ya rondaba antes muchas de sus páginas va adquiriendo mayores proporciones hasta convertirse en una idea recurrente: me refiero al tema de la muerte, del acabamiento físico o moral. Esa impresión de tiempo perdido, de espacio cerrado, de vida inútil es la que dirige la reflexión de la protagonista de *Jaque a la dama* (1982). Fernández Santos es un escritor regular, persistente en sus modos y temas, pero esta novela produce la impresión de volver a encontrarnos con un mundo que nos es conocido porque el escritor ya lo ha explorado hasta la saciedad y al que retorna de modo reiterativo, como aquejado de fatiga o de impotencia creadora.

Un núcleo de inquietudes y hasta obsesiones muy semejantes hallamos en los libros de relatos *Cabeza rapada* (1958), *Las catedrales* (1970), *Paraíso encerrado* (1973), *La que no tiene nombre* (1977), *A orillas de una vieja dama* (1979), *Las puertas del Edén* (1981). En ellos destaca una gran flexibilidad formal. Sus contenidos evolucionan en una línea semejante a la señalada en la novela y hay que destacar la preocupación por el mundo de la infancia, desde cuya óptica filtra el escritor la realidad y recupera la experiencia de la guerra civil. Esta visión de la guerra es el motivo principal de *Cabeza rapada,* volumen en el que se encuentran algunos de los mejores relatos de Fernández Santos.

Mención especial debe hacerse de la preocupación formal de la narrativa de Fernández Santos, que contrasta con el generalizado desinterés por estas cuestiones de la época en que publicó sus primeros libros. Su lenguaje es sobrio, cuidado y expresivo. Su concepción formal revela influencias cinematográficas y el relato incorpora con asiduidad y acierto los saltos temporales e impone a todos sus asuntos un tratamiento moroso progresivamente acentuado. No partidario de una composición rebuscada, sin embargo, a veces llega a estructuras novelescas de gran complejidad.

Con una obra verdaderamente exigua —un par de novelas y unos cuantos relatos—, RAFAEL SÁNCHEZ FERLOSIO (1927) se ha convertido en un clásico de nuestra literatura actual. *El Jarama* es referencia inexcusable dentro de la prosa narrativa contemporánea en castellano y casi puede considerarse como el libro que abandera las nuevas tendencias y aspiraciones estéticas de los entonces jóvenes novelistas de los años cincuenta. Con razón decía un crítico —Rafael Vázquez Zamora— que un día los novelistas españoles tendrían que hacer una excursión al río Jarama en homenaje al autor que supo cristalizar tantas ilusiones colectivas. En efecto, *El Jarama,* al margen del juicio que merezca, constituye uno de los hitos históricos de la postguerra.

Es verdaderamente sorprendente la diferencia que hay entre las dos únicas novelas de Sánchez Ferlosio. Pues si *El Jarama,* como veremos, tiene un carácter testimonial, *Industrias y andanzas de Alfanhuí* (1951) es un relato fantástico que crea su propia realidad, la cual casi nada tiene que ver con el mundo exterior. *Alfanhuí* parte de una evocadora estructura picaresca: el acceso a la experiencia de un niño que, tras pintoresco e inútil aprendizaje para la vida práctica, viaja por diversos lugares castellano-extremeños y convive con diversos amos. El soporte espacial es realista y puede llegar a tener valores testimoniales, pero sobre él se suceden multitud de hechos fantásticos, maravillosas presencias, mil y una metamorfosis que hacen del libro una apuesta valiente e insólita en las fechas de su primera edición a favor de una imaginación libérrima, sin traba de ninguna clase. Todo lo inimaginable puede ocurrir en el *Alfanhuí,* desde el gallo de la veleta que caza lagartos hasta la abuela del muchacho que incuba huevos. No se trata, sin embargo, de un relato meramente fantástico que con el pretexto de la insólita maduración del niño cree un mundo blando y sensiblero. Al contrario, en él hay una apuesta por un mundo mejor, por una existencia más noble, aunque no desconozca las limitaciones materiales y la propia contingencia de la vida humana. Por otra parte, *Alfanhuí* encierra una meridiana defensa de lo natural, primitivo y no maleado por el hombre. Debe advertirse, no obstante, que no se trata de una obra de manifiesto carácter aleccionador sino de un sugestivo relato en el que es prioritario el gusto por contar anécdotas sorprendentes. Debe destacarse, además, su prosa de elevado tono lírico muy adecuada a un riquísimo campo imaginativo en el que los colores tienen tanta importancia que llegan a crear un mundo policromo y luminoso.

El Jarama (1956) es una de las novelas más importantes de toda la postguerra por el impacto que causó en el momento de su aparición y por su largo influjo posterior. Se trata de un libro behaviorista en el que, de hecho, no existe argumento, lo cual ha llevado a encontrados enjuiciamientos; para unos es una obra aburrida e insustancial; para otros resulta un magnífico testimonio de la sociedad contemporánea. El escaso relieve del contenido anecdótico no es un demérito sino que forma parte precisamente de la sustancia misma de la novela, de la certera intuición del escritor para representar el mundo. El leve hilo argumental es muy sencillo. Once jóvenes madrileños van de excursión un día de domingo a las orillas del cercano río Jarama. Próximo al río hay un merendero al que acuden los habituales parroquianos, de una generación anterior a la de los domingueros. En ninguno de los dos grupos humanos se producen acciones destacables. En uno y otro, se charla, se discute, se toma alguna bebida o alimento, se juega... En resumidas cuentas, pequeñas acciones que llenan el tiempo para pasar el día. El tema es, pues, la rutinaria existencia de ese conjunto de gentes, aunque con marcada inclinación por los excursionistas.

El Jarama es una novela colectiva que, sin caer en simplificaciones prototípicas, presenta el horizonte mental de unas capas sociales humildes. Parte de un planteamiento objetivista del relato, un conductismo que se basa en la transcripción de un diálogo vivo, inarticulado, guadianesco (aunque no sea simple transcripción magnetofónica, pues está estilísticamente muy elaborado) que evita la intromisión del autor en la historia. Ese objetivismo no es tan absoluto, sin embargo, como se ha dicho pues hay una alternancia de diálogo y descripción en la que Sánchez Ferlosio adopta posturas distintas. El diálogo es el que tiene la misión de alcanzar una visión objetiva, neutra de la realidad. Las descripciones participan de la narración omnisciente, incluyen una actitud subjetivista, y en ellas encontramos un talante lírico y una prosa cargada de comparaciones, sinestesias, metáforas, personificaciones...

La temática de *El Jarama* es selectiva y tiende a la representatividad. Sobre un fuerte recorte temporal —unas dieciséis horas dura la acción externa—, los personajes hablan y hablan. Sus temas de conversación son una serie de cuestiones menudas de una vida corriente: pequeños conflictos cotidianos de la actividad laboral; frases hechas y tópicas sobre la vida; las incertidumbres, recelos y gazmoñerías del despertar sentimental; mil y un motivos banales que constituyen la verborrea de un día de asueto entre gentes que escapan de la rutinaria cotidianeidad. Otros motivos más podrían haber entrado —no se explica bien, por ejemplo, la ausencia de conversaciones sobre temas futbolísticos—, pero esos son suficientemente representativos de la alarmante falta de preocupaciones de esa gente. Por otra parte, uno de los motivos de conversación tiene especial importancia. Hay un velado recuerdo de la guerra, precisamente en la proximidad de un lugar, Paracuellos del Jarama, de sangrientos y aún polémicos sucesos. Para estos chicos, sin embargo, la guerra es tan sólo motivo de conversación desapasionada, no se sienten identificados con ella y, así, Sánchez Ferlosio planteaba, frente a los literatos de la generación precedente, el fenómeno de la ruptura y discontinuidad histórica de los jóvenes de los años cincuenta.

He dicho antes que no pasaba nada en la novela. No es del todo cierto. Un trágico accidente turba el día de descanso: una chica del grupo muere ahogada. La crítica ha discutido mucho el valor de esta muerte pero, en cualquier caso, parece que el suceso no altera en gran medida el curso de la novela y la muerte se convierte en un acto más de una existencia prosaica, de una vida no realizada con plenitud. De este modo, acentuaba el autor la inutilidad de aquellas existencias, en la que los mismos jóvenes no tenían ninguna responsabilidad, pues son víctimas de una situación histórica. La muerte de la muchacha, por otra parte, puede tener un sentido trascendente y un valor simbólico. Es el episodio que permitirá la maduración humana de los muchachos y, además, facilita la intervención en la novela de otro sector de la juventud, el de los universitarios que, bañistas próximos, descubren el cadáver y lo sacan del río. Este último dato permitiría afirmar, incluso, aunque la interpretación sea arriesgada, que es el modo que tiene Sánchez Ferlosio de incorporarse él mismo y su generación a la novela.

El valor del sentido social de *El Jarama* ha dividido a los críticos. Mientras que para unos resulta muy leve, para otros constituye el fundamental propósito del autor. Si, por una parte, hay un tratamiento alusivo de la realidad, por otra, en cambio, estamos ante grupos sociales representativos. *El Jarama* tiene la virtud de hacer literariamente veraz, sin entrar en el terreno del alegato, una parte de la sociedad española. Sánchez Ferlosio ha tenido la habilidad de no insistir en la tipicidad de los personajes sino que ha constatado un modo de vida que representa un estado social. Y, se puede pensar que, en su misma intrascendencia argumental, va implícito el hecho de ser una de las novelas más políticas que se han escrito en nuestras letras. El mejor modo de narrar una situación colectiva estancada es escribir un relato en el que no suceda nada. El mismo tedio que llega a producir la novela debe entenderse como un intencionado reflejo de la realidad.

A esta tendencia neorrealista de la generación del medio siglo puede adscribirse a CARMEN MARTÍN GAITE (1925), cuya obra no es parangonable en importancia a la de los más destacados escritores de su promoción, pero merece un digno lugar secundario. Su producción, de comedidas dimensiones, posee una unidad de fondo, de suerte que bajo anécdotas en apariencia poco vinculables siempre late una preocupación común: el anhelo doloroso e inalcanzable de lograr la autenticidad. Martín Gaite parte de una problemática individual que sirve, a la vez, para una constatación social y en sus libros destaca la preocupación por la inserción —más afectiva, humana, de búsqueda de la personalidad que política o sociológica— de la persona en la colectividad. Esto se patentiza mejor en sus primeros títulos y, sobre todo, en los relatos —*El balneario*, 1955; *Las ataduras*, 1960—, en los que contemplamos un desesperanzador espectáculo de un mundo solitario, incomunicado, que gracias al enfoque crítico de la escritora adquiere un valor testimonial y una dimensión casi social. Ese trasfondo crítico de unas historias personales opera en su primera novela, *Entre visillos* (1958), testimonio desencantado de la limitada vida provinciana y de la falta de perspectivas vitales de las jóvenes, que sienten con angustia el amenazante problema de la soltería. La búsqueda de la autenticidad y el enfrentamiento de los convencionalismos desemboca en la marginación y la locura en *Ritmo lento* (1963). La narrativa de Martín Gaite progresa hacia un análisis de la relación entre las personas que haga factible la plenitud del individuo, pero, por lo general, descubrimos el predominio de la incomunicación y la soledad. En sus últimas novelas —*Retahílas,* 1974; *Fragmentos de interior,* 1976; *El cuarto de atrás,* 1978— se plantea la perentoria necesidad de un interlocutor y reivindica la importancia del lenguaje como medio de comunicación que salve al individuo de sus terrores y aislamiento.

Este proceso temático desemboca en una literatura fuertemente personalista y de acentuado culturalismo. El relato se hace especulativo, digresivo y se incorpora a él incluso la discusión de los secretos y del misterioso atractivo del arte de narrar, cuestión que interesa mucho a la autora y sobre la que se ha extendido en su ensayo *El cuento de nunca acabar* (1983). Las fronteras entre novela y otro tipo de libro de difícil clasificación —mezcla de autobiografía, ficción y ensayo— se hacen cada vez más delgadas en Martín Gaite. Sus últimos relatos —aparte su interés formal— reafirman una unitaria concepción novelesca, pero parecen anunciar una grave crisis imaginativa en la escritora, que reitera temas que ya ha explorado suficientemente y que se encierra en vivencias interiores no sólo muy analizadas por ella misma sino poco interesantes, bastante banales. Por otra parte, este proceso se ha acompañado de un progresivo perfeccionamiento estilístico que, superadas las abundantes limitaciones de *Entre visillos,* ha conseguido una prosa sencilla y eficaz.[8]

8. Para los autores de tendencia neorrealista, se puede acudir a los manuales ya mencionados. Constituyen una introducción general a la obra de Matute y Fernández Santos los trabajos de R. Roma [1971] y J. Rodríguez Padrón [1982], respectivamente. Sobre Aldecoa, destacamos el voluminoso y atento libro de J. M. Lasagabaster [1978], los colectivos editados por R. Landeira y C. Mellizo [AA. VV., 1977] y D. Lytra [1984]; téngase en cuenta, también, el prólogo de Josefina Rodríguez a la edición de *Cuentos* (Madrid, 1977). Un estudio de Sánchez Ferlosio muy inteligente y completo es el de D. Villanueva [1973], en el que se halla más completa bibliografía; también puede verse Buckley [1973].

b) *La novela social*

El testimonio humanitario, la solidaridad con los desposeídos característica de los novelistas que hemos denominado neorrealistas, se transforma poco a poco en una literatura claramente social que, incluso, con propiedad debe calificarse de socialista, pues en ella se llegan a postular muy concretas soluciones de partido. Dentro de los autores que coinciden en estos planteamientos, se observan acusadas diferencias, pero, también, suficientes rasgos comunes como para establecer unos principios estéticos generalizados.

Factor fundamental es la creencia de que el procedimiento más adecuado para captar la realidad se basa en el testimonio directo de las circunstancias políticas y sociales del país; ese testimonio ha de tener un valor informativo que sustituya la ocultación de la realidad habitual entonces en los medios de comunicación. El documento resultante ha de reflejar las desigualdades, pero no con un sentido individual, en cuanto problemas de personas concretas, sino con un alcance colectivo. Como consecuencia de este testimonialismo, se persigue la imaginación, que llega a suprimirse radicalmente en todo este tipo de relatos, los cuales, al contrario, se cargan de datos menudos de la vida cotidiana de los personajes.

Dos grandes núcleos de temas polarizan las novelas sociales: el mundo del obrero y la vida burguesa. En aquél, se presenta la injusticia en las retribuciones, la rudeza del trabajo, la angustia de las ocupaciones temporeras, las condiciones infrahumanas de vida (con problemas como la alimentación o la vivienda). El escenario, con frecuencia, es rural, y, también, urbano, pues desde el campo se impone una dramática emigración a los suburbios de los centros industriales (con nuevas y lacerantes preocupaciones como la vivienda, el chabolismo, la marginación). Por lo que se refiere a los burgueses, se destaca su frivolidad, su holganza y su falta de conciencia social.

Para patentizar estas cuestiones se desarrolla todo un completo sistema artístico. El tratamiento del relato es objetivista y excluye el punto de vista del autor, lo cual no es ajeno a una obligada artimaña para eludir la censura. Se llega, incluso, al predominio absoluto del diálogo, base de algunos relatos de carácter totalmente conductista. Los aspectos formales —de construcción o de lenguaje— no constituyen una gran preocupación, pues el narrador antes persigue una estética de la pobreza con la que pretende actuar sobre el lector a través de la vía afectiva para que, desde las emociones, se opere una concienciación política. La estructura del relato, en términos generales, es bastante sencilla. Las coordenadas espacio-temporales tienden a una fuerte reducción: un escenario limitado en un tiempo breve (por ejemplo, unas cuantas horas en *El Jarama,* un par de fechas en *Dos días de setiembre*). Ello se debe al carácter simbólico, al valor modélico que se pretende para las historias que en ellos se desarrollan. Rasgo de capital importancia es la configuración de los personajes. En primer lugar, la protagonización individual tiende a desaparecer y, al contrario, se extiende el protagonista colectivo. En segundo, y como consecuencia de lo anterior, la profundización psicológica es muy escasa, ya que no interesan los conflictos interiores sino la representación social. Además, y vinculado con esto, más que personajes, se encuentran tipos y prototipos, que actúan no por indeclinables problemas personales sino en cuanto representantes de un grupo social. Por ello, se crea una tipología que bordea una concepción maniquea del mundo: el burgués intransigente, ocioso y egoísta; el obrero, bondadoso, explotado, resignado e insatisfecho en sus más elementales necesidades. Por fin, se defiende un deliberado empobrecimiento del lenguaje que tiende a la prosa funcional. El léxico destierra todos los términos infrecuentes y la sintaxis se inclina por una frase sencilla y breve. Por contra, giros coloquiales, formas lingüísticas populares (por ejemplo, reducciones fonéticas del estilo to = todo, pal = para el...) suelen ser abundantes. Hay que advertir, sin embargo, que el menosprecio por los aspectos artísticos —que está a punto de convertirse en un tópico de la crítica literaria al referirse a este período— no es tan grande como habitualmente se quiere y no faltan títulos de cuidadosa organización y de muy esmerado estilo.

A pesar del carácter bastante homogéneo de la novelística social, entre sus títulos existen considerables diferencias. Unos practican un descarado populismo, mientras otros atienden con preocupación a la elaboración artística. Algunas novelas se detienen en un testimonio crítico, pero otras se ponen al servicio de una tesis política, e, incluso, a varias les conviene mejor el calificativo de literatura política que el de social.[9]

José Manuel Caballero Bonald (1928) sigue una trayectoria típica de los novelistas de su generación: desde una neta conciencia social reflejada en *Dos días de setiembre* (1962) pasa a una narrativa de componente crítico pero de inspiración mucho más imaginativa. El innegable talento narrativo y la densidad

9. Dos extensos estudios, aunque de enfoque distinto, ofrecen amplia información sobre la novela y los novelistas sociales: Gil Casado [1968] y Sanz Villanueva [1980]. Es muy interesante la consulta de E. Rico [1/1971]. Analiza con detalle y rigor aspectos concretos en un buen número de novelas D. Villanueva [1977].

lingüística hacen que *Dos días de setiembre* (1962) sobresalga sobre la mayor parte de los libros coetáneos. Su argumento, un tanto difuso, es prototípicamente social: describe la vida de un pueblo vinícola andaluz y la desigualdad entre los acaudalados —bodegueros y terratenientes— y los trabajadores. Lo que le distingue es su habilidad formal y la verdad humana de los personajes y de los asuntos tratados.

El argumento se caracteriza por su levedad y ocurren pocas cosas importantes en la novela, ya que el autor quiere reflejar una situación social estática: esos dos días en los que no sucede casi nada muestran la vida rutinaria de ese pueblo vinícola (incluso la muerte forma parte de esa rutina). No obstante, la novela parece muy argumental porque está repleta de pequeñas acciones protagonizadas por una serie de personajes que pertenecen a diversos grupos sociales y que, siendo representativos de éstos, no han perdido sus específicos rasgos personales. Su comportamiento muestra, sin embargo, una manera de ser no individual sino de clase: el hedonismo y la despreocupación de los terratenientes; la subordinación de trabajadores y jornaleros. Todos estos planteamientos pueden llevar a una simple novela modélica pero no es así. Si en el libro hay una clara simpatía hacia el pueblo y los oprimidos, no se materializa en términos maniqueos sino que el propio ir y venir de los personajes y la oportuna selección de motivos cotidianos hacen plenamente veraz el relato. Mérito fundamental de *Dos días de setiembre* es el empleo del lenguaje, de prosa cuidada, léxico rico y compleja sintaxis. Frente al estricto objetivismo de la época, Caballero Bonald llega a utilizar un monólogo interior sin puntuación. A este lenguaje exigente acompaña una cuidada estructura reforzada por elementos simbólicos.

Doce años de silencio hasta la publicación de *Ágata ojo de gato* (1974) explican la fortísima diferencia que aleja a esta novela de la primera. Si bien es cierto que en *Dos días de setiembre* existen elementos que explican este cambio, no lo es menos que nos encontramos ante un libro muy distinto. Ante todo, ha desaparecido cualquier deseo de testimoniar una realidad inmediata y el libro se sitúa en la órbita del mito. Su argumento es de corte tradicional, aunque lo camufla una compleja disposición artística: es la historia de una antigua familia, enriquecida y dominadora sobre una amplia región —localizable en la baja Andalucía— que, fundada sobre la «degradación de la opulencia», presenta actuales síntomas de ruina. El carácter alegórico del relato permite pensar en una fabulación general sobre nuestro país, o, más concretamente, sobre las tierras del Sur, pero concebida con caracteres simbólicos y no como testimonio de una realidad histórica. La configuración de los personajes, las desrealizaciones espacio-temporales, la presencia de lo maravilloso y sobrehumano sitúan la novela en la órbita de los espacios fantásticos, recreados o inventados y en la línea del realismo mágico. En cuanto a su elaboración, desde el léxico hasta la sintaxis manifiestan un fuerte y quizás innecesario barroquismo. La última, por ahora, novela de Caballero Bonald, *Toda la noche oyeron pasar pájaros* (1981), reincide en los rasgos de la anterior: una historia de decadencia de una antigua familia comercial situada sobre ese escenario andaluz habitual en el escritor, presentada con una técnica narrativa compleja, basada en la discontinuidad del relato, y en la que los elementos mágicos o desrealizadores tienen un importante papel.

Muy poca atención le ha prestado la crítica universitaria a FRANCISCO CANDEL (1925), a pesar de la voluminosa dimensión de su obra. Ello se debe a su peculiar sistema artístico, que menosprecia las convenciones de la literatura culta para ponerse al servicio de una inmediata concienciación del lector. Candel es un escritor radicalmente populista y obrerista que pretende una función identificadora entre lo que cuenta y quien lo lee. Y, en efecto, sus libros se han leído más como documento que como ficción y le han causado numerosos problemas, incluso agresiones ejecutadas por gentes que se han visto retratadas en ellos. Por la intencionalidad social de toda su literatura, debe ocupar un lugar destacado entre la generación del medio siglo. Por sus procedimientos narrativos constituye un caso aislado. En primer lugar, reniega del objetivismo como recurso técnico y con frecuencia se introduce en el relato con su propio nombre y apellido. Además, y con el objeto de conseguir ese populismo emotivo, echa mano de los recursos del folletín y no oculta el propósito didáctico que le guía.

El testimonio social contemporáneo de Candel se centra en la realidad catalana y aborda algunos problemas concretos pero de carácter colectivo: el mundo de los suburbios, la tuberculosis, el incierto futuro de la juventud, el comportamiento de diferentes grupos sociales, la Iglesia en la sociedad actual... Estos motivos se dispersan por sus muchos libros, de los que mencionaremos, por ser muy significativos de sus maneras literarias, *Hay una juventud que aguarda* (1956), *Donde la ciudad cambia su nombre* (1957), *Han matado un hombre, han roto un paisaje* (1959), *Los importantes: pueblo* (1961), *Los importantes: elite* (1962), *¡Dios, la que se armó!* (1964), *Los hombres de la mala uva*

(1967), *Brisa del cerro* (1970), *Los que nunca opinan* (1971), *Historia de una parroquia* (1971)...

Una visión global del conjunto de la obra de ANTONIO FERRES (1924) nos permite reconocer en él a uno de los más genuinos representantes de la generación del medio siglo. Es autor de varias novelas típicas del realismo social (*La piqueta*; *Los vencidos*), ha contribuido al desarrollo de la literatura testimonial no de ficción con dos libros de viajes (*Caminando por las Hurdes*, 1960, escrito en colaboración con López Salinas, y *Tierra de olivos*, 1964), y ha evolucionado hacia una literatura de preocupación formal.

La piqueta (1959) empareja dos reiterados motivos de la novelística social, la emigración interior y el chabolismo. La anécdota gira en torno a la demolición por orden municipal de la chabola de unos emigrantes andaluces en medio de la impotencia de los vecinos y describe los problemas que se les plantean a los desahuciados. La fortuna de la novela hay que buscarla en el calor humano con el que el autor trata el dramático problema, ya que no ha buscado el mérito ni en la originalidad del asunto, ni en la perfección de los personajes —algo simplificados y maniqueos—, ni en el lenguaje —poco cuidado—; sin embargo, obtiene un testimonio bastante auténtico gracias a la intensa emotividad del relato.

«Las semillas» es una trilogía también de inspiración social. Alejados sus volúmenes en fechas de publicación por graves problemas de censura, resultan distantes estéticamente por la cronología que los separa: *Los vencidos* (1965), *Al regreso del Boiras* (1975) y *Los años triunfales* (1978). La trilogía ofrece distintos fragmentos de la realidad española de postguerra. *Los vencidos* es novela colectiva montada sobre algunas historias individuales que permiten entrar en la vida carcelaria de los años cuarenta y en el ambiente general de persecuciones, exaltación y miseria de la época. Más que de literatura social, se podría hablar de novela política o de novela de reconstrucción de un ambiente político de opresión. *Al regreso del Boiras* describe las hostilidades de las gentes de un pueblo al que retorna el protagonista, fugitivo de las venganzas personales e ideológicas de la época de la guerra. *Los años triunfales* refiere la historia del terror y de la desesperada búsqueda de la felicidad de uno de tantos vencidos. Por esa coincidencia temática, *Al regreso*... y *Los años*... pueden considerarse relatos sobre el exilio interior, fenómeno de extraordinaria importancia que no ha alcanzado el relieve literario que sería esperable por su magnitud social y cultural. Los dos primeros títulos de «Las semillas» comparten una técnica realista testimonial pero el último se estructura en un relato técnicamente más complejo. Otra novela de Ferres, *Con las manos vacías* (1969), se puede vincular con propósitos de denuncia, pues narra las consecuencias sociales y morales de un error judicial.

El soporte literario renovador de *Los años triunfales* tiene como precedentes dos novelas al margen de la estética social: *En el segundo hemisferio* (1970) estudia los modos de convivencia de grupos étnicos distintos en una misma sociedad; *Ocho, siete, seis...* (1972), a través de una sugestiva estructura de viaje, expone la alienación de un antiguo falangista que trata de explicar sus actuales fracasos. Ambas coinciden en el deseo de realizar una literatura más imaginativa y, sobre todo, más preocupada por el estilo, atenta a la arquitectura del relato y receptiva a los experimentos formales.

Dos rasgos marcan la personalidad literaria de JUAN GARCÍA HORTELANO (1928). El primero, permanente a lo largo de toda su producción, es una temática relacionada con personajes que pertenecen a clases medias acomodadas. El segundo, circunscribible a sus dos iniciales novelas, es su técnica, que le convierte en el principal representante en nuestro país del behaviorismo o tratamiento de la conducta como método literario. Su evolución artística, por otra parte, resulta semejante a la de la mayor parte de sus compañeros de generación: desde una literatura objetivista de denuncia ha pasado a unas mayores preocupaciones formales.

La actitud objetivista y crítica está representada por sus dos primeras novelas, *Nuevas amistades* (1959) y *Tormenta de verano* (1961), que alcanzaron una gran difusión y vinieron a significar, fuera de nuestras fronteras, la existencia de una joven y pujante narrativa española. *Nuevas amistades* es la novela de la juventud universitaria, con su marginación del resto de la problemática colectiva, su absentismo y falta de sentido vital. Una trama sentimental sirve de soporte a la transcripción de una serie de conversaciones entre los jóvenes universitarios de las que se desprende su inconsciencia e irresponsabilidad. Contra esa situación de abulia, uno de los personajes pretenderá rebelarse pero su gesto será inútil y caerá de nuevo en las estables redes de su grupo. Por todo ello, los personajes se convierten en *Nuevas amistades* en el vehículo adecuado para mostrar las características de un sector social. Esa representatividad se obtiene gracias al distanciamiento del autor, que se aleja del relato y declina toda responsabilidad en el diálogo, que es el auténtico transmisor del modo de ser del grupo.

Sobre estos supuestos se lleva a cabo *Tormenta de verano,* muy parecida a la anterior. Los protagonistas no son jóvenes sino representantes de esa burguesía enriquecida al amparo de los privilegios de postguerra. De nuevo se trata de un grupo cerrado: unos veraneantes en la costa catalana y sus costumbres sofisticadas y abúlicas. Un factor externo y fortuito —el hallazgo de un cadáver— convulsiona la vida rutinaria del grupo y uno de los protagonistas tiene a raíz de ese suceso una crisis interior y pretende salir del ambiente que le rodea. Pero este proceso de autentificación es imposible en su grupo social y todo habrá sido, al final, una «tormenta de verano». En cuanto a la técnica literaria, el objetivismo del libro anterior se convierte en éste en un tratamiento conductista del relato, basado en el predominio del diálogo en el cual, ahora, ni siquiera se marcan los interlocutores (aunque nunca falta una pista que permita al lector atribuir adecuadamente las opiniones).

En 1697 publica García Hortelano un libro de relatos olvidado por la crítica, *Gente de Madrid,* que, dentro de una técnica literaria semejante a la de las novelas anteriores, amplía, sin embargo, el campo de sus preocupaciones temáticas: el acceso a la experiencia de los niños que vivieron la guerra y la traumatizante maduración de aquella juventud; ciertos convencionalismos medioburgueses, y, en fin, la rutina, la soledad y el desarraigo de las clases populares. Este último sector, sin embargo, es esporádico en el escritor y diez años después de *Tormenta de verano* vuelve a su mundo antiburgués en *El gran momento de Mary Tribune* (1972). Un personaje —que es también narrador—, abúlico y alienado, busca su personalidad y, al final del relato, deserta en la soledad de una casa abandonada, con lo que, en parte, enlaza temáticamente con las dos novelas anteriores. Una gran diferencia se encuentra, sin embargo, en el tratamiento formal que ha sustituido el objetivismo por una subjetividad narrativa que emplea como sistema fundamental el humor, la ironía y el sarcasmo. García Hortelano ha cambiado, pues, de técnica para hablar de cosas parecidas: ahora denuncia unas gentes de clase burguesa que, alejadas de toda inquietud, se refugian en el alcohol, el sexo y los festejos. Pero la crítica incluye también contenidos culturales, con lo cual se amplía el campo de significación del relato.

Las nuevas perspectivas abiertas por *Mary Tribune* se confirman en las obras posteriores de García Hortelano: en *Los vaqueros en el pozo* (1979) y, sobre todo, en *Gramática parda* (1982), novela intelectualista, humorística, pero no de fácil lectura, que, dejando propósitos testimoniales (aunque no falte una certera observación costumbrista, que es una de las mejores virtudes del autor), se vuelca hacia una literatura de la literatura.

JUAN GOYTISOLO (1931) suele considerarse como el narrador más importante de la generación del medio siglo, e, incluso, el intelectual más destacado de este grupo. En consonancia con esta valoración, ha alcanzado una extensa audiencia internacional (dentro de los límites en que esto puede ser cierto referido a un escritor español), ha despertado un extraordinario interés en los medios del hispanismo y cuenta con una bibliografía de abultadas dimensiones. La labor como novelista de Goytisolo es la vertiente más importante de su perfil intelectual, pero, junto a ella, no puede olvidarse su actividad como ensayista, agudo y polémico, de gran trascendencia para el desarrollo de la estética mediosecular y de inexcusable conocimiento para entender cabalmente su propia literatura. *Problemas de la novela* (1959) constituyó una de las guías teóricas de la generación del medio siglo, a cuya difusión contribuyó también Goytisolo por su influencia en la prestigiosa editorial Gallimard. *El furgón de cola* (1967) significa un cambio sustancial de concepción artística que explica la copernicana transformación que evidencian sus mismas novelas. Antes de referirnos en particular a éstas, hay que subrayar lo que, sin duda, es el rasgo general más importante y menos cuestionable de Goytisolo, el incesante perfeccionamiento de su obra. La trayectoria del escritor constituye un infrecuente y plausible ejemplo de autoexigencia, acompañada de una reflexión honda y fructífera sobre los medios y fines del arte literario. Resultado de esa permanente indagación es el privilegiado lugar que ha alcanzado dentro de nuestras letras tras superar no pocas incertidumbres. La honestidad profesional del escritor le ha permitido una acusada superación estilística y formal y un extraordinario enriquecimiento temático. Esto explica la enorme distancia que separa, en fondo y forma, su primer libro, *Juegos de manos,* de *Señas de identidad,* a mi entender una de las más singulares novelas de toda la postguerra. A la crítica no le ha pasado desapercibida esta evolución y es ya habitual la fragmentación expositiva de su obra en varias etapas.

Juegos de manos (1954) y *Duelo en el paraíso* (1955) marcan la tónica de la primera de esas etapas. El relato obedece a un compromiso ético del escritor, entonces un joven rebelde que apenas se ha forjado una visión completa del mundo, pero que desea testimoniar su disconformidad. Ese voluntarismo no se acompaña, además, de una técnica literaria eficaz, pues hay un acusado subjetivismo narrativo que mediatiza la acción y se interpreta la realidad desde un punto de vista lúdico y evasivo.

Juegos de manos narra la inconsistencia de la acción política de un grupo de jóvenes airados que no va más allá de un apasionado virus generacional. En el haber de la novela debe anotarse la fluidez del diálogo y la soltura espontánea de la narración. En el debe, cierta ingenuidad en sus planteamientos y una expresión lingüística pobre y hasta incorrecta. Apuntemos también lo que será una constante en el escritor, el triunfo de una visión pesimista de la vida que se convertirá en un franco nihilismo en sus últimos libros. La acción evocada en *Duelo en el paraíso* se desarrolla en los días finales de la guerra civil y la protagonizan un grupo de niños. Sólo parcialmente es un relato del acceso a la experiencia, pues la preocupación de Goytisolo es mostrar cómo la contienda afectó a aquellos muchachos que todavía no tenían edad para pelear. La crueldad y sadismo de los jovenzuelos —que llegan a ejecutar a uno de ellos— refleja miméticamente el comportamiento de los mayores y aquella experiencia les marcará para el futuro. Se trata, por consiguiente, de un tema generacional que perdurará en buena parte de la obra de Goytisolo —dentro de la que constituye un auténtico *leitmotiv*— y que compartirá con otros escritores de su promoción.

Una clarificación de las metas del escritor y una transformación en la técnica literaria determinan una nueva fase de la novelística de Goytisolo. Respecto de aquéllas, se impone con nitidez la idea de una función social de la narrativa que implica una intencionalidad crítica y política. En cuanto a la técnica, desemboca en un riguroso objetivismo. Un título, *El circo* (1957), sirve de puente entre los dos primeros y la nueva manera; otros dos —*Fiestas*, 1958 y *La resaca,* 1958— resultan prototípicos de esta última. Los tres integran la serie «El mañana efímero», rótulo tomado de un conocido poema de *Campos de Castilla* en el que Machado, tras pasar revista a la España de «charanga y pandereta, / cerrado y sacristía», expresa su esperanza en el futuro: «Mas otra España nace / la España del cincel y de la maza, / con esa eterna juventud que se hace / del pasado macizo de la raza. / Una España implacable y redentora, / España que alborea / con un hacha en la mano vengadora, / España de la rabia y de la idea». El título de la trilogía, sin embargo, es engañoso —por ello he recordado el final del poema—, pues lo que Goytisolo constata —sobre todo en *La resaca*— es un presente degradado para el que no se vislumbran salidas esperanzadas. Entre los volúmenes de la trilogía no existe relación argumental, pero responden a una unidad intencional. El protagonista de *El circo,* un falso criminal, sirve para presentar el vacío e incertidumbre de la sociedad de postguerra. *Fiestas* se desarrolla durante la celebración en 1952 del Congreso Eucarístico Internacional de Barcelona y da pie a una amarga crítica de la España tradicional, del fariseísmo de las clases burguesas y de la indigencia de las humildes. *La resaca* fue el primero de los libros que Goytisolo tuvo que publicar fuera de España. Es una novela obrerista y suburbial, situada en las afueras portuarias de la capital catalana. Un raterillo sirve de hilo conductor a una historia de desencanto y frustración que, a la vez, permite reflejar la miseria, picaresca e incluso delincuencia que acechan a los marginados sociales. La trama tiene un fuerte contenido personalista —en cierto modo, constituye un análisis de la ingratitud humana—, pero remite a un contexto social y político muy concreto del que Goytisolo levanta un acta inmisericorde. El autor niega al protagonista la posibilidad de emprender el viaje que le permita mudar de fortuna y escapar del cerco de miseria que le rodea y, de este modo, reafirma la mentada visión amarga y pesimista del mundo. El elemento ficcional de estas novelas recubre una manifiesta voluntad testimonial y, decidido el escritor a convertirse en notario documental de la injusticia de su tiempo, lo hace desaparecer en otros relatos no imaginativos que abordan directamente estados socioeconómicos. Me refiero a *Campos de Níjar* (1960) y *La Chanca* (1962), libros de viaje sobre la subdesarrollada geografía almeriense (otro libro viajero posterior, *Pueblo en marcha,* 1963, apenas merece recuerdo más que como documento del pasado fervor castrista de Goytisolo).

Durante los años sesenta, Goytisolo sigue siendo un escritor comprometido, pero, después de publicar *La resaca,* reflexiona sobre los sustentos ideológicos de su arte y percibe que la aproximación al mundo obrero de un escritor que, como él, procede de unas clases acomodadas y ha tenido una formación universitaria, no puede ser del todo auténtica. Será un acto ético y cívico bienintencionado, pero, en cualquier caso, implica una perspectiva sentimental y pequeñoburguesa. En consecuencia, abandonará esa temática y abordará comportamientos característicos de su misma clase social. De este modo, puede distinguirse una nueva etapa a partir de *La isla* (1961), relato de implacable técnica objetivista puesta al servicio de una denuncia antiburguesa. *La isla* narra el tipo de vida que lleva un grupo de veraneantes acomodados en un pueblo turístico de la Costa del Sol. Nada o casi nada sucede en la novela, cuya acción no es apenas otra cosa que la suma de leves desavenencias sentimentales, reiteradas fiestas y generoso correr de bebidas. De esas acciones, y sin la menor interferencia del autor, se desprende la crítica implícita de unas formas de vida regaladas y de unos grupos sociales aislados e ignorantes del resto de la problemática nacional. Semejante denuncia antiburguesa late en *Fin de fiesta* (1962), novela integrada por cuatro relatos independientes en su argumento, pero referidos a un mismo asunto, lo cual permite una consideración unitaria del volumen. La estabilidad rutinaria de un matrimonio burgués puede verse alterada por un suceso externo que aporta la ocasión de conseguir una forma de ser más auténtica. Esta posibilidad es desechada porque se prefieren las convenciones a la verdad. No sólo en éste, también en otros títulos plantea Goytisolo la disyuntiva entre apariencia y realidad, hasta el punto de convertirse, desde *Juegos de manos,* en una soterrada preocupación de toda su narrativa.

En 1966, tras un fecundo silencio, inicia Goytisolo lo que puede denominarse «trilogía de Mendiola», en honor del protagonista —a veces innominado, pero común— de *Señas de identidad* (1966), *Reivindicación del Conde don Julián* (1970) y *Juan sin tierra* (1975). El cambio que se ha operado respecto de toda la narrativa precedente de nuestro autor es radical. En el ámbito de los temas, Goytisolo ha comprendido que no es suficiente el simple testimonio de un sector social y aborda la realidad desde una perspectiva compleja que incluye determinantes socioeconómicos, pero también espirituales y culturales. En el dominio de la técnica, abjura del realismo objetivista y se vuelca en un subjetivismo narrativo que no desdeña ningún procedimiento formal renovador. La ruptura, sin embargo, no es absoluta, pues persevera un talante crítico que ahora se hace más incisivo, más demoledor. *Señas de identidad* puede considerarse como una autobiografía espiritual del autor. En ella, un tal Álvaro Mendiola, español exiliado en Francia, hace un viaje profesional a la Península y durante su breve estancia aquí intenta recuperar su pasado, sus raíces con el propósito de identificar unas señas que le permitan vincularse con una tierra, una cultura, una historia, en fin, un país. Al hilo de sucesos y pretextos actuales procede a investigar sus antecedentes familiares, culturales, políticos, sociales... El resultado de la indagación será desolador y terminará con el más profundo, completo y dramático desarraigamiento de Mendiola. Amenazado, además, por una simbólica y real enfermedad, concluirá por sentirse extraño en su tierra y entre sus gentes. Al final de la novela, desde una colina que domina la ciudad, contempla a sus pies una babélica Barcelona, que le parece un lugar ajeno, extraño. En cuanto a la forma, *Señas de identidad* es un libro de muy compleja estructura y de variados recursos técnicos. En él han desaparecido las viejas limitaciones lingüísticas que aquejaban a los relatos precedentes.

Coexisten varios niveles estilísticos que, en general, resultan adecuados y está escrito con ciertos alardes de técnica (prosa poemática, relato en segunda persona, monólogo caótico...). Al final de *Señas...*, Álvaro es un desarraigado, incapaz de reconocer vinculaciones efectivas con su tierra. De esta situación arranca *Reivindicación...*, prolongado monólogo de un innominado protagonista que culminará la investigación emprendida por Mendiola. Desde Tánger, y avistando la costa española, recorrerá la historia, la cultura, la religión, las tradiciones nacionales... para desembocar en un absoluto desenraizamiento. A partir de éste, hará tabla rasa de todos los valores establecidos (morales, culturales, artísticos...) y no encontrará otra alternativa regeneradora que reivindicar una nueva destrucción peninsular que arrase todo vestigio del pasado. Algo, sin embargo, le sigue atando, involuntariamente, a las gentes de las que procede y de lo que no resulta fácil desprenderse: el lenguaje. También con este reducto inexpugnable habrá que terminar para lograr una completa liberación. Éste es el proceso que se culmina en *Juan sin tierra,* cuya última página ya no está escrita en castellano, ni siquiera en grafías latinas. La novela concluye con un texto en árabe.

Postura tan radical y nihilista incluye —al menos en consecuencia lógica— la renuncia de Goytisolo a cultivar, en adelante, la literatura en castellano. Su pasión de escritor, sin embargo, le ha llevado a publicar nuevas novelas, *Makbara* (1980) y *Paisajes después de la batalla* (1982). Una posible solución al desarraigamiento hispano de sus personajes —que, presumiblemente, remite a una honda crisis personal del propio escritor— la ha tentado mediante una identificación con el mundo árabe y, además, a través de una reivindicación de lo heterodoxo y lo marginal. Parece que el novelista se encuentra a gusto entre aquellas formas de vida que la moralidad y el convencionalismo de nuestra civilización occidental rechazan. De esta manera, si la indagación de Goytisolo tuvo en sus orígenes muy específicos estímulos españoles, se ha transformado en un proceso que puede ser representativo de la crisis europea, occidental, de después de la segunda guerra mundial. La postura de Goytisolo resulta, ciertamente, radical, y es de sospechar que despierte pocas adhesiones incondicionales de sus lectores, pero esas valoraciones no interesan a un libro como el presente en el que, sin embargo, sí es pertinente señalar la autenticidad como uno de los méritos incuestionables del novelista (cualquiera que sea el juicio que sus opiniones nos merezcan). Estas dos últimas novelas, no obstante, no alcanzan la categoría artística de la «trilogía de Mendiola».

LUIS GOYTISOLO (1935) se inició en la literatura dentro de

unos planteamientos comprometidos que dieron origen a dos libros de estructura fracturada, *Las afueras* (1959) y *Las mismas palabras* (1962). En el primero, una serie de indicios (cronología, onomástica, emplazamientos de las acciones) permite considerar como obra unitaria un conjunto de relatos autónomos que trataban de verificar un estado colectivo de la sociedad de preguerra y en los que aparecían representantes de ocupaciones, de modos de entender el mundo y hasta de generaciones distintas. *Las mismas palabras* sólo en apariencia tiene una estructura más típicamente novelesca pues, en el fondo, suma tres acciones independientes protagonizadas por jóvenes pertenecientes a diversos sectores sociales, aunque representativos de una visión mesocrática de la vida, dominados por la indolencia, la apatía y encerrados en una inútil actividad —o inactividad— a la que alude el título de la novela. Posteriormente publica dos curiosos libros de fábulas (*Ojos, círculos, búhos,* 1970; *Devoraciones,* 1976; reunidos en *Fábulas,* 1981) y emprende la redacción de la que es su obra mayor, *Antagonía.*

Antagonía es un vasto proyecto novelesco en cuya redacción ha ocupado el autor más de quince años (desde 1963 hasta 1980), e integrado por cuatro volúmenes publicados a lo largo de ese proceso de gestación: *Recuento* (1973), *Los verdes de mayo hasta el mar* (1976), *La cólera de Aquiles* (1979) y *Teoría del conocimiento* (1981). Aunque sustancialmente distinto a los libros precedentes, el sistema compositivo de la tetralogía tiene sus raíces en aquéllos: suma de materiales narrativos que se engarzan en una unidad novelesca mayor. *Antagonía* es, en su configuración global, y por mucho que el autor reniegue de esa adscripción, una novela río, sólo que modificada, actualizada, viva y de nuestro tiempo. Las relaciones entre los diversos volúmenes son complejas y, en buena medida, la serie es el resultado de una reflexión sobre la novela y el arte de novelar que se plantea como motivo principal o hilo conductor de la propia tetralogía. La viabilidad de esa reflexión metaliteraria (por ejemplo, cuál debe ser la cualidad de las descripciones, qué importancia debe tener la narración, cómo ha de configurarse el personaje) se pone en práctica dentro de la misma *Antagonía.* No se trata, sin embargo, de un simple experimento, sino de elevar a sus últimas consecuencias la trama argumental basada en la biografía —moral, intelectual, incluso en su trayectoria de aprendizaje y maduración técnico-profesional— de un escritor llamado Raúl Ferrer. Por eso, incluso la obra creativa de Ferrer se incorpora al gran marco de la serie a manera de relato incrustado, de novela en la novela. La disposición formal de *Antagonía* es muy compleja, diversos niveles estilísticos tratan de lograr la expresividad adecuada a cada momento y hasta las técnicas narrativas varían de un lugar a otro. Ese hilo biográfico —que, en el fondo, oculta, creo, una reflexión autobiográfica tanto personal del autor como generacional— no es lineal sino que se reconstruye mediante la incorporación de numerosos materiales: ideológicos, culturales, sociológicos. De todos ellos, tienen especial importancia los estéticos y artísticos, lo que hace que *Antagonía* resulte un relato fuertemente culturalista.

Una gran capacidad de fabulación —a partir, casi siempre, de anécdotas testimoniales— caracteriza a ALFONSO GROSSO (1928), que ha reunido ya una obra de considerables dimensiones: relatos, reportajes, viajes, novelas... Buena parte de sus esfuerzos los ha dedicado a la literatura de corte social, dentro de la que se mueven sus primeras novelas, con las cuales ha criticado diversos aspectos de la realidad nacional, que pueden considerarse complementarios y que quizás obedezcan a un propósito del escritor de narrar por sectores independientes esa realidad a través de modos de vida, oficios, ocupaciones... *La zanja* (1961) pertenece a esas novelas típicas del realismo social. En ella descubrimos el comportamiento de un pueblo andaluz próximo a una base americana. El protagonista puede considerarse colectivo y mediante una fuerte reducción temporal —la acción dura un día escaso— las diversas e insignificantes acciones nos ponen ante la vida de las gentes humildes (obreros, menestrales, empleados...) frente a la de algunos acomodados y a la plácida existencia de los americanos de la base. *Un cielo difícilmente azul* (1961) combina el testimonio de la existencia primitiva en un aislado núcleo rural con la esforzada vida de los camioneros. *Testa de copo* (1963) describe las duras labores de la pesca. *El capirote* (1966) es un dramático alegato a favor de los temporeros agrícolas andaluces. Ésta es más una novela de personaje aunque con resonancias colectivas. Toda clase de padecimientos recaen sobre el protagonista, un trabajador del campo que, además de sufrir otras penalidades, es injustamente detenido e inculpado por la guardia civil, a consecuencia de lo cual contrae una grave afección pulmonar. Más tarde, ante la imposibilidad de encontrar trabajo, se contrata como porteador de una imagen de las procesiones sevillanas, bajo cuyo peso caerá y morirá. En esta misma época empieza a escribir un libro, *De romería,* que pertenece también a esa intencionalidad social y que se publica mucho más tarde, en 1981, *Con flores a María.* Aquí el motivo externo se centra en la popular romería del Rocío, que es el pretexto para realizar una acre denuncia de la sociedad andaluza.

Ya desde *Un cielo difícilmente azul* se observa en Grosso una tendencia al cuidado estilístico, una cierta preocupación por el léxico y un incipiente barroquismo sintáctico. Una potenciación de estos elementos y una compleja realización del relato dan origen a una nueva etapa en el escritor que se inaugura con *Ines just coming* (1968), análisis de la sociedad cubana, a través de diversos estratos representativos, en las fechas inmediatas a la revolución castrista. Esa evolución formal se acentúa hasta casi los límites de la experimentación en *Guarnición de silla* (1970) y *Florido mayo* (1973). Ambos son relatos de tipo evocador en los que los elementos coincidentes de diversas anécdotas permiten la reconstrucción de la historia española próxima —o al menos de algunos de sus sectores regionales— desde el siglo pasado. En ellas las anécdotas están completamente entrecruzadas y no resulta fácil recomponerlas entre la maraña temporal en que las fracciona el autor. El léxico y, sobre todo, la sintaxis propenden hacia una complejidad que parece en exceso rebuscada y que hace pensar más en el juego lingüístico que en una auténtica necesidad expresiva. Esta tendencia natural de Grosso a la complicación permanece siempre, pero en sus últimos libros parece haber regresado a una concepción más nítida del relato y a una atemperada prosa. Prueba de esta nueva fase pueden ser *La buena muerte* (1976), *Los invitados* (1978), *El correo de Estambul* (1980) u *Otoño indio* (1983). En ellas, sin embargo, se nota un descenso de la capacidad creativa que puede deberse a la obligatoriedad que se impone el autor de seguir escribiendo aunque para ello acuda a anécdotas de escasa entidad. La regularidad en su labor es un mérito para un escritor, pero siempre que ello no le obligue a rebajarse a niveles de grafomanía, caso que, por el momento, no es el de Alfonso Grosso, aunque nos parezca que ese peligro le acecha.

JESÚS LÓPEZ PACHECO (1930), promotor del Congreso de Escritores Jóvenes, poeta y profesor de literatura, sólo ha escrito un par de novelas y un pequeño número de cuentos. Sus novelas son muy representativas de dos momentos de la narrativa de postguerra: la primera, *Central eléctrica,* muestra muy bien las preocupaciones de la narrativa social; la última, *La hoja de parra,* evidencia uno de los posibles caminos para la renovación de la estética anterior.

Central eléctrica (1958) narra las diversas fases de la instalación de una central eléctrica, desde la construcción de la presa (a la que está dedicada la parte media del libro) hasta la inundación del valle y el pleno funcionamiento de la central. En términos generales, es un libro testimonial de denuncia y, a la vez, la expresión de un cierto sentido épico del trabajo del obrero. El desalojo de los campesinos de sus tierras, que quedarán sumergidas bajo las aguas del pantano; el coste en vidas humanas de las obras; el futuro incierto de esa pobre gente a la que se ha expropiado (temporalmente ocupada en la construcción del pantano, pero obligada a emigrar una vez que ésta haya terminado, ya que las tierras del nuevo asentamiento resultan de hecho improductivas), son algunos de los elementos que constituyen la dimensión testimonial del relato. Éste señala, por una parte, la situación de miseria y atraso de la zona en la que se construye la central y, por otra, las injusticias hacia la clase obrera, cuya vida, incluso, se menosprecia. La realización de la historia tiene, además, un marcado acento colectivo y, salvo casos aislados, López Pacheco no ha buscado la creación de personajes individualizados, sino la presentación de conjuntos prototípicos cuyos integrantes no están muy diferenciados (no por completo, pues algunos pocos poseen mayor realce y transmiten una fuerte carga emotiva). Esos conjuntos expresan una organización en clases de la pequeña sociedad que construye la presa: los despiadados e incultos ingenieros, los serviles cargos intermedios y los sufridos trabajadores. Entre otros varios problemas planteados por el relato, adquiere gran importancia el de las contradicciones que entraña el progreso técnico frente a su elevado coste social, para el que el autor no ofrece una solución definitiva. Libro muy bien trabado y organizado, destaca en él una prosa cuidada, alejada del desinterés estilístico de otros compañeros de generación, que, a veces, se inclina hacia unas afortunadas descripciones líricas.

Tras quince años de silencio como novelista, vuelve López Pacheco al género con *La hoja de parra* (1973), cuyo cambio de tono puede sorprender al lector, pues de la severidad de *Central eléctrica* se pasa a un relato desenfadado y ameno. La transformación afecta a la disposición artística del libro, pero no a su propósito crítico, ya que mediante la parodia, la caricatura y el sarcasmo, López Pacheco hace un negro diagnóstico de la España de postguerra, de la hipocresía y falsa moralidad de sus clases medias. A partir de un incidente anecdótico —la boda de una joven pareja—, se exploran algunos comportamientos actuales, entre los que sobresalen los referidos a la religión y a la sexualidad, de los que se desprende una ácida visión de nuestro país cuya imagen es la que refleja el título de la novela.

Armando López Salinas (1925) fue impulsor del realismo social y desde su destacada militancia en el Partido Comunista contribuyó a hacer de esta tendencia literaria una bandera de concienciación política. Decidido a testimoniar una realidad degradada, sustituyó la ficción por el documento en varios libros de viaje, *Caminando por las Hurdes* (1960), *Por el río abajo* (1966) y *Viaje al país gallego* (1967), escritos en colaboración con Antonio Ferres, Alfonso Grosso y Javier Alfaya, respectivamente. En cuanto novelista, *La mina* (1960) es uno de los más netos y significativos relatos obreristas de la época. Su asunto principal es la injusticia de la situación social y laboral del trabajador, primero como campesino sin tierra y luego como emigrado a la mina. El relato, lineal y cronológico, describe ese proceso a través de un protagonista principal que, expulsado de su tierra por la ignominiosa condición de temporero, se incorpora al trabajo minero, no menos injusto pero más estable. Los elementos testimoniales afectan tanto a la descripción del campo como a la explotación en la mina: baja retribución, trabajo esforzado, ausencia de futuro, además de un menosprecio de la seguridad que acaba con la muerte del protagonista en un hundimiento. A pesar de esas negativas circunstancias, en la novela prevalece la esperanza. Los personajes —excepción hecha del protagonista— están muy poco individualizados y tanto ellos como las anécdotas funcionan en virtud de construir dos grandes grupos sociales modélicos: los explotados y los explotadores. De ahí se deriva un cierto carácter maniqueo del relato. La técnica es objetivista —aunque a veces aparece la voz del autor— y el estilo es conciso, directo; la frase emplea poco la subordinación y son frecuentes los rasgos caracterizadores del lenguaje popular: voces coloquiales, reducciones fonéticas... En cuanto al enfrentamiento de dos mundos, *La mina* supone un paso adelante en la concepción socialista del relato, ya que de forma implícita se alude a la lucha de clases.

La otra novela de López Salinas, *Año tras año* (1962), acentúa el carácter político de la anterior y es más ambiciosa al tratar de representar un proceso colectivo de la vida de los obreros —están excluidas del relato las clases medias— desde los últimos días del asedio madrileño durante la guerra hasta la huelga de usuarios de 1951. Ya no hay un hilo argumental central sino un relato fracturado en el que se superponen diversas historias que pretenden recoger la situación global del país en los años cuarenta, las condiciones de vida del proletariado y las primeras luchas obreras tras la guerra. Los datos testimoniales, documentales, son muchos (dificultades materiales, injusticia, clima de exaltación política...). El título alude a una desesperanza por el infructuoso correr del tiempo, pero su sentido final es también esperanzado ya que defiende un planteamiento de lucha de clases

—es uno de los libros de la época en que se presenta de manera más clara, no alusiva— en el que se encarna un futuro mejor. Su estilo responde a los mismos criterios que *La mina* pero el diálogo, que es la forma dominante, resulta más fluido y vivo.

El tiempo ha confirmado a JUAN MARSÉ (1933) como uno de los más sólidos narradores de la generación del medio siglo, en cuya órbita se sitúa un poco tardíamente ya que sus primeras novelas aparecen en los años sesenta. Su proceso literario es semejante al que hemos descrito y evoluciona desde actitudes testimoniales hasta relatos de gran preocupación formal aunque en él se mantiene una irrenunciable tendencia a contar una historia, a narrar una anécdota, que no se enmascara en espacios y tiempos simbólicos. Los relatos de Marsé pueden mostrar cierto entusiasmo por una forma compleja, pero siempre hay una «historia» bastante nítida como punto de partida del libro. Es, en este único sentido, el escritor más tradicional de toda aquella promoción de los años cincuenta. Y, por otra parte, parece que sigue contando con un seguro porvenir que es mucho más problemático en otros compañeros de época.

Las dos primeras novelas de Marsé —*Encerrados con un solo juguete* (1960) y *Esta cara de la luna* (1962)— abordan las consecuencias históricas de la guerra en una juventud que las ha padecido sin haber tenido participación activa en la contienda. Ambas son la historia de sendos fracasos, o deserciones, si se quiere, y el tema último —aunque su argumento no se parezca nada— es el mismo: la derrota de la juventud en una sociedad en la que no puede realizarse. Ambos relatos presentan a un escritor en sus inicios prometedores que se hacen plena verdad en uno de los libros más significativos de estos años: *Últimas tardes con Teresa* (1966).

Últimas tardes con Teresa es una novela muy argumental e incluso con ribetes melodramáticos, que nos ofrece la historia del nacimiento y frustración de los amores entre una señorita de la buena sociedad catalana, Teresa, y un murciano de los barrios pobres, Manolo, delincuente común a quien la chica toma por un obrero concienciado que, en realidad, pretende negar la sangre y beneficiarse de la situación económica de ella. Esta historia fundamental está salpicada con otras menores y con un torrente de aventuras y sucesos que hacen de la novela uno de esos atractivos libros presididos por un deseo de contar cosas. La historia de Teresa y Manolo es el pretexto para hablar de esos dos mundos sociales: un grupo clasista, ocioso y festivo representado por la chica; y otro, el de la miseria y los suburbios, encarnado en el ratero. La relación entre ambos se establece mediante una historia sentimental que, si en un principio se basa en un equívoco ideológico, luego, la «idea» por la que ha sido seducida Teresa se transforma en una relación amorosa de raíces netamente humanas. Pero, además, esa historia remite a lo que es el auténtico y discutible tema del libro: la superficialidad, esnobismo y falta de consistencia de la conciencia progresista de la juventud universitaria. Así, Marsé introducía en el libro una dimensión crítica cuyo referente no era sólo la sociedad sino la propia literatura social, aquella que se basaba sobre el criticismo regenerador de los jóvenes universitarios. Especial atención merece el tratamiento formal de *Últimas tardes con Teresa,* que es una consecuencia del alerta renovador difundido por *Tiempo de silencio.* La prosa se carga de elementos paródicos, las hipérboles son frecuentes y la ironía recorre todo el relato como un cauce subterráneo. El narrador, en sintonía con esos usos, adopta un punto de vista subjetivo y omnisciente y participa en el relato. Los registros lingüísticos son variados y lo mismo encontramos el habla coloquial que un estilo deliberadamente ampuloso. En cuanto a la técnica, junto al relato tradicional en tercera persona, se emplea el más novedoso en un tú de autorreflexión y abundan las construcciones en estilo indirecto libre.

Los libros posteriores de Marsé comparten un testimonio crítico con una postura renovadora en el relato. *La oscura historia de la prima Montse* (1970) denuncia el comportamiento convencional y falsamente cristiano de la burguesía acomodada catalana y puede considerarse una prolongación de *Últimas tardes con Teresa.* También hay una historia principal en la que se encadenan otros interesantes episodios: la convencional Montse ayuda a rehabilitarse a un presidiario, Manuel, con el que establece una relación sentimental a la salida del chico de la cárcel y contra la que la familia de Montse dispondrá de todos los medios, incluidos los delictivos. Esta historia permite recomponer la mentalidad estrecha y egoísta de una clase media inmovilista y dentro de ella tienen un gran espacio las creencias religiosas, contra cuya inautenticidad Marsé dirige los dardos de una ironía cruel, sarcástica y muy eficaz.

Desde *La oscura historia de la prima Montse* Marsé incorpora un elemento fundamental como vehículo para su análisis del pasado, la memoria. Ésta es la base narrativa de *Si te dicen que caí* (1973) y *La muchacha de las bragas de oro* (1978) que investigan el pasado reciente. *Si te dicen que caí* no toma como motivo la burguesía sino que sus protagonistas son un grupo de pillos suburbiales y unos anarquistas que pretenden acciones violentas contra el Régimen. La reincorporación desde la cárcel a la vida cotidiana de un antiguo anarquista es la base argumental sobre la que Marsé hace una incursión demoledora por los primeros años cuarenta y su ambiente de máxima degradación moral: hambre, prostitución, triunfalismo político, rencores, muertes... Todo el libro está recorrido por un estremecimiento de odio y de violencia cuya razón puede estar en la misma memoria maltratada del autor. El léxico contribuye, con su enorme agresividad, a la reconstrucción de un orbe moral degradado. En la forma, percibimos primero una intrincada relación de personajes y sucesos que constituyen una tupida red cuyo cañamazo sólo descubrimos al final. Con *La muchacha de las bragas de oro,* Marsé regresa a su habitual mundo de gentes acomodadas. Un antiguo escritor fascista prepara sus memorias y con este motivo se ve obligado a descubrir algunos contradictorios aspectos de las clases privilegiadas de los años cuarenta. No es su mejor libro, e incluso puede suponer un retroceso, pero es un digno eslabón más de esa cadena de historias con las que Marsé va reconstruyendo el mundo que le ha tocado vivir.

ISAAC MONTERO (1936) es el más joven de los novelistas del medio siglo y por la fecha de su nacimiento podríamos incluirle en el grupo generacional de los años sesenta, mediados los cuales aparecen sus primeros libros. Su trayectoria cultural (fue fundador, por ejemplo, de la revista *Acento*) y su concepción realista y comprometida de la literatura obligan a adscribirlo a las tendencias artísticas predominantes en los cincuenta. De ellas se despega, incluso en sus primeros relatos, a causa de su preocupación por conseguir un adecuado nivel de expresividad, por su interés por la organización formal del relato y por su fina veta sarcástica, bien dotada para la parodia y para un amargo desenfado. Por ello, en Montero no es tan acusado el salto entre el testimonio social y otras formas literarias como en la mayor parte de sus compañeros de promoción, pues avanza en esa misma línea, pero desde recursos que se hallaban en su propia experiencia literaria.

Bajo anécdotas y argumentos muy distintos, la novelística de Isaac Montero va tejiendo, de manera pausada pero persistente, un tapiz en el que se dibujan algunos de los caracteres de la sociedad española de postguerra. La suya, en estricto sentido, no es ni narrativa obrerista ni antiburguesa, por más que sus protagonistas pertenezcan mayoritariamente a clases medias. Esto explica otra dificultad para clasificarle entre sus coetáneos, que se inclinaron por uno u otro sector (o por ambos a la vez). Presenta, para ser más precisos, un análisis global, de carácter moral, de sus contemporáneos en el que forman capítulos distintos pero conexos la mala conciencia de un vencedor de la guerra (*Una cuestión privada*, 1964), el estrepitoso fracaso vital e intelectual de toda una generación, la suya propia (*Al final de la primavera*, 1966; *Documentos secretos/1*, 1972), la radical hipocresía de las clases medias de un catolicismo cómplice (*Alrededor de un día de abril*, 1966), las mezquindades de la vida colectiva (*Los días de amor, guerra y omnipotencia de «David el Callado»*, 1972), los usos aberrantes que encierran una profunda degradación social (*Documentos secretos/2*, 1974; *Documentos secretos/3*, 1978)...

Ese testimonio moral, enjuiciado más desde una perspectiva ética que política, resalta por la variedad de registros desde el que se elabora. De hecho, Isaac Montero no acude nunca a la estética simplificadora del realismo social. En algunos libros emplea una compleja estructura narrativa y una suma de voces del narrador que dan profundidad al relato (*Alrededor*...). A veces el realismo es potenciado por la fantasía y el humor (*«David el Callado»*) o se desprende de una engañosa estructura narrativa, la investigación policíaca (*Arte real*, 1979). En ocasiones, agrega a la ficción partes documentales, como ocurre en la inacabada serie de *Documentos secretos*. Éstos constituyen una idea novelesca muy original y renovadora. Se basan en la presentación de un objeto de uso común que ha sido utilizado para una finalidad anormal, con lo cual se enlaza con el análisis de algunos sintomáticos comportamientos aberrantes de la postguerra. Del caso singular, pues, se pasa a la lección general. Y, lo que es más importante, para alcanzar ese propósito dispone una peculiar estructura novelesca. Junto a la trama anecdótica, presenta auténticos ensayos sociológicos o culturales referidos al medio histórico en el que se desarrolla el relato, de mucha mayor eficacia que las tradicionales notaciones costumbristas o testimoniales. De este modo, vida y literatura se implican muy estrechamente, en beneficio de la verosimilitud y ejemplaridad de la novela.

RAMÓN NIETO (1934) ha reunido en su obra las dos vertientes de la literatura social, la obrerista y la antiburguesa. Una denuncia de los comportamientos de las clases medias hallamos en *Vía muerta* (1964). El mundo de los que carecen de fortuna es el motivo principal de varias novelas suyas. En *El sol amargo* (1961) describe la miseria de quienes viven de las subocupaciones que genera el turismo que visita El Escorial. *La patria y el pan* (1962) compagina la emigración campesina y la vida en el suburbio industrial de la gran ciudad, los dos ámbitos laborales y sociales a los que se refiere el título. Los primeros relatos de

Nieto se desarrollan sobre moldes tradicionales e, incluso, decimonónicos. Luego se decanta por un objetivismo crítico que comparte los supuestos estilísticos de la narrativa social. En virtud de una eficacia populista, hay que destacar la fuerte carga emotiva que este autor agrega a sus novelas obreristas. Más tarde, Nieto se suma a la renovación experimental con *La señorita* (1974) que, dentro de una temática burguesa, se distingue por su amplia indagación de la realidad nacional. Frente al primitivismo de *La patria y el pan,* sobresale su marcado tono intelectual y, en cuanto a la forma, acude a una estructura narrativa de considerable complejidad.

Buena parte de la narrativa de DANIEL SUEIRO (1931) se inscribe dentro de las preocupaciones testimoniales del realismo social. Ello afecta tanto a sus interesantes cuentos y relatos cortos como a sus novelas. En las formas narrativas breves, a partir de una certera observación costumbrista, suele ofrecer el testimonio del padecimiento de los marginados, de las frustraciones personales, del desencanto social, de comportamientos aberrantes... en libros como *La rebusca y otras desgracias* (1958), *Los conspiradores* (1964), *Solo de moto* (1967). Una visión negativa de la realidad actual se halla también en sus novelas. En *La criba* (1961), denuncia el mundo del pluriempleo y el de los bajos fondos de la prensa; en *Éstos son tus hermanos* (1955) aborda la intransigencia política a partir de la amarga historia del regreso de un exiliado; *La noche más caliente* (1965) es un intenso y despiadado drama rural sobre las condiciones socioeconómicas y culturales, el primitivismo y el embrutecimiento de los habitantes de los pequeños pueblos campesinos. La tendencia de Sueiro al documento le ha llevado también a otro tipo de obras, no imaginativas, pero de incuestionable talante humanitario, por ejemplo su extenso ensayo sobre *El arte de matar* (1968). Los libros novelescos posteriores manifiestan una profunda transformación temática y formal. El título mismo de uno de sus relatos da idea del cambio hacia un planteamiento irónico que se ha producido en el escritor: *El cuidado de las manos o de cómo progresar en los preparativos del amor sin producir averías en la delicada ropa interior* (1974). En otra novela extensa, *Corte de corteza* (1967), se aventura por el terreno de la ficción científica y en ella plantea las consecuencias de un trasplante de cerebro.

Un número considerablemente amplio de narradores, aparte los mencionados, tuvieron una preocupación testimonial y crítica. Recordarlos a todos y citar las obras que produjeron nos obligaría a hacer un catálogo.[10] Nada más como prueba de esa larga nómina de escritores vinculables con la estética social, enumeraré algunos nombres y títulos:

José María Álvarez Cruz (1929), *De la tierra sin sol* (1976).
Isabel Álvarez de Toledo (1936), *La huelga* (1957), *La base* (1971), *La cacería* (1977).
Fernando Ávalos (1929), *En plazo* (1961).
Antonio García Cano (1927), *Tierra de rastrojos* (1975), *Manuel Remárquez e hijos* (1977).
Juan Mollá (1928), *El solar* (1965).
Fernando Morán (1926), *También se muere el mar* (1958), *El profeta* (1961), *Joe Jiménez promotor de ideas* (1964).
Mauro Muñiz (1931), *La paga* (1963), *La huelga* (1968).
Lauro Olmo (1922 o 1923), *Ayer, 27 de octubre* (1958), *Golfos de bien* (1968).
José Antonio Parra (-?), *Tren minero* (1965).
Juan José Poblador (-?), *Pensión* (1958).
Juan Antonio Payno (1941), *El curso* (1961).
Nino Quevedo (1929), *Las noches sin estrellas* (1961).
Juan Jesús Rodero (1938), *El sol no sale para todos* (1966), *Los vencidos* (1967).
Rodrigo Rubio (1931), *Equipaje de amor para la tierra* (1965), *La sotana* (1968).
Jesús Torbado (1943), *La construcción del odio* (1968).
Fidel Vela (1934), *La consulta* (1965).
José Antonio Vizcaíno (1933), *El salvaje* (1963), *El suceso* (1965).

3) *Entre lo personal y lo colectivo*

El impacto de la narrativa social, por otro lado, fue tan intenso que en su órbita se encuentra toda o parte de la producción de algunos novelistas que, sin practicar una estricta estética

10. Para los novelistas sociales, véanse los dos primeros títulos citados en la nota anterior, en los que se hallará más amplia bibliografía. El autor al que más estudios se le han dedicado es Juan Goytisolo, sobre el que existen diversas monografías en las que se encuentran numerosas referencias críticas: K. Schwartz [1970], J. Ortega [1972], L. G. Levine [1976], S. Sanz Villanueva [1977], G. Navajas [1979], J. Lázaro [1984]; también son interesantes los colectivos: AA. VV. [1975], AA. VV. [1977 b], AA. VV. [1981]. Sobre Marsé, véase W. M. Sherzer [1982]; sobre Grosso, el prólogo de J. A. Fortes a la edición de *La zanja* (Madrid, 1982); para Luis Goytisolo, véase el colectivo sobre *Antagonía*, AA. VV. [1983 c].

testimonial, aúnan cierto testimonio y otros valores y propósitos, costumbristas, existenciales...

Manuel Arce (1928) es, además de escritor, relevante promotor cultural, patrocinador de revistas y editor de libros. Su *Oficio de muchachos* (1963), afortunada historia sobre ciertos comportamientos de la juventud, destaca por la habilidad para la notación costumbrista y por su acertado temple narrativo. Aunque su enfoque suele ser moral no excluye una consideración social de la vida provinciana, aspectos que, en distinta medida, aparecen en libros suyos como *Testamento en la montaña* (1956), *Pintado sobre el vacío* (1958), *La tentación de vivir* (1961), *Anzuelos para la lubina* (1962), *El precio de la derrota* (1970).

José María Castillo-Navarro (1928) es una de las voces más singulares de toda la narrativa de postguerra tanto por su inconfundible estilo como por sus preocupaciones. En muy pocos años produjo una amplia y densa obra luego, desgraciadamente, interrumpida. Un mundo de pasiones enormes, de terribles conflictos interiores, de situaciones límite se va perfilando con sus libros *La sal viste luto* (1957), *Con la lengua fuera* (1957), *Las uñas del miedo* (1958), *Manos cruzadas sobre el halda* (1959), *El niño de la flor en la boca* (relatos, 1959), *Caridad la Negra* (1961), *El cansado sol de septiembre* (edición francesa de 1961), *Los perros mueren en la calle* (1961). La problemática religiosa, trascendente, es muy importante en Castillo-Navarro, pero, a la vez, algunos de esos títulos tienen una extraordinaria dimensión social: la vida rural, el drama del agua para los campesinos del Levante, los odios de la guerra... Le distingue no sólo ese personal estilo sino su distanciamiento del objetivismo narrativo y la creación de unos densos espacios novelescos de carácter mítico y de aire faulkneriano.

Jorge Ferrer-Vidal (1926) ha destacado como fecundo autor de relatos cortos y, en sus novelas, compagina la crítica social con una interpretación existencialista del mundo. *Caza mayor* (1961) es un intenso drama rural de discreto valor testimonial por la importancia de los desgarradores conflictos que plantea. En *Diario de Albatana* (1967) denuncia los convencionalismos de la vida provinciana en una pequeña localidad. Toda la narrativa de Ferrer-Vidal es de una extraordinaria personalidad y resulta difícilmente encasillable en las más genéricas tendencias de postguerra.

Mario Lacruz (1927) es persona muy vinculada al círculo catalán de la generación del medio siglo, con cuyos planteamientos éticos se identifica. Sus relatos, sin embargo, son menos testimoniales, propenden a lo poético y, frente al objetivismo mediosecular, prestan gran atención a la profundización psicológica. Ha publicado, además de narraciones cortas, las novelas *El inocente* (1953), *La tarde* (1955) y *El ayudante del verdugo* (1971). La discontinuidad de esta interesante obra y el aparente abandono de la creación narrativa son muy de lamentar, pues creemos que en Lacruz existe un auténtico novelista que debiera exigirse una mayor dedicación al género.[11]

4) *Los libros de viaje*

El propósito testimonial de los escritores del medio siglo les llevó a plantearse la necesidad de «contar España» no sólo desde la ficción sino a través de otros medios que pudieran dar cuenta de la situación del país. Ésta es la razón última del auge durante los años cincuenta y sesenta de un tipo de narrativa que relega por completo el componente ficcional y se dedica a la descripción de tierras y gentes con un propósito crítico. Así, el libro de viaje es una de las formas características de la narrativa de postguerra y revitaliza una considerable tradición de nuestras letras. El estímulo inmediato, como ya he recordado, es el *Viaje a la Alcarria,* de Camilo José Cela. Éste es, sin embargo, el modelo sobre el que se opera una profunda transformación, pues ni el pintoresquismo ni los primores de estilo van a preocupar a los narradores medioseculares. Éstos se ocupan, ante todo, del hombre y de sus circunstancias económicas y sociales hasta tal punto que el libro de viaje llega casi a convertirse en un sustituto del estudio sociológico de una región y presenta datos sobre vivienda, alimentación, situación cultural y educativa, comunicaciones... de la España deprimida. Incluso, en algunas ocasiones, nos hallamos ante simples reportajes. Y, siempre, las fotografías ayudan a la recreación de una imagen dura de la España olvidada.

Los libros de viaje que se publican en la postguerra son muchos, y bastantes de ellos participan de ese propósito testimonial y crítico. No todos los que practican este género son idénticos, dentro de una bastante coincidente disposición artística; a veces se nota más preocupación por el estilo; otras predomina el valor documental y hasta se incluyen estadísticas socioeconómicas. No podemos entrar en esos detalles en un libro como el

11. Es escasa la bibliografía específica sobre los autores incluidos en este apartado 3). En ausencia de trabajos monográficos amplios, se puede acudir a los manuales ya reseñados, aunque no suelen concederles gran importancia.

presente y nos limitaremos a señalar cómo prácticamente toda la geografía nacional ha sido descrita en estos libros: la Andalucía occidental (*Tierra de olivos,* de Ferres), la baja Andalucía (*Por el río abajo,* de Grosso y López Salinas), las Hurdes extremeñas (*Caminando por las Hurdes,* de López Salinas y Ferres; *Las Hurdes, clamor de piedras,* de J. A. Pérez Mateos; *Las Hurdes: tierra sin tierra,* de V. Chamorro) o leonesas (*Donde las Hurdes se llaman Cabrera,* de R. Carnicer), la Castilla de Tierra de Campos (*Tierra mal bautizada,* de J. Torbado) o de Segovia (*Viaje por la Sierra de Ayllón,* de J. Ferrer-Vidal), La Mancha (*Caminos de La Mancha,* de J. A. Vizcaíno), Galicia (*Viaje al país gallego,* de J. Alfaya y López Salinas; *De Roncesvalles a Compostela,* de J. A. Vizcaíno), Almería (*Campos de Níjar*; *La Chanca,* de J. Goytisolo), Valencia (*Viaje al Rincón de Ademuz,* de F. Candel), el Valle de Alcudia (*Valle de Alcudia,* de V. Romano y F. Sanz).

Ha de advertirse que, sin un propósito político o social, también se escriben libros de viaje, más en la línea de Cela, que, por supuesto, no olvidan al hombre en su concreto entorno. Algunos de los mencionados podrían figurar en esa dirección y otros narradores han practicado visiones viajeras distintas (desde el paisajismo de Pedro de Lorenzo hasta el documental estricto de Ángel María de Lera). Superada la tendencia testimonial, se ha retornado a un más puro ejercicio del libro de andar y ver, muy atento a la calidad expresiva de la prosa, del que es un excelente ejemplo *Salida con Juan Ruiz a probar la sierra,* de Rubén Caba.[12]

5) *El relato corto*

Las formas narrativas breves han tenido un extraordinario relieve en toda la postguerra, a pesar de habérseles negado constantemente los principales apoyos para un desarrollo normal: han faltado editores resueltos a mantener colecciones de cuentos, los críticos casi nunca les han prestado atención, los lectores las han relegado en beneficio de la novela. Agreguemos que las historias de la literatura actual tampoco tratan el relato corto, ni siquiera como un apartado dentro del llamado género mayor. En un libro como éste no podemos suplir satisfactoriamente esa inveterada injusticia, pero, a lo menos, queremos subrayar la

12. A pesar de la significación del libro de viajes de los cincuenta, no existen, que yo sepa, trabajos monográficos; más información ofrece Gil Casado [1973] y mi libro de [1980], en el que dedico un capítulo a este género.

improrrogable necesidad de incorporar el relato como género cualificado a los panoramas de nuestra literatura del tiempo presente. Dejamos para futuras ediciones de este libro —si las hay— el tratar con más amplitud este epígrafe y, en esta ocasión, sólo haremos una reivindicadora anotación.

A pesar de todos los obstáculos descritos, llama la atención la voluntad de nuestros escritores de postguerra de cultivar el cuento. Así lo han hecho, y con fortuna, los más destacados novelistas tanto de la primera promoción como de la generación del medio siglo. Ya hemos anotado, al referirnos al resto de su obra, el valor, entre aquéllos, de los cuentos de Cela o Delibes. Entre los más jóvenes, han descollado en este género Fernández Santos, Ferrer-Vidal, Martín Gaite, Matute o Sueiro, aparte de Aldecoa, de quien ya dijimos que introduce un peculiar tono. Todos ellos, no obstante, tienen predicamento como novelistas y por esta razón ocupan un lugar en las canónicas historias de la novela de postguerra. Otros escritores, sin embargo, han desafiado el olvido que acecha al autor consagrado al cuento y lo han cultivado de modo preferente con asiduidad. De algunos de ellos daremos sucinta noticia.

Dos narradores coetáneos de los escritores de la primera postguerra sobresalen por su sostenida labor como cuentistas, Jorge Campos y Alonso Zamora Vicente. La actividad cultural de JORGE CAMPOS (1916-1983) ha sido muy intensa y constituye uno de los casos más llamativos del exilio interior, lo que le llevó a adoptar ese pseudónimo (su apellido civil era Renales). Publicó una docena de volúmenes de cuentos y novelas cortas, entre las que resaltamos *Seis mentiras en novela* (1940), *En nada de tiempo* (1949), *Pasarse de bueno* (1950), *El atentado* (1951), *Tiempo pasado* (1956), *Cuentos en varios tiempos* (1971). A mi parecer, Campos es uno de los prosistas más notables de la postguerra. Sus relatos tienen un contenido valor testimonial, pero, sobre todo, ahondan en el modo de ser de las gentes humildes a las que trata con un entrañable afecto, lo cual no excluye algún acento crítico.

El renombre como filólogo de ZAMORA VICENTE (1916) y su labor publicista sobre temas lingüísticos y literarios ha oscurecido otra veta de su perfil intelectual algo más tardía, la de autor de cuentos y relatos. El propio Zamora se ha definido como «escritor de domingo», pero su labor de creación ha sido constante desde 1955 y se ha acentuado en los últimos tiempos —a la vez que ha evolucionado hacia concepciones más novelescas— hasta reunir un buen ramillete de volúmenes: *Primeras hojas* (1955), *Smith y Ramírez, S. A.* (1957), *Un balcón a la plaza* (1965),

A traque barraque (1972), *Desorganización* (1975), *El mundo puede ser nuestro* (1976), *Sin levantar cabeza* (1977), *Mesa, sobremesa* (1980), *Tute de difuntos* (1981). Los cuentos de Zamora Vicente poseen un inconfundible acento personal que es el resultado de una determinada visión del mundo y de unos peculiares registros lingüísticos. Narrador de la cotidianeidad, si bien alejado de un simple costumbrismo, enfoca la realidad contemporánea desde un punto de vista irónico, sin acritud, pero con no disimulada censura. Se podría decir que debajo de sus libros y al margen de las anécdotas de los relatos, persiste un común propósito: evidenciar la inautenticidad y la estupidez de los usos sociales de nuestro tiempo. Con esa deliberación emplea variados recursos del humor, que tiene siempre un componente intelectual, pues no procede tanto de las situaciones o dichos como de la perspectiva moral y satírica desde la que enjuicia el mundo el escritor. El lenguaje es de raigambre coloquial y, hábilmente adaptado por el autor —que demuestra una gran atención a los registros populares actuales—, resulta eficaz instrumento para sus propósitos significativos.

Ya mencioné en el capítulo primero la importancia que el relato corto posee entre los escritores del medio siglo y cómo, incluso, se postula que sea bandera generacional en los manifiestos del Congreso de Escritores Jóvenes del año 1956. Antes he citado a algunos novelistas que, además, escriben relatos. También deben recordarse dos destacados poetas que de forma ocasional cultivan el cuento con acierto y no sin que su prosa denote, a veces, tensión lírica: FÉLIX GRANDE (*Por ejemplo, doscientas,* 1968; *Parábolas,* 1965; *Las calles,* 1980; *Lugar siniestro este mundo, caballeros,* 1980), y CARLOS EDMUNDO DE ORY (*El bosque,* 1952; *Una exhibición peligrosa,* 1964). E, igualmente, hay que aludir a un dramaturgo, ALFONSO SASTRE, cuyos libros de relatos caminan por la entonces insólita vía de la fantasía (*El paralelo 38,* 1965; *Flores rojas para Miguel Servet,* 1967; *Las noches lúgubres,* 1973). Dentro de la narrativa mediosecular posee especial relieve la obra de tres destacados autores de relatos que no han cultivado la novela. JOSÉ MARÍA DE QUINTO (1925), teórico teatral y defensor del arte comprometido, escribió unos cuentos muy característicos del realismo social, críticos y entrañables, en *Las calles y los hombres* (1957) y más tarde publicó, en una línea también testimonial, *Relatos* (1974). MEDARDO FRAILE (1925) es uno de los más interesantes narradores de la época y sus relatos, en buena medida de tendencia objetivista y crítica, conceden un buen espacio a la imaginación y a los conflictos interiores (*Con los días contados,* 1972; *Cuentos de verdad,* 1964;

Descubridor de nada y otros cuentos, 1970; *Ejemplario,* 1979). Finalmente, pero en primer lugar por la importancia creciente de su narrativa, mencionaré a RICARDO DOMÉNECH (1938), a quien se cita con frecuencia en este libro por su labor ensayística y crítica. Se inició con *La rebelión humana* (1968), dentro de la órbita del realismo testimonial que Doménech había difundido como teórico. Más tarde, sin embargo, publica a buen ritmo *Figuraciones* (1977), *La pirámide de Khéops* (1980), *Tiempos* (1980), que se hallan dentro de una concepción artística completamente distinta. Son relatos imaginativos, incluso, a veces, fantásticos, que indagan algunos secretos de la existencia, los límites de la realidad, los terrores del hombre frente a lo ignoto. Esta temática, sin embargo, no implica un distanciamiento del mundo, pues en su trasfondo vibra un sentido moral muy alerta. Tal evolución en las anécdotas se ha acompañado, además, de una transformación estilística que ha relegado el objetivismo a favor de recursos lingüísticos y formales más modernos y expresivos. La trayectoria de Doménech se corresponde —salvando las exigencias que imponen los géneros—, dentro del relato corto, con la seguida por los más atentos novelistas del medio siglo.[13]

Aparte debe mencionarse a ANTONIO MARTÍNEZ MENCHÉN (1930), cuyos dos primeros libros oscilan entre el volumen de relatos unitario y la novela de estructura fracturada: *Cinco variaciones* (1963) y *Las tapias* (1968). Ambos han de contarse entre los textos que propician la renovación de nuestra prosa narrativa en los primeros sesenta por su participación en una visión crítica del mundo y por la incorporación, a la vez, de elementos imaginativos y de una visión simbólica de la realidad.

6) *Al margen del realismo tradicional*

El realismo de signo testimonial y crítico constituye la forma narrativa predominante durante las décadas de los cincuenta y sesenta, pero a lo largo de este período se han intentado otros rumbos. Hacia finales de los sesenta fragua una corriente antirrealista que ha venido gestándose desde algo antes y que se presenta como una reacción, no exenta de componentes polémicos, contra el predominio de la literatura social y como una

13. De lo dicho en el texto se deduce la escasa bibliografía existente sobre el cuento en la postguerra. Merecen destacarse los trabajos de E. Tijeras [1969] y M. Fraile [1971] y puede consultarse el de E. Brandenberger [1973]. Sobre Zamora, véanse los libros de J. Sánchez Lobato [1982] y E. Náñez [1982]. Amplío la información sobre los cuentistas del medio siglo en [1980].

alternativa a la misma. Esta tendencia se apoya en algunos textos críticos y teóricos —entre otros, el colectivo *La nueva novela europea* (1968) y *Novela española actual* (1967), de Manuel García-Viñó— desde los que se airea el calificativo de «novela metafísica» o «novela intelectual». Se trata de una corriente que busca la sustitución de la problemática histórico-social del hombre por unos planteamientos de signo trascendente, espiritualistas y vinculados con el catolicismo. Entre otros narradores, suelen aparecer relacionados con esta tendencia los novelistas Alfonso Albalá, Andrés Bosch, Manuel García-Viñó y Manuel San Martín. También es frecuente la inclusión en ella de Carlos Rojas y José Luis Castillo-Puche.

CARLOS ROJAS (1928) es un escritor bastante singular en cuya obra llaman la atención tanto sus preocupaciones formales como sus intentos de bucear en los problemas de la personalidad y de captar la esencia de lo humano. Ambas inquietudes se encuentran, no siempre de manera simultánea, en *El futuro ha comenzado* (1958), *El asesino de César* (1959), *Las llaves del infierno* (1962), *La ternura del hombre invisible* (1963). En *Adolfo Hitler está en mi casa* (1965) destaca un ambicioso perspectivismo, una notable complejidad temporal y una variada gama de recursos técnicos. Con *Auto de fe* (1968), de transfondo histórico, pero de reconstrucción imaginativa, logra, quizás, su mejor obra, en la que sobresalen el atormentado mundo interior de los personajes, la riqueza de su léxico y su muy vigorosa y expresiva prosa. Especiales facultades imaginativas muestra *Aquelarre* (1970). Un núcleo de la ya extensa producción de Carlos Rojas se centra en temas o figuras históricas del pasado reciente, de los que da particulares, libres y polémicas versiones: *Azaña* (1973), *Memorias inéditas de José Antonio Primo de Rivera* (1977), *El ingenioso hidalgo y poeta Federico García Lorca asciende a los infiernos* (1980).

JOSÉ LUIS CASTILLO-PUCHE (1919) es un novelista regular en su producción y persistente en unos cuantos temas básicos, que no obstaculizan más menudas preocupaciones. Esto da a su obra una primera apariencia de homogeneidad al reincidir en motivos como la muerte, la soledad, la vocación, las frustraciones humanas... Además, casi todos sus libros coinciden en otras constantes que refuerzan esa imagen bastante unitaria que desprende el escritor. Por un lado, el fuerte autobiografismo que recorre muchas de sus páginas. Por otro, la creación de un espacio novelesco simbólico, Hécula, basado en una estilización de un lugar real, la Yecla en la que nació el autor. En fin, un perseverante estilo bronco, especialmente descarnado en su léxico. Sus primeros libros plantean ya una exploración de desgarradoras vivencias interiores: *Con la muerte al hombro* (1954), *Sin camino* (1956), *El vengador* (1956), *Hicieron partes* (1957). Un cambio, que más bien es un paréntesis, se produce con *Paralelo 40* (1963) y *Oro blanco* (1963), con las que Castillo-Puche parece sentirse atraído hacia la narrativa objetivista predominante en aquel momento, en especial en la primera, testimonio duro, y polémico, de la presencia norteamericana en España. Más tarde vuelve, sin embargo, a su característico mundo de reflexiones interiores, de desgarrones íntimos. *Como ovejas al matadero* (1971) retorna al tema de la vocación sacerdotal, del que hace un análisis desmitificador, tremendamente dramático, desde la óptica de la conflictividad humana de los miembros de la Iglesia. Los tres últimos libros de Castillo-Puche constituyen lo que él ha llamado «trilogía de la liberación»: *El libro de las visiones y las apariciones* (1977), *El amargo sabor de la retama* (1979) y *Conocerás el poso de la nada* (1982). De nuevo un fuerte autobiografismo sirve de base para la exploración de una intimidad escindida, obsesionada por la muerte, traumatizada por la experiencia en el seminario, coartada por el medio histórico... hasta llegar, en el último libro, al reconocimiento de la inutilidad de la lucha del hombre por librarse de sus terrores, que le atenazan en un continuo recomenzar. Un sistema monologal, apoyado en el libre fluir de la conciencia y en el desdoblamiento del narrador en un tú de autorrecriminación, constituye el adecuado soporte narrativo de la trilogía.

Antonio Prieto (1930) reúne la doble condición de estudioso de la literatura (es profesor universitario y renombrado publicista) y creador. Dos facetas que no es infrecuente que coincidan en otros escritores, pero que, en el caso de Prieto, es imprescindible subrayar porque progresivamente su obra de creación se ha ido entrañando más con la del investigador. Esto por lo que se refiere a la temática, en la que ha llegado a ser habitual la presencia de la antigüedad clásica y de la época renacentista-barroca, de la que es experto conocedor. También por lo que toca a la concepción del relato, que se ve influenciado por su otra vertiente de estudioso, la del teórico de la literatura y de la narrativa. Estos rasgos, más una insobornable independencia que le lleva a escribir al margen de tendencias en boga, hacen de Prieto un escritor muy personal, y, en consecuencia, difícilmente encasillable. Por ello, de una forma imprecisa, se le puede ubicar en esa corriente no testimonial que se desarrolla al margen del realismo crítico pero sin vinculaciones con la denominada novela «metafísica». La narrativa de Prieto tiene un carácter intelectual, pero no busca trascendencias religiosas; más bien se relaciona con un espíritu humanista sobre un fondo levemente pagano.

Las dos primeras novelas de Prieto forman como un preámbulo de su más característica producción posterior y en ellas hay que destacar la asombrosa madurez de un escritor muy joven. La primera, *Tres pisadas de hombre* (1955), nos presenta un escritor imaginativo, que sitúa la acción en un exótico ambiente americano y contribuye a la historia de nuestras formas narrativas con un precursor enfoque perspectivista del relato. Muy distinta es la siguiente, *Buenas noches, Argüelles* (1956), que puede vincularse con el realismo mediosecular por su retrato entre testimonial, costumbrista y crítico del madrileño barrio universitario.

Si estos dos libros no permiten predecir una línea preferente en su labor, ésta se iniciará poco después, ya de una manera clara en *Vuelve atrás, Lázaro* (1958), a mi entender su obra más certera, que obedece a una precisa concepción de la novela. En efecto, por estos años, en artículos y reseñas, Prieto aboga por una literatura no testimonial e imaginativa, condena el abuso del objetivismo y reclama una novelística culta. El libro recién mencionado pone en práctica la aplicación de esos principios. El argumento parte de una situación imaginativa: una especie de Lázaro bíblico reencarna en tiempos actuales y en geografía española, almeriense, y busca su identidad en la tierra y en sus gentes, a la manera del clásico retorno de Ulises. *Vuelve atrás, Lázaro* marca una dirección en la que sin incertidumbres profundiza Prieto, con una progresiva exigencia y con un espacioso y preocupado escribir que hace que algunas de sus nuevas novelas se distancien en el tiempo: *Encuentro con Ilitia* (1961), *Elegía por una esperanza* (1962), *Prólogo a una muerte* (1968), *Secretum* (1972), *Carta sin tiempo* (1975). Esa tendencia narrativa se basa en una concepción intelectual y simbólica del relato, que se puebla de alusiones culturales (en particular clásicas) y en el que el mundo presente y las grandes figuraciones míticas se alían para desentrañar los motivos duraderos del hombre, entre los que sobresalen el amor, la muerte, la memoria, el tiempo...

Cuando aludimos a una novelística intelectual corremos el riesgo de hacer pensar al lector en una literatura muy especulativa y hay que advertir que éste no es el caso de Prieto porque justo en su actitud narrativa frente a los componentes culturales radica uno de sus mayores aciertos y méritos. En efecto, unas descripciones realistas —y en algún momento incluso costumbristas—, una configuración con hondura humana de los personajes y una propensión hacia el lirismo hacen que esos temas cultos y esos motivos simbólicos cobren interés anecdótico, calor humano y no caigan en el ensayismo. Así, sus reinterpretaciones de motivos clásicos nunca resultan una alegoría fría o una exposición didáctica sino que conservan siempre el atractivo de un argumento palpitante. El tiempo pasado de las novelas de Prieto, además, no tiene nada que ver con la literatura de corte histórico porque siempre se proyecta hacia un momento presente, hacia un tiempo actual muy vivo y, sin duda, vivido intensamente por el escritor, el cual se debate entre el vitalismo y el escepticismo, y se refugia en la melancolía y la nostalgia. Este planteamiento actualizador hace que la historia cobre vida novelesca, y que la tengan, también, textos literarios incorporados y hasta antiguas obras pictóricas que pasan a formar parte de la entraña del relato. La libertad con la que procede el escritor es la que permite la natural convivencia, sin que se produzcan disonancias, en una misma «historia» de personajes de las cortes renacentistas con canciones de Shirley Bassey o conciertos de Tchaikovsky. No se trata de anacronismos sino de una relativización del tiempo puesta al servicio de una contemplación humanista del hombre desde un profundo y apasionado intimismo, a partir del cual se habla de anhelos y desesperanzas de todos. Además, hay en Prieto un consciente propósito de crear un mundo narrativo unitario por lo cual un fragmento de una novela puede reaparecer en otra.[14]

RAMIRO PINILLA (1923) pertenece también, con cierta flexibilidad, a la generación del medio siglo, pero su obra se desarrolla al margen de las tendencias novelescas más habituales en el tránsito de los cincuenta a los sesenta, por lo que la suya es una voz no sólo personal sino bastante solitaria. Su obra narrativa puede inscribirse entre las formas literarias surgidas de la inoperancia del realismo tradicional y ofrece una alternativa de indudable originalidad. La novelística de Pinilla, de mediana amplitud, no ha obtenido el eco que merece y por su preocupación por el estilo y por la construcción debería ocupar un más destacado lugar, al menos entre la crítica académica, que hasta ahora no ha logrado. Los primeros libros de Pinilla coinciden, temáticamente, en un análisis de la concepción de la vida del pueblo vasco, al que reviste de unos caracteres casi épicos. Sobre ellos forja Pinilla unas historias llenas de garra, cuajadas de intensos y sombríos dramas humanos y emplaza todo ello en un ambiente pleno de misterio que recuerda en más de un momento la nove-

14. Para la novela llamada «metafísica», puede verse el libro apologético de E. del Río [1971]. Sobre Castillo-Puche, consúltese E. González-Grano [1983] y sobre Prieto, A. Valbuena Prat [1972].

lística de Faulkner. Sus tres primeros libros —*Las ciegas hormigas* (1961), *El tiempo de los tallos verdes* (1969) y *Seno* (1972)—, densos y de cierta exigencia para el lector, prueban la presencia de un escritor de potente fuerza imaginativa y bien dotado para la creación de espacios novelescos de carácter mítico. Ramiro Pinilla ha escrito también relatos cortos (recogidos en *Recuerda, oh, recuerda,* 1975; *Historias de la guerra interminable,* 1977) y novela breve de concepción fantástica e imaginativa (*La gran guerra de Doña Toda,* 1978). Algo distanciado de sus planteamientos iniciales, su libro más ambicioso tal vez sea el voluminoso *Antonio B... «el Rojo», ciudadano de tercera* (1978), de un realismo más inmediato, de enfoque crítico y con destacados registros irónicos.

Esta enumeración de narradores de los años cincuenta que no participan de la tendencia realista-testimonial debe completarse, al menos, con una mención de JORGE CELA TRULOCK, novelista también de notoria personalidad, a quien el nombre de su hermano Camilo José ha eclipsado. Este parentesco es quizás el responsable de que no se haya estimado en todo su valor una obra meritoria y que representa, históricamente, el cultivo, entre nosotros, más sistemático de las técnicas objetivistas del *nouveau roman* francés, de las que Jorge Cela obtiene una notable expresividad. En diverso grado, esas técnicas sustentan sus novelas *Blanquito, peón de brega* (1957), *Las horas* (1958), *Trayecto Circo-Matadero* (1965), *Compota de adelfas* (1968), *Inventario base* (1969). Jorge Cela, escritor minucioso y detallista, imaginativo y, a la vez, buen observador de la realidad, posee un apropiado instrumental lingüístico y utiliza un «punto de vista» implacablemente objetivista —sobre todo en el último de los libros citados— que pone al servicio de unas anécdotas de ponderado pero incuestionable sentido crítico.

Sin semejante propiedad de adecuación de la técnica al tema, el otro escritor que ha utilizado —algo más tarde— con más persistencia el objetalismo de filiación francesa es GERMÁN SÁNCHEZ ESPESO, sobre todo en los primeros libros de su serie de inspiración bíblica: *Experimento en Génesis* (1967), *Síntomas en Éxodo* (1969), *Laberinto Levítico* (1973).

7) *Realistas de la primera promoción de postguerra*

La década de los cincuenta, la del resurgir novelesco de la postguerra, es testigo de varias tendencias que, con muy distinto grado de aceptación, indican una saludable variedad. El fenómeno más notorio de esta década es la aparición y desarrollo de la narrativa del medio siglo, que ya hemos visto, pero el panorama de la época se completa con las manifestaciones que hemos considerado en los apartados anteriores y con la actividad de otros escritores. Entre éstos, hay que recordar que en la década de los cincuenta sigue en plena producción la primera promoción de postguerra y que, a lo largo de ella, alcanza su madurez narrativa un Miguel Delibes. Finalmente, es el momento de referirse a otros cuantos novelistas que en estos años hacen su aparición pública como escritores, pero que no pertenecen al grupo generacional del medio siglo sino que, por fecha de nacimiento, se corresponden con una promoción anterior. Se trata, por tanto, de narradores que se dan a conocer con retraso respecto de la normal actividad de las gentes de una edad semejante. Así sucede con cuatro novelistas de obra meritoria: Ángel María de Lera, Juan Antonio Gaya Nuño, José Suárez Carreño y Luis Romero (nacidos, respectivamente, en 1912, 1913, 1914 y 1916). Ninguno de los cuatro publica hasta los años cincuenta (bien avanzados, en el caso de Lera) libros de prosa narrativa y, en consecuencia, no sufren en idéntica medida las restrictivas condiciones de quienes comienzan en la década anterior. La significación de cada uno de ellos, sin embargo, no es idéntica. Luis Romero (vocación algo tardía, pues su dedicación profesional poco tenía que ver con la literatura hasta el mismo momento de publicación de su primera novela) aporta una consideración crítica de la realidad, tras las huellas del Cela de *La colmena,* que ha de considerarse predecesora de la literatura social. Un papel semejante, aunque de menor trascendencia pública, se puede atribuir al primer libro de Suárez Carreño, *Las últimas horas.* Lera, escritor tardío por dificultades biográficas (fue comisario de guerra y estuvo encarcelado después de ésta) se acerca a los supuestos de un realismo testimonial próximo a la estética de la generación más joven. Gaya Nuño comparte con los anteriores una visión crítica de la sociedad y unos supuestos realistas pero su obra narrativa reviste unas peculiaridades que la hacen poco encasillable. A esta nómina puede agregarse el nombre de Dolores Medio (1917), pues aunque edita algo en los años cuarenta, es en la década posterior cuando se configura su novelística, la cual, además, conecta con los supuestos del realismo testimonial.

José Suárez Carreño tuvo unos prometedores inicios en la literatura que luego, sorprendentemente, no se han confirmado ni como dramaturgo ni como novelista. *Las últimas horas* (1950) partía de una indecisa postura entre el intimismo y el testimonio. El relato presentaba dos historias personales distintas que el azar hacía coincidir, la de un burgués acomodado y su amante, por una parte, y la de un golfillo y su moza, por otra. El ir y venir de ambas parejas por un Madrid triste, su deambular por colmados... se presta a una interpretación testimonial de una realidad degradada (bien patente, por ejemplo, en la prostitución consentida o estimulada por los propios familiares de las jóvenes de modesta situación) que más de un crítico ha considerado predecesora de la literatura social. El testimonio, de todas maneras, no es muy explícito ni creemos que demasiado intencionado, sino que se deriva de un marco de época en el que se encuadra la acción ya que, normalmente, el relato se vence hacia una indagación personalista de la confusa problemática moral y religiosa, casi psicopatológica, del protagonista acomodado. Otra cosa es que Suárez Carreño presente convincentes notas costumbristas del momento, por ejemplo, de ocasionales oficios tradicionales, aniseros, aguadores...

La segunda y última novela de Suárez Carreño, *Proceso personal* (1955), tiene una dimensión más netamente psicologista, a pesar del potencial crítico que encerraba su historia. Un militar vencedor en la guerra se ha enriquecido aprovechándose del uniforme y años más tarde corre el riesgo de que su delictiva actuación sea descubierta. Después de librarse del amenazador peligro, decide, aunque nada externo le obligue, entregarse a la policía. En esa historia estaba el germen de una denuncia política que quizás entonces hubiera sido imposible, pero, en cualquier caso, no es por ahí por donde camina el relato. Lo que éste analiza son las razones y el proceso interior que llevan a una persona a saldar una deuda moral que le permitirá ser un hombre nuevo. Mientras que una obra de aquella época que planteaba un conflicto en alguna medida próximo, *La muralla,* de Calvo Sotelo, obtuvo éxito clamoroso, la novela de Suárez Carreño no logró popularidad. Quizá la razón pueda estar er. la diferente resolución que la novela y el drama daban al caso.

LUIS ROMERO (1916) tuvo un comienzo excepcional como novelista, pues *La noria* (1952), premio Nadal, le convirtió en un escritor popular y fue el primer paso de una carrera bastante regular e interesante. *La noria* es un libro escrito bajo el impacto de *La colmena* y se convierte, también, en una novela de la ciudad, en este caso Barcelona. Un acentuado recorte temporal —la acción externa dura veinticuatro horas— es el soporte que emplea Romero para hacer desfilar un nutrido número de personajes representativos de la vida urbana, preferentemente de clases medias y humildes. Cada personaje consume un único turno, bastante breve, en el relato y no deja otra estela que la de facilitar la aparición del próximo, con el que guarda una relación en la mayor parte de las ocasiones incidental. Así hasta completar un muestrario que recorre ese día que dura la acción y que da a la vida colectiva el aspecto de noria a que se refiere el título. Estos personajes atienden a un carácter representativo de diversos grupos sociales y profesionales y pretenden mostrar una visión general de la sociedad catalana —y, por extensión, nacional— de los años cuarenta. Desde este punto de vista testimonial, *La noria* tiene una significación histórica considerable, pues es uno de esos títulos que se enraizan de modo patente en la realidad cotidiana de su época y hay que ponerlo en la lista de las obras que contribuyen a la formación de la estética del medio siglo. En cuanto a la realización del relato, con alguna frecuencia se ha denunciado el carácter algo mecánico de su composición, pero hay que reconocer que ese procedimiento era útil para conseguir una imagen global de la existencia de las gentes de una gran ciudad. También se le puede reprochar una cierta falta de diferenciación lingüística de los personajes, que manifiestan una extraña uniformidad en la expresión de los contenidos de conciencia que siguen a su presentación por el narrador. Por otro lado, algunos recursos de *La noria* deben figurar en la historia de nuestras formas narrativas próximas. En primer lugar, tiene el mérito de haber introducido en nuestras letras el estilo indirecto libre como un empleo sistemático y no como un recurso ocasional. En segundo lugar, resalta la utilización constante del monólogo interior como medio de expresión de los contenidos de conciencia de los personajes, si bien su uso está condicionado todavía por ciertos convencionalismos que no lo hacen del todo afortunado.

El carácter testimonial de *La noria* no prosigue en los dos libros posteriores de Romero, *Carta de ayer* (1953) y *Las viejas voces* (1955), que se desarrollan más en el ámbito de la introspección psicologista. La primera se centra en el análisis de la diferencia de edad en una relación amorosa. La segunda narra la llegada a prostituta de una joven acomodada y su tópica salvación final. El sentimentalismo un tanto folletinesco de ésta le resta veracidad literaria y, desde luego, le aleja de cualquier notación testimonial. Pronto, sin embargo, retorna Romero a los cauces realistas de su primer libro, aunque dentro de una concepción personal que le aleja de un estrecho compromiso. En *Los otros* (1956) refiere la historia de un modesto trabajador que, para salir de su situación económica y encontrar una esperanza de futuro, se ve abocado a la delincuencia ocasional. Con un tono entre irónico y crítico, *El cacique* (1963) denuncia una inveterada y típica forma de poder de nuestro país, aunque no obtiene toda la veracidad humana y novelesca del título anterior. El mayor éxito de público de Luis Romero lo constituyó *Tres días de julio* (1968), relato documental del comienzo de la guerra civil, que suele incluirse en las historias de la prosa novelesca pero que pertenece, en sentido más estricto, al campo del reportaje histórico. Se beneficia, no obstante, de una agilidad de exposición que se debe, sin duda, a la experiencia narrativa de Luis Romero.

Quizás sea el prestigio de JUAN ANTONIO GAYA NUÑO (1913-1976) como crítico e historiador del arte el responsable de su desconocimiento como narrador, a pesar de su indiscutible valía. Aparte de un par de volúmenes de relatos (*Los monstruos prestigiosos,* 1960 y *Los gatos salvajes,* 1968), publicó tres novelas muy singulares. Se inicia con *El santero de San Saturio* (1953), acusadora y amena crónica costumbrista de la vida provinciana, y prosigue con un curioso libro de corte picaresco, *Tratado de mendicidad* (1962). Su título más importante —y también uno de los más destacados y olvidados de toda la postguerra— se enfrenta con un tema frecuentado por otros notables escritores, el de la guerra de Marruecos. Este libro, *Historia del cautivo* (*Episodios Nacionales*) (1966) es una descarnada, dolorida y humanitaria versión de aquella dramática lucha desde una perspectiva antibelicista. Mérito muy a destacar en Gaya Nuño —tanto en las novelas como en los relatos— es el de su prosa, una de las más expresivas de toda nuestra narrativa actual, de rico lenguaje de cierto sabor clásico.

Por las razones biográficas antes señaladas, la aparición pública de ÁNGEL MARIA DE LERA (1912-1984) se retrasa hasta 1957, en que publica *Los olvidados.* Esa tardanza se compensa, sin embargo, con la inusual audiencia que le depara su segundo libro —*Los clarines del miedo* (1958)— y que ha llegado a una auténtica popularidad con sus novelas posteriores sobre la guerra civil. Tal éxito en un país de tan escasa afición a la lectura se debe a una afortunada mezcla de factores: un realismo tradicional puesto al servicio de historias con fuerte carga dramática y emotiva y desarrolladas en unas ágiles construcciones novelescas. Desde un punto de vista artístico, sin embargo, la de Lera no es una literatura muy exigente: el estilo a veces es premioso y casi siempre descuidado; utiliza elementos folletinescos que le aproximan a un neto populismo. *Los clarines del miedo* sigue siendo, a mi parecer, su mejor libro y en él se narra la historia desgraciada de dos novilleros. Tanto como novela de esa cara de sacrificio y dolor, poco conocida, de la fiesta de los toros, como por el interés humano de la historia, resulta un libro veraz y, desde luego, es, que yo sepa, una de las mejores aproximaciones a un tema que, a pesar de su importancia nacional, ha carecido de tratadistas afortunados.

La mayor parte de los libros de Lera —*La boda* (1959), *Bochorno* (1960), *Trampa* (1962), *Hemos perdido el sol* (1963), *Tierra para morir* (1964), *Se vende un hombre* (1973)— ofrecen una temática social más o menos amplia sobre aspectos que van desde la mentalidad campesina descrita en el auténtico drama rural que es *La boda* hasta el análisis de la tragedia humana de la emigración laboral en *Hemos perdido el sol* y *Tierra para morir* o un amargo panorama de las inmoralidades de la primera postguerra en *Se vende un hombre.* La guerra civil planea en el trasfondo de muchos relatos de Lera, pero a ella ha dedicado particularmente una serie formada por *Las últimas banderas* (1968), *Los que perdimos* (1974), *La noche sin riberas* (1976) y *Oscuro amanecer* (1977). La serie empieza en los últimos días de la guerra en Madrid, con la resistencia final de los republicanos, y avanza por la postguerra para denunciar las graves consecuencias materiales y morales de la lucha fratricida, padecidas especialmente por los derrotados, pero de impacto general sobre toda la vida española. El tono del relato es bronco con frecuencia, la crítica muy explícita y negativa, y el pulso del narrador muy sostenido. El interés primordial de Lera es contar unas dramáticas historias que llaman más al sentimiento que a la razón, que ante todo pretenden —y creo que lo consiguen— captar al lector —aunque en los últimos títulos tiendan demasiado a una reflexión moral añadida— sin importarle demasiado los aspectos formales y lingüísticos. Se trata de un escritor que cuida poco del arte, que cuenta como con despreocupación porque le interesa llegar a un público amplio. Hay que subrayar que esta visión republicana de la guerra se publicó, en parte, antes de 1975 y que, aunque se trata de libros de definido compromiso, la inevitable autocensura pudo influir en la visión de los hechos; no obstante, parece necesario ponderar el esfuerzo de distanciamiento realizado por el autor.

DOLORES MEDIO (1917), como antes señalaba, puede sumarse a los escritores que desarrollan su producción a partir de los cincuenta, a pesar de publicar *Nina* en 1948. Me inclina a ello el hecho de que, aparte la natural propensión de la escritora al testimonio, creo que es uno de esos narradores que se ven arrastrados por la onda expansiva de la literatura social y de haber nacido algo más tarde, varios títulos suyos hubieran sido característicos del realismo crítico de la generación del medio siglo.

Su obra tiene ya dimensiones considerables y creo que no ha recibido todo el trato respetuoso que merece. Aparte algunos libros de relatos, varias de sus novelas —*Nosotros, los Rivero* (1952), *Funcionario público* (1956), *Diario de una maestra* (1961), *Andrés* (1967), *Farsa de verano* (1974)— compaginan emotividad controlada, psicologismo introspectivo y testimonio contemporáneo.[15]

4. La novela de los años sesenta (De la renovación a la experimentación)

Los años sesenta se inician, en cuanto a la narrativa, con el predominio de las formas realistas, objetivistas y de intencionalidad social, y es patente la consolidación de la generación del medio siglo, cuyos miembros reciben distinciones y polarizan la atención de la juventud universitaria. En el extranjero, a la vez, despiertan interés, se les recibe como los representantes de la joven y nueva España, entran en el catálogo de editoriales tan prestigiosas como Gallimard y una ambiciosa empresa entre lo político, lo cultural y lo comercial (el premio Formentor, que comportaba la edición de la obra galardonada en diferentes países) proporcionó a alguno de ellos una resonancia internacional. A lo largo de esta década, sin embargo, se produce el aniquilamiento de la estética del realismo social, pues, en su transcurso, se lleva a cabo una profundísima renovación de nuestra narrativa que desemboca, hacia finales del decenio, en una extendida implantación de las formas experimentales.

El germen de esta evolución se halla en la propia narrativa del medio siglo. Los escritores más atentos, entre los de este grupo, ponen en cuestión la licitud de su estética. Perciben, por una parte, que esa literatura de acción ha fracasado en su propósito de concienciar al obrero y en su meta de transformar el mundo y contribuir a la caída del franquismo. Por otra, reconocen el escaso valor artístico de una novela tributaria de las exigencias que imponía el populismo y la simplificación a que les había obligado el anterior supuesto. Esta doble certeza se va generalizando y se impone, por tanto, una renovación que viene exigida, también, por el desarrollo del país, ya que para expresar las nuevas circunstancias no es suficiente un mero testimonio.

15. Para los autores incluidos en el epígrafe 7), hay que acudir, también, a los mencionados manuales, en los que se les suele tratar muy de pasada. Para Lera, véase A. R. de las Heras [1971].

Esta línea general de pensamiento impulsa dicha transformación, pero es ayudada por algunos otros sucesos, que coinciden en el año 1962 y otorgan a esta fecha un especial relieve. Entonces se publica *Dos días de setiembre,* de José Manuel Caballero Bonald, a quien algún crítico ha calificado de «precursor» de la nueva narrativa. También aparece *Tiempo de silencio,* de Luis Martín-Santos, que, como en seguida veremos, a partir de una concepción social del relato, introducía un saludable aire renovador. En fin, ese mismo año obtiene Mario Vargas Llosa el premio Biblioteca Breve con *La ciudad y los perros,* libro que concita una infrecuente expectación entre los críticos y el público y desencadena un entusiasta interés por la imaginación y la renovación lingüística.

1) «*Tiempo de silencio*»

El de LUIS MARTÍN-SANTOS (1924-1964) es uno de los nombres capitales en el proceso histórico de nuestra narrativa de postguerra y ello se debe a la feliz intuición que le llevó a componer *Tiempo de silencio* (1962), libro un tanto desconcertante en el momento de su aparición, pero que, en poco tiempo, alcanzó dimensiones literarias revolucionarias y hoy se estudia como un clásico de nuestras letras. El desgraciado fallecimiento de Martín-Santos en accidente de circulación poco después de la publicación de esta novela truncó una carrera literaria comenzada de manera tan espectacular, a la que sólo se pueden añadir dos títulos póstumos: otra novela inconclusa, *Tiempo de destrucción* (1975), y un conjunto de relatos, *Apólogos* (1970).

Tiempo de silencio es una de esas infrecuentes creaciones que actúan como revulsivo de una situación literaria estancada, que propician el descrédito de unas formas en proceso de anquilosamiento y ofrecen alternativas capaces de auspiciar el futuro. Así, *Tiempo de silencio* se convierte en una de las posibles respuestas al predominio de la literatura objetivista y pueden considerarse en él de manera casi autónoma, por una parte, sus méritos intrínsecos —la compleja realización artística de un tema ambicioso— y, por otra, su proyección histórica, que supera y hasta resulta independiente de sus específicos valores literarios. Así, en esta última dimensión, introdujo una cuña en la estética del realismo social, cuyos supuestos terminaría por socavar. La profunda transformación ejercida sobre los hábitos narrativos del medio siglo es patente en el conjunto de novelas que aparecen tan sólo un lustro después de la publicación del personal relato de Martín-Santos. Este sentido revolucionario parte, paradójicamente, de un libro, en el fondo, bastante tradicional en el que tienen una presencia intensa dos próximas y notables tradiciones narrativas: la concepción barojiana y noventayochesca del camino de perfección de un héroe intelectual, abúlico y voluntarista, perplejo y derrotado, por una parte; por otra, el propósito testimonial de su argumento guarda indudables conexiones con el de tantas novelas sociales. Este subyacente carácter tradicional y convencional se transforma, sin embargo, en una propuesta nueva al hacer suyos Martín-Santos muchos experimentos formales de pasadas décadas, al adoptar un lenguaje culto y barroco y al poner todo ello al servicio de una fábula que no busca un documento parcial e inmediato sino una explicación global del ser de España.

El argumento central de *Tiempo de silencio* —camuflado en una maraña de digresiones— es bastante sencillo. Se trata de la historia —en algún momento incluso melodramática— del proceso interior y del enfrentamiento con su entorno de un personaje principal, Pedro, joven médico investigador. Obligado a participar en un aborto ilegal que produce una muerte, sale con bien de una investigación policíaca. Inclinado a la cultura, visita cenáculos literarios y asiste a una conferencia. Seducido por la hija de la patrona de la pensión en la que se hospeda, formaliza relaciones con la chica, pero ella es acuchillada como venganza por la intervención de Pedro en el aborto. Finalmente, es despedido del centro investigador en el que trabaja y, en medio de una tremenda confusión mental, decide recluirse en el ejercicio de la medicina rural.

Este esquema anecdótico tan simple da pie, sin embargo, a diversos análisis que implican cuestiones individuales y colectivas y que permiten hablar de una radiografía panorámica de la realidad nacional. La variedad de sucesos que presenta ofrecen una interpretación general del modo de ser hispano y por ello el muy concreto marco espacio-temporal (unos pocos días en el Madrid de finales de los años cuarenta) extiende su significación hacia la historia española (mediante abundantes referencias a hechos del pasado) y hacia el conjunto nacional (a través del valor alegórico de la ciudad en la que se desarrolla la acción). No obstante, Martín-Santos no escribe un libro simbólico, sino que levanta acta de un concreto estado socioeconómico. Así, el número de clases y grupos sociales que actúan es amplio aunque no completo: la alta burguesía, una burguesía de ocupaciones liberales, otra venida a menos, una burguesía baja y el lumpenproletariado (obsérvese que falta el proletariado).

Los valores sociales en *Tiempo de silencio* exceden con mucho una corta problemática testimonial, aunque ésta tampoco sea desdeñable. Martín-Santos comprendió que no son sólo determinantes sociales los que operan en la persona, sino que también la propia individualidad cuenta de forma decisiva en la situación social de los seres. (Pedro, es posible que con carácter simbólico, investiga el peso de la transmisión y de los factores ambientales en la herencia cancerígena.) En ello debemos ver una convicción personal, quizás dependiente de la idea de circunstancialidad orteguiana, y, a la vez, una respuesta a los planteamientos de la generación del medio siglo, que nada más se fijaba en estrictos condicionamientos socioeconómicos. Ésta es la razón por la que la historia está protagonizada por personajes individuales que no se convierten en tipos representativos de clases sociales. Así, al mismo tiempo que muestran las características del grupo al que pertenecen, conservan su idiosincrasia y se mueven por personales e indeclinables motivos particulares (ambiciones, frustraciones, indigencia...).

Tiempo de silencio pasa revista a una realidad amplia que comprende la historia y la geografía españolas. En el presente, destaca una serie de valores que el autor juzga anacrónicos y contra los que arremete con un propósito general desmitificador de una tradición negativa. Contra el populismo del realismo social, *Tiempo de silencio* carga con una concepción culta de la novela (y muy clásica por la manera de participar al lector ideas sobre una multiplicidad de temas) y excede los específicos límites de su emplazamiento urbano y cronológico. Madrid adquiere el valor de una imagen moral mediante la selección de variados lugares (de las chabolas a los salones sofisticados) y asuntos (en general, disquisiciones culturales). Esa imagen puede referirse a motivos sociales (la injusticia que revelan los suburbios de chabolas), artísticos-culturales (la conferencia del filósofo o el café Gijón), o científicos (la incapacidad y menosprecio de nuestro pueblo por la investigación). A la vez, realiza una reconstrucción diacrónica: encontramos referencias que van de los godos a la guerra civil. Toda la larga y barroca descripción del comienzo de la novela sobre Madrid es una ordenación de hábitos y concepciones de nuestra historia nacional. Se establece, por consiguiente, una intrincada relación entre lo colectivo y lo particular, lo histórico y lo sincrónico. Y percibimos, también, cómo se hace verdad literaria el problema profesional de Pedro, que parecía ajeno a la anécdota de la novela: hay que analizar el componente hereditario y los factores ambientales del hombre-rata de la ciudad.

El nihilismo del final de la novela —muy bien condensado en un caótico e impresionante monólogo de Pedro— no implica una interpretación cerrada e inalterable de la realidad y de la historia. Por mucho que el narrador juzgue y valore los hechos, y aunque parezca que da por descontado el pesimismo, la constante utilización de la ironía, la parodia y hasta la hipérbole sirven para establecer un distanciamiento respecto del tema tanto del autor como del lector. El relato, con frecuencia, se dispara hacia una desfiguración de lo más aparencial de la realidad (recuérdese la hiperbólica visión de la ciudad, el procedimiento degradador de la conferencia del filósofo, la amarga sublimación del arte constructivo de los suburbios o la merienda del día del compromiso matrimonial) y, en consecuencia, el sentido último es de una deliberada ambigüedad. Ésta tampoco debe llevarnos a pensar en una relativización general y absoluta del sentido de la historia por parte de Martín-Santos —lo cual sería poco lógico dentro del compromiso personal socialista del escritor—, ya que la simbología y la alusión funcionan con frecuencia como claves para la correcta interpretación de la voluntad fiscalizadora del autor.

En cuanto a los componentes formales, es preciso subrayar la trascendencia de la decisión de Martín-Santos de abandonar el programático objetivismo del realismo mediosecular. *Tiempo de silencio* retorna al narrador omnisciente y aborda con valentía un planteamiento subjetivista. Martín-Santos resuelve, con decisión, la incorporación de procedimientos innovadores y experimentales, por ejemplo, el afortunado empleo del monólogo interior o la precursora adaptación, en nuestra novelística, de la segunda persona narrativa. Por lo que respecta a los personajes, hay que observar que —aunque pueda parecer lo contrario— no se les presta mucha atención. Todos están bastante bien individualizados, según antes he señalado, pero de la mayor parte, sabemos muy poco. Sin embargo, les vemos funcionar no como ideas o prototipos sino como auténticos seres humanos a los que conocemos en el cumplimiento de un destino biográfico que desempeñan con toda propiedad. No se ven, por tanto, forzados a encarnar desde fuera un papel representativo y, además, ni están idealizados ni simplificados, con lo que se evita todo maniqueísmo. Por otro lado, un carácter destacado de los personajes es su libérrima concepción del espacio y del movimiento. Sobre todo Pedro, no para de moverse: si ello facilita al autor la presentación de un amplio abanico de seres y de ambientes que surgen al hilo de tales andanzas, sin embargo, determina una escasa penetración en el interior de los personajes, una psicología bastante superficial.

Hay que referirse también a la gran variedad de recursos técnicos y lingüísticos que emplea *Tiempo de silencio*. Martín-Santos dispone de un rico aparato verbal, con una prosa barroca llena de términos científicos y de cultismos. La frase se alarga, a veces, en interminables incisos y subordinadas y toda la novela produce el efecto de un relato abigarrado, exigente, culto. También llama la atención la riqueza y amplitud de las fuentes o alusiones literarias de la obra. Ahí están la clasicidad griega, los siglos de oro españoles, el pensamiento moderno (el existencialismo, el psicoanálisis), ecos que recuerdan de Kafka a Faulkner y una profunda huella de James Joyce. A todo ello hay que añadir disertaciones artísticas o estrictamente literarias (sobre la novela americana y la francesa...). De esta manera, hábilmente mezclada descripción y exégesis, vida social y cultura, potencia la significación de una novela que, de otro modo, se hubiera reducido al testimonio del fracaso de una dubitante vocación personal.[16]

2) *La renovación*

La señal de alerta lanzada por *Tiempo de silencio* no era un indicio aislado e intrascendente y a lo largo de esa década se encadenan los acontecimientos que conducen a la renovación, a la que se llega de una manera gradual. Las concepciones más abiertas preludiadas por Martín-Santos han resultado victoriosas con claridad en 1966, fecha en la que tenemos varias pruebas irrefutables de ese triunfo. En ese año, como antes hemos recordado, se publican *Señas de identidad*, de Goytisolo, *Últimas tardes con Teresa*, de Marsé, y *Cinco horas con Mario*, de Delibes. Los tres títulos son, entre sí, suficientemente distintos, y ya nos hemos referido a ellos al hablar de sus respectivos autores. Ahora conviene sintetizar lo que esos libros significan en aquel momento de nuestra prosa narrativa. El de Delibes mostraba una sincera adhesión a procedimientos expresivos más actuales que los que había cultivado hasta entonces el narrador. Era, ade-

16. Los estudios sobre *Tiempo de silencio* son ya numerosos. En A. Rey [1980] se encuentra una completa monografía que contiene abundante bibliografía. De ésta conviene destacar Curutchet [1973], Grande [1968], Morán [1971], Villegas [1973], Roberts [1973] y el prólogo de José Carlos Mainer a *Tiempo de destrucción*.

más, un ejemplo de preocupación estilística que un escritor de la generación mayor ofrecía a la siguiente. Marsé no sólo se desprendía del objetivismo mediosecular sino que, incluso, hacía un relato crítico de aquella literatura, un pequeño *Quijote,* como se dijo, de la propia novela social. Por otra parte, frente a la severidad moral de la narrativa del medio siglo, introducía el humor y el desenfado en el relato, tras la huella de Martín-Santos. Goytisolo, por fin, ofrecía un ejemplo de empleo libre de recursos experimentales y ya no se centraba en el análisis de un problema específico de un sector social concreto sino que trataba de ofrecer una imagen global —histórica y actual— del país. Los tres libros, pues, cristalizaban un estado de opinión sobre los rumbos que debía surcar nuestra novela.

Nuevas señales de la crisis y de la búsqueda de soluciones se encuentran en estos finales de los años sesenta, en los que conviven, narrativamente, los autores de la primera promoción de postguerra y los de la generación del medio siglo, a los que pronto se suma una nueva promoción a la que en seguida me referiré. Algunos novelistas de la primera postguerra, quizás deseosos de adherirse a un ambiente de entusiasmo formalista, no tienen reparo en introducir numerosos experimentos en sus libros. Es el caso muy notorio de Cela con *San Camilo 1936* (1969) o el muy llamativo de Delibes en *Parábola del náufrago* (1969). Mientras, sorprende el prolongado silencio que guardan varios novelistas del medio siglo y que, más que a incapacidad, debe achacarse a una fecunda reflexión personal, ya que, algunos, confirmarían más tarde la persistencia de su temple narrativo. Aunque Sánchez Ferlosio nunca haya vuelto al relato extenso, otros reaparecen años más tarde, por ejemplo Caballero Bonald, García Hortelano o López Pacheco. Cuando retornan, ya en los años setenta, lo hacen con una voluntad imaginativa, con un aparato lingüístico completamente renovado y con una estructura formal nada convencional. Los novelistas de esta misma promoción que han mantenido una regularidad en su producción, siguen un camino semejante: abandonan el objetivismo por un relato de complicada estructuración, de notable preocupación artística, imaginativo. Así se ve en Antonio Ferres, en Alfonso Grosso, en Ramón Nieto, en Daniel Sueiro, en Luis Goytisolo. El caso de Francisco Candel, que permanece fiel a anteriores concepciones, no puede decirse que sea único, pero sí excepcional.

La rápida y espectacular transformación que se produce en nuestra prosa narrativa en la década de los sesenta tiene un reflejo muy expresivo en un novelista que en sólo un par de años, a finales del decenio, se convierte en un escritor de prestigio, al menos en círculos cultos, JUAN BENET. Aparte del intrínseco valor de sus libros, Benet interesa en este panorama como un síntoma de época. No se puede ignorar lo que la destemplada imagen pública del escritor —detractor hasta los límites del insulto de grandes personalidades literarias, Galdós o Dostoievsky, por ejemplo— haya podido influir en su popularidad —minoritaria pero muy firme—, la cual, ante todo, se debe a unas circunstancias históricas que facilitan la difusión de una literatura que se hace sobre modelos míticos y que rechaza una transcripción mimética del mundo. En efecto, Benet pertenece por cronología, por círculo de relaciones, por sus primeros tanteos literarios en *Revista Española*... a la generación del medio siglo. En 1961 publica un libro de relatos, *Nunca llegarás a nada,* que pasa completamente desapercibido. En cambio, a partir de *Volverás a Región* (1968) se inicia un aprecio de su escritura que se confirma poco después con la aparición de *Una meditación* (1970). La diferente recepción de esas obras no se basa en un cambio cualitativo en el escritor, pues en aquellos relatos se encontraban ya su característico espacio narrativo —Región—, los temas a los que una y otra vez volverá y una actitud estilística semejante. La razón hay que buscarla en un clima estético diferente que, con diez años de diferencia, permite la difusión de una literatura de las características de la de Benet.

La obra de Benet, en términos generales, supone un interesante intento renovador caracterizado por una visión elíptica e intelectualizada de la realidad. En este propósito se funden, junto con la poderosa personalidad del escritor, innegables influjos extranjeros, de forma destacada los de Proust y Faulkner. Y, además, un rechazo casi visceral de la narrativa que cuente una historia y que se sustente sobre moldes costumbristas o documentales.

Casi todos los libros de Benet exigen una paciente lectura y son densos, oscuros y bastante herméticos. Ha creado un peculiar mundo novelesco —localizado en la mencionada «Región», escenario presente ya en aquel inicial volumen de relatos— en el que ruina y destrucción, física y moral, aparecen como constantes *leitmotivs.* Sus argumentos, caracterizados por la desfiguración espacio-temporal, con una historia carente de linealidad y deliberadamente camuflada, bordean con frecuencia el peligro de convertirse en una literatura críptica. En las novelas de Benet, el «asunto», entendido en términos tradicionales, importa menos que esa especie de disertación sobre una constelación de temas: el tiempo, la historia, la muerte, la razón, el sentimiento... Estos motivos aparecen entremezclados en una constante exploración del recuerdo que da lugar a lo que tal vez sea su mayor acierto como narrador, una hábil disposición para presentar la estratificación de la memoria. De todas formas, desde sus dos primeras novelas —*Volverás a Región* y *Una meditación*— a sus más recientes, existe un proceso de clarificación del relato que, pasando por *Una tumba* (1971), *Un viaje de invierno* (1972), *La otra casa de Mazón* (1973), *En el Estado* (1977), y *Saúl ante Samuel* (1980), llega a su máxima diafanidad en *El aire de un crimen* (1980), sin que por ello resulten nunca del todo transparentes.

El espacio imaginario de todos estos libros es, como he dicho, Región, deudor inmediato del conocido condado creado por William Faulkner. No es un espacio fantástico, pues en su configuración interviene una visión alegórica de España en la que es reconocible nuestra historia próxima y sus traumatizantes consecuencias para el vivir colectivo. Pero la hojarasca verbal y la discontinuidad cronológica le daban la fisonomía de algo inventado. El último título de la saga «regional», *Herrumbrosas lanzas* (1983), ha venido a mostrar que existe un trasfondo realista bastante más intenso de lo que se había pensado. Ésta es una novela de la guerra civil, con muy explícitas referencias al espacio y al tiempo («Región» constituye una bolsa republicana durante la contienda de 1936). En ella se encuentran numerosos indicios para la reconstrucción del medio histórico y físico de las anteriores. Además, es una novela de confección bastante tradicional, muy interesada por el relato de sucesos y anécdotas y con una línea argumental diáfana. Incluso, el recurso a técnicas de la literatura popular y folletinesca recuerda en muchas ocasiones un sistema constructivo próximo al de los *Episodios Nacionales* de Pérez Galdós. Especial mención merecen los relatos cortos de Benet (*5 narraciones y dos fábulas,* 1972; *Sub rosa,* 1973; recogidos en *Cuentos completos*, 1977), en algunos de los cuales alcanza sus mejores aciertos expresivos.

Finalmente, es necesaria una mención al estilo de Benet. Todos sus libros se caracterizan por una prosa muy exigente, de una gran riqueza léxica y de inusual complejidad sintáctica. Sin embargo, con frecuencia el léxico cae en el rebuscamiento innecesario, en reiteraciones no expresivas o en redundancias que no añaden nada conceptualmente. La sintaxis abusa de proposiciones parentéticas que enmarañan la lectura y restan expresividad al discurso. Ambos factores producen una impresión de vigor intelectual que resulta bastante superficial.[17]

3) *La experimentación. La generación del 68*

Ya hemos anunciado cómo de modo paralelo al desarrollo de las tendencias que acabamos de describir, tiene lugar la aparición pública de unos más jóvenes narradores. En términos cronológicos, se pueden tantear unas fechas que sirvan para centrar este fenómeno. Se trata de escritores nacidos, aproximadamente, entre 1936 y 1950, y que publican sus primeros libros entre, también de manera orientativa, 1968 y 1975. Estos datos cronológicos vienen acompañados por una radicalmente distinta concepción de la literatura, que se preocupa, sobre todo, por la estructura novelesca, por las técnicas narrativas y que concentra su esfuerzo en la investigación del lenguaje. (Cf. cap. 1., pp. 42-46). Así, en pocos años, hacia finales de los sesenta, se impone una novela minoritaria e intelectualista. De manera casi repentina, aparece una narrativa experimental que viene firmada por José María Guelbenzu, Ramón Hernández, Antonio F. Molina, Pedro Antonio Urbina. También surge, con gran fuerza, una novela surrealista u onírica, al borde, a veces, del automatismo de conciencia, que aparece en libros de algunos de los citados (Molina, Urbina) y en J. Leyva o Vicente Molina-Foix, y que tiene un precedente en los relatos de Fernando Arrabal.

Las influencias de la literatura extranjera cambian de manera muy sensible de orientación y el ascendiente de la generación maldita norteamericana o del neorrealismo italiano es sustituido por la autoridad de los grandes renovadores formales (desde Joyce o Gide a Beckett) y de Kafka; el influjo del autor de *La metamorfosis* es tan fuerte que bastantes de los relatos por entonces editados se pueden describir por su clima kafkiano (como homenaje directo hay que entender *Leitmotiv,* de J. Leyva, y algo de parodia se halla en *Parábola del náufrago,* de Delibes).

El signo distintivo de esta nueva narrativa es su entusiasmo formalista, hasta el punto de que, a veces, se ha hablado de antinovela. Y no faltan razones para adjudicarle esa etiqueta, pues

17. Sobre Juan Benet existe un repertorio bibliográfico: M. A. Compitello [1978]. El trabajo de conjunto más importante es el de D. Villanueva [1976]. Téngase en cuenta la edición de *Un viaje de invierno* preparada por D. Martínez Torrón (Madrid, 1980). Sobre algunos novelistas que participan en el cambio que se opera en los años sesenta, puede verse A. M. Navales [1974] y E. Guillermo y J. A. Hernández [1971].

se expande un propósito generalizado de atentar contra los más decisivos y consolidados elementos que habían constituido la espina dorsal del relato moderno de tradición cervantina. Si la novela, hasta entonces, había concedido un lugar privilegiado a la narración de una anécdota bastante nítida; si, por decirlo de otra manera, casi siempre contaba una historia, ahora se reniega de los libros que narran sucesos y el argumento se difumina o, sencillamente, no aparece. Elemento importante de la tradición narrativa había sido el personaje que, en el papel de protagonista, solía adquirir dimensiones hegemónicas y sobresalientes, hasta el punto de convertirse en un punto de referencia insustituible en la memoria del lector (Ana Ozores en *La Regenta,* Benina en *Misericordia,* Manuel Alcázar en *La busca,* etcétera, etcétera). Poseía acusados caracteres personales (hábitos de vestir o comer, modos de hablar...) y conocíamos su historia con frecuencia desde un par de generaciones precedentes. En estas nuevas novelas es un ser difuso, sin atributos particulares, sin perfiles físicos..., en fin, un antihéroe en el que el lector no se podía identificar. Esas inconcretas historias, encarnadas por unos desvaídos personajes, ya no podrán desarrollarse en un lugar y una época tan precisos y minuciosamente descritos como es habitual en los relatos tradicionales. Espacio y tiempo padecen no menores transformaciones. El espacio se reduce y comprime y, a veces, no es sino un escenario indiferente —incluso no físico— sobre el que tienen lugar esos mínimos anecdóticos. El tiempo sufre toda clase de manipulaciones. El relato lineal y cronológico se evita como un pecado de lesa literatura y se instauran mil formas de fraccionarlo o de recuperarlo mediante la memoria y las asociaciones casuales o de condensarlo hasta reducir la duración externa a unas pocas horas.

Paralelo a este proceso de transformación (tal vez fuera mejor decir de destrucción) de los componentes del relato tradicional se produce un enriquecimiento de los recursos técnicos. Notable por su expresividad y por la frecuencia con que se usa es el monólogo interior, que trata de captar los estados de conciencia; como éstos pueden ser bien conflictivos, se llega, incluso, a un monólogo caótico en el que el lenguaje no tiene sentido porque intenta reproducir estados de completo desgarramiento interior. Una auténtica adquisición de la técnica novelesca de estos momentos afecta al «punto de vista»: me refiero al empleo sistemático de la segunda persona, un tú de autorreproche que permite ahondar con verosimilitud en la conciencia del individuo.

No podemos extendernos en la descripción de estos y otros pormenores de la renovación formal, pero sí debemos recalcar que durante unos años cualquier escritor que se preciase acometía su pequeña o gran experimentación, alteraba todos o alguno de los elementos tradicionales del relato, buscaba nuevas posibilidades al espacio o al tiempo... y abjuraba de toda ficción hecha sobre moldes establecidos y renegaba de los libros que contaban una historia. A la vez, algunos se lanzaban por la vía de la pura experimentación. Por ejemplo, se reivindica el valor expresivo de la tipografía —a la manera de las vanguardias de los veinte—, se incluyen dibujos en el texto novelesco o se dejan páginas en blanco. La linealidad del fenómeno literario —convención que todos admitimos sin mayores reparos— trata de resolverse mediante la página de doble columna o el texto que alterna diferentes contenidos. En fin, se llega a la novela meramente lúdica. Recordaré tan sólo una, y de un novelista algo mayor, *Juego de cartas,* de Max Aub: un estuche semejante al de una baraja convencional contiene unos naipes sobre una de cuyas caras está impresa la novela. En fin, como muestra del radical cambio operado no tenemos más que fijarnos en la singularidad de los propios títulos de las novelas, que a veces acogen una pintoresca fauna (*Un caracol en la cocina*; *El león recién salido de la peluquería,* de A. F. Molina; *La primavera de los murciélagos,* de J. Leyva; *Gorrión solitario en el tejado,* de P. A. Urbina; *El buey en el matadero,* de R. Hernández; *El camaleón sobre la alfombra,* de J. J. Armas Marcelo) o unas enigmáticas fórmulas (*Cuando 900.000 mach. aprox.,* de M. Antolín; *P. Dem. A' S,* de E. Sánchez Ortiz).

Mencionaremos a continuación a buena parte de los narradores de esta generación experimental y daremos, por lo general, una breve información de su obra. Antes, no obstante, es preciso hacer alguna precisión. Mantenemos la cronología mencionada pero con cierta flexibilidad para que no nos obligue a excluir a escritores que no la cumplen estrictamente, pero que se mueven dentro de la órbita señalada. No incluimos aquí a autores —a los que trataremos de dar un emplazamiento más adecuado— que, aun coincidiendo con esa cronología, no hayan participado de tales actitudes renovadoras. En fin, el apogeo experimental no duró mucho tiempo, pues tuvo algo de moda y antes de 1975 había dejado de interesar (no sus aportaciones que, desde entonces, se han incorporado de manera regular a nuestra narrativa). Esto supone que varios de los autores aquí agrupados se iniciaron en aquel entusiasmo y, luego, han seguido caminos distintos. Por poner un ejemplo, bien poco tiene que ver el Pepe Carvalho de la última historia de Vázquez Montalbán con su primeriza *Recor-*

dando a Dardé. Aquí se incluyen a partir de ese rasgo fundacional, cualquiera que haya sido su evolución posterior.[18]

CARLOS ALFARO (1947) revela en *Easy Joe dice sí a Chile Walker* (1974) el influjo de los *mass media* característico de los novísimos, aunque sea con carácter antimítico y crítico del modo habitual de presentar el oeste americano dentro de la tradición fílmica. La concepción del relato es novedosa, en especial por lo que se refiere a las coordenadas temporales. También ha publicado la novela corta *Crónica sobre César* (1980) y un libro de relatos, *Señales de humo* (1978).

JAVIER DEL AMO (1944) publica precozmente *El sumidero* (1965) y sus libros posteriores (*Las horas vacías*, 1968; *La espiral*, 1972; *El canto de las sirenas de Gaspar Hauser*, 1973; *Del cielo cuelgan ciudades*, 1977) son ejemplares de ese tipo de literatura intelectual que más que interesarse por la acción o por los tipos, se preocupa por la reflexión y la especulación, en este caso de la naturaleza humana, y bordea las fronteras del ensayo.

De MARIANO ANTOLÍN RATO desconozco la fecha de nacimiento, pero no me cabe la menor duda de que el lugar que le corresponde es éste, ya que *Cuando 900 mil mach. aprox.* (1973) y *De vulgari Zyklon B manifestante* (1975) llegan a la más extremada disolución de todos los elementos característicos del relato, incluido el lenguaje, hasta el punto de no quedar en esos libros prácticamente nada de una novela tradicional.

JORGE G. ARANGUREN utiliza moderadas técnicas innovadoras en *El cielo para bwana* (1977), relato de ficción científica sobre los peligros del desarrollo técnico.

J. J. ARMAS MARCELO (1946) mantiene, desde su primer título, *El camaleón sobre la alfombra* (1974), una decidida voluntad de estilo y un propósito de hacer una narrativa densa, muy exigente en su construcción formal, que fragmenta o esconde el hilo argumental pero que no oculta una permanente indagación crítica

18. La última parte de Sobejano [1975] explica convincentemente la evolución hacia lo que el crítico llama «novela estructural». Para el análisis formal de esas novelas puede consultarse Sanz Villanueva [1972] y T. Yerro [1977], y, en lo que concierne a los aspectos particulares que subrayan sus títulos, véanse D. Villanueva [1977] y S. Burunat [1980]; para la segunda persona narrativa es imprescindible el clásico estudio de F. Ynduráin [1969].

Dada la inmediatez de los fenómenos reseñados en este epígrafe, son escasas las monografías que estudian estas tendencias y sus autores. El manual que presta más atención a estos novelistas es el de Soldevila [1980]. Se puede seguir la trayectoria de esta narrativa en los informes de D. Villanueva en el *Año literario español* y en la revista *Anales de la novela de posguerra* (luego *Anales de la literatura española contemporánea*). Sobre R. Hernández, véase Cabrera-González del Valle [1978].

sobre el hombre. Todos sus libros se mueven en parecida dirección: *Estado de coma* (1976), *Calima* (1978), *Las naves quemadas* (1982). Este último parece indicar que las innovaciones en el espacio o en el tiempo, la fragmentación del discurso no ha obedecido sólo a un puro experimentalismo sino al deseo de buscar unos recursos que proporcionen mayor profundidad, riqueza y verosimilitud al relato y que resultan afortunados para la visión mítica de una geografía exótica (con trasfondo canario y americano) y para una historia que oscila entre el documento y la pura imaginación, y que entronca, a la vez, con la visión mágica de la literatura hispanoamericana.

FÉLIX DE AZÚA (1944), ha publicado, aparte algún relato, *Las lecciones de Jena* (1972) y *Las lecciones suspendidas* (1978), textos densos y difíciles, autorreflexivos, potenciadores del lenguaje, buceadores de la conflictividad interior y repletos de alusiones —veladas o explícitas— al mundo de la cultura y del sentimiento artístico.

JUAN CRUZ RUIZ (1948) debiera incrementar su dedicación, hasta ahora no muy frecuente, a la novela, pues su primer libro, *Crónica de la nada hecha pedazos* (1972), mostraba la existencia de un conflictivo mundo interior, muy denso y lúcido, cuya exploración ha continuado en *Naranja* (1975) y, en cierto modo, bastante más tarde, en *Retrato de humo* (1982). En aquellos libros había un entusiasmo renovador que fraccionaba el relato, diluía la anécdota y hacía imprecisa la protagonización. Pero todo ello era muy deliberado —lo mismo que la tensión lírica de la prosa— para desrealizar unas angustias íntimas que reflejen un estar del hombre en el mundo, y a la vez, potenciarlas. Aquella voluntad formal servía para presentar una meditación desgarrada de una infrecuente autenticidad que, además, tras la carga onírica o surrealista de muchos fragmentos, remitía por extensión a una realidad tangible.

FERNANDO G. DELGADO (1947) publicó en 1973 *Tachero,* que desconozco, y ha vuelto al relato, aparte otras actividades intelectuales, con *Exterminio en Lastenia* (1980), libro dentro de esta general tónica innovadora que venimos comentando.

MIGUEL ESPINOSA (1926-1982) pertenece, según estrictos criterios cronológicos, a la generación del medio siglo, pero es escritor tardío —y, por desgracia para nuestras letras, prematuramente desaparecido— y sus libros responden a las inquietudes que antes he descrito. Su primera novela, *Escuela de mandarines* (1974), revela una insólita madurez y fue recibida con entusiasmo por la crítica, que señaló en ella uno de esos libros de verdad singulares que aparecen de tarde en tarde.

Ésta es una especie de gran parábola de la historia del hombre que se carga de elementos culturales, digresiones narrativas, intelectuales y éticas. Es un libro imaginativo pero de concepción moral —en el fondo se encuentra una indagación sobre la libertad—, con frecuentes episodios de gran interés narrativo y con una estudiada prosa, de cierto y adecuado sabor clásico. Un semejante cuidado en la elaboración se desprende de *La tríbada falsaria* (1980), paródica, ingeniosa y amena exposición de unas complicadas relaciones sentimentales y eróticas.

JOSÉ ANTONIO GABRIEL Y GALÁN (1940) va configurando en sus sucesivos títulos —*Punto de referencia,* 1972; *A salto de mata,* 1981; *La memoria cautiva,* 1981— una reiterada exploración de la intimidad conflictiva que se debate entre el presente y el peso ineludible de la memoria. Con una gran libertad de concepción, con una prosa que a veces se aproxima al estilo de la lírica, la memoria se proyecta como un ejercicio de lucidez de una visión no muy positiva del hombre actual.

JOSÉ MARÍA GUELBENZU (1944) destacó en fecha temprana como uno de los más decididos y voluntaristas narradores experimentales, que, incluso, hacía que el propio proceso de creación de la novela se convirtiera en meta del relato. Estos planteamientos afectan a sus dos primeros títulos —*El mercurio* (1968), *Antifaz* (1969)—, pero, tras un prolongado silencio, renuncia a aquel entusiasmo formalista y culturalista y se inclina por unas historias bastante tradicionales y por una problemática interiorista en *El pasajero de ultramar* (1976), *La noche en casa* (1978) y *El río de la luna* (1981).

RAÚL GUERRA GARRIDO (1936) es un escritor regular, con un poderoso instinto novelesco, con una gran capacidad para mantener el interés de una historia anecdótica que remite, además, a acuciantes problemas contemporáneos. No obstante, hasta llegar a este que parece ser su modo literario más natural, se puede señalar en él una fuerte voluntad experimental en *¡Ay!* (1972) y un auténtico experimento sobre la posibilidad de generar una novela a través de una computadora en *Hipótesis* (1975). En otras, se inclina con claridad hacia el testimonio, por ejemplo en *Cacereño* (1969), sobre la difícil inserción de la emigración laboral en el País Vasco. En la mayor parte, destaca un gran interés por el relato, del que se desprende un enjuiciamiento crítico de nuestra sociedad: *Ni héroe ni nada* (1969), *Lectura insólita de «El Capital»* (1977), *Pluma de pavo real, tambor de piel de perro* (1977), *Copenhague no existe* (1979), *La costumbre de morir* (1981), *Escrito en un dólar* (1982). Varias de éstas se sitúan en Euskadi —escenario predominante en Guerra Garrido—

y tratan los aspectos más conflictivos de su historia contemporánea.

RAMÓN HERNÁNDEZ (1935) ha expresado en alguna ocasión su desconcierto por el relativo retraimiento de la crítica ante su obra, y no le falta razón, pues, con extraordinaria profesionalidad y regularidad, ha dado a conocer ya una labor de considerables dimensiones: *El buey en el matadero* (1967); en su segunda edición titulada *Presentimiento de lobos,* 1979), *Palabras en el muro* (1969), *La ira de la noche* (1970), *El tirano inmóvil* (1970), *Invitado a morir* (1972), *Eterna memoria* (1975), *Algo está ocurriendo aquí* (1976), *Fábula de la ciudad* (1979), *Pido la muerte al Rey* (1979), *Bajo palio* (1983). Explicar esta extensa obra es un reto para el crítico y espero —ya que en este libro el espacio lo impide— que en otra ocasión pueda ofrecer razón detallada de uno de los mundos novelescos más sugestivos surgidos desde finales de los sesenta. Por ello, ahora, sólo haré unas someras indicaciones. La novelística de Ramón Hernández responde, desde sus inicios, a una permanente obsesión de dar cuenta de un mundo degradado en su realidad exterior y que se refleja en unos seres que lo padecen en sus limitaciones físicas o torturas mentales. Fundamentalmente, lo que describe no es aquélla sino su capacidad de alterar y afectar al individuo, los agudos conflictos que éste padece y que llegan a rozar la locura. La de Hernández es una visión trágica de la existencia, en la que, por otra parte, parece haber una cierta esperanza. El mundo exterior es muy real —a veces, incluso, de notación costumbrista—, pero presentado en un proceso de desrealización que da paso a las galerías secretas de la persona, de donde surge el tono alucinatorio de muchos de sus libros, reforzado por un intenso surrealismo. Todos estos caracteres conceden a la obra de Ramón Hernández una básica unidad —dentro de una pluralidad de matices— soportada sobre una acusación contra la sociedad, que hace posible la infelicidad.

Esta mezcla de realidad e imaginación se acompaña con una técnica narrativa que, en ocasiones, busca una relativa claridad en la exposición pero que, generalmente, manifiesta una clara actitud vanguardista. Son numerosos los recursos experimentales que emplea, incluso tipográficos. El relato se fractura o pierde continuidad. Los personajes se difuminan. Se busca una ambigüedad entre verdad y fantasía, entre mundo exterior e interior, que potencia el sentido universal de sus libros y que se nota, por ejemplo, en la inhabitual onomástica de los personajes. Así, sin olvidar lo tangible e inmediato, Hernández apunta hacia la universalidad.

José Leyva (1938) fue recibido con cierto entusiasmo y admiración por la crítica al aparecer *Leitmotiv* (1972), pero luego, sobre una narrativa de fundamentos parecidos a la primera, no ha mantenido esa expectación con *La circuncisión del señor solo* (1972), *Heautontimoroumenos* (1973), *La primavera de los murciélagos* (1974) o *La calle de los árboles dormidos* (1974). Se trata de un escritor de neto vanguardismo, que incorpora sin limitaciones la irracionalidad y el absurdo, y el que sigue más de cerca la huella de Kafka, en cuyo homenaje, incluso, se puede entender su primera novela. Su experimentalismo llega a la destrucción de todos los elementos del relato, la tipografía adquiere formas caprichosas, pero expresivas, y el relato llega a sustituirse por unas ilustraciones o «iconogramas».

Javier Marías (1951) es partícipe, en sus dos primeras novelas, *Los dominios del lobo* (1971) y *Travesía del horizonte* (1972), de la sensibilidad novísima que le lleva, muy acusadamente, a desligarse de la tradición narrativa hispana. Su narrativa es culturalista —su punto de referencia es la literatura y el cine— y reflexiva, aunque, su último libro, *El siglo* (1983), parece inclinarse por una mayor presencia de la historia.

Juan José Millas (1946) participa de los nuevos aires narrativos por la creación de un mundo denso, a veces de profundo hermetismo, por su vocación introspectiva, pero en buena medida es un escritor de concepción bastante clásica en *Visión del ahogado* (1977), *El jardín vacío* (1981) o *Papel mojado* (1983). Sus más recientes libros acusan una fuerte inclinación a narrar historias.

Antonio F[ernández] Molina (1927) se inicia tardíamente en la narrativa (aunque, como hombre de letras, su actividad sea más temprana y muy amplia) y es uno de los máximos exponentes de una postura libérrima frente al texto, en la que combina una resuelta actitud surrealista, reivindica el valor expresivo de la tipografía e, incluso, introduce dibujos en el relato. *Solo de trompeta* (1965) parte de la situación en el mundo de un marginado —por su doble condición de enano y de demente— y analiza los pasos que conducen a la locura, desde la que, además, la realidad tiene otra perspectiva. Esa libertad vanguardista es total en *Un caracol en la cocina* (1970) y dentro de una declarada vocación surrealista se halla *El león recién salido de la peluquería* (1971). Sin renunciar a esos postulados básicos, *Dentro de un embudo* (1973) se caracteriza por un sentido fragmentario, próximo a la tensión lírica.

Vicente Molina-Foix (1946) practica también una literatura culturalista —cuyas referencias fundamentales, al igual que otros escritores de su generación, son literarias y cinematográficas—, de exploración de angustiados mundos interiores, y destructora del relato tradicional en *Museo provincial de los horrores* (1970), *Busto* (1973), *La comunión de los atletas* (1979).

Emilio Sánchez Ortiz (1933), aunque por edad algo mayor que otros autores incluidos en este apartado, por fechas de primeras publicaciones y por su actitud anticonvencional y de ruptura del relato merece figurar junto a los narradores experimentales con *P. Dem. A³ S* (1973) y *Cero* (1975).

Javier Tomeo (1931), también de edad algo superior a los restantes compañeros de promoción artística, es, indiscutiblemente, representante de estas tendencias vanguardistas a las que incorpora con entusiasmo procedimientos renovadores, inclinación metaliteraria (incluye en el relato la propia literatura) y una actitud irracionalista, de clara filiación faulkneriana en *El cazador* (1967), *Ceguera azul* (1969), *El unicornio* (1971), *Los enemigos* (1974).

Cargenio Trías es el nombre literario adoptado para la creación de una interesante novela, fuertemente experimental, *Santa Ava de Addis Abeba* (1970), por los hermanos Carlos y Eugenio Trías.

Pedro Antonio Urbina (1936) es novelista que pese a su interés y a la dimensión de su obra, no ha logrado reconocimiento crítico, debido, quizás, a las prevenciones que suele propiciar un escritor innovador y a los poco habituales lugares en que ha publicado. Aparte algunos relatos para un público juvenil (*La otra gente,* 1976, escritos en 1963), ha editado las novelas *Cena desnuda* (1967), *El carromato del circo* (1968), *La página perdida* (1969), *Días en la playa* (1969), *Gorrión solitario en el tejado* (1972), *Una de las cosas* (1973). Se trata de un escritor volcado hacia la intimidad y el análisis de la soledad y el desvalimiento, crítico respecto al mundo y, a la vez, espiritualista, con propósitos de trascendencia universalista (lo revelan las infrecuentes onomásticas de sus personajes), de una considerable veta imaginativa que le ha llevado, incluso, al relato de la utopía. Respecto a la forma, adopta una postura renovadora. Parte de esos libros tienen una concepción dramatizada y presentan *dramatis personae*; utiliza el doble relato diferenciado tipográficamente y acude al valor expresivo del espacio dejando, por ejemplo, páginas en blanco.

José María Vaz de Soto (1938) empieza con un relato de gran pulso narrativo y cuya eficacia y acierto se ponen de relieve al enfrentarlo con la importante tradición de novelas que han abordado el proceso de acceso a la experiencia a través de la educación, en el que con claridad se inscribe ese libro, *El infierno y la brisa* (1971). La búsqueda de un espacio personal en nuestras letras —al margen de la fortuna de su primer título— la materializa en unos libros que —sobre un esquema no insólito pero tampoco abundante, el relato dialogado— constituyen una aportación renovadora: *Diálogos del anochecer* (1972), *El precursor* (1975), *Fabián* (1977), *Fabián y Sabas* (1982), *Diálogos de la alta noche* (1982). La conversación interminable (porque podría prolongarse, y de hecho pasa de una novela a otra) de los personajes, solitarios, encerrados y enfrentados, y con el lenguaje como elemento básico para reconstruir no sólo la historia sino su personalidad, permite un ahondamiento en la realidad, en los mitos y problemas de nuestro tiempo, de modo que las conversaciones no son tanto coloquio sobre temas particulares como repertorios de motivos inquietantes para el hombre actual.

Las dificultades para encuadrar en el lugar más conveniente que mejor describa una trayectoria literaria enunciadas a propósito de diversos escritores se acentúan con HÉCTOR VÁZQUEZ AZPIRI (1931). Su aparición como novelista es temprana, en 1956, con una novela de concepción bastante tradicional y muy argumental, centrada en los maquis asturianos y en propias vivencias, *Víbora*. Otros libros suyos tienen semejantes orígenes testimoniales o memorialistas como *La arrancada* (1965) o *La navaja* (1965). El fuerte instinto de narrar historias le ha llevado también al campo de la biografía o de la historia documental y sobre un escenario asturiano y pasado —la guerra de la Independencia— ha escrito *Juego de bobos* (1972), de carácter desmitificador y con ribetes esperpénticos. En esa trayectoria, parece un libro insólito *Fauna* (1968), monólogo obsesionante de frustraciones personales que tuvo gran repercusión en la narrativa renovadora por el entusiasmo experimentalista —utiliza muy variados recursos—, surgido en un momento clave de los inicios de este movimiento.

MANUEL VÁZQUEZ MONTALBÁN (1939) se mueve, inicialmente, en el campo de la renovación, patente en su primer título, *Recordando a Dardé* (1969), de carácter desmitificador, fantástico e incluso humorístico. Otros libros suyos tienen rasgos experimentales —*Happy end* (1974), *Cuestiones marxistas* (1974)—, pero en todos hay un trasfondo crítico. Ésta es la línea dominante del conjunto de su obra, al margen de los registros que emplee y del género literario en que se plasme. Por ello sus novelas no pueden leerse al margen de sus otras polifacéticas actividades intelectuales: poeta, agudo periodista, ensayista... Su *Crónica sentimental de España* (1971) muestra, a partir de la recreación literaria de los años cuarenta, la dimensión documental y la tensión artística de su literatura (y ello a pesar de que no es un libro de creación). Este planteamiento global de la personalidad intelectual de Vázquez Montalbán halla una unidad de enfoque, en el campo de la narrativa, en una ya nutrida serie de títulos que giran en torno a un singular detective privado, Pepe Carvalho. Tanteadas las características del personaje en *Yo maté a Kennedy* (1972), se han perfilado en los libros posteriores: *Tatuaje* (1974), *La soledad del manager* (1977), *Los mares del sur* (1979), *Asesinato en el Comité Central* (1981), *Los pájaros de Bangkok* (1983). En principio, estos libros responden al esquema general de la novela negra, pero éste es sólo un pretexto para lograr un relato capaz de atraer y mantener la atención del lector, lo cual consigue muy bien Vázquez Montalbán por sus sobresalientes dotes de narrador. Las historias nutren la intriga, sin que ésta sea, en último extremo, sustancial. Lo fundamental es el empleo de esos recursos para incorporar al relato un agudo y sabroso análisis de la realidad nacional, tanto en sus conflictos histórico-sociales y políticos como en su dimensión cultural. Aparte la destreza en la construcción novelesca, es un hallazgo la configuración del tipo humano del investigador Carvalho.

Otros autores más deben tenerse en cuenta dentro de esta promoción, pero al no haber seguido vías experimentales, conviene mencionarlos aparte.

María Luz Melcón (1946) publicó en 1971 *Celia muerde la manzana,* interesante novela del acceso a la experiencia y de la educación sentimental, de factura bastante tradicional y de acertado ritmo narrativo. Tan prometedora salida no ha tenido, sorprendentemente, continuación.

Ana María Moix (1947) es la narradora más tradicional del grupo de novelistas vinculados con los novísimos. También guarda un prolongado mutismo después de su aparición que parecía augurar una gran regularidad como novelista, pues en poco tiempo publicó dos novelas —*Julia* (1969) y *Walter, ¿por qué te fuiste?* (1973)— y un libro de relatos —*Ese chico pelirrojo a quien veo cada día* (1971)—. Estas obras poseen una fuerte carga autobiográfica (o, al menos, parecen transmitir vivencias personales muy sentidas) que se convierte en una especie de testimonio desencantado del propio entorno de la escritora.

Francisco Umbral (1939) ocupa este último lugar en razón del criterio alfabético que he adoptado, pero es uno de los narradores más destacados de toda la literatura surgida en los años sesenta. Sus libros —y más aún su cotidiana labor de articulista— le han proporcionado una gran popularidad, la cual no es ajena al modo directo y mordaz con que lleva a sus páginas inquietudes de todos y de cada día. Esa crónica vibrante —a veces elegíaca, otras satírica— de la cotidianeidad es el componente básico de su amplia obra narrativa, y es preciso subrayarlo para evitar el malentendido de reprocharle al escritor la falta de estructura novelesca de sus libros. A cada autor hay que enjuiciarle por el acierto con que lleva a cabo las formas literarias que él mismo dispone como más adecuadas para sus fines. Y, creo, no se puede negar expresividad y eficacia a Umbral al materializar unos libros novelescos en los que mezcla inventiva (sobre todo lingüística), reportaje, autobiografía, digresiones culturales...

La novelística de Umbral, por otra parte, no es tan unívoca como, a veces, se ha dicho. Responde, por supuesto, a unas inquietudes básicas, pero alcanza registros bastante diferenciables. Aunque resulte un tanto inexacto reducir una obra extensa y compleja a unas pocas línea directrices, creo que, sin perjuicio de su variedad, se pueden vislumbrar tres grandes tendencias. La primera, coincidente con sus libros iniciales, permite inscribirle en las inquietudes del realismo crítico. A esta concepción responden la novela corta *Balada de gamberros* (1965) y *Travesía de Madrid* (1966); ésta es una desencantada y lúcida novela de la ciudad, de no menor eficacia testimonial que otros relatos precedentes —los ya mencionados de Cela o L. Romero— y de gran expresividad estilística. La segunda línea puede acoger relatos en los que predomina la emotividad, como, por ejemplo, *Si hubiéramos sabido que el amor era eso* (1969). No me parece que en este título consiga una adecuada decantación artística del sentimiento, pero, en este grupo figura *Mortal y rosa* (1975), que es, a mi parecer, su libro más certero y, a la vez, una de las piezas magistrales de la prosa narrativa contemporánea. Umbral reflexiona con un dolorido sentir sobre la muerte; ahonda en una emotividad entrañable y desgarrada; alcanza una extraordinaria intensidad poética que por momentos se aproxima a la prosa lírica. La tercera tendencia general de Umbral se puede poner bajo la advocación de uno de los títulos representativos de la misma: *Memorias de un niño de derechas* (1972). De hecho, se puede hablar de una serie de títulos que, con diversas acotaciones temporales, van reconstruyendo la vida cotidiana de la postguerra, desde los años cuarenta hasta nuestros mismos días. En esa serie se pueden incluir *Los males sagrados* (1973), *Las ninfas* (1976), *Las respetuosas* (1976), *La noche que llegué al café Gijón* (1977), *Los helechos arborescentes* (1980), *A la sombra de las muchachas rojas* (1981).

En todos los libros, por otra parte, debe destacarse la peculiar y rica prosa del escritor, repleta de variados registros del habla —desde el lenguaje metafórico a las formas populares y a los usos particulares de grupos sociales o humanos— y de una gran fluidez.

5. La narrativa en el exilio

La prosa narrativa de la «España peregrina» —expresión debida a José Bergamín— alcanza unas extraordinarias dimensiones, ya que forman parte de ella algunos de los más importantes y caudalosos novelistas de la postguerra, y, además, el número de títulos publicados llega a la cifra de varios centenares. El volumen de esta producción constituye la primera dificultad para su exposición ordenada —mucho más dentro de las reducidas dimensiones de este libro—, a la que debe agregarse un buen ramillete de problemas. Las ediciones fueron muy irregulares (en ocasiones del propio autor, con frecuencia en editoriales de precaria existencia) y resulta labor casi insuperable la reunión de un *corpus* completo de títulos. Tampoco existe una tradición crítica que haya decantado satisfactoriamente valores. La novelística en el exilio se ignora, todavía, en algunos manuales (en el de Martínez Cachero [1973], por ejemplo) y unos pocos escritores han alcanzado prestigio y han sido objeto habitual de los estudiosos frente a otros de notable interés pero absolutamente olvidados (por recordar un solo nombre, mencionaremos a Paulino Masip). No se hallan —o, al menos, a mí no se me alcanzan— seguros criterios cronológicos, formales o temáticos que faciliten una descripción general que no sea una simple enumeración de individualidades. Téngase en cuenta —por ilustrar esas dificultades— que en el exilio conviven escritores que nacen con más de medio siglo de distancia (desde Luis Santullano, 1871, hasta Roberto Ruiz, 1925) y coexisten obras de planteamientos totalmente decimonónicos con otras del más libre vanguardismo. Además, debe suscitarse una cuestión previa a todas las demás: estamos utilizando un fenómeno histórico y político al servicio de un deslindamiento artístico. Por lo común, la crítica tiende a considerar la literatura trasterrada en un apartado incomunicado con la del interior, lo que supone segregar una parte del todo. Sólo un estudioso (Soldevila [1980]) ha presentado de manera conjunta y paralela ambas manifestaciones. Aquí seguimos el criterio de separarlas por razones en las que no podemos demorarnos, pero es inexcusable advertir que forman parte de una única tradición, cualquiera que haya sido el escenario de su redacción. Un nuevo problema tenemos aún que considerar: la incidencia del exilio en la labor novelesca de quienes lo protagonizaron. No todos los trasterrados reflejaron las nuevas circunstancias en su literatura y tendremos, pues, que separar lo que es una dramática vivencia personal y su influencia en la obra de creación (por ejemplo, Benjamín Jarnés fue novelista en México, pero su parva labor aquí responde a una estética conformada con anterioridad). Por consiguiente, han de considerarse novelistas del exilio quienes, además de padecer una lacerante experiencia vital, dieron de ella —de sus orígenes o de sus consecuencias— una interpretación artística o se vieron afectados —en cuanto escritores— por aquellas circunstancias.

Ya he dicho que la narrativa del exilio no es un fenómeno homogéneo y coherente. Por lo que concierne a la cronología, a grandes rasgos, se detectan tres amplios grupos. El de los mayores está integrado por narradores nacidos antes de fin de siglo. El intermedio por los que nacieron entre éste y, aproximadamente, 1915. El tercero está compuesto por los hijos de los exiliados, que conocieron el destierro desde la infancia. Los miembros del primero tenían su personalidad literaria formada antes de la emigración (con alguna excepción como la de Arturo Barea, ya que su aparición como narrador es tardía). Los del segundo inician su producción fuera de España o se encontraba sólo en sus comienzos en el momento de su marcha (la excepción más notable es la de Sender). Los del tercer grupo han desarrollado toda su obra dentro por completo de la órbita cultural de los países que los acogieron. Estos grupos no constituyen, sin embargo, manifestaciones unitarias, pues dentro de cada uno, los autores están condicionados por su propia personalidad y no responden a tendencias colectivas. Sin olvidar, pues, esta última indicación, el núcleo fundamental de la novelística en el exilio está constituido por una larga lista de narradores cuyas fechas de nacimiento se sitúan entre 1900 y 1915, aproximadamente. Si atendemos al criterio de obra publicada, que también puede resultar práctico, podemos distinguir a aquellos escritores con significativa trayectoria anterior a 1939 de otros que empiezan después de esta fecha.

Antes de hacer una somera descripción de buena parte de estos narradores, todavía quiero plantear un par de consideraciones previas. En primer lugar, una parte de los novelistas del exilio mantuvieron el aliento narrativo a través del tiempo pero fueron no pocos los que resultaron tan sólo ocasionales memorialistas. En algunos la guerra civil se dejó sentir de manera decisiva y otros, incluso, le deben de modo directo su dedicación a la literatura. En fin, dentro de la radical individualidad de la narrativa peregrina, hay en ella unas ciertas constantes temáticas que ya señaló Marra-López [1963]: el pasado de España, el presente de América (o de los nuevos lugares de residencia) y las abstracciones temáticas.[19]

1) *Narradores con obra anterior a 1939*

La significación de los narradores en el exilio que habían producido obra con anterioridad a 1939 es muy diversa. Cualesquiera que hubieran sido sus tendencias precedentes, un considerable número no continuó su labor. Bastante antes de la guerra, mediada la década de los veinte, había interrumpido su creación Ramón Pérez de Ayala, aunque se encontraba en la cumbre de su prestigio y en plenitud de facultades. Entre los escritores vinculados con las tendencias orteguianas, tampoco dieron a conocer nueva prosa de ficción Juan Chabás, Juan José Domenchina, Antonio Espina o Antonio Porras. Dentro de una orientación estética contraria, no publicaron nuevos libros José Díaz Fernández, Joaquín Arderíus ni José Lorenzo.

Otros narradores, insertos en diferentes vías en la preguerra, publicaron algunos títulos más fuera de España, pero, o no revisten especial importancia o no afectan de modo sustancial a su propia trayectoria estética. Podemos recordar, por la significación del conjunto de su obra, a Benjamín Jarnés (1888-1949), tentado por la temática de la guerra en *Su línea de fuego* (1938-1940; ed. 1980) y autor de otros varios relatos más; a Ramón Gómez de la Serna (1888-1963), continuador de su «generación unipersonal» en numerosos relatos y en unas atractivas memorias, *Automoribundia* (1948); a Luis Santullano (1871-1953), que completa su trilogía asturiana con *Telva, o el puro amor* (1945); en fin, a Eduardo Zamacois (1876-1972), tan prolífico y polifacético en el exilio como da cuenta en sus recuerdos personales *Un hombre que se va* (1969). Entre quienes habían alcanzado prestigio como escritores comprometidos, continuaron esa orientación, a la que aportaron algunos nuevos títulos, César M. Arconada (1898-1964; *Río Tajo*, 1970, además de algunos rela-

19. No es muy abundante la bibliografía sobre la novela en el exilio. Existen algunos trabajos generales de tono informativo: A. de Albornoz [1972], Conte [1969 y 1970] y R. Velilla [1/1981]. El estudio pionero y más extenso es el de Marra-López [1962], cuya nómina de autores se puede completar en Sanz Villanueva [1977 b].

tos) y Manuel D. Benavides (1895-1947; *La escuadra la mandan los cabos*, 1944).

Dentro de esta última corriente de carácter social, ya era un escritor popular y prolífico en los años treinta RAMÓN J. SENDER (1901-1982) y después de la guerra se convirtió no sólo en uno de los más caudalosos de nuestras letras sino uno de los más destacados narradores contemporáneos en lengua castellana. La novelística de Sender de preguerra se caracteriza por participar de una estética comprometida que él mismo defendió en frecuentes colaboraciones periodísticas. En ella predomina la denuncia social y, a veces, asume una bastante explícita defensa de la ideología del autor que, en aquellos años, va de actitudes ácratas a una defensa del ideario comunista del que luego renegaría con frecuencia. Así, denuncia la guerra de Marruecos en un estremecedor relato (*Imán,* 1930) o el sistema policíaco (*O.P.*, 1931), relata el proceso de gestación y fracaso de una huelga (*Siete domingos rojos,* 1932) e incluso se interna en el puro documental de la guerra civil (*Contraataque,* 1938). Junto con *Imán,* su libro más importante de aquella época —y de casi toda su obra— es *Mr. Witt en el Cantón* (1935), de carácter histórico y cuya acción transcurre durante la insurrección cantonal de Cartagena en 1873. Tras la guerra, una gran dispersión temática y formal caracteriza a Sender, quien practica numerosas y variadas vías: argumentos históricos más o menos imaginativos o documentales, fabulaciones de tipo alegórico-simbólico, historias dentro del realismo mágico, relatos de declarado autobiografismo..., más un buen número de títulos de incierta filiación. Esta dispersión la reconocen todos los estudiosos de Sender y M. C. Peñuelas [1970] ha ofrecido una clasificación que, en términos generales, acoge las principales variedades de este prolífico escritor: 1) Narraciones «realistas», con implicaciones sociales; 2) Alegóricas, de intención satírica, filosófica o mágica; 3) Alegórico-realistas, con fusión de los elementos de los dos grupos anteriores; 4) Históricas; 5) Autobiográficas; 6) Cuentos y 7) Narraciones misceláneas. Advertida esta pluralidad de caminos, mencionaremos varios títulos de postguerra de acuerdo con algunos caracteres generales que permitan relacionarlos.

Con un enfoque entre filosófico y alegórico, uno de los temas tratados con más insistencia por Sender es el de la condición humana. Ya apuntado en *El lugar de un hombre* (1939), toma forma en *La esfera* (1947), de corte existencialista (véase el interesante estudio de S. H. Eoff [1961]), y llega a invadir un libro como *El rey y la reina* (1949), referido a la guerra civil, de corte simbólico y donde el enfrentamiento de la señora y su servidor

—además de sus correspondencias político-simbólicas— desemboca en un análisis de la naturaleza humana, por encima de las distinciones duquesa-criado. Algo parecido ocurre en *El verdugo afable* (1952); la trayectoria biográfica del protagonista hasta convertirse en verdugo, si bien inédito, va más allá de lo puramente anecdótico para exponer una interpretación sobre la violencia y manifestar un posible sentido de la renuncia al mundo. La mezcla de alegoría y realismo de esta última se acentúa en *Los cinco libros de Ariadna* (1957), mediocre sátira antidictatorial. El tema del suicidio está novelado en *Nocturno de los catorce* (1971).

Grupo aparte merecen los libros de tipo histórico-imaginativo, con una temática muy amplia y desigual valor. Junto a *Bizancio* (1956), extensa novela sobre las conquistas de los almogávares (en la que sobresale el encanto de la segunda trama, una aventura de tipo amoroso, lo cual no es infrecuente en Sender), hay que destacar fabulaciones de tema americano, como *Jubileo en el Zócalo* (1964), juicio a Cortés en forma de farsa teatral, o *La aventura equinoccial de Lope de Aguirre* (1964), sobre las correrías del pintoresco conquistador, notable por la imaginativa recreación de las oscuras motivaciones y del ambiente moral de los conquistadores y por la consecución de impresionantes tipos y, desde luego, muy superior a otras recientes sobre el mismo asunto. El tema histórico se extiende a otras latitudes, España en *Carolus Rex* (1963) y *Tres novelas teresianas* (1967) o Rusia en *Las criaturas saturnianas* (1967).

A propósito he dejado fuera algunos otros libros de Sender por su interés especial. A mi parecer, su obra más cerrada y acabada es una novelita corta, *Réquiem por un campesino español* (*Mosén Millán,* 1953, en su primera edición). Libro sencillo, expresivo y conmovedor, relata, más allá de panfletarismos o partidismos, la historia de un sacerdote, el cual, queriendo salvar a un joven del pueblo en los comienzos de la guerra, no consigue evitar la ejecución. Llena de verdad humana, la narración del drama sobrecoge por su ajustado realismo, por la eficacia de sus símbolos y por el profundo conocimiento de los mecanismos de conciencia, puesto de manifiesto a través de la evocación del sacerdote. Su obra mayor, y quizás la más conocida, es la serie *Crónica del alba* (1942 y 1966). Compuesta de nueve novelas, es una autobiografía ficticia del propio Sender, lo que no se oculta ni siquiera en el nombre del protagonista, José Garcés (segundo nombre y segundo apellido del autor). La ingenuidad de los recuerdos infantiles del primer tomo, llenos de ternura y lirismo, y el tema del acceso a la experiencia, hacen que sea la mejor de la serie y que el resto resulten más flojas. Parangonable, a mi parecer, al *Réquiem*... en fortuna literaria, hay que resaltar, por fin, *Epitalamio del prieto Trinidad* (1942). Historia de una rebelión en una isla-presidio de la costa sudamericana, en ella la pluma de Sender alcanza sus mejores momentos en la creación de un ambiente obsesivo de misterio, sensualidad y exotismo y en la descripción de desatadas pasiones humanas. La realidad y la fantasía forman un entretejido de alucinación en el que el marco geográfico y la naturaleza humana puesta al descubierto constituyen un retablo donde el triunfo de la pureza es todo un símbolo. El *Epitalamio*... constata uno de los estímulos más importantes de Sender, e, incomprensiblemente, poco destacado por la crítica, la profunda receptividad de su obra ante el ambiente americano que conoce como exiliado. M. Andújar [1981] ha subrayado este aspecto, que se refleja en diferentes títulos y que constituye el elemento sustancial de un conjunto de relatos indigenistas, *Mexicayotl* (1940), en los que no sólo descubrimos una admirable asimilación de lo autóctono mexicano sino que suponen una de las cumbres expresivas de toda su amplísima narrativa.

En fin, es inevitable concluir esta somera referencia a Sender haciendo alusión a uno de los más espinosos problemas del crítico, el de la valoración global de una obra copiosísima y extraordinariamente desigual. Porque si hasta el momento hemos recordado títulos muy singulares o estimables, tampoco se pueden olvidar otros de muy escaso valor y en los que desciende de modo alarmante la capacidad creativa del escritor. Prueba de ello pueden ser *En la vida de Ignacio Morell* (1969) o el último publicado, *Chandrío en la plaza de las Cortes* (1981). Semejante o inferior valoración merece una extensa serie en torno a la pintoresca personalidad de una hispanista norteamericana iniciada con *La tesis de Nancy* (1962), con el agravante de que tan insustanciales relatos han alcanzado una impropia popularidad. Estos sorprendentes altibajos son el resultado de una incontenida vocación de novelista, pero creo que en absoluto disminuyen el interés general de una obra de extraordinario interés en la que, además, figuran media docena de las mejores novelas españolas contemporáneas.

Un sector numeroso de novelistas del exilio está formado por escritores que en los años treinta estaban próximos a la estética propugnada por la *Revista de Occidente* o practicaban una literatura de corte intelectualizado. Casi todos ellos sufren una fuerte evolución y en el destierro se inclinan por una narrativa más atenta a las circunstancias históricas o a los asuntos imperecederos del hombre.

Álvaro de Albornoz (1901-1975) prolongó el ejercicio de una narrativa humorística, bastante imaginativa, que observa el mundo mediante una combinación de ternura y crítica (*Matarile*, 1941; *Los niños, las niñas y mi perra*, 1951).

Francisco Ayala (1906) obtuvo un cierto predicamento entre los autores vanguardistas y del grupo de Ortega y la *Revista de Occidente*. A pesar de su interés histórico, sus primeros libros no son de gran valor y se reparten entre un realismo tradicional y una adhesión a la estética del arte deshumanizado. Antes de la guerra publica *Tragicomedia de un hombre sin espíritu* (1925), *Historia de un amanecer* (1926) y *Cazador en el alba* (1930). Después del conflicto abandona por completo sus preocupaciones anteriores y tras un largo silencio (hasta 1944 no publica *El hechizado*) las sustituye por una reflexión moralizante, desencantada, pesimista sobre la naturaleza humana. De este modo se convierte en un fustigador de vicios, en primer lugar del poder, tema que origina un libro de relatos sobresaliente: *Los usurpadores* (1949). La mayor parte de la prosa novelesca de Ayala se acoge, precisamente, a la forma del relato corto, en el que obtiene sus mejores registros. De la misma fecha que el anterior es otro de sus más estimables libros, *La cabeza del cordero* (1949) y desde entonces ha venido publicando nuevos tomos con bastante regularidad: *Historias de macacos* (1955), *El as de bastos* (1963), *El rapto* (1963; en realidad se trata de una novela corta), *De raptos, violaciones y otros excesos* (1966), *El jardín de las delicias* (1971). En el conjunto de estos libros adopta una actitud desencantada ante la vida, según han destacado los estudiosos de Ayala, que evoluciona hacia una óptica más corrosiva y hacia una acentuación de los rasgos ridículos del comportamiento humano. Es interesante constatar que, frente a la general desatención de la crítica ante el relato corto, Ayala ha logrado su reconocimiento gracias, sobre todo, a este género, ya que únicamente ha publicado en la postguerra dos novelas, *Muertes de perro* (1958) y *El fondo del vaso* (1962). Ambas constituyen, de hecho, una sola historia desarrollada en dos libros, en el primero de los cuales prima la crítica política y en el segundo la crítica social a través de una indagación psicológica. Sin embargo, ambos resultan, por su tema, mucho más que eso. *Muertes de perro* aúna la denuncia de ciertos regímenes dictatoriales con un análisis de las recónditas razones del dictador. *El fondo del vaso* centra la crítica en una esfera altoburguesa donde destaca la corrupción. Pero en ninguna de las dos falta, de rechazo, la exploración de la naturaleza humana, que Ayala satiriza en tono de moralizador. Las novelas quizás carezcan de consistencia, pero tienen un estilo de cuidadosa elaboración, una notable riqueza léxica y una extraordinaria capacidad para la utilización de los más variados recursos del humor, la ironía, la parodia e incluso la caricatura. Aparte esta labor de invención, Ayala ha publicado también ensayos sociológicos y culturales y está editando unas memorias bajo el rótulo general de *Recuerdos y olvidos* (I:1982; II:1983).

En fecha temprana sostenía Juan Luis Alborg [1962] que Max Aub (1903-1972) era nuestro primer novelista de la guerra. A aquel certero juicio debe agregarse que, por la ambición y la extensión de su obra, constituye otro de los más importantes narradores españoles contemporáneos. Escritor prolífico y de muchos registros, el conjunto de su labor integra una de las más apasionantes interpretaciones de la variada problemática (moral, social, política, estética) de los hombres de nuestro tiempo. Su obra es temática y formalmente muy cambiante y gracias a la extensa y completa monografía de Soldevila [1973] se puede entrar en ella con un mínimo de orden. Una primera época debe relacionarse con las corrientes orteguianas de los años veinte, pero los libros que corresponden a ella tienen un interés secundario y anecdótico, aun cuando merezca recordarse *Luis Álvarez Petreña* (1934, finalizado en 1971), imaginaria biografía de un desafortunado lírico.

Tras la guerra civil, los libros de Aub toman caminos enfrentados, que van de un realismo convencional a un extraordinario experimentalismo. Unas cuantas obras muestran la singularidad del escritor y no guardan entre sí grandes vinculaciones. Una de las más afortunadas es *Jusep Torres Campalans* (1958), emparentable con el título que líneas arriba he citado. Se trata de una fabulosa biografía de un inexistente pintor, amigo de Picasso y de los cubistas que, tras larga peripecia, muere en México. La enorme variedad de conocimientos de Aub, su gran fantasía y la falsa pero completa documentación que añade a la obra construyen una canónica y académica biografía de un personaje inexistente, a través de la cual se nos ofrece un agudo y polémico ensayo crítico del arte moderno. En una línea vanguardista y experimental cabe recordar un título casi siempre olvidado, *Juego de cartas* (s. a., pero ¿1964?), novela compuesta por unos naipes y presentada en el tradicional estuche de una baraja que pertenece a una concepción lúdica de la literatura, según antes hemos dicho.

Otros libros de Aub hacen del novelista un Jano que ya va a la pura imaginación, ya a las formas del realismo testimonial. Dos libros más tradicionales, *Las buenas intenciones* (1954) y *La calle de Valverde* (1961), suelen ser descritos como novelas galdosianas, juicio que habría que revisar, pues también participan de un cierto impresionismo. La primera utiliza como hilo conductor del relato a un personaje destacado —técnica muy poco frecuente en Aub— pero, a la vez, por sus notaciones sobre política y sociedad enlaza con la serie de los «Campos», a la que ahora mismo me referiré. *La calle de Valverde,* en buena medida obra en clave y vivencial, es un impresionante y vivo fresco, entre humorístico y desencantado, del Madrid de la Dictadura de Primo de Rivera. En los límites del documento se halla uno de sus últimos títulos, *La gallina ciega* (1971), crónica del viaje a España que realizó Aub antes de que pudiera reintegrarse a su sociedad; calor humano e impertinencia temperamental se dan la mano en una visión destemplada y aguda de la España de los últimos tiempos del franquismo.

I. Soldevila [1973], el máximo estudioso de la obra de Aub, ha propuesto denominar al conjunto de su creación «El laberinto mágico» y, dentro de éste distinguir el «Laberinto español» para los escritos sobre la guerra. Éstos son abundantes y entre ellos merece subrayarse la serie de los «Campos», que es un monumental retablo sobre la guerra civil y sus consecuencias, de una gran altura estética media y con una de las novelas más importantes e impresionantes de la literatura española actual, *Campo de los almendros*. Los libros novelescos de la serie de los «Campos» son: *Campo cerrado* (1943), *Campo abierto* (1951), *Campo de sangre* (1945), *Campo del Moro* (1963), *Campo de los almendros* (1968). Estos volúmenes se refieren al proceso evolutivo de la guerra y van novelando, sucesivamente, el comienzo del conflicto, el desarrollo de la guerra en 1936 y 1938, los últimos días en el Madrid republicano y el fin de la República en Levante. Completa la serie *Campo francés* (1965), hermano menor de los anteriores según el propio autor, cuya relación se inició en 1939 y que, con una técnica próxima al guión cinematográfico, se refiere a la experiencia del exilio.

Vista la guerra con un sentido épico, ni siquiera el apasionamiento del autor en algunos momentos logra quitarle a la serie valor literario y profundo dramatismo. Su permanente enfoque ético; la agudeza de Aub para captar la complejidad de un fenómeno nada unívoco —en su dimensión política, social y humana—; la cantidad de documentación viva y real; la espontaneidad del diálogo, que no excluye una gran elaboración en algunos casos; la expresión de las frustradas ilusiones y del desaliento de los vencidos; la denuncia de las mezquindades humanas; la fuerza expresiva del relato que aleja cualquier didactismo mediante una ironía a veces cáustica..., todo ello hace de los «Campos» una interpretación irrepetible y extraordinaria de la guerra. Por otra parte, la mezcla de personajes ficticios y reales añade a la obra un aire de historia viva y palpitante.

Un aspecto generalmente postergado de la obra de Aub son sus relatos cortos, un nutrido conjunto de historias que ayudan a conformar esa desencantada visión de la naturaleza humana y que, en algunos casos, constituyen piezas memorables de este género. Especial popularidad ha alcanzado «La verdadera historia de la muerte de Francisco Franco», interesante —más allá de su polémico título— para comprobar cómo el criticismo malhumorado del escritor alcanza incluso el círculo de la vida de los exiliados españoles en México.

CORPUS BARGA (1887-1975) publicó una curiosa novela (*Hechizo de la triste marquesa,* 1968), pero su obra fundamental es una larga serie que, bajo el rótulo «Los pasos contados. Una vida española a caballo de dos siglos», pasa revista a la España cotidiana —social, cultural, política— de la infancia y juventud del autor (*Los pasos contados,* 1963; *Puerilidades burguesas,* 1965; *Las delicias,* 1967 y *Los galgos verdugos,* 1973). En los primeros volúmenes predominan un tono testimonial que evoluciona hacia una concepción más novelesca.

RAFAEL DIESTE (1899-1981), polifacético creador —poeta, ensayista, dramaturgo— publicó un muy original volumen de relatos unitarios, *Historias e invenciones de Félix Muriel* (1946), de extraordinaria fuerza imaginativa, de fina percepción emotiva y de un expresivo tono lírico.

JUAN GIL-ALBERT (1906) es un prosista inclasificable, víctima de su propia personalidad y de la veleidad de las modas. Absolutamente desconocido durante décadas, en los últimos tiempos ha alcanzado altas cotas de estima. Su obra, ya de cierto volumen, cuenta con títulos como *Concierto en «mi» menor* (1964), *La trama inextricable* (1968), *Los días están contados* (1974)..., de tono entre ensayístico y autobiográfico. De más clara concepción novelesca, *Valentín* (1974), coincide con los anteriores en su reflexión sobre los motivos de nuestra existencia y en el estilo limpio, perfecto, sencillo, pero muy cuidado.

SALVADOR DE MADARIAGA (1886-1978) es conocido como historiador y ensayista, vertiente de su obra que ha hecho olvidar una voluminosa narrativa. Aparte diversos títulos independientes (*Ramo de errores,* 1952; *La camarada Ana,* 1954; *Sancho Panco,* 1964), el grueso de su novelística está integrado en la amplísima serie «Esquiveles y Manriques» que, situada en la época del descubrimiento y conquista de América, trata de explicar la formación étnica y cultural del Nuevo Mundo. Los volúmenes de la saga adolecen del excesivo peso que tiene lo histórico, y del interés discursivo-político del autor.

Conjuntamente deseo recordar la actividad narrativa de dos destacados poetas de la generación del 27, PEDRO SALINAS y LUIS CERNUDA. Las dos aportaciones en la postguerra de Salinas a la prosa de ficción son *La bomba increíble* (1950) y *El desnudo impecable* (1951). Aquélla es un relato de ficción científica, de clave humorística, tono ensayístico y propuestas contra la tecnificación a ultranza. Un sentido distinto tiene la mención de Cernuda, pues *Ocnos* (1942) debe considerarse como prosa lírica y no como obra narrativa; en *Tres narraciones* (1948), mantiene el tono lírico aunque concede más importancia al relato.

En fin, en este apartado deben mencionarse unos cuantos narradores más a los que, a causa de mi conocimiento muy fragmentario de su obra, solamente citaré: E. GIL DE TERRADILLOS (*Los senderos fantásticos,* 1949), ESTEBAN SALAZAR CHAPELA (*Perico en Londres,* 1959; *Desnudo en Picadilly,* 1959), ANTONIO SÁNCHEZ BARBUDO (*Sueños de grandeza,* 1946).[20]

2) *Novelistas posteriores a 1939*

La guerra civil sorprendió en plena juventud a un buen número de futuros escritores que (salvo excepciones por precocidad) no habían tenido ocasión de manifestar su vocación de novelistas con anterioridad al conflicto y para los que, incluso,

20. La bibliografía sobre Sender es bastante amplia y existen varios repertorios (véase, por ejemplo, el de E. Espadas incluido en F. Carrasquer [1982]). Además de los trabajos citados, deben conocerse los estudios de F. Carrasquer [1970 y 1982], M. C. Peñuelas [1971] y la amplia e importante recopilación de artículos realizada por J. C. Mainer (AA. VV. [1983 b]).

A propósito de F. Ayala se ha escrito en abundancia, por lo que conviene utilizar el repertorio de A. Amorós [1973]. Entre otros trabajos estimables, sugerimos, para diferentes aspectos de la narrativa de Ayala, los de A. Amorós [1969], K. Ellis [1964], E. Irizarry [1971], J. C. Mainer [1971] e I. Soldevila [1977 b].

El importante estúdio de Soldevila [1973], ya citado, compensa la relativa poca atención que ha merecido la obra de Aub. Se halla una breve y elemental síntesis en R. Prats [1978] y una satisfactoria visión de conjunto en Longoria [1977].

Sobre los restantes autores mencionados no hay mucha bibliografía. En la *Bibliografía de «Corpus Barga»* preparada por R. Fuentes y C. Rodríguez Santos [1982] se mencionan algunos artículos. En relación con Dieste, véase E. Irizarry [1979 y 1980]. Para Gil-Albert, ténganse en cuenta las revistas *Calle del aire* (I, 1977) y *L'Arrel* (2, verano-otoño, 1981), que contienen diversos trabajos (la primera presenta también información bibliográfica), además de P. J. de la Peña [1982].

éste fue el motivo de su dedicación a la literatura. Estos escritores (junto con algunos más de la promoción mayor) configuran el otro gran bloque novelístico en el exilio. Las dificultades para hallar criterios de ordenación son tan enormes que es inevitable la tentación de acudir al socorrido recurso de la nómina alfabética. No obstante, los agruparemos muy provisionalmente según algunas características relevantes, aunque algunos de ellos podrían participar de rasgos correspondientes a varios de los grupos que voy a establecer.

La convivencia con las gentes de los lugares que les dieron acogida llevó a algunos narradores a ocuparse de la problemática específica de la tierra de adopción. A pesar del fuerte arraigamiento de la mayor parte del exilio en la temática española, esas otras cuestiones ocupan un lugar destacado, por ejemplo, en la obra de Ramón J. Sender. Y, en otro par de casos, son aspectos específicos de la cultura nacional que les recibió los predominantes y, casi, exclusivos. Así sucede en CLEMENTE AIRÓ (1918-1975), en algunos de cuyos libros (*Yugo de niebla,* 1948; *Sombras al sol,* 1951; *La ciudad y el viento,* 1961...) predomina la problemática colombiana, dentro de una actitud narrativa realista y testimonial. Semejante es la significación de LUIS AMADO BLANCO (?-1974 o 1975), todavía más comprometido con la realidad cubana en *Ciudad rebelde* (1967), relato de acción de planteamientos revolucionarios castristas. Lo más normal, sin embargo, es que predomine una preocupación española que indaga una y otra vez en el ser de España, en las raíces de la guerra y en su desarrollo.

Si hubiera que buscar un común denominador a la polifacética labor intelectual de MANUEL ANDÚJAR (1913), éste sería una permanente indagación y meditación sobre España que, desde unos planteamientos lúcidos y de insobornable ecuanimidad, trata de superar viejas incomprensiones para forjar un futuro de diálogo y convivencia. Sobre este eje fundamental, que es, además, una meta vital, ha escrito ensayos, poesía, teatro, relatos y narrativa corta (*Los lugares vacíos,* 1971; *La franja luminosa,* 1973; *La sombra del madero,* 1968; *Secretos augurios,* 1981) y un conjunto de importantes novelas, reposadas, rigurosas y de primerísima mención en la prosa de ficción actual. Andújar no ha conseguido una audiencia multitudinaria (en la medida en que este término sea apropiado para un Sender, por ejemplo) a causa de una obra muy exigente, que no hace ninguna concesión a un populismo fácil. Su primera novela, *Cristal herido* (1945), revela ya un escritor bien facultado para narrar una historia argumental de la que se desprende un sentido social y político. Con ella inicia un ciclo titulado «Lares y penares», que agrupa, como en el caso de Max Aub, el grueso de su obra y constituye una interpretación novelada de la España del siglo XX, pero no al estilo de las sagas, sino con una total independencia argumental entre los volúmenes que lo integran. El ciclo lo completan la trilogía «Vísperas» —*Llanura,* 1947; *El vencido,* 1949, y *El destino de Lázaro,* 1959—, *Historias de una historia* (1973), *La voz y la sangre* (1984) y *Cita de fantasmas* (1984).

La narrativa de Manuel Andújar no se resiente en ningún momento de la lejanía temporal o espacial que aqueja a algunos novelistas del exilio, sino que está siempre basada en recuerdos y experiencias de preguerra (en «Vísperas» e *Historias*...) y en atinadas, críticas y éticas observaciones sobre las formas de vida de la sociedad española que descubre tras su reincorporación (en *Los lugares vacíos* o *La voz y la sangre,* por ejemplo). La literatura de Andújar es, ante todo, interpretativa y siempre prima en sus libros un inteligente y desapasionado análisis de las diversas circunstancias —sociales, económicas y políticas— que giran en torno a la guerra civil. «Vísperas», con unas leves conexiones argumentales entre los libros extremos de la serie, realiza un estudio de la España de preguerra en ámbitos distintos, como son el campo manchego, la mina y el mar. *Historias de una historia* está situada en la guerra —contada desde el lado republicano— y lo que le interesa de forma primordial al autor es calar en la historia en la que se insertan esas otras historias particulares que él cuenta, porque aquélla fue consecuencia de una serie de circunstancias demasiado complejas y a veces contradictorias como para dar de ellas una visión simplista y única. Resalta en el libro ese aire de verdad que posee toda literatura auténtica, sobre todo porque no obedece a unos esquemas previos ni a ninguna clase de maniqueísmo, sino que parte de unas situaciones argumentales de estricta dimensión humana que, por supuesto, no pueden escapar ni de los condicionamientos inmediatos de los conflictivos años en que se desarrolla la novela ni tampoco de la superestructura del momento. De este modo lo general se ilumina con toda naturalidad a partir de unos personajes bien diferenciados. En cualquier caso, en todos sus libros resulta de vital importancia el talante ético del autor, que, contra lo que suele ser frecuente, no le lleva a ninguna clase de moralización. Además, empeñado en encontrar una óptica distanciada y objetiva —dentro de unos principios irrenunciables—, inventa un personaje, Andrés Nerja, que puede considerarse un *alter ego* polemista y discrepante del propio autor, con lo que el relato incorpora un enriquecedor perspectivismo literario e ideológico.

Aspecto destacado en la obra de Andújar es la construcción y el estilo. Con no demasiada exigencia se viene repitiendo la afirmación de uno de sus críticos (Marra-López [1962]) de que se trata de «un escritor de clara estirpe galdosiana», lo cual, si es cierto para su trilogía, no lo resulta para sus libros posteriores. Su obra ha ido evolucionando hacia formas más actuales que, luego de desbordar el amplio marco de una novela más o menos tradicional, nos lo sitúa entre los escritores con una gran preocupación formal y nunca sujeto al fácil recurso del molde encontrado. Hay que advertir, además, en este proceso de renovación, una reciente tendencia de Manuel Andújar hacia una literatura de carácter simbólico, como lo muestran los relatos contenidos en *La franja luminosa* (1973), y que constituye el tono dominante de sus últimos libros. Su prosa se ha ido progresivamente depurando desde sus primeros títulos —en los cuales destaca un vigoroso diálogo de corte valleinclanesco y lorquiano—, y ha desembocado en un cierto barroquismo de la frase, que siempre es muy trabajada, y de un deliberado tono literario. También hay que hacer hincapié en la riqueza de su léxico y en un estilo personalísimo, quizá de los más característicos de nuestra prosa contemporánea.

José Ramón Arana (1906-1974) desarrolló una amplia actividad cultural en México, de lo que se resiente una obra literaria (poesía, ensayo) de muy reducidas dimensiones, pues como narrador nada más ha publicado una novela corta (*El cura de Almuniaced,* 1950), un libro de memorias anoveladas (*Can Girona,* 1972) y diversos relatos (recogidos en *¡Viva Cristo Rey! y todos los cuentos,* 1980). Esta escasa fecundidad se compensa con la vibración y autenticidad de su prosa, sobre todo en *El cura de Almuniaced*. En ésta se nos cuenta la historia de un cura rural durante los días de la guerra y su actitud postconciliar y profundamente cristiana. Por el vigor del personaje y el dramatismo del relato, es una pequeña pieza maestra, parangonable al prestigioso *Mosén Millán* de Sender.

Arturo Barea (1897-1957) es narrador de vocación algo tardía (su primera publicación, los relatos *Valor y miedo,* se data en 1939) y de parva e irregular producción; incluso su obra fundamental, «La forja de un rebelde» (1951, en castellano) es muy desigual. El apasionamiento ideológico con que ha sido juzgada ha producido tanto descalificaciones como mitificaciones, posturas todas ellas que es preciso equilibrar. «La forja...» es una trilogía de declarado carácter autobiográfico que se propone mostrar un amplio fresco sobre España desde comienzos de siglo hasta la guerra civil. El primer volumen de la serie, *La forja,* es una afortunada reconstrucción del mundo juvenil del protagonista, narrada con gran autenticidad y con un sereno, pero dolorido, sentir del Madrid humilde de finales-comienzos de siglo. *La ruta* es una novela fundamentalmente crítica sobre la guerra de Marruecos —próxima, en este sentido, a otros libros de Sender, Díaz Fernández o Gaya Nuño— donde el fondo político que la alienta no obstaculiza una narración tersa, vibrante y llena de calor humano. El tercer libro, *La llama,* que ya trata de la guerra civil, se resiente, desde un punto de vista literario, de una visión en exceso comprometida y resulta demasiado esquemático y supeditado a una visión partidista; además, la construcción novelesca desaparece casi por completo y el libro tiene, ante todo, un valor testimonial en el que hay que advertir las notables cualidades de Barea como observador del ambiente y clima moral de Madrid durante el cerco a que fue sometida a lo largo de la casi totalidad de los tres años de guerra. Otra novela extensa escribió Barea, *La raíz rota* (1955, en castellano). Se enfrenta con un asunto de gran relieve (y poco frecuentado entre nuestros narradores, excepción hecha de Pablo de la Fuente y Sueiro), el del retorno del exilio. El planteamiento narrativo posee una intensidad dramática notable (cuenta la nueva marcha del protagonista tras la frustración que expresa el título), pero la falta de verdad humana, la simplificación de la realidad y la evidente carencia de vivencias personales auténticas hace que no consiga el tono alcanzado en la primera parte de la trilogía.

VIRGILIO BOTELLA PASTOR (1906) viene publicando una larga serie, ya de extensa dimensión, todavía no completa, cuyo núcleo argumental se relaciona con el desarrollo y consecuencias de la guerra: *Porque callaron las campanas* (1953), *Así cayeron los dados* (1959), *Encrucijadas* (1962), *Tal vez mañana* (1965), *Tiempo de sombras* (1978), *El camino de la victoria* (1979). El primer volumen proporciona los principales protagonistas de unas trayectorias biográficas que se cumplen en los siguientes y que se extienden desde los tiempos de la guerra civil hasta la participación en la resistencia contra los nazis. Se trata de relatos de concepción tradicional, muy cargados de reflexiones, más densos en pensamientos que en acción y que, en conjunto, suponen una ambiciosa novelación de la guerra en su dimensión nacional e internacional.

El primer libro de PABLO DE LA FUENTE (1906) se publica al acabar la guerra (*El hombre solo,* 1939) y en el exilio lleva a cabo una obra de notables dimensiones: *Sobre tierra prestada*

(1944), *Los esfuerzos inútiles* (¿1949?), *Este tiempo amargo* (1953), *El señor y otras gentes* (1954), *La despedida* (1966), *El retorno* (1969). La temática es variada: a veces se trata de evocaciones de corte autobiográfico, en otras se narran las actividades guerrilleras de los años cuarenta, en ocasiones predomina la indagación psicologista. En *El retorno* plantea una cuestión de gran interés, la problemática del regreso del exilio.

PAULINO MASIP (1900-1963) es narrador poco prolífico y desigual. Algunos de sus libros no poseen un valor relevante (*De quince me llevo una,* 1949; *La aventura de Marta Abril,* 1953), pero uno de ellos, *El diario de Hamlet García* (1944) es una de las novelas más interesantes de la postguerra y resulta inexplicable que no se haya reeditado. Centrada en la guerra, la protagoniza un «profesor ambulante de metafísica», Hamlet García, tipo humano desconectado del mundo, pero al que la lucha, sus crueldades y sinsentidos le producen un tremendo estremecimiento interior. Así, a través de una profunda convulsión personal, se filtra la conflictividad de tan cruciales momentos.

No menos desconocido, aunque de inferior significación, es PEDRO PASCUAL LEONE (no poseo datos biográficos), autor de *Pedro Osuna* (1945), una saga convencional que relata la historia de un hijo de una familia tradicional desde el siglo pasado hasta la lucha.

El tono literario normal de la inmensa mayoría de los relatos citados en este epígrafe es de carácter realista y de configuración narrativa tradicional, dentro de los moldes decimonónicos. Un par de narradores más hay que agregar, caracterizados, además, por su incorporación muy tardía a la novela. JOSÉ BOLEA (desconozco la fecha de nacimiento) ha publicado ya en su madurez vital *La isla en el río* (1971) y *Puente de sueños* (1978), ambas vinculadas con la guerra —desde sus antecedentes hasta sus consecuencias— y que, a partir de las contradicciones sociales y políticas de una modélica ciudad levantina, denominada Citra, tratan de ofrecer una visión imparcial y esperanzada de la España contemporánea. Son relatos muy gustosos de la narración de historias personales y colectivas, de seguro pulso novelesco dentro de una tradición galdosiana. También el tema de fondo es la guerra española en *Los muertos no hacen ruido* (1973), de Julio Sanz Sáinz (tampoco conozco la fecha de nacimiento), mezcla de novela y ensayo antibelicistas, pero de limitado interés literario. También tardía es la única novela de ODÓN BETANZOS (1926), *Diosdado de lo alto* (1980), igualmente relacionada con la guerra, pero con un fuerte componente imaginativo y alegórico y con una prosa que, con frecuencia, propende al relato poemático.

Ya he indicado que una parte de la prosa narrativa en el exilio tiene intensos valores testimoniales; incluso, conviene recordar algunos títulos que relegan la ficción para entrar de lleno en el campo del estricto documento; es lo que ocurre en *Las sacas* (1974), de Patricio P. Escobal, *La estrella polar* (1964), de Capó Bonnafoux, o *La prisión de Fyffes* (1969), de José Antonio Rial. Los libros de Escobal y Rial constituyen desgarradores testimonios de la represión en Logroño y Canarias, respectivamente (Rial ha publicado varios libros más de ficción, a los que no he tenido acceso).

Aunque el tono predominante de la narrativa exiliada sea, según he dicho, un realismo documental, no debe desconocerse la existencia de otras vías, presididas por el humor, la fantasía y el lirismo, que, aunque minoritarias, han producido libros de notable interés. Antes he recordado como humorista a Álvaro de Albornoz. Deben añadirse, al menos, los nombres de ANTONIORROBLES y de S. OTAOLA. Aquél no es sólo un fino escritor, con variedad de registros del humor, sino que se trata, quizás, del más importante cultivador del relato infantil; entre otros diversos libros de cuentos y novelas (*Tres*; *El muerto y su adulterio*; *Rompetacones y Azulita*...), destaca *El refugiado Centauro Flores* (1966). S. Otaola (1907-1978?) es uno de los narradores más singulares de todo el exilio, con una personalidad tan acusada que le separa de cualesquiera otras formas, aunque no sea un escritor insólito, pues su veta humorística tiene no sólo su fuente sino su motivo de admiración en Ramón Gómez de la Serna. Ya hemos mencionado un jugoso libro testimonial —*La librería de Arana*—, al que deben añadirse, dentro más estrictamente de la ficción, *Los tordos en el Pirul* (1953), *El cortejo* (1963), *Tiempo de recordar* (1977). La imaginación de Otaola es, fundamentalmente, lingüística y el relato está lleno de greguerías. En el fondo, los suyos son libros de cierta inspiración autobiográfica que, sobre todo en *El cortejo,* alcanza no sólo gracia sino un notable desparpajo en una historia, a veces dura, que quizás deba leerse como un libro en clave sobre la propia vida del exilio mexicano.

El relato imaginativo también tiene su lugar entre la prosa del exilio. Recordaré a Tomás Ballesta y *La leyenda de Kamardián* (1945), historia oriental de amor, y a Francisco Fe Álvarez (1917) con su *Fedro* (1962), relato filosófico de inspiración platónica, y, sobre todo, al polifacético EUGENIO F. GRANELL (1912), otro de los singularísimos narradores trasterrados, solitario cultivador, dentro y fuera de nuestras fronteras, de una novelística de raíz surrealista que, a pesar de su interés e importancia, ha pasado por completo desapercibida. Granell, pintor acreditado, poeta bretoniano, ensayista antiacadémico, ha publicado un par de títulos de ficción, *La novela del indio Tupinamba* (1959) y *Lo que sucedió* (1968). En ambos se procede con la más absoluta libertad imaginativa, sin otras fronteras que no sean la necesidad interna de la narración, en la que todo puede suceder y, de hecho, todo sucede. Particular importancia posee *La novela del indio Tupinamba,* único relato surrealista, que yo conozca, entre la ingente bibliografía creativa generada por la guerra civil. Libro apartidista, pero denunciador de todos los abusos, es, en el fondo, un alegato contra las luchas fratricidas, una defensa de la libertad del hombre, realizada con todas las dislocaciones argumentales y espacio-temporales pensables, repleta de coraje y, también, de extraordinarias situaciones humorísticas.

En fin, entre estas tendencias no realistas quiero recordar algunos relatos inmersos, ante todo, en un tono lírico. Éste es el enfoque de dos libros novelescos de Agustí Bartra (1908-1978?), *Cristo de 200.000 brazos* (1958), sobre la experiencia en el campo de concentración de Argelès, y *La luna muere con agua* (1968), situado en ambiente mexicano. Un tenue hilo narrativo unifica la prosa poética de Diego de Mesa en *Ciudades y días* (1948). Semejante levedad argumental caracteriza la prosa impresionista de *Tranvía primavera* (1953), de Eloy Ripoll del Río (1900-1967).

SEGUNDO SERRANO PONCELA (1912-1976) ha obtenido más predicamento como crítico y ensayista que por su labor de creación. Sus primeros volúmenes de prosa narrativa son tardíos y durante bastante tiempo sólo publica relatos (*Seis relatos y uno más,* 1954; *La venda,* 1956; *La raya oscura,* 1956; *La puesta de Capricornio,* 1956; *Un olor a crisantemo,* 1961). Más adelante se interna en el campo de la novela extensa con variedad de registros y lo hace con un pulso seguro y con una gran madurez que reclama una reivindicación y un reconocimiento que hasta ahora no se le ha otorgado. *Habitación para hombre solo* (1964) es la historia, narrada con multiplicidad de recursos modernos, de un inmigrante español en América que debe huir de la policía; destacan en ella su compleja construcción y su fuerza emotiva. *El hombre de la cruz verde* (1969), de técnica más tradicional, narra una aventura de rijosidad protagonizada por un «familiar» de la Inquisición en tiempos de Felipe II. Novela en cierto sentido histórica, la denuncia inquisitorial se impone al análisis de una pasión humana. Hay que destacar en ella su sentido crítico, su acertadísimo estilo, afortunada reconstrucción de época sin caer en fáciles latiguillos, y la creación de un extraordinario clima de erotismo y pasiones desatadas. Póstuma se ha publicado *La viña de Nabot* (1979), emplazada en el marco de la guerra civil.

Ninguna especial razón existe para separar, por razón del sexo, a un nutrido grupo de narradores, como no sea la de constatar la intensa presencia de mujeres novelistas en el exilio. Por lo demás, sus criterios artísticos son coincidentes y tan variados como los de sus compañeros de letras. ROSA CHACEL (1898) participó de las tendencias orteguianas en la preguerra y en la postguerra ha reunido una ya copiosa obra. El libro más destacado por la crítica es *La sinrazón* (1960), novela morosa y muy intelectualizada. Una concepción ensayística caracteriza otros libros de relatos como *Memorias de Leticia Valle* (1946), *Sobre el piélago* (1951), *Ofrenda a una virgen loca* (1961), *Icada, Nevda, Diada* (1971), *Novelas antes de tiempo* (1981). Mayor interés poseen un conjunto de libros basados en una persistente indagación en la memoria: *Desde el amanecer* (1972), *Barrio de Maravillas* (1976), *Alcancía* (1982).

Sin la dimensión de obra de Rosa Chacel, hay que recordar a otras cuantas novelistas. Un relato de corte testimonial es *Retorno* (1967), de MARÍA DOLORES BOIXADOS. LUISA CARNÉS (?-1964) escribió una interesante novela del maquis, *Juan Caballero* (1956). MADA CARREÑO relata en una jugosa y fresca historia, *Los diablos sueltos* (1975), la guerra y el exilio y, a la vez, reflexiona sobre la solidaridad y la condición humana. CECILIA G. DE GUILARTE también narra en su primera novela, *Nació en España* (1944), el éxodo republicano. La historia de una joven anarquista y el desarrollo de una recia personalidad en México constituye la anécdota de *Cualquiera que os dé muerte* (1969). MARÍA TERESA LEÓN (1905) ha publicado diversos relatos, imaginativos, míticos y legendarios (*Morirás lejos,* 1942; *Del tiempo amargo,* 1962; *Menesteos, marinero de abril,* 1965...) y unos muy interesantes recuerdos (*Memoria de la melancolía,* 1970). ISABEL DE PALENCIA practica un realismo testimonial, de denuncia, próximo a la literatura social, en la única novela suya que conozco, *En mi hambre mando yo* (1959). A esta relación habría que añadir, todavía, el nombre de varias narradoras más como Oche Cazalís, Ernestina de Champourcin, Silvia Mistral, Carmen Stenge.

Mención aparte debe hacerse de un grupo de narradores con una específica problemática: me refiero a aquellos que, hijos de exiliados, han formado su personalidad humana y cultural fuera de España y han hecho toda su labor sin un contacto directo con la literatura española actual. Son escritores que, cronológicamente, se corresponden con la generación del medio siglo del interior y han padecido un aislamiento del resto de la literatura peninsular casi total. Por eso, sus nombres son por completo desconocidos en España, con una evidente injusticia que corre el riesgo de resultar irreparable. El problema es acuciante, además, por dos significativas razones. Por un lado, a pesar de la distancia y la incomunicación, no han renunciado a una problemática española. Por otro, estos ya maduros escritores han hecho una obra digna de gran estima. Dejamos para otra ocasión una referencia más cumplida y, ahora, sólo mencionaremos a algunos de estos autores: José de la Colina (*Ven, caballo gris,* 1959; *La lucha con la pantera,* 1962), Angelina Muñiz (*Morada interior,* 1972; *Tierra adentro,* 1977; *La guerra del unicornio,* 1983), Francisca Perujo (*Pasar las líneas. Cartas a un comandante,* 1977), Roberto Ruiz (*Esquemas,* 1954; *Plazas sin muros,* 1960; *El último oasis,* 1964; *Los jueces implacables,* 1970; *Paraíso cerrado, cielo abierto,* 1977).[21]

Incluso con el riesgo de convertir esta sucinta e informativa relación en una nómina sin valor crítico, hay que añadir algunos nombres más para completar el panorama de la narrativa en el exilio. Aun así, no será una lista exhaustiva, pero, en cualquier caso, dará idea de las voluminosas dimensiones del fenómeno y, como decíamos en el capítulo primero, del empobrecimiento que supuso para la narrativa del interior: Ricardo Bastid (*Puerta del Sol,* 1959), Eduardo Blanco Amor (*La catedral y el niño,* 1956; *La parranda,* 1960), José Blanco Amor (*La vida que nos dan,* 1953; *Todos los muros eran grises,* 1956; *Antes que el tiempo muera,* 1958; *Duelo por la tierra perdida,* 1959; *La misión,* 1968), Eduardo Capó-Bonnafoux (*Medina del Mar Caribe,* 1965; *Ciclón en el golfo,* 1969), Clemente Cimorra (*El bloqueo del hombre,* 1940; *Gente sin suelo,* 1940; *La simiente,* 1942; *El caballista,* 1957), Arturo Esteves (*Búsqueda en la noche,* 1957), Julián Gorkín (*La muerte en las manos,* 1956), Jesús Izcaray (*La hondonada,* 1961; *Noche adelante,* 1962; *Las ruinas de la muralla,* 1965; *Madame García tras los cristales,* 1968; *Un muchacho en la puerta del sol,* 1973), Miguel Jiménez Igualada (*Los últimos románticos,* 1959), Manuel Lamana (*Otros hombres,* 1956; *Los inocentes,* 1959), Tirso Medina (*Invierno en primavera,* 1945), Elicio Muñoz Galache (*Muros y sombras,* 1961),

21. Existe poca bibliografía relativa a los autores mencionados en este apartado. Sobre Andújar, véase Marra-López [1962], que trata de lo que puede considerarse primera etapa del novelista, y Rodríguez Padrón [1974].

Sobre Arana, véase el artículo recogido en Andújar [1981].

Para Rosa Chacel, consúltese F. Aguirre [1975].

Hay un completo estudio de la obra de Granell: E. Irizarry [1976].

Luis Alberto Quesada (*La saca*, 1963; *Mineros*, 1970), Paulino Romero (*Lances y desventuras de Ani Termidor*, 1974), Juan Rejano (*La esfinge mestiza*, 1978), Arturo Serrano Plaja (*Del cielo y del escombro*, 1942; *Don Manuel del León*, 1946; *La cacatúa atmosférica*, 1977).

6. La novela desde 1975

Según la hipótesis que hemos planteado en el capítulo 1 (cf. pp. 46 ss.), 1975 puede considerarse como la fecha inicial de un nuevo período de nuestra narrativa. Las nuevas condiciones políticas inauguradas en ese año —y cualquiera que haya sido el ritmo de su materialización— se han de reflejar en la literatura. No sólo influye la libertad de expresión, antes comentada, sino que, en realidad, se detectan los suficientes rasgos distintivos como para diferenciar un período con personalidad propia. La polémica, por ejemplo, entre esteticismo y narrativa utilitaria ya no tendrá demasiado sentido, al menos referida a unas circunstancias políticas anormales. Cada novelista elegirá el camino que le resulte más adecuado a sus aptitudes, pero sin obligaciones ajenas a la literatura y a su propia personalidad.[22]

De acuerdo con la dinámica de la biología humana, en este momento conviven las tres generaciones de novelistas de postguerra, pero su actividad y significación es diferente en cada una de ellas. Algunos de los escritores de la promoción mayor han muerto (Agustí o Zunzunegui) y otros continúan su producción dentro de una obra que ya tiene unidad de enfoque (Delibes, por ejemplo). Los autores de la generación del medio siglo se encuentran en su madurez creadora, aunque se advierten algunas señales de fatiga, y tratan de conjugar una visión general del país con más reposados procedimientos innovadores. El grupo del 68 ha abandonado su experimentalismo radical y busca una voz personal. Aparece, además, una nueva promoción que edita sus primeros libros a partir de 1975. Lo más característico de esta última novelística es que surge sin aparentes vinculaciones de dependencia de los fenómenos narrativos anteriores, pero, a la vez, sin un proyecto artístico común. Se trata, pues, más de una narrativa de individualidades que de tendencias o grupos. Al menos éstos no se presentan con un carácter programático.

22. Las valoraciones globales y los estudios específicos sobre esta última narrativa, como resulta natural, son muy escasos. Resaltamos el afortunado panorama de S. Alonso [1983]. Sobre Rosa Montero se ha publicado un breve pero interesante trabajo: E. de Miguel [1983].

Hacia los alrededores del año 1975 se produce un estancamiento en nuestra narrativa, la cual refleja un cierto desnortamiento. Ha desaparecido la narrativa social y ha retrocedido la experimental y se impone buscar una salida. Ésta no va a ser sencilla, o, al menos, no resulta fácil vislumbrarla desde el momento en que escribimos. En efecto, habrá que recordar que los sucesos a los que me refiero son tan inmediatos que no tenemos un mínimo de perspectiva casi para describirlos, y mucho menos para valorarlos. Quizás el rasgo más aparente de los inicios de este último, por ahora, período de nuestra novela, sea el de la desorientación de nuestros escritores, que no parecen encontrar vías firmes y seguras que seguir y, desde luego, resulta evidente que no ha habido un proyecto colectivo de novela, como, en cierto sentido, existió en períodos anteriores. Pero, incluso, esta opinión es completamente provisional y prematura, ya que si los jóvenes narradores de la promoción experimental se encuentran en plena búsqueda de una voz propia que, en algún caso, ya parece asentarse, los más nuevos que surgen en estos años poseen unos muy pocos títulos que son sólo el tanteo —por seguro que pueda parecer— de un camino que está todavía casi por completo inédito.

Distinguir algunos nombres que revelan instinto novelesco o aciertos expresivos es muy difícil y prematuro (no obstante, y por hacer un vaticinio arriesgado, se puede aventurar un magnífico porvenir a Luis Mateo Díez o a José María Merino). Más embarazoso resulta todavía señalar líneas o tendencias generalizadas ya que los títulos que sirven para probarlas pueden muy bien ser tan sólo fenómenos aislados. Con todo el riesgo que esto entraña, creo que se vislumbran algunos caracteres de amplia dimensión.

El fenómeno, en términos generales, más extenso tiene una doble vertiente, el abandono del experimentalismo y el retorno a una concepción clásica del relato. Ambos aspectos creo que están muy ligados. Por una parte, ha perdido crédito la narrativa de corte experimental, el interés centrado en la investigación de las estructuras novelescas o del lenguaje y la destrucción de los componentes tradicionales que tanto abundó en años anteriores. Esto no quiere decir que no se publiquen algunas novelas experimentales como *Vitam venturi seculi* (1982), de Aliocha Coll, y en esa misma categoría podría encuadrarse uno de los libros de estos años que han tenido más éxito, *Bélver Yin* (1981), de Jesús Ferrero. Lo importante, sin embargo, son los rastros que las técnicas renovadoras han dejado, que se han incorporado con normalidad a la narrativa por su capacidad expresiva. Así, la literatura en la literatura aparece con toda naturalidad en *Novela de Andrés Choz* (1976), de José María Merino; en *El bandido doblemente armado* (1980), de Soledad Puértolas, el objetivismo de la gran tradición norteamericana no es recurso externo, sino dato esencial en el desarrollo de la acción; y el relato en segunda persona constituye uno de los puntos de vista de *Luz de la memoria* (1976), de Lourdes Ortiz.

El tono predominante ha sido, por el contrario, el de una ficción de concepción clásica, que puede o no incorporar otros elementos al relato, pero que vuelve a los orígenes del género, ante todo por el afán de contar cosas, de narrar sucesos, de atraer al lector por el interés de una anécdota, por la creación de unos tipos o por la reconstrucción de ambientes. Sobre una andadura con estos caracteres se desenvuelve, por ejemplo, *Islario* (1980), de Rubén Caba, o, sobre una concepción bastante convencional y hasta decimonónica tenemos *Ahora es preciso morir* (1982), de Jesús Pardo. Dentro de esta afición por libros que cuentan cosas parece bastante específico de los primeros momentos del postfranquismo el auge de unos géneros generalmente poco cultivados de nuestras letras o que, cuando lo han sido, no han captado la atención de los críticos por considerarse en lo que se suele denominar los arrabales de la literatura. El tiempo dirá lo que hay en ello de respuesta a un momento histórico, de moda pasajera o, incluso, de calco sobre experiencias acreditadas en otros países, lo cual indicaría una grave crisis de la imaginación, cuando paradójicamente se trata de una literatura que recupera la invención. Me refiero a la pujanza de la literatura negra, de espionaje, de aventuras...

En ese contexto hay que situar la serie, ya vista, de Vázquez Montalbán y otros muchos títulos, de diferentes autores, que aparecen en estos años. En primer lugar, por su éxito de público, *La verdad sobre el caso Savolta* (1975), de Eduardo Mendoza. Reconociendo la habilidosa construcción del relato, pienso que su popularidad se debe, sobre todo, a la intuición de su autor sobre el tipo de literatura de acción que la sociedad de ese momento demandaba. En una línea semejante ha publicado Mendoza, después, *El misterio de la cripta embrujada* (1979) y *El laberinto de las aceitunas* (1982); en esta última da acentuada cabida a la fantasía y a la parodia. En una línea de acción se pueden situar otros relatos de estos años, en los cuales, además, se hace una investigación sobre la realidad contemporánea: *Demasiado para Gálvez* (1979), de Jorge Martínez Reverte; *El bandido doblemente armado* (1980), de Soledad Puértolas; *Caronte aguarda* (1981), de Fernando Savater. Unos libros que pueden calificarse estrictamente de aventuras son dos recientes de Alfonso Grosso: *La buena muerte* (1976) y *El correo de Estambul* (1980). Incluso, *La noche española* (1981), de Leopoldo Azancot, puede considerarse seguidora de estas corrientes. Este florecimiento de la literatura de acción se debe a circunstancias históricas, pero tampoco debe olvidarse lo que haya influido una operación comercial, e, incluso, una sutil promoción desde algunos medios de comunicación que le han prestado su apoyo. Esto explicaría, también, la presencia abundante de escenarios cosmopolitas, tan poco frecuentes —aunque con notables excepciones— en nuestras letras serias.

Algunos de los rasgos señalados se encuentran en otros relatos en los que conviene subrayar su carácter testimonial. Este valor está ya en Mendoza, Martínez Reverte y Savater, y muy en especial en Vázquez Montalbán. Algunos otros libros que lo comparten, son:

Ramón Ayerra, *La tibia luz de la mañana* (1980), *Los terroristas* (1981);
Faustino González Aller, *Operación Guernika* (1979);
Alfonso Grosso, *Los invitados* (1978);
Alberto Moncada, *Los hijos del Padre* (1977);
Rosa Montero, *Crónica del desamor* (1979), *La función Delta* (1981), *Te trataré como a una reina* (1983);
Lourdes Ortiz, *En días como estos* (1981);
Jesús Torbado, *En el día de hoy* (1976);
Manuel Vicent, *El anarquista coronado de adelfas* (1979);
Manuel Villar Raso, *Una república sin republicanos* (1977), *Comandos vascos* (1980).

Se trata, por lo común, de aprovechar el relato para hacer la crónica, desde una óptica crítica, de la actualidad: el terrorista arrepentido o su crisis de conciencia, la historia inmediata (pero con cambio de los papeles reales), las grandes especulaciones (caso Sofico), grupos de presión (el OPUS DEI), algún crimen famoso...

Junto a esta literatura directa, de fácil comprensión, también hay que destacar la presencia de una narrativa fuertemente culturalista, que incorpora al relato comentarios sobre diversidad de cuestiones. Un ejemplo puede ser *Octubre, octubre* (1981), de José Luis Sampedro, escritor de la generación mayor, narrador hasta ahora bastante convencional que sorprende en este momento con un libro complejo y ambicioso. Otro ejemplo es el de *Gramática parda* (1982), de Juan García Hortelano, relato metaliterario y, también, de acentuado culturalismo.

Otra característica muy importante de
de nuestra prosa de ficción es la presencia
entre nuestros narradores. No es que haya
tas con anterioridad (sin salirnos de nuest
por ejemplo, a Carmen Kurtz, Carmen La
Ana María Matute, Dolores Medio, Marta P [illegible]),
pero un nuevo rasgo peculiar de este mome [illegible] es la aparición frecuente y regular de novelas escritas por mujeres y su acogida, en los medios de comunicación y por la crítica, como una tendencia con perfiles distintivos. No se trata, pues, de la presencia de varias escritoras aisladas, sino de todo un fenómeno casi colectivo que refleja, tal vez, la progresiva normalización de la incorporación de la mujer a todas las esferas de la vida comunitaria. Una antología, *Doce relatos de mujeres* (1982), mostraba —aparte su oportunidad editorial— un estado de cosas. La compilación se debe a Y. Navajo y reúne narraciones de C. Fernández, C. Janés, A. M. Moix, R. Montero, B. de Moura, L. Ortiz, R. M. Pereda, M. Pessarrodona, S. Puértolas, C. Riera, M. Roig y E. Tusquets. Dentro de este fenómeno habría que distinguir, no obstante, una novela de reivindicación feminista (en buena medida, la de Rosa Montero, por ejemplo) de otra que no hace especial hincapié en esta problemática (la de Marina Mayoral). A los nombres de Mayoral y Montero deben unirse los de Ana María Navales, Lourdes Ortiz, Soledad Puértolas, Carmen Riera, Montserrat Roig y Esther Tusquets como los más atractivos de este movimiento y, en general, por el futuro que de ellos cabe esperar.

Dejando aparte estas tendencias genéricas, entre los novelistas que surgen en estos años se pueden deslindar, por una parte, algunos que inician su carrera narrativa algo tardíamente. Varios los hemos citado ya: Leopoldo Azancot (1935), Eduardo Mendoza (1943), Manuel Villar Raso (1936), Rubén Caba (1935). A ellos debe agregarse Álvaro Pombo (1939). Por otra, podemos presentar una nutrida nómina de más jóvenes narradores, pero de los que ya poseemos muestras suficientes como para que deban figurar entre aquellos a quienes la crítica tendrá que prestar atención. También hemos mencionado a algunos: Jesús Ferrero, Luis Mateo Díez, José María Merino, Fernando Savater, más las escritoras reunidas en la antología que acabo de citar. A esta relación muy provisional (a veces no he accedido a todos los títulos; en otras, no he conseguido la obra, pero cuento con referencias fiables) se pueden añadir los nombres de Jesús Alviz Arroyo, Juan Oleza, Fernando Poblet, Carlos Pujol, Raúl Ruiz y Juan Ruiz Rico.

[illegible] sus [illegible] este [illegible] pe-
[illegible] de numerosos monog-
[illegible] que han tratado las novelistas [illegible] de [illegible] como [illegible]
[illegible] March,
Ana María Matute, [illegible] Medio, [illegible] Elena [illegible]
[illegible] y [illegible]

[illegible]

Capítulo 3

EL TEATRO

1. De la guerra a la inmediata postguerra

Varias observaciones preliminares hay que hacer antes de presentar sintéticamente la situación del teatro durante los años de la guerra. La primera y más importante es que se trata de un género muy mal conocido a causa de la ausencia de documentos, de textos teatrales, muchos de ellos de difícil acceso y otros, es de sospechar que no pocos, quizás definitivamente perdidos. Contamos con meritorias e importantes contribuciones de algunos estudiosos (Bertrand [1980], Bilbatúa [1976], Marrast [1978], Monleón [1979]), pero todavía no existe un análisis completo que nos sirva de guía segura. Esta labor investigadora tendrá que acompañarse algún día de la reedición de las obras de aquel momento (aparte las aparecidas en revistas de la época, son muy pocas las que han vuelto a imprimirse). En segundo lugar, es de notar que hubo una considerablemente intensa actividad teatral desde poco después de estallar la guerra. Hay, de todas formas, que dejar sentada una diferenciación fundamental: la vida del teatro —si así puede llamarse entonces— «comercial» (que reanuda las representaciones en el mismo verano de 1936) y los proyectos de teatro político, al margen del anterior.

Resulta de verdad sorprendente —y es algo subrayado por los críticos mencionados— la continuidad de la cartelera teatral de preguerra después de julio de 1936 en las principales ciudades republicanas (Madrid, Barcelona, Valencia). El teatro vuelve a los escenarios con las mismas piezas de corte burgués, evasivas, que los ocupaban antes, como si la lucha fuera una realidad ajena al mundo teatral. Este dato es muy importante porque indica hasta qué punto el teatro español contemporáneo está condicionado por unos gustos del público tan asentados que permiten esa paradójica situación. Incluso en Barcelona, donde los locales fueron colectivizados, se mantuvo la programación establecida con anterioridad y en su visita a la ciudad en 1936, Piscator se sorprendió de la ausencia, en aquellas circunstancias, de un teatro político. El fenómeno no dejó de ser advertido por personas con responsabilidad cultural y política y motivó —o impulsó— diversos proyectos renovadores, a la vez que contribuyó, sin duda, a fomentar muy interesantes y profundas polémicas sobre la función del teatro, cuyos planteamientos globales —y salvando las inevitables referencias a la específica situación histórica que vivía el país— tienen vigencia incluso en nuestros días.

El teatro creado durante los tres años de contienda no fue insensible a ésta. En cierta medida, incluso, se vio afectado con más intensidad que otros géneros dada su mayor inmediatez respecto del público y su más acentuada capacidad de influir sobre éste. Por ello se vio contaminado por componentes ideológicos y se escribió con fines propagandísticos. Así surge un teatro de circunstancias, destinado a concienciar al espectador, a atacar al enemigo o a entretener y estimular a los combatientes. Especialmente activas fueron las autoridades republicanas en el fomento del teatro y crearon en 1937 el Consejo Central de Teatro, del que eran miembros, entre otros, Machado, Aub, M.ª Teresa León, Benavente, la Xirgu, Díez Canedo, Rivas Cherif, Alberti, Casona.

La situación del teatro comercial en la España republicana durante la misma guerra era extremadamente degradada y los propios críticos adictos al gobierno legal denunciaron la situación: reposiciones de teatro evasivo de preguerra, inactividad de autores que no desean comprometerse y esperan al desenlace de la lucha, indigencia material de las representaciones, abandono de los actores (algunos comentarios critican a quienes obtienen pasaporte y, una vez en el extranjero, elogian el régimen de Burgos), predominio de sainetes frívolos, de farsas evasivas, de vodeviles... Frente a este estado de cosas, la Alianza de Intelectuales Antifascistas y el propio gobierno impulsaron la creación de proyectos de renovación teatral. El primer proyecto de la Alianza fue el grupo «Nueva Escena», que, dentro de una línea de compromiso, no sólo hace teatro sino que se propone difundir la poesía civil y llevar los espectáculos a la calle. Contará, además, con piezas breves, relacionadas con la situación inmediata, que periódicamente debían haber escrito los más destacados autores republicanos. Más tarde se creó la compañía «Teatro de Arte y Propaganda», bajo la dirección de M.ª Teresa León, que pretendía hacer llegar al público un teatro revolucionario, pero, a la vez, artísticamente valioso (información sobre estos grupos y su actividad se encuentra en las páginas de *El Mono Azul* y en los trabajos de Marrast [1978] y Monleón [1979]). Por fin, elemento importante para la difusión del teatro de circunstancias fueron las «Guerrillas del Teatro», que llevaban los espectáculos —sencillos de concepción y de montaje— al frente, a los lugares de trabajo y a los pueblos.

Aunque no se desatendió el teatro de valor estético, buena parte de lo creado entonces —y sobre todo las piezas breves— entra dentro de una producción de circunstancias, de un teatro de urgencia o de agitación política. Mencionaremos a algunos de los autores que escriberon este teatro republicano: Rafael Alberti (*Los salvadores de España*; *Radio Sevilla*; *De un momento a otro*; también hizo una versión de *La Numancia,* de Cervantes), Antonio Aparicio (*Los miedosos valientes*), Max Aub (*Pedro López García,* entre otras), Germán Bleiberg (*Amanecer*), Luisa Carnés (*Así empezó...*), Rafael Dieste (*Al amanecer*; *Nuevo retablo de las maravillas*), Pablo de la Fuente (*Café... sin azúcar*), Miguel Hernández (*Pastor de la muerte,* entre otras), José Herrera Petere (*Torredonjil,* entre otras), Santiago Ontañón (*El búho*; *El saboteador*), Ramón J. Sender (*La llave*)...

También en el bando nacionalista hubo un teatro de circunstancias. El teatro alcanzó menos importancia (según Bertrand [1980]) y ello se puede deber a que no necesitaba crear una literatura dramática específica de su ideología, al menos en idéntica medida que en la zona republicana, porque ya contaba con su propia tradición de teatro burgués, como ha indicado Monleón [1979]. De cualquier manera, sí hubo intentos teóricos de fraguar una dramaturgia falangista —acorde con el pensamiento de este grupo para el conjunto de la vida cultural— y obras que respondieron a esas premisas o que pretendieron una eficacia propagandística. Pemán es, seguramente, el autor más significativo e importante de la dramaturgia nacionalista. Ya había alcanzado notoriedad antes de la lucha con diversas piezas de clara intencionalidad política y se convirtió, después de 1939, en el primer dramaturgo del Régimen, como veremos luego. A él habría que añadir ocasionales irrupciones en el campo teatral —o, si se quiere, de la literatura dramática— de autores ya consagrados o de futuro renombre en otros géneros; novelistas como Torrente Ballester (*Viaje del joven Tobías*), Jacinto Miquelarena (*Unificación*) o poetas, por ejemplo Rosales y Vivanco (en su drama histórico *La mejor reina de España*).

El fin de la guerra no supone para el teatro una ruptura semejante a la producida, por ejemplo, en la novela. La causa se halla en que, en realidad, se trata de una prolongación de la dramaturgia tradicional, de corte decimonónico, anterior, sólo muy esporádica y levemente alterada durante la República y, sobre todo, la guerra. El signo más evidente de esa continuidad es la presencia, al lado de los vencedores, del dramaturgo que mejor representa esa tradición, Jacinto Benavente. A pesar de su adhesión republicana durante la guerra y de sus enérgicas denuncias de los facciosos, pronto entonó la palinodia y, superadas algunas leves molestias, se convirtió en el modelo por excelencia del teatro convencional posterior a la lucha. La casi totalidad de la crítica ha expresado juicios que descalifican de modo absoluto el teatro de la inmediata postguerra y el de los primeros lustros posteriores al fin de la contienda. Entre las muchas afirmaciones que podrían sintetizar ese estado de opinión, elegimos una del dramaturgo y escenógrafo Francisco Nieva, quien, en un coloquio, afirmaba que los veinte años siguientes a la lucha son «algo así como una edad de oro de la mediocridad» [en AA. VV., 1977].

En realidad, aquella época, en especial en sus primeros tiempos, ha sido muy poco estudiada y no es fácil comprobar las afirmaciones genéricas que de ella se hacen por la falta de catálogos de obras representadas, por la difícil accesibilidad de algunos textos y por la propia vaguedad de la crítica que, salvo destacables excepciones (Doménech, Monleón), no suelen pasar de unas genéricas descalificaciones. Hay que ir a la cartelera teatral para hacerse una idea precisa de la situación. A modo de ejemplo, podemos ofrecer esta relación de estrenos de obras españolas habidos en Madrid en 1940 y 1941 (entre paréntesis se indica el género de las piezas con las siguientes abreviaturas: c., comedia; c.l., comedia lírica; c.m., comedia musical; j.c., juguete cómico; z., zarzuela; s., sainete; o., opereta; t., tragedia):

AÑO 1940

Un marqués nada menos (j.c.), de Antonio Paso.
Tu mujer es cosa mía (j.c.), de Prada.
¡Mi tía! (c.), de Pérez Fernández.
Solera del Sacromonte (c.l.), de Sánchez Prieto.
Anda con Elsa (j.c.), de Pérez Fernández.
La Cenicienta del Palace (c.m.), de Somonte y Moraleda.
Entre cuatro paredes (c.), de Muñoz Seca.
Mis abuelos son dos niños (c.), de Ramos Martín.
Pepe Monte (z.), de López Núñez, Sicilia y Moreno Pavón.
La tía de Belmonte (s.), de Ramos de Castro y Demetrio López.
Espuma del mar (c.), de Luca de Tena.
Qué mala sangre tienes (c.), de Antonio Paso.
Mujeres a la medida (z.), de Paso (hijo) y Forns.

¡Olé, mi niña! (c.), de Pérez Fernández y Quintero.
La chulapa y el coscón (z.), de Chicote y Quiroga.
Celedonio se divierte (c.), de Prada.
Tú eres ella (o.), de Muñoz Lorente, Tejedor y Moreno Torroba.
Cocktail Bar (c.), de Joaquín Romero Marchent.
La respetable primavera (c.), de Román Escohotado.
Eloísa está debajo de un almendro (c.), de Jardiel Poncela.
Papanatas (c.), de Paso y Sáenz.
Peppina (o.), de Arroyo y Lozano.
Y el ángel se hizo mujer (c.), de Manuel de Góngora.
La meiga de Vilariños (c.), de Pilar Millán Astray.
Vámonos pa Cai (c.), de Pierrá.
Cuidado con las señoras (z.), de Loygorri y Padilla.
La calle 43 (z.), de Vela y Guerrero.
Fabiola (c.), de Tomás Borrás.
Vampiresas 1940 (z.), de González del Castillo, Muñoz Román y Rosillo.
S.O.S. (z.), de Ramos de Castro y Guerrero.
Un duro en el bolsillo (c.), de Ramos Martín.
El señorito Pepe (c.), de Luis de Vargas.
Mosquita en Palacio (c.), de Torrado.
En poder de Barba Azul (c.), de Linares Becerra.
¿Quién te puso Petenera? (c.l.), de Sánchez Prieto.
Repóker de corazones (c.m.), de Fernández Shaw y Padilla.
Lo increíble (c.), de Benavente.
Aves y Pájaros (c.), de Benavente.
Los pescadores de reúma (c.m.), de Sánchez Neyra.
Cancela (c.), de Ochaíta y Rafael de León.
Bandera Blanca (c.), de Antonio Quintero.
Ella no se mete en nada (c.), de Pemán.
Las ranas (c.), de José de la Cueva.
En el otro cuarto (tragedia comprimida), de Samuel Ros.
Tina Quina (c.), de Luis de Vargas.
Engáñame, por lo que más quieras (z.), de Antonio Paso y Rosillo.
Alhambra (z.), de Fernández de Sevilla y Prada.
La florista de la Reina (c.), de Luis Fernández Ardavín.
Gran Casino (c.), de Leandro Navarro.
Quiero ver al doctor (c.), de Claudio de la Torre y Mercedes Ballesteros.

AÑO 1941

El amor sólo dura dos mil metros (c.), de Enrique Jardiel Poncela.
¿Quién? (c.), de José Ramos Martín.
Caradura (c.), de Adolfo Torrado.
Tuyo y mío (c.), de Joaquín Álvarez Quintero.
Frente a frente (c.), de Carmen de Icaza.
La infeliz vampiresa (c.), de Adolfo Torrado.
El lobo feroz (c.), de Vicente de L'Hotellerie.
Puente de Plata (c.), de Antonio Quintero.
Manuelita Rosas (z.), de Fernández Ardavín y Alonso.
El tío Miseria (c.), de Arniches y Alonso.
Ladronas de amor (z.), de Muñoz Román y Alonso.
El testamento de la mariposa (c.), de José María Pemán.
Déjeme usted que me ría (c.), de José de Lucio.

Se alquila un novio (c.), de Enrique Suárez de Deza.
Y vas que ardes (c.), de Ramos de Castro y López Marín.
Julián, que tiés madre (c.), de Candela y Sánchez Arjona.
Yola (z.), de Sáenz de Heredia, Vázquez Ochando e Irueste.
El hombre aquél (c.), de Ramos Martín.
Doña Polisón (c.), de José Antonio Ochaíta.
El rescate (c.), de Horacio Ruiz de la Fuente.
Los vestidos de la señora (c.), de Luis de Vargas.
Maravilla (z.), de Quintero, Arozamena y Moreno Torroba.
El hombre que murió en la guerra (c.), de Antonio y Manuel Machado.
Gente de bulla (c.), de José Tellaeche.
Los ladrones somos gente honrada (c.), de Enrique Jardiel Poncela.
La canción del Ebro (z.), de Calonge, Reollo y Guerrero.
La zapaterita (z.), de Mañes y Alonso.
Dos hombres y una mujer (c.), de Pérez Fernández.
Madrinita buena (c.), de Pérez y Pérez y Teixidor.
La leyenda de Zaida (c.), de Joaquín García y Florián de Arjona.
El corazón de las mujeres (c.), de Salvador Martínez Cuenca.
Por el imperio hacia Dios (c.), de Luis Felipe Solano y José María Cabezas.
Amuleto (c.), de Emilio Sáez y Antonio Paso.
Un hijo, dos hijos, tres hijos (c.), de Antonio y Manuel Paso.
Banco (c.), de Cossío y Torrado.
El derecho de los hijos (c.), de Castellón y Pierrá.
En poder de Barba Azul (c.), de María Luisa Linares y Álvaro Portes.
Gloria Linares (c.), de Antonio Casas Bricio.
Víspera (c.), de Samuel Ros.
Mañanita de sombra (c.), de Joaquín Álvarez Quintero.
Amor eterno (z.), de Fernández Shaw.
El ancla (c.), de José de la Cueva.
La Morocha (c.), de Leandro Navarro.
Chiruca (c.), de Adolfo Torrado.
La señora está servida (c.), de Pedro Sánchez Neyra.
Canción de primavera (c.), de Paso y Sáez.
La mariposa y la llama (c.), de Mariano Tomás.
Agustina de Aragón (c.), de Mariano Tomás.
Marco Antonio y Cleopatra (c.), de Tomás Borrás y Astrana Marín.
En mi casa mando yo (c.), de López Monis y Ramón Peña.
Las Calatravas (z.), de Federico Romero, José Tellaeche y Pablo Luna.
Severino fue al casino (c.), de José de Lucio.
Lo que el viento se llevó (c.), de Cayetano Luca de Tena.
Ella, él y Don Gonzalo (c.), de Sabino A. Micón.
Ella y el duque (c.), de Luis Manzano.
Juan Lucero (z.), de Romero, Fernández Shaw y Barrios.
Maniquí (c.), de Francisco de Cossío.
El negocio es redondo (z.), de Ramos de Castro, Cadenas y Guerrero.
Los papaítos (c.), de Serafín Álvarez Quintero.
La flor del romero (c.), de José Ramos Martín.
Una de cal y otra de arena (c.), de Fernández de Sevilla.
Marramiau (c.), de Ramos de Castro y Marín.
Salam (c.), de Carlos Orellana.
Mis simpáticos enemigos (c.), de Prada.
La eterna enamorada (c.), de Ortega y Lopo.
...Y amargaba (c.), de Benavente.

La última carta (c.), de Benavente.
María Antonieta (c.), de Fernández Ardavín y Mañes.
Madre, el drama padre (c.), de Jardiel Poncela.
El beso de madrugada (c.), de Torrado.
El trueno gordo (c.), de García Loygorri y Sabino A. Micón.
La condesa Maribel (c.), de Pilar Millán Astray.
Allá, en el rancho chico (c.), de Antonio y Manuel Paso.
Agripina y Calixto (z.), de Luis Pérez García, Jesús Bruñó y Antonio Casero.
Juan Lucero (z.), de Federico Romero, Guillermo Fernández Shaw y maestro Barrios.
Doce lunas de miel (c.), de María Luisa Linares Becerra y Daniel España.
Whisky con soda (c.), de Rafael García de Valdés y Pedro Braña.

Según la clasificación en géneros de la fuente de esta cartelera (Marquerie [1942]), entre estas piezas predominan la comedia y la zarzuela, y una observación de los contenidos nos muestra el triunfo de la evasión y el melodrama. No distinto es el resultado si extendemos la relación otro par de años más e incluimos en ella actividad teatral en el resto de España (véase, por ejemplo, el censo de Marquerie [1944]).

A este incompleto y orientativo catálogo habría que sumar los numerosos espectáculos de vodevil y variedades y las representaciones folklóricas carentes de valor artístico, de cuya suma se obtiene el resultado del predominio durante la primera postguerra de unos géneros evasivos, humorísticos, costumbristas o melodramáticos en los límites de la literatura consolatoria o claramente dentro de la subliteratura. Por entonces es habitual la astracanada, pieza humorística basada en juegos lingüísticos, parodias elementales y chistes que persigue una risa fácil y gruesa. Es normal una comedia de intriga y equívocos, de temática sentimental y melodramática. No es extraño, tampoco, un teatro de clara orientación política. Pero el gran género del momento y quizás el más popular es el que acuña la etiqueta de torradismo, debida a su más destacado cultivador, Adolfo Torrado. Resulta imposible —dentro de los límites de este libro— ocuparse de todas las producciones que coinciden con esas líneas y por ello nos fijaremos en algunas cuantas, que pueden servir como modelo y tónica de época.

Me referiré, en primer lugar, a dos estrenos, de 1940, de Jacinto Benavente. El premio Nobel de 1922 tiene una larga supervivencia en la postguerra, pues continuó su actividad hasta su muerte en 1954. A pesar de su adscripción republicana, que antes recordé, fue pronto defensor entusiasta e interesado del orden franquista y, sobre caracteres semejantes a los de su copiosa obra de anteguerra, continuó produciendo abundantes comedias burguesas. Éstas, además, se convirtieron en modelo de la comedia característica de postguerra (la de Luca de Tena, Ruiz Iriarte, Calvo Sotelo..., a la que luego nos referiremos), superadora, al menos, del astracán y el torradismo. Los dos aludidos estrenos de 1940 —*Lo increíble* y *Aves y pájaros*— suponen dos líneas distintas pero significativas. *Lo increíble* se desarrolla en un típico medio confortable:

> Sala con grandes puertas, vidrieras al fondo y cortinas que cubren las vidrieras [...] Mobiliario cómodo, sin lujo aparatoso.

En el desarrollo argumental nos encontramos con un matrimonio de desigual edad. Durante una enfermedad, el marido es atendido por un joven y apuesto médico. Más tarde, la mujer queda embarazada y la maledicencia de la gente atribuye el hijo al médico. El día del bautizo del niño, el médico hace de padrino y aquella osadía y provocación convierte la fiesta en un duelo al abandonarles todas las amistades. Paralelamente corre la historia del amor del médico por una joven con la que se casa, a pesar de la oposición familiar. Al final de la pieza se asienta la lección que el dramaturgo transmite y defiende:

> Quiérele tanto, que de vuestro cariño y de vuestra felicidad puedan decir todos también: ¡Es increíble! Ya sabes lo que es increíble para todos: una hermosa verdad que es sólo nuestra.

Lo increíble, pues, reafirma esa línea tradicional de crítica de aspectos superficiales, aunque negativos, de la burguesía, el grupo social que daba su apoyo a este teatro. La crítica nunca resulta excesivamente conflictiva y se resuelve con el triunfo de valores morales convencionales, que, además, avalan el orden social vigente. Si he seleccionado esta obra de Benavente es porque muestra con claridad desde fecha muy temprana la vigencia de un modelo —temático y constructivo— a partir del cual —y avalado por el prestigio del escritor— discurrirán la mayor parte de las comedias de la larga postguerra.

Aves y pájaros, subtitulada «comedia aristofanesca», resulta ejemplar de una absoluta degradación artística por disponer la obra al servicio de la propaganda ideológica y por concebir el mundo desde un extremado maniqueísmo. Muestra, además, la adhesión del autor a la nueva situación política y por la virulencia de sus ataques a los perdedores de la guerra más hace pensar en la sinceridad del dramaturgo que en una simple *captatio benevolentiae* de los nuevos gobernantes, a quienes, sólo un par de años antes, había denunciado en términos tajantes (en *El Mono Azul,* núm. 46, VII-1938):

> Sobrevino la subversión rebelde y criminal [...]. No he titubeado, y desde los primeros días me puse al lado de la víctima, contra el verdugo, y a su lado lucharé hasta el final. // El fascismo, estoy seguro, es el hijo sangriento de la Inquisición; se apodera del trabajo para explotarlo, del movimiento para forzarlo, del heroísmo para envilecerlo, de la gloria para mancillarla, del pensamiento para prostituirlo. Yo no puedo estar a su lado.

Toda la fábula de *Aves y pájaros* es una constante diatriba contra los republicanos (los pájaros), vencidos, al fin, por las águilas. A aquéllos se acusa de toda clase de crímenes; se denuncia a quienes, siendo aves, han confraternizado con los pájaros y se lanzan invectivas —destacables por su interés sociológico— contra los pasivos —sin duda, unas clases burguesas escépticas— que asistieron callados a las depredaciones, según Benavente, de los pájaros. La fábula, lejos de elevarse a una defensa intelectualmente seria de los motivos de los hogaño vencedores, se hunde en el melodrama, como ocurre, por ejemplo, en el caso de las cigüeñas, que no pueden anidar por haber sido quemadas las iglesias y asisten impotentes a la muerte de sus hijos. También rinde tributo al ideario falangista de una juventud abnegada e idealista (motivo de mayor desarrollo en páginas novelescas de otros escritores de los cuarenta, tal como antes vimos). Así sucede en el aplauso benaventino de una juventud heroica que supo enderezar su primitivo señoritismo tras ver el rumbo que tomaba la sociedad pajaril. Mención aparte merece el cuadro primero, que se desarrolla en la tierra y en el que se presenta el diálogo entre un espectador y el autor. Aquí Benavente expresa de forma directa su pensamiento, que constituye toda una manifestación de principios políticos. Las guerras, dice, son necesarias y buenas para una limpieza de los espíritus, con tal de que se sepa sacar lección provechosa. Hay que restablecer el amor, pero sin olvidar. Fueron los idealistas —añade— los que salvaron a España, y el resto de la sociedad no merece sino desprecio:

> Los de arriba, adormecidos, embobados, cobardes como su dinero, su dinero, [*sic*] del que ni sabían desprenderse con generosidad, ni supieron defenderlo con valentía... Los de abajo, sin otros ideales, sin otra aspiración que la de poseer ese dinero tan mal defendido.

Los políticos —agrega Benavente— han sido, con su miedo, culpables de lo sucedido y no menor responsabilidad recae en los capitalistas, que permitieron aquel estado de cosas. Nadie se sublevaba porque «El pueblo tiene muy buen fondo... ¡Ya han visto el fondo!», pero el pueblo estaba envilecido y era guiado por «esa cuadrilla..., no diré de gobernantes, de... bandidos». Sin embargo, no hay que desconfiar del pueblo sino que se debe dirigirlo y tratarlo como a un niño, pues no es el que hace las revoluciones, sino que éstas resultan obra «de los inadaptados de todas las clases sociales» y «de los intelectuales fracasados» que «huyen como liebres apenas la revolución que ellos trajeron se desborda más de lo que a ellos les convendría».

Aves y pájaros es representativa del impacto de la guerra en la materia dramatizable, pero no constituye la única opción para un autor teatral. La situación histórica generada tras la lucha hace posible otro tipo de teatro que descarta el compromiso explícito —ni siquiera desde un orden conservador— y el análisis social —incluso desde la perspectiva de ese mismo orden— porque prefiere sorprender al espectador con una fábula basada en la intriga o en cuestiones personales y familiares enfocadas a través de una óptica melodramática que busca sus recursos entre los de la literatura rosa, el folletín... En esta línea se inscribe ADOLFO TORRADO, autor de innumerables comedias que engendraron esa manera de hacer teatro a la que, como dije, se denomina «torradismo». Si por razones de exigencia artística, dramática o intelectual, su nombre no debiera ocupar ni siquiera una pasajera mención, en cambio, desde un enfoque de historia descriptiva —y, por supuesto, para un estudio con criterios sociológicos—, es autor inexcusable. Ello porque Torrado constituye, en buena medida, el patrocinador de toda una corriente dramática cuyos efectos no se agotan, ni mucho menos, en los años cuarenta sino que perviven en los escenarios hasta nuestros días. Además, porque se trata de uno de los autores que mejor encarnan esas corrientes teatrales que se ven refrendadas por una asistencia masiva de espectadores. Esto quiere decir que fue capaz de sintetizar en sus piezas unas aspiraciones de época, las cuales podrán juzgarse todo lo negativamente que se quiera, pero no deben olvidarse. Éxitos de público tan resonantes, prolongados en el tiempo y multitudinarios como el de *Chiruca* (estrenada en 1941) no han de ser desconocidos ni menospreciados por el historiador.

Chiruca se sitúa en el tan habitual, entonces, medio acomodado: «Un salón elegante y señorial [...]». Una antigua familia acaudalada se ve en la pobreza por el derroche de todos, mientras la abuela finge no conocer la situación. El conflicto parece irresoluble y el espectador puede pensar (contando con su voluntaria ignorancia de multitud de obras de planteamientos similares) en una definitiva miseria. Una joven criada, Chiruca, defiende a la abuela de propios y de un extraño, responsable de la ruina: el administrador. Éste pretende casar a su hija con Guillermo, joven vástago de la familia arruinada que dará al dinero del administrador —procedente del expolio de sus señores— el lustre de su abolengo. Guillermo, más emprendedor y juicioso que su familia, ha decidido trabajar el campo, despreciar a la hija del administrador y casarse con la criada, Chiruca. Igualados ambos en la pobreza, tratarán de hacerse un futuro. De repente, sin embargo, Chiruca recibe la noticia de la muerte en América de su padre y de los muchísimos millones que le ha dejado en herencia. La nueva, para Guillermo, es fatal porque no quiere depender del dinero de ella y rompe con la chica. A pesar de tan poco juiciosa decisión, Chiruca —parodia degradada de la Benina galdosiana— permanece de criada y subvenciona a toda la familia. Al final, como es esperable, Guillermo recapacita y casa con Chiruca (en una segunda parte, *La duquesa Chiruca,* expuso Torrado los conflictos de tan desigual matrimonio, aunque los resolvió con idéntico final feliz).

El esquema dramático tradicional —basado en el desarrollo de planteamiento, nudo y desenlace— se repite en otras piezas del autor —y de otros muchos autores de la época—, en las que, lo mismo que en ésta, se añaden escenas humorísticas, se agregan episodios lacrimógenos y sensibleros y se resuelven con cierta audacia los ribetes de inverosimilitud... Esos componentes los reitera Torrado en alguna medida en nuevos títulos de gran popularidad. En *La madre guapa,* la viuda protagonista casa con un hacendado, amor de la niñez, con quien tuvo un hijo adulterino; además, tiene que vencer la oposición de otra hija que aspira a quitarle a la madre el pretendiente. Los episodios amorosos están al borde de la bufonada y escritos con un propósito diferente hasta hubieran resultado esperpénticos. *La señorita Pigmalión,* subtitulada «El ladrón de gallinas» y en cuya escena hay «Detalles de riqueza en paredes, muebles y alfombras», es otro popular ejemplo de comedia melodramática: un noble se hace pasar por ladrón para despertar la simpatía de una arisca señorita que busca educar a un pobre con el fin de dominarlo y después hacerlo su marido. Descubierto el engaño, se impone el perdón y todo se resuelve en el matrimonio. Otro matrimonio, esta vez de humilde condición, protagoniza *La taberna de oro.* Acuciados por las deudas, están a punto de ver embargado el modesto negocio que regentan, mas en ese preciso momento aparece el hermano del marido, indiano enriquecido que soluciona el problema económico y humilla al matón local, que asediaba a la cuñada. El indiano hace numerosas caridades, aplasta al usurero local, moderniza el pueblo..., pero las malas lenguas señalan su inclinación por la cuñada —la cual es cierta y recíproca— y, para evitar un conflicto inexorable, regresa a América.

En fin, no merece la pena seguir con esta sucinta descripción de la trama de las piezas de Adolfo Torrado, porque esas pocas destacadas ponen de relieve, creo, de forma suficiente la significación de este autor aclamado antaño por un público que gustaba de esos conflictos que siempre concluían de manera tan amable y que permitían evadirse de los problemas cotidianos. No con otro propósito que subrayar que no se trata de un caso aislado, recordaré a otro par de dramaturgos de aquel momento. SEBASTIÁN CLADERA hace en *Un capitán español* un drama histórico en verso lleno de lances sorprendentes, adobados de múltiples referencias a la patria y a su heroico pasado. ENRIQUE BAYARRI y MANUEL CASAS escriben un melodrama de suspense en *La gente dice que dicen.* Una joven virtuosa se ve desacreditada por las malas lenguas; su noble prometido resulta ser hijo ilegítimo y, a la vez, hermanastro de Julián, el causante involuntario de la maledicencia. La joven y el noble, superados todos los percances, se casarán. Incluso un escritor que en otros campos —en la novela, por ejemplo— mostró más acierto y verdad, BARTOLOMÉ SOLER, estrena en 1942 *Guillermo Roldán,* ejemplo de esa dramaturgia melodramática y fácil. También encontramos un indiano enriquecido que conquista a una noble dama y se recluye en una vida ordenada, muelle y tranquila. Pero el matrimonio hace crisis porque ella casó con la imagen de un hombre emprendedor y aventurero y no con el pacífico rentista de ahora. Él descubre la causa del problema y, reconociendo el fracaso matrimonial, regresa a América. No se deduzca, sin embargo, de esta sinopsis que Soler desarrolla un conflicto profundo y ahonda en un análisis de la personalidad. Todo se reduce —a pesar del sugestivo problema planteado— a un bastante prototípico melodrama que de ninguna manera cuestiona, tampoco, las raíces de la autenticidad en las relaciones matrimoniales.

Estas muestras, un tanto aleatorias, que he presentado darán, al menos, idea de algunas de las manifestaciones teatrales de los años cuarenta, recién acabada la guerra. Autores nuevos y dramaturgos de experiencia en el pasado conviven en los escenarios con argumentos que evaden la realidad, que frivolizan los conflictos sentimentales, que resuelven amablemente dramas de honra y honor, o, simplemente, hacen un teatro atento a provocar la risa gratuita. Jardiel Poncela denunció en *Madre (el drama padre)* aquella dramaturgia y cuando explicó —según tuvo por costumbre— los propósitos de su obra, describió una degradada situación escénica que, a pesar de la extensión de la cita, merece la pena reproducir por lo expresiva que resulta. *Madre* es la burla, dice Jardiel (*Obras completas,* t. II, p. 286) con esa torrencial prosa tan suya,

> [...] de una clase de teatro efectivamente inmoral y resueltamente idiota, que acaparaba los escenarios y la atención del público, ideada precisamente para ridiculizar y dejar fuera de combate esa clase de comedias, iniciadas con *La Papirusa,* de Torrado y Navarro, y continuada luego hasta la saturación, ya por los mismos autores, ora juntos, ora por separado, ya por muchos plumíferos, que veían un filón apetitoso e inextinguible en ese llamémosle *género* compuesto a base de nacimientos confusos, hijos naturales, grandes damas de brocha gorda, aristócratas de *doublé,* situaciones violentas sin base, sin razón ni medida, destinadas sólo a suscitar la sorpresa en el espectador; barullos escénicos —en suma— armados con pretendida seriedad y hasta con pretendida intención dramática, pero cursis y ridículos en su realidad intrínseca; y para escribir y firmar los cuales es precisa una mezcla imprescindible de mal gusto, de total carencia de sentido crítico y de sentido artístico, de completa y enciclopédica ignorancia, de absoluta falta de lecturas y de preparación literaria, y de ese singular cinismo —en resumen— que le da al que escribe el tener el espíritu saturado de tales elementos negativos.

Hay que añadir que el teatro de la primera postguerra no debe ser considerado sólo por las creaciones de los dramaturgos activos en ese momento sino que ese panorama general tiene que reconstruirse sin olvidar algunos géneros teatrales practicados por autores fallecidos durante la contienda o de breve existencia física en la postguerra, pero habituales durante bastante tiempo en los escenarios. Es el caso, entre aquéllos, de Pedro Muñoz Seca

(1881-1936), aureolado por haber sido víctima de los republicanos, o de los hermanos Álvarez Quintero (Serafín vivió de 1871 a 1938; Joaquín, entre 1873 y 1944). Los numerosos reestrenos de estos dramaturgos añaden a la tónica de época el gusto por la astracanada de Muñoz Seca o el neocostumbrismo populista de los inseparables hermanos. También fue habitual la presencia de Carlos Arniches (1886-1944?), pero —y es dato muy significativo— no del original creador de la «tragedia grotesca», sino del autor de *El tío Miserias* (1940), carente de su personal estilización deformante y de su crítica ligeramente corrosiva. Tampoco hay que olvidar a Eduardo Marquina (1879-1946), cuyo ascendiente fue decisivo para el teatro histórico en verso.

Además de estas piezas evasivas, lacrimógenas o pseudofolklóricas, también durante algún tiempo se produjo un teatro vinculado a la guerra y de apología política, del que Ricardo Doménech [1980] destaca *Y el imperio volvía,* de Ramón Cué, *De ellos es el mundo*, de José María Pemán, *Romance Azul,* de Rafael Duyos, *El compañero Pérez,* de Rafael López de Haro, *Los que tienen razón,* de Joaquín Pérez Madrigal, o la ya mencionada *Aves y pájaros*. En la inmediata postguerra se intentó, incluso, crear unas formas dramáticas peculiares de la nueva situación política y, si se habló de una «poesía del Imperio», también se formuló la necesidad de un «teatro del Imperio». Aunque se trate de un tema de discusión surgido en la euforia de la victoria, los orígenes son anteriores. Por ejemplo, entre esos antecedentes habría que señalar —y destacar— un artículo de Torrente Ballester, «Razón de ser de la dramática futura», de 1937, en el que —aparte otras consideraciones— se afirmaba que

> Un teatro de plenitud no puede seguir nutriendo su repertorio temático de pequeños líos burgueses; se impone la vuelta a lo heroico y pedir prestados sus nombres a la épica [...].

Un crítico formulaba, en 1940, con mayor precisión y amplitud los dos supuestos de Torrente. Este crítico, Manuel de Montoliu, denunciaba la postración del teatro a causa de que ha perdido

> ya todo contacto con el verdadero pueblo y [ha] degenerado en pasatiempo habitual de la burguesía cuyos gustos e inclinaciones se esforzaba siempre en halagar y expresar haciendo caso omiso de las grandes emociones colectivas.

Pero se impone un nuevo teatro, dice, que se corresponda con la nueva forma de «Estado patriarcal» de España y sirva para expresar los sentimientos del pueblo. Por ello, añade:

> El teatro de la nueva España ha de revestir, en consecuencia, formas épicas también, actuando de potente altavoz de los nuevos anhelos y del permanente destino histórico del pueblo español.

No llegó a cuajar una dramaturgia en consonancia con estos principios, aunque sí se hizo un intento en este sentido, el del jesuita RAMÓN CUÉ en su «Poema-Coral-Dramático» titulado *Y el Imperio volvía...* (1940). Se trata de un proyecto de configurar un teatro solemne para las efemérides del Régimen. Sus intereses temáticos parecen estar bien definidos:

> Los argumentos que desarrollen han de ser naturalmente de interés nacional y colectivo. No para un sector de la sociedad. Argumentos esencialmente patrióticos tomados de las manifestaciones imperiales de nuestro pueblo.

La técnica, por el contrario, dice Cué, no está perfilada todavía, pero deberá responder a las exigencias de grandeza, simbolismo y carácter épico. A partir de esos supuestos, escribe el propio Cué *Y el Imperio volvía...*, muestra del más deleznable drama apologético. En él intervienen varios centenares de personajes, agrupados en multitudinarios coros, más diferentes figuras simbólicas que encarnan la concepción esencial de España postulada por los vencedores. También intervienen numerosas figuras históricas (Juan de Austria, Colón, Cortés, Agustina de Zaragoza, Guzmán el Bueno...) y participa, incluso, Franco, a quien el Cid, en un diálogo, llama «fardida lanza» (Cué tuvo cuidado de anotar que, si el drama llegara a representarse, el Jefe del Estado fuera sustituido por otro personaje, en atención a razones de respeto y dignidad). Todo este complicado e ingenuo dispositivo sirve para una interpretación simbólica de la Historia reciente de nuestro país. España ha sido engañada por el «Coro de rojos» (compuesto por rusos y españoles), que quiere utilizarla —admirado de las proezas de su pasado histórico— para conquistar el mundo. Una «Nueva Reconquista» la rescata del enemigo y en la apoteosis final, el Cardenal Cisneros corona y consagra a la Nueva España.

Parece obvio —y así lo ha señalado la crítica— que tanto el efímero teatro de apología política como las formas subculturales del torradismo, todas ellas de nulo valor estético e intelectual, no podían satisfacer las apetencias de la burguesía ilustrada y de las tradicionales clases medias que, desde el siglo XIX, han constituido el núcleo del público que asiste habitualmente a los teatros. Porque, como dice R. Doménech [1980, p. 407],

> Este tipo de subteatro, bien lo sabemos, ha existido siempre o casi siempre, en cualquier país y en cualquier época, pero lo insólito es que, en un momento dado, pueda erigirse en el único teatro de una comunidad.

Era, por lo tanto, necesario que otras formas teatrales, al menos más dignas, llegaran al escenario. El propio Benavente, en esa fecha temprana de 1940, escribía irónicamente en *Aves y pájaros*:

> El teatro es para olvidar. Yo, cuando quiero olvidarme de todo, voy al teatro. Entra usted, se sienta usted en su localidad, empieza la comedia, se olvida usted de todo, no ha pasado. Creería uno haber soñado. ¿Es posible?, se pregunta uno. Hemos vivido en el mejor de los mundos: ni un recuerdo, ni una emoción, ni una inquietud, ni un entusiasmo... ¡Qué autores más felices! No ha pasado nada por ellos. Amores, celos, matrimonios desavenidos que al final hacen las paces, enredos, equívocos y chistes. ¿Cómo no agradecerles el anestésico, en el mejor sentido de la palabra, hilarante, no dormitivo?

Para añadir más adelante:

> Pero ya se sabe lo que sucede cuando se deja de pensar: o se está dormido o se está muerto.

Por esa misma razón no extrañará que Torrado, a pesar de sus éxitos populares, tuviera una crítica bastante negativa, a la que dio respuesta en unos amables ripios, que constituyen, en parte, una manifestación de principios de un teatro de época. Describe, primero, el carácter esencial de sus obras, procedentes «de mi pluma simplista, / siempre mojada en broma / con ese tierno aroma / de fábula optimista». Pero, en lugar de esas piezas amables, los críticos desearían otras muy distintas: «Obras recias, de fondo, / de tesis, de ambiciones. / ¿Pero sería el éxito redondo, / serían muchas las representaciones?». Torrado no está dispuesto a renunciar al éxito de público y termina reafirmándose en su labor: «A todos, este autor hoy os promete / olvidarse del público y señor / y escribir esa obra tostonete / con la cual ningún crítico se mete / ni el público en la sala, ¡que es peor! / Gracias mil a ese espléndido senado / que siempre me combate por lo mismo, / aunque yo les estoy bien obligado: / ellos a mi apellido han destrozado, / pero me han regalado el "Torradismo"..., / ¡y eso es ya mucho más que ser Torrado!» («A mis mejores amigos, los críticos», en ed. de *Chiruca,* Madrid, col. Proscenio, 1952, pp. 62-63).

2. El teatro convencional

Ese teatro con unos mínimos de dignidad artística y literaria se intenta hacer, pues, desde la primera postguerra y, aunque, por lo general, no alcance cotas estéticas elevadas, rehúye las torpes formas de la astracanada y del populismo sentimental y se convierte en el género característico de las clases medias desde los años cuarenta, de cuyos problemas, por lo común, va a hablar —sin que nunca se atreva a exceder unos límites críticos aceptables— y a las que va a procurar entretener o divertir. Según cual de estos propósitos atienda de modo preferente —porque las fronteras suelen ser delgadas— se escribirán comedias dramáticas, comedias evasivas y se practicará abiertamente el humorismo. Cuando ese humorismo se plantee en términos menos convencionales, el dramaturgo conocerá muchas desazones (Jardiel Poncela, por ejemplo) o tendrá que adaptarse a las exigencias del público (Miguel Mihura). El conjunto de este teatro —cuya estética se prolonga hasta nuestros mismos días— posee algunos rasgos comunes. En cuanto a los temas por él abordados, Monleón [1971] pudo mostrar cómo se produce una completa disociación entre teatro y vida, entre arte y realidad, pues ninguno de los grandes problemas de nuestro tiempo y de nuestro país aparecen reflejados. Al contrario, el teatro enmascara continuamente —y no sólo en la primera postguerra— la realidad al preocuparse por pequeños conflictos emotivos o por asuntos no sustanciales para el hombre contemporáneo. El repertorio de títulos que aduce Monleón en su libro muestra de modo satisfactorio la veracidad de su tesis. Por lo que se refiere a la materialización formal, todo este teatro se basa en una concepción muy convencional de la pieza y del espacio escénico y parte de la tradicional «pieza bien hecha», de raigambre decimonónica y cuyo modelo próximo y presente era Jacinto Benavente y la comedia benaventina, entroncada con la alta comedia de la segunda mitad del siglo XIX. Todo este proceso lo ha sintetizado certeramente Ricardo Doménech [1980, p. 406] quien, además, señala las dos grandes corrientes de este teatro convencional:

> aunque con algún retraso, la burguesía española acabó encontrando un teatro a su medida. Lentamente fue cristalizando e imponiéndose en los escenarios un teatro neobenaventiano, en dos líneas diferentes pero íntimamente conexas entre sí, que pueden responder a las denominaciones de *drama ideológico* (una ideología, se entiende, de derechas) y de *comedia de evasión* (tomando el término «evasión» en un sentido lato [...]).

1) *Drama y comedia convencionales*

Estas dos corrientes recogen los más característicos modos teatrales de la época, pero los dramaturgos no se especializaron en una u otra sino que, por lo común, ambos aspectos conviven en la también, por lo general, amplia obra de una serie de autores que alcanzaron grandes éxitos de taquilla. Alguno —por ejemplo, José María Pemán— parece decantarse finalmente por un teatro más en la línea de la evasión, tras el predominio del drama ideológico. Otros, como Víctor Ruiz Iriarte, manifiestan una más constante dedicación a la comedia de tesis. No parece fácil establecer algún orden en la nómina de estos dramaturgos, pues, a mi entender, no resultan satisfactorios ninguno de los posibles criterios a emplear: prioridad cronológica como dramaturgos, importancia intrínseca de sus obras, popularidad, líneas temáticas... Por ello seguiré un criterio bastante ecléctico para ordenar el comentario de la producción de los dramaturgos que veremos a continuación. Tampoco por los éxitos de taquilla —y, con frecuencia, de crítica— alcanzado es factible establecer una preeminencia entre Pemán, Calvo Sotelo, Luca de Tena, López Rubio y Ruiz Iriarte. En apartado independiente dentro de este epígrafe mencionaré a otros cuantos autores, menos significativos y de obra, en varios casos, poco extensa. Los tres primeros de los citados conectan, además, su personalidad como dramaturgos con su notoriedad en el campo político-cultural (Pemán) o deben destacarse por el impacto político-emotivo de algunas de sus piezas (*La muralla,* de Calvo Sotelo; *¿Dónde vas Alfonso XII?*, de Luca de Tena).

JOSÉ MARÍA PEMÁN (1898-1981) es el más antiguo cultivador del teatro de todo este grupo de autores, pues en 1939 había producido ya once obras: *Isoldina y Polión* (1928), *El divino impaciente* (1933, estreno), *Cuando las Cortes de Cádiz* (1934), *Cisneros* (1935), *Noche de Levante en calma* (1935), *Julieta y Romeo* (1935), *La danza de los velos* (1935), *Almoneda* (1938), *De ellos es el mundo* (1938), *Ha habido un robo en el teatro* (1938), *La Santa Virreina* (1939). Con la segunda de estas piezas, *El divino impaciente*, basada en la vida de San Francisco Javier, había obtenido en la preguerra un éxito clamoroso, continuado después de la lucha a través de innumerables representaciones no sólo en teatros comerciales sino en toda clase de instituciones y centros de enseñanza. Durante toda la postguerra, la presencia de Pemán en los escenarios ha sido constante hasta 1969 en que estrena su última obra —aparte dos piezas de café-teatro—, *Tres testigos*, la cual culmina una producción integrada por cincuenta y cuatro piezas.

La clasificación de esta copiosísima producción no resulta fácil, según se desprende de la consideración de las huellas que en ella se perciben, pues si en el drama histórico en verso sigue los pasos de Marquina, otras muchas piezas son una mezcla del modelo formal benaventiano y de ecos, depurados, del costumbrismo a lo Quintero; si algunas pueden adscribirse al drama de tesis, no pocas combinan éste con la comedia de costumbres. Además, a lo largo de cuarenta años de incesante trabajo, ha alternado piezas de uno y otro carácter. Con todas estas limitaciones, nos parece útil, al menos didácticamente, la clasificación propuesta por Ruiz Ramón [1975]: teatro histórico en verso, pieza de tesis, comedia intrascendente y de costumbres y farsa castiza.

El primer grupo continúa en la postguerra los planteamientos que le habían proporcionado éxito en los años treinta con obras como *El divino impaciente, Cuando las Cortes de Cádiz* o *Cisneros*. La versión política de sucesos históricos dio pie a Díez Canedo [1968, t. III] para afirmar humorísticamente, a propósito de la última, que «Pemán es un comunero», por lo mucho que el dramaturgo ensalzaba la figura del Cardenal frente a la de Carlos I. *Por la Virgen capitana* (1940) prolonga ese teatro histórico y lleva al escenario el entusiasmo político de los vencedores en aquellas fechas inmediatas a la contienda; a partir de los populares episodios zaragozanos, y tras un prólogo alegórico (influido por la admiración de época hacia la literatura de los siglos de oro), Pemán mezcla recursos melodramáticos con elevadas dosis de exaltación patriótica y político-histórica. Más interés posee *Metternich* (1942), aunque sólo sea por un mayor distanciamiento afectivo de los sucesos que presenta, que no son otros que una esquematizada biografía del canciller austriaco. Dramáticamente gana al tratar, en el fondo, no sólo de un tema histórico sino de un conflicto íntimo, el del éxito mundano-diplomático de Metternich frente a sus insatisfacciones sentimentales. Cuando Pemán vuelva, más tarde, al drama histórico —con *Felipe II, las soledades del rey* (1958)— habrá abandonado la glorificación del pasado y se ciñe a la dramatización de los conflictos internos del monarca causados por las graves determinaciones que debe tomar respecto de su hijo Carlos (tema que será tratado con reiteración y diversidad de enfoques por otros autores de la postguerra).

La mencionada indecisión de Pemán entre tesis y costumbrismo —y, si se quiere, melodrama— queda patente en *Yo no he venido a traer la paz* (1943), en la que, en virtud de su intención apologética, enaltece el ardor misionero del padre Juan de Dios, y, en cuanto a su organización formal, acumula variados incidentes (paternidades dudosas, disputas patrimoniales...). Entre las piezas de tesis, varios críticos (Ruiz Ramón [1975], Torrente Ballester [1968]) destacan *Callados como muertos* (1952). La situación dramática parte de un conflicto que recuerda las comedias de enredo: la republicana María ha salvado la vida, durante la guerra, a un diplomático, Martín, con quien se casa. Martín ha sido destinado a una legación americana y allí se ve implicado en un conflicto en el que participan personas antiguamente relacionadas con María, amante uno, admirador otro. Martín ampara al amante, en contra de los intereses que representa y de sus propias conveniencias profesionales. Se trata, pues, de una curiosa reivindicación del deber subjetivo frente a las obligaciones públicas y beneficios personales.

Si esta obra representa una «visible apertura ideológica», como quiere Ruiz Ramón, [1975, p. 303], puede decirse que se produce a la vez que una evolución dramática. En efecto, descubrimos a partir de ahora un progresivo abandono del teatro comprometido de los treinta y cuarenta, sustituido, a partir del medio siglo, por el predominio de una comedia más amable —que alterna con algún drama de tesis—, de tono costumbrista, que ya había cultivado con anterioridad. Esta comedia le ha proporcionado también grandes éxitos —por ejemplo, *Los tres etcéteras de don Simón* (1958), *La coqueta y don Simón* (1960), *La viudita naviera* (1960)— y con ella ha fraguado la imagen de un escritor de cierta superficialidad, ameno, con gracejo, de un talante conservador moderado.

Algunas observaciones más son necesarias para completar este apunte del teatro de Pemán. En primer lugar, ha sido rechazado por un sector de la crítica y por los jóvenes dramaturgos de los cincuenta, mientras que ha contado con el apoyo sostenido de un público que compartía una visión tradicional de la vida, un tanto nostálgica. Sin embargo, no creemos —aunque nos falten estudios rigurosos en que apoyar la afirmación— que Pemán haya sido el dramaturgo de las clases medias de postguerra, cuyas aspiraciones han representado mejor otros autores. En cuanto a la ideología, no es un añadido impertinente al hablar de su obra porque ésta —y al margen de las piezas doctrinarias, que no son muchas, absolutamente— propugna una interpretación amable de la vida, de acuerdo con los convencionalismos rectores de las clases altas y de una burguesía añorante de tiempos pasados. En cuanto a la construcción teatral, hay que destacar el componente literario de sus piezas, la riqueza y flexibilidad del lenguaje, su humorismo ingenioso, la soltura para los diálogos y su habilidad para ciertas captaciones populares; deben advertirse, por contra, como serios reparos —y aun sin cuestionar el esquema general de sus comedias— la tendencia a intrigas innecesarias, el escamoteo de los problemas de fondo, la incorporación de elementos melodramáticos superfluos y una gran proclividad a narrar sucesos que no tienen lugar ante el espectador, a pesar de que condicionen la historia y la propia constitución de los personajes.

El autor más destacado de este grupo, el que alcanza quizás el éxito más absoluto de toda la postguerra y el que, desde una concepción conservadora, escribe el drama tal vez más conflictivo de la época es JOAQUÍN CALVO SOTELO (n. 1905). También su labor había empezado en los años treinta, durante los cuales estrena media docena de obras en la línea de la «pieza bien hecha», que es la que sigue cultivando con posterioridad dentro de dos grandes géneros, por una parte, la comedia de tono humorístico e, incluso, en alguna pieza, grotesco, y, por otra, el drama de ideas.

Es este segundo teatro el que le ha granjeado más éxitos y posiblemente el que mejor caracteriza al autor con piezas como *Criminal de guerra* (1951), *El jefe* (1952), *Historia de un resentido* (1956), *La ciudad sin Dios* (1957), *La herencia* (1957), o la más popular de todas, *La muralla* (1954). Ausentes en Calvo Sotelo versiones patrióticas o históricas, al modo de Pemán, también ha hecho un teatro histórico de tipo serio en *El proceso del arzobispo Carranza* (1964). Varios críticos han señalado una proclividad de Calvo Sotelo a lo periodístico, en el sentido de preferir temas de actualidad. Desde esta perspectiva, no cabe negarle buena disposición al plantear en ese teatro serio cuestiones que tocan de cerca a la sensibilidad de las gentes de nuestro tiempo, tratadas con honradez y algo de temor desde una óptica conservadora. El tema del poder y el ejercicio de la autoridad (*El jefe*), la injusticia y la innovación (*Carranza*), la muerte de un inocente (*Criminal de guerra*), la generación de la guerra y la de la postguerra (*La herencia*), son algunos de esos motivos.

Mención aparte merece *La muralla,* tal vez, absolutamente, el mayor éxito de escenario y de lectores de toda la postguerra, milenaria de representaciones y con gran cantidad de ediciones en libro. Su triunfo se debe, creo, en primer lugar, a ese buen olfato de Calvo Sotelo para detectar cuestiones de gran vigencia en un momento determinado, y, después, al impacto que el problema que planteaba debía causar, en 1954, directa o indirectamente sobre muchos de los espectadores. Por ello no es extraño que la pieza diera lugar a amplísimas discusiones en la prensa y que se convirtiera en un motivo de polémica nacional. Haremos una breve síntesis de la anécdota. Un antiguo oficial del ejército triunfador en el 39, Jorge Hontanar, se aprovechó de la guerra para apropiarse de una gran finca. Presentimientos de muerte le instan a acallar su conciencia y, con el consejo de un cura rural, decide devolverla a su antiguo propietario para evitar la condenación de su alma. Frente a esta irreversible decisión, sus allegados levantan una auténtica muralla de oposición, ya que, además del peso de las convenciones sociales, de esa finca depende la riqueza y comodidad presentes de todos ellos. Jorge morirá antes de que pueda ultimar su propósito.

Desde un punto de vista dramático, *La muralla* aventaja a otras piezas de Calvo-Sotelo en la presentación concentrada de la situación inicial del conflicto, en la creciente tensión dramática hasta el desenlace, en la autenticidad representativa de los personajes, en evitar innecesarias entradas y salidas de escena... La obra expone un caso de moral católica pero, como señaló Torrente Ballester y aceptan todos los críticos, no de alcance general sino muy dependiente de una determinada moral social burguesa, y, aun, española. Según decía Torrente [1968], el conflicto parte de una visión de la moral religiosa como contrato jurídico. El polémico desenlace se ha interpretado como una falta de compromiso y decisión de Calvo Sotelo, ya que deja las cosas como estaban antes del primer acto. Sin embargo, es un final dramáticamente aceptable —está en la lógica del desarrollo de los hechos— y puede ser —en el contexto histórico de su estreno, en el que la obra podía señalar casos bien concretos y tal vez no infrecuentes— más eficaz que una solución de mayor riesgo. De hecho, la pieza atestiguaba un grave problema, no optaba por una alternativa tranquilizadora y entrañaba una posibilidad de agitar conciencias, al tiempo que dejaba a la de cada cual la solución oportuna e invitaba a una reflexión colectiva sobre los expolios de la guerra (al año siguiente, un novelista, también dramaturgo, Suárez Carreño, hacía purgar sus culpas en la cárcel a un antiguo militar complicado en asuntos de estraperlo en *Proceso personal*). No puede olvidarse, además, aunque la crítica no ha insistido en ello, que quien aconseja la restitución es un cura rural y no precisamente un miembro de la jerarquía eclesiástica.

El otro género practicado por Calvo Sotelo, la comedia, es representativo de un teatro de evasión, convencional, amable y entretenido, que pone su interés en los lances, las intrigas y las situaciones más o menos disparatadas, sin que por ello deje de estar ausente, a veces, una crítica burguesa llevada a cabo por quien cree en un sistema de valores que acepta sin grandes reparos. Más desenfadadas son *Una muchachita de Valladolid* (1957), *Cartas credenciales* (1960) o *Micaela* (1962). Sorprendente trama, buena cualidad humorística y gran dominio constructivo constituyen la base de *La visita que no llamó al timbre* (1949), sobre la peripecia de dos hermanos que encuentran en la puerta de su piso un niño abandonado.

La carrera teatral de JUAN IGNACIO LUCA DE TENA (1897-1975) ha estado jalonada de premios, el primero de los cuales lo obtuvo en 1935 por *¿Quién soy yo?* En la postguerra, no ha sido autor tan regular como los antes mencionados, pero ha obtenido frecuentes éxitos. Su concepción teatral comparte también la afición a la «pieza bien hecha» representativa de este grupo de dramaturgos y frecuenta, a grandes rasgos, esos dos géneros mencionados, la comedia de evasión y la comedia de tesis. Frente al «reporterismo» —sin ánimo peyorativo— de Calvo Sotelo, Luca de Tena se caracteriza por una tendencia a la inactualidad en el sentido de plantear con aire nostálgico temas que afectan a clases altas e incluso aristocráticas y desentenderse de preocupaciones más del día y de sectores sociales mayoritarios en la configuración del mundo moderno. De sus comedias de intriga —porque así pueden calificarse— es buen exponente *Dos mujeres a las nueve* (1949), que desarrolla la indecisión de un catedrático frente a dos mujeres, una española y otra americana, que parecen encarnar dos contrapuestas concepciones de la vida —la antigua y la moderna— pero cuyo problema de fondo es falso porque ambas representan modelos bien tradicionales, lo que indica el alejamiento del autor de una realidad viva; la situación, modificada, se da la vuelta en *Don José, Pepe y Pepito*, donde los representantes de tres generaciones aspiran a una misma mujer, sin que el conflicto genere un auténtico drama. Entre la comedia costumbrista —si bien de costumbres palaciegas— y la comedia histórica, hay que mencionar dos obras que fueron populares gracias a su nostálgica sensiblería, *¿Dónde vas, Alfonso XII?* (1957) y *¿Dónde vas, triste de ti?* (1959), que se reparten, sucesivamente, la historia sentimental del monarca. Por supuesto que nada se nos dice de la España de la Restauración, ni de la significación del rey en los problemas de la época, pues no pasan de piezas entre melodramáticas, rosas y propagandísticas (la propaganda no es directa, pero, sin duda, tratan de captar la voluntad del espectador por vía afectiva y sensiblera —a partir de la humanidad del personaje— hacia la bondad de lo que encarna políticamente).

La pieza más representativa del teatro de ideas de Luca de Tena es *El cóndor sin alas* (1951), verdadero cúmulo de intrigas, suspense, cambio de estado de los personajes, que no merecería atención si no fuese por constituir un relevante ejemplo de maniqueo drama histórico de apología política. Los numerosos incidentes que en él tienen lugar no facilitan un sucinto resumen anecdótico. Simplificando la trama, vemos cómo el hijo de un cochero, que ha llegado a ingeniero, pretende a la hija de un duque al que sirve su padre. Con los cambios políticos de anteguerra todo es posible —según Luca de Tena— y el cochero será diputado socialista, mientras que el duque es humillado. Más tarde, volverán a cambiar las tornas porque el ejército «nacional» restablece el orden alterado. El hijo, que va y viene, dividido su corazón por tensiones contrapuestas, acabará muriendo. El drama —o melodrama— merece un análisis histórico —que aquí no podemos hacer— que demostraría la simplificación —por no decir adulteración— del soporte histórico del que parten los hechos dramatizados y de ello se deriva la falta de veracidad de la obra. Ese comentario no sería, además, innecesario o marginal porque la falsedad del drama proviene de su inexactitud histórica, al haberlo concebido como propaganda o apología de una causa política y no como el conflicto entre unos seres humanos, cualquiera que sea el origen del mismo. Así, los personajes resultan poco verosímiles y la pieza falla no por su versión maniquea de la historia sino por la inconsistencia de unos tipos dramáticos «inventados» para servir a una causa y a un conflicto bastante imaginario —el cochero *versus* el duque— y, en consecuencia, nada representativo, en contra de las obvias pretensiones del autor (estas oposiciones han dado, por el contrario, buenos resultados en otros escritores, por ejemplo en algún relato de Sender).

Dentro de lo que he llamado el «teatro convencional», figuran varios autores más, inclinados a una comedia humorística, de crítica suave —cuando existe—, que pretenden ante todo la diversión del espectador. Este tipo de comedia, como hemos visto, ha sido frecuentado por los dramaturgos a los que nos hemos referido, pero constituye el modo sustancial —aunque no único— de otros, entre los que destacan José López Rubio y Víctor Ruiz Iriarte. En atención a esta preferencia, algunos críticos los agrupan en un apartado distinto, el de «teatro de evasión» (Doménech [1980]) o el de «comedia de la felicidad, comedia de la ilusión» (Ruiz Ramón [1975]). La distinción, sin duda, es práctica a efectos didácticos pero ha de advertirse que supone solamente una señal de diferenciación y no un rígido encuadramiento. Porque no puede olvidarse que todos ellos muestran una común tendencia a la práctica de la «pieza bien hecha» y comparten una semejante visión del mundo (sin que estos últimos caigan directamente en la apología ideológica). Por otro lado, hay que reconocer que estos autores de «evasión» —por seguir la acertada denominación de Doménech— pueden considerarse estrictamente dramaturgos de postguerra, ya que o no llegaron a producir teatro con anterioridad a la lucha, o no es significativo. López Rubio era hombre de letras bien conocido en los años treinta —como narrador y articulista, sobre todo— e incluso había estrenado dos obras, pero luego se produce un largo paréntesis desde 1930 (*La casa de naipes*) hasta 1949 (*Alberto*), que ocupa en actividades, en España y América, relacionadas con el mundo del cine. Ruiz Iriarte se inicia en el teatro en 1943. Esta indicación cronológica —sospecho— puede ser una razón, entre otras, de su preferencia por la comedia (tardíamente López Rubio escribió un drama, *Las manos son inocentes,* 1958).

José López Rubio (1903) y su teatro entre amable, fantástico, inocente, ha merecido un severo enjuiciamiento y un postergamiento excesivo a causa de los criterios realistas que, desde los años cincuenta, han dominado en amplios sectores de la crítica y de los espectadores y ello puede explicar, incluso, su progresivo apartamiento de los escenarios con obras de creación después de haber sido escritor regular y hasta fecundo durante más de una década. Quizás sea éste el momento —en que vivimos criterios estéticos más amplios— para llevar a cabo una revisión de su teatro que lo coloque en una situación más atinada. Es ya un síntoma que en críticos e historiadores de la literatura poco proclives al teatro meramente de entretenimiento se encuentren opiniones muy positivas. Así, R. Doménech [1980, p. 410] reconoce que «en sus mejores creaciones, se eleva muy por encima de [otros] autores [...]» del teatro de evasión. García Lorenzo [1975, p. 119] afirma que «es un gran escritor, un excelente constructor de dramas [...]». Incluso Torrente Ballester, tan exigente y agudo en su conocido panorama [1968, pp. 556-557], escribe:

> Lo que importa es la perfección formal de una comedia [*La venda en los ojos*] admirablemente construida y dialogada, donde las situaciones se suceden lisa y llanamente, sin violencia, casi sin transición; donde los tipos más parecen recreados con júbilo que creados con esfuerzo; donde todo da la impresión de difícil facilidad que sólo se alcanza en la plenitud de unas facultades. Me importa un bledo que sea teatro de *evasión* o que no lo sea, porque es teatro y porque todos los elementos de la comedia, absolutamente todos, están manejados con una maestría, con una soltura, con una gracia y con una eficacia que justifican el escape, la evasión o la fuga: da igual [...] puede servir en las clases de literatura como modelo de comedia bien hecha.

De las anteriores citas, aunque presentadas con otro propósito, se pueden extraer, además, algunos de los caracteres del teatro de López Rubio. Éste se basa, en casi todas sus piezas, si no en un rechazo, sí en un alejamiento de la realidad, transformada por una visión entre poética, imaginativa, fantástica del mundo que rehúye el simple documentalismo. López Rubio plantea con frecuencia cuestiones sobre los límites de la vida y la literatura, la fantasía y la realidad e incorpora la ficción y el teatro en el propio teatro. De ahí que siempre se asocien a su obra los nombres de Pirandello y de Casona. Sobre esa concepción dramática vuelca López Rubio sus cualidades como autor teatral: por una parte, una gran calidad literaria del texto, que, sin embargo, no es obstáculo para la expresividad de un diálogo puramente teatral, vivo, que crea la trama y que no va a remolque de ella como un añadido innecesario; por otro, lo que la crítica suele llamar «oficio», una gran capacidad para organizar la comedia, para distribuir las situaciones, para colocar los momentos clave y para resolver el conflicto anecdótico. Ha de añadirse un humorismo fino, lleno de rasgos de ingenio, y una suave ironía.

Estos caracteres se han plasmado en comedias de gran éxito, como *Celos del aire* (1950), y en otras de buena acogida por los espectadores: *Veinte y cuarenta* (1951), *Cena de Navidad* (1951), *Una madeja de lana azul celeste* (1951), *El remedio en la memoria* (1952), *La venda en los ojos* (1954), *La otra orilla* (1954),

Las manos son inocentes («comedia dramática», 1958), *Nunca es tarde* (1964). Entre los temas de estas obras encontramos incursiones por el campo de las relaciones personales y emotivas (la diferencia de edad entre el hombre y la mujer en *Veinte y cuarenta*) o de los celos (*Celos del aire*), explora el sentimiento de soledad, el rechazo del mundo y la forja de una falsa realidad (por ejemplo, en la historia de una mujer abandonada por el marido de *La venda en los ojos*) o se adentra en el análisis del tránsito de la vida a la muerte (*La otra orilla*).

Menor interés posee la extensa producción del fecundo VÍCTOR RUIZ IRIARTE (1912) que, dentro de la «pieza bien hecha», no alcanza los valores poéticos ni el eficaz escepticismo de López Rubio. Sus piezas son comedias de temática sentimental, de leves problemas familiares, con un aire, a veces, costumbrista, proclives a los recursos humorísticos —a veces simples chistes—, que demuestran gran habilidad constructiva. A la manera de la comedia de intriga, se tejen enredos —sobre todo amorosos— resueltos, en ocasiones, de forma algo forzada, en torno a unos conflictos banales, de puro entretenimiento. De la larga lista de sus obras, desde *Un día de gloria* (1943), ha estrenado, entre otras, *Academia de Amor* (1946), *Juego de niños* (1952), *La vida privada de mamá* (1960), *El carrusel* (1964), *Un paraguas bajo la lluvia* (1965)...

2) *Otros dramaturgos convencionales*

En estas coordenadas del teatro convencional y de la «pieza bien hecha», que arranca de la inmediata postguerra y llega, como dije, hasta nuestros días, habría que recordar, aunque nada más fuera a manera de catálogo, a otros autores.

LUIS ESCOBAR (1908) es bien conocido como hombre de teatro y director y a él se deben algunos de los escasos episodios orientados a una dignificación de nuestra escena en la primera postguerra (realizó una interesante labor al frente del Teatro María Guerrero, sobre todo en la representación de autores extranjeros). Como creador, aparte otras obras en colaboración, estrena *Elena Ossorio* (1958), sobre la vida de Lope y sus relaciones con la actriz que da nombre a la obra, y más tarde *El amor es un potro desbocado* (1959), *Un hombre y una mujer* (1961).

AGUSTÍN DE FOXÁ (1903-1959), novelista (véanse pp. 60-62) y poeta, escribe en *Gente que pasa* (con José Vicente Puente, 1942) un teatro a medias político y patriótico en que un escéptico escritor extranjero sutre una conversión al entrar en contacto con un mundo aristocrático y tradicional; más tarde estrena *Baile en capitanía* (1944), con la que obtuvo notable éxito popular. Otros títulos suyos: *Cui-Ping-Sing, El beso de la bella durmiente, Otoño del 3006.*

José Antonio Giménez Arnau (1903), diplomático y hombre público, también novelista, va de la política al melodrama en *Murió hace quince años* (1953), *La hija de Jano* (1955), *Clase única* (1955), *La cárcel sin puertas* (1958), *El rey ha muerto* (1960), esta última de corte fantástico-histórico.

Carlos Llopis (1912-1970) tiene una abundante producción de tono humorístico, caricatural, próximo, a veces, al astracán, en obras como *La cigüeña dijo «sí», ¿Qué hacemos con los hijos?, Mi mujer, el diablo... y yo, El amor... y una señora,* etc. Incluso, en *Lo que no dijo Guillermo*, hace una desafortunada parodia de *Romeo y Julieta.* La mayor parte de sus piezas gozaron de gran popularidad.

Edgar Neville (1898-1967), conde y diplomático, figura bohemia de la vida cultural, ya narrador y cineasta en la anteguerra, después poeta y pintor también, es como dramaturgo, ante todo, un humorista en *El baile* (1952), pieza que obtuvo un gran éxito, *Veinte añitos* (1954), *Adelita* (1955), y en otros títulos como *Prohibido en otoño, Margarita y sus hombres, Alta fidelidad...*

Horacio Ruiz de la Fuente (1905) cultiva desde la leyenda galaica en *El infierno frío* (1942) hasta dramas pretendidamente religiosos (*La muerte da un paso atrás,* 1962), pasando por la propaganda política de *Jardín secreto* (1943), en la que la protagonista padece desequilibrios por culpa del reciente terror «rojo». Una parte de su obra es de tono humorístico. Fueron notables las piezas protagonizadas por un solo personaje como *La novia, No me esperes mañana, La muñeca muerta.*

Luis Tejedor (1903) debe ser recordado por tratarse de uno de los dramaturgos más prolíficos de la postguerra, pues ha escrito más de un centenar y medio de piezas. Pertenecen a un teatro frívolo y evasivo y una parte de ellas han estado destinadas a teatros de variedades.[1]

1. La bibliografía fundamental para los dos primeros epígrafes de este apartado ha sido mencionada a lo largo de la exposición. Son referencias útiles: Doménech [1980], Monleón [1971], Ruiz Ramón [1975], Torrente Ballester [1968]. También puede verse Ignacio Soldevila, «Sobre el teatro español de los últimos veinticinco años», *Cuadernos Americanos,* CXXVI, 1963. Todos estos trabajos constituyen, además, la base informativa para el apartado primero de este capítulo, aparte los más específicos allí citados. A pesar de su brevedad, ofrece un panorama claro y riguroso García Templado [1981]. Abarcan todo el siglo los volúmenes poco extensos de García Lorenzo [1975] y Rodríguez Alcalde [1973],

3) *La renovación por el humor*

Ya hemos visto que la comedia de evasión, intrascendente, apela con frecuencia a recursos del humor —en las situaciones y/o por medio del lenguaje—, que buscan la gracia fácil y la carcajada. La astracanada es una manifestación extrema de un humor gratuito en el que el chiste tiene lugar destacado. En la postguerra culmina, sin embargo, otro tipo de humor, de carácter eminentemente innovador y cuyas raíces están en la obra de anteguerra de dos singulares dramaturgos, Enrique Jardiel Poncela y Miguel Mihura. El primero conoció la popularidad antes de la lucha para decaer en la estima del público en los últimos tiempos anteriores a su prematura muerte en el medio siglo. Mihura vio fracasada la potencialidad renovadora de *Tres sombreros de copa* ante la incomprensión del aparato comercial del teatro (como luego veremos, fue estrenada veinte años más tarde de su redacción). Aunque Jardiel y Mihura sean personalidades bastante diferentes entre sí, hay factores externos que aproximan sus figuras, o, al menos, su significación. Ambas conciben su teatro, en sus mejores momentos, desde supuestos renovadores basados en un alejamiento del realismo y del naturalismo decimonónicos. Los dos abogan por la fantasía y por la inverosimilitud y, aunque en distinto grado, practican una estética que conduce al teatro del absurdo. Ambos padecieron la incomprensión del público que coartó la innegable potencialidad renovadora de su dramaturgia. Hombres de teatro que de él quieren vivir, los dos tuvieron que degradar su propio sistema para satisfacer al espectador: Jardiel mediante una cierta racionalización de los desenlaces de los componentes absurdos de sus piezas; Mihura al refugiarse en planteamientos más tradicionales en piezas en cierta medida convencionales, resultado de un obligado posibilismo. En fin, ambos han sido, frente a la incomprensión general, nombres rescatados, valorados y ensalzados por la joven generación realista de los cincuenta. Jardiel padece hoy todavía un injusto olvido de la crítica y de los estudios académicos —aunque reciba grandes elogios de los críticos más perspicaces— pero Mihura —o, al

---

pero, dentro de esa limitación de espacio, pueden servir de introducción al tema. Otros libros de carácter panorámico: Aragonés [1971], Molero Manglano [1974], Urbano [1972]. En general, la bibliografía universitaria se preocupa de la literatura dramática; prestan atención al conjunto del hecho teatral, a propósito de cinco obras significativas, Amorós-Mayoral-Nieva en AA. VV. [1977 b]. Para el conjunto del teatro de postguerra debe consultarse la recopilación documental de García Lorenzo [1981] y, también, dos interesantes volúmenes de entrevistas, Isasi [1974] y Medina [1976].

menos, una de sus obras— figura ya como un clásico del teatro de nuestro siglo.[2]

Una frase de Gonzalo Torrente Ballester resume bastante bien la significación de ENRIQUE JARDIEL PONCELA, quien, para el crítico, «llena con su nombre toda una época del teatro cómico español, la que separa a Muñoz Seca de Miguel Mihura» [1968, p. 497]. Otro estudioso, Valbuena Prat [1956], le ha definido como «el gran cómico de la "generación del 27"». Jardiel Poncela (1901-1952) es, antes que dramaturgo —y aunque ésta fuera su actividad artística más sostenida— un escritor innato, capaz de convertir en literatura todos los estímulos del mundo. Amigo y contertulio de Gómez de la Serna, vive la literatura como una experiencia total y, en cierto modo, incontaminada de los acontecimientos del día; lo que no quiere decir —en ninguno de los dos casos— que se trate de una literatura evasiva, ya que su análisis tiene una lección negativa del hombre moderno, más allá de componentes ideológicos o políticos concretos. Es, digo, un literato infatigable, autor de muy conocidas novelas, colaborador de la prensa, trabajador en el mundo del cine, publicista de misceláneas... Sus *Obras completas* no dan idea exacta de su facundia y capacidad imaginativa a las que su temprana muerte impidió un desarrollo pleno; recordaremos, para perfilar esa idea, que siendo adolescente escribe numerosas comedias (en colaboración con Serafín Adame) que luego desautoriza y cuando fallece tenía planeadas cerca de cincuenta nuevas piezas.

La guerra afectó intensamente a la peripecia humana de Jardiel (más tarde prodigó injurias al vecindario madrileño que resistió al enemigo, habló de su «abyección mental» y de la «masa de analfabetos espumados en los peores suburbios»), pero no alteró su teatro que antes y después del conflicto no ofrece cambios significativos y se presenta como un todo continuo y coherente, con algunas de sus mejores piezas situadas antes de 1936 y otras después de esa fecha. Su primer estreno tuvo lugar en 1927 con *Una noche de primavera sin sueño* y el último, *Los tigres escondidos en la alcoba,* en 1949. Sus últimos años, disminuido en su capacidad creadora y enfermo, fueron poco fecundos. Entre esas dos fechas se inscribe una amplia producción que contó con estrepitosos fracasos (*El cadáver del señor García,* 1930; *Agua, aceite y gasolina,* 1946) y con éxitos y piezas hoy muy estimadas: *Margarita, Armando y su padre* (1931), *Usted tiene ojos de mujer fatal* (1933), *Angelina, o el honor de un*

2. Aparte la información recogida en los trabajos panorámicos citados, se abordan diversos aspectos particulares del teatro de humor en AA. VV. [1966].

brigadier (1934), *Cuatro corazones con freno y marcha atrás* (1936), *Eloísa está debajo de un almendro* (1940), *El amor sólo dura 2.000 metros* (1941), *Los ladrones somos gente honrada* (1941), *Madre (el drama padre)* (1942), *Blanca por fuera y Rosa por dentro* (1943), *Tú y yo somos tres* (1945), *Como mejor están las rubias es con patatas* (1947). Esta relación podría haberse abreviado en función de la calidad e interés de las piezas, pero he preferido ampliarla en virtud de lo significativos y expresivos que resultan muchos títulos.

La novedad del teatro de Jardiel procede de su insobornable propósito de regeneración escénica y se realiza no tanto en la temática cuanto en el tratamiento que da a ésta y en la libre concepción del espacio escénico. Él pretendió, ante todo, un teatro con vida, «es decir, exactamente aquello de que carece el Teatro español contemporáneo» (*Obras completas*, t. II, p. 275). Por eso, al defender *Los habitantes de la casa deshabitada*, manifestaba que se encontraba

> cien codos sobre la producción teatral española corriente, rasante toda ella con la vulgaridad más mediocre; pegada en la triste tierra de lo cotidiano; encerrada en la caja embetunada de lo verosímil, de lo posible, de lo directo; saturada de esa emanación casera —melancólica y turbia— del pequeño conflicto, de la intriga boba, del problema estúpido, reflejo exacto del problema estúpido, la intriga boba y el pequeño conflicto que cada espectador ha dejado en su propia casa para acudir al teatro, y que volverá a enfrentar al regresar a casa de vuelta del espectáculo (*O.C.*, II, p. 499).

Por lo que respecta a los temas, se han intentado algunas clasificaciones y se ha señalado no sólo la escasa variedad de motivos como su preferencia por asuntos amorosos. Pero esto —con ser cierto— no indica gran cosa porque, a veces, el tema aparente lo es en función de un argumento de parodia de géneros literarios, teatrales y hasta cinematográficos: si en *Los habitantes de la casa deshabitada* se ironiza sobre el teatro (o el relato, porque, a veces, en Jardiel se encuentra un fuerte componente narrativo, dislocado en su presentación) de intriga, en *Madre (el drama padre)* son los dramas lacrimógenos los parodiados. Como caracterización general de sus temas sirve la que hace Ricardo Doménech [1980, p. 411]: «profundamente imaginativos, desprovistos de ingredientes ternuristas y sentimentales». En efecto, la libre imaginación es la base de todo su teatro, que parte de una reivindicación de lo inverosímil frente al realismo documental de la comedia burguesa. Se puede decir que Jardiel busca lo inédito, lo insólito, lo paradójico como motivo constante de sus comedias y, a partir de ahí, entran lo fantástico y lo absurdo. Es más, por muy incontenida que parezca su imaginación y por mucho que prodigue las escenas sorprendentes en una comedia, aun parece que esa realización no es sino una parte, contenida, de una concepción mucho más libre y a la que la época —la crítica, el público— obligó a poner barreras. Desde la óptica de una historia de la literatura dramática, es imprescindible conocer los prólogos que a partir de la aparición del primer volumen de su *Teatro* (publicado en 1933 por Biblioteca Nueva, de Madrid, editor también de sus novelas) agregó a las obras y en los que vemos la génesis y los propósitos de las comedias; pues bien, en esos ensayos («historias» los llama) descubrimos una actitud profundamente irrealista que es todo un sistema estético, un credo que lleva a entender la literatura como un sistema mágico —incluso lúdico— y no realista. La literatura ha de tratar no de lo real sino de sus últimas fronteras, de ahí la reiteración con que el mundo de la locura aparece en sus obras. Por todo ello, los temas de Jardiel tienen un cierto carácter instrumental y, curiosamente, en autor tan inventivo, son lo menos personal de sus obras, ya que rara vez plantean cuestiones inéditas —si es que las hay en el mundo literario—, si bien su sorprendente presentación los haga parecer novedosos. Por otra parte, es opinión común a numerosos críticos que cierto diletantismo, la falta de profundidad, la ausencia de creencias firmes y de ideas sólidas lastran sus temas y le impiden a Jardiel elevarse hasta una consideración más sustantiva del mundo.

Es en la técnica donde Jardiel ofrece un aspecto muy renovador, aunque en ella pagara también no pocas servidumbres. Destaca, de entrada, la complejidad que ofrece su puesta en escena, que exige notables medios materiales: además de algunos repartos larguísimos, los cambios de escenario pueden ser radicales y ocupan medios no habituales: la cubierta de un barco, o un tren, o una sala de cine... La escena, además, se convierte en una caja de sorpresas donde todo puede ocurrir: apariciones y desapariciones, llamadas misteriosas, armarios-sorpresa, objetos sorprendentes, muertes, estropicios..., toda clase de trucos y sorpresas se suceden. De ellos, constantemente, se desprende la risa que se mantiene a lo largo de toda la pieza. Con frecuencia parece que lo que sucede no guarda relación alguna con el tema o con el conflicto, e incluso no es fácil acceder directamente a éste, pero —salvo lícitas escenas instrumentales que buscan un clima humorístico— todo al final se resuelve casi como en un arte de orfebrería que trata episodios y situaciones dentro de un diseño más amplio, que revela alusiones y esclarece enigmas. La crítica ha destacado esta propensión «acumulativa» de Jardiel, que puede deberse a la falta de sistema con que escribía sus obras y a la peculiar ideación de las mismas, según el propio Jardiel ha contado:

> al ponerme a escribir, rarísima vez poseo la idea general de la comedia, o de la novela, y en ningún caso el trazado completo de su desarrollo e incidentes [...] [todo va surgiendo] apoyado e impulsado exclusivamente al principio por la energía de una pequeña porción de asunto, que podríamos llamar «célula inicial» o «corpúsculo originario» (*O.C.*, I, p. 1212).

El mismo Jardiel percibió este rasgo y en tercera persona se refirió a la «manera» de su teatro:

> [...] considerada lo abundante, lo exuberante, de la «manera» de su autor: considerada la riqueza de incidentes, tipos episódicos, acciones paralelas y situaciones complementarias de que están rebosantes las comedias de Jardiel (*O.C.*, II, p. 903).

También se le ha censurado el esfuerzo final por reducir a términos de lógica lo que antes era absurdo, maravilla o disparate; es, sin duda, una concesión del autor al público que, acostumbrado a un teatro documental y psicológico —aspecto éste también ausente en Jardiel—, no hubiera resistido el juego de la fantasía hasta el final (por algo algunas de sus obras fueron furiosamente pateadas). Otros rasgos destacados por la crítica en el teatro de Jardiel son el carácter objetual y de «tipos» de los personajes, la habilidad lingüística y el tono atemporal de sus historias, lo cual permite, según Ruiz Ramón [1975, p. 275], «superar todo casticismo, regionalismo o populismo». Pero el carácter genérico más sobresaliente es la consideración de Jardiel como el creador en España de un nuevo teatro cómico, original, audaz y renovador. Componía sus piezas «bajo disciplinas artísticas exasperadamente cómicas» (*O.C.*, II, p. 495) y su humorismo tenía un fuerte carácter revulsivo que procedía de la concepción del dramaturgo de esta vía expresiva. «Para mí —decía—, el humorismo, que no me parece una escuela, ni siquiera una modalidad literaria, sino una postura del espíritu, es el *Zotal* de la existencia vulgar; es decir: un desinfectante. Y es también el alcaloide de la Poesía» (*O.C.*, II, p. 1295). Humor y poesía son, para Jardiel, inseparables. Por eso, a propósito de *Un marido...*, explicaba:

> El padre [de la pieza] se llama HUMORISMO y la madre POESÍA. [...] Humorismo violento, a veces acre y descarnado, a veces ingenuo y bonachón; profundo y superficial; en juego a menudo con las ideas y con frecuencia saturado de gracia verbalista; es decir, humorismo español —(comicidad)— cien por cien [...]. Y poesía universal. Porque la poesía ni cambia con las razas ni con los climas (*O.C.*, I, p. 1107).

No obstante, un grupo considerable de sus piezas eran «comedias sin corazón» (*Los ladrones...*, *Madre...*, *Angelina...*, *Las siete vidas...*), pues en ellas suprimió la veta sentimental que es tan palpable e intensa en otras.[3]

Desde la infancia anduvo MIGUEL MIHURA (1905-1979) en contacto con los escenarios, pues su padre había sido actor y más tarde trabajó en la vertiente empresarial del teatro. Miguel Mihura fue siempre un hombre de teatro, si bien de manera intermitente, pues sus estrenos sólo adquieren regularidad desde los años cincuenta, y, mientras, se ocupa en otras actividades relacionadas con el cine, con las publicaciones humorísticas (colaborador de *La Ametralladora*, fundador y efímero director de *La Codorniz*)...; además, es prosista de innegable interés. Su primera pieza, *Tres sombreros de copa*, la escribe en 1932. Más tarde viene un período de obras en colaboración: *¡Viva lo imposible!* (1939, con Calvo Sotelo), *Ni pobre ni rico sino todo lo contrario* (1943, con Tono), *El caso de la mujer asesinadita* (1946, con Álvaro de Laiglesia). Desde 1953 escribe una producción relativamente continuada y abundante, aunque esto último bastante menos de lo que hubiera sido posible a causa de un cierto desánimo y por una indolencia —justificada por las dificultades que había encontrado en su camino anterior e incluso en éste— que más de un crítico le ha reprochado. De esta descripción cro-

3. La bibliografía sobre Jardiel no se corresponde con la importancia intrínseca e histórica de su dramaturgia. Contienen algunas noticias, pero poseen escaso valor crítico los libros de Juan Bonet Gelabert [1946] y Rafael Flórez [1966 y 1969]. Una estimable visión general —temática y formal— ofrece Carmen Escudero [1981]. Aspectos particulares del humorismo y la invención en Jardiel se encuentran en los artículos de García Pavón y Marquerie recopilados en AA. VV. [1966] y en el enjundioso libro de M. Ariza Viguera [1974].

nológica se desprenden como tres compartimentos. El primero lo integra *Tres sombreros...* y merece consideración completamente independiente. El segundo está formado por las piezas en colaboración. El tercero, con algunas diferencias internas, lo constituye su labor individual. Todos ellos responden, es cierto, a un mismo planteamieto de teatro humorístico. *¡Viva lo imposible!*, *Ni pobre ni rico...* y *La mujer asesinadita,* exploran las posibilidades de un nuevo humor, alejado del convencionalismo temático, lingüístico y de situaciones de la primera postguerra. El nuevo concepto —emparentable, con todas sus diferencias, con Jardiel Poncela, y de semejante significación histórica en ambos casos— apunta hacia formas del teatro del absurdo y no tiene el éxito que necesita Mihura para instalarse definitivamente en una línea vanguardista y renovadora. Por ello su labor se ve detenida durante más de un lustro, quizás por hastío ante la incomprensión o por pensar que ésa era una batalla imposible de ganar. Por ello, cuando reanude, ahora en solitario, su labor en 1953 partirá de una insobornable actitud de renovación —de una concepción independiente y personal de la libertad como tema y como procedimiento dramático— que intenta conciliar con ciertas concesiones al público y a los empresarios, y que, obviamente, le impide seguir de una manera amplia el tono teatralmente revolucionario de *Tres sombreros...* Esta etapa de creación individual es inseparable —en cuanto a sus consecuencias teatrales— de una decisión personal del escritor: convertirse en un dramaturgo profesional y vivir del teatro, con todo lo que ello implica de aceptación de unas estructuras comerciales y de unos gustos establecidos. De cualquier manera, esto no supone entreguismo y claudicación —el caso está bien distante del de un Alfonso Paso— porque intentará llegar a las últimas fronteras que hacen imposible el acceso de la obra a los escenarios. El éxito, de todas maneras, no es absoluto, algunas obras son mal recibidas y quizás esa autoimposición de vivir del teatro le obliga a nuevas concesiones, más evidentes, según la crítica, a partir de *Ninette y un señor de Murcia* (1964). Pero antes ha estrenado, entre otras, piezas de gran interés: *El caso de la señora estupenda* (1953), *A media luz los tres* (1953), *Sublime decisión* (1955), *Mi adorado Juan* (1956), *Melocotón en almíbar* (1958), *Maribel y la extraña familia* (1959), *La bella Dorotea* (1963)... En el entretanto se ha producido uno de los sucesos capitales del teatro español de nuestro siglo, el estreno en 1952 de *Tres sombreros de copa,* al que en seguida volveremos.

Mihura es esencialmente un renovador del teatro cómico tradicional y el forjador de un humorismo nuevo, según destaca la crítica: *Tres sombreros*... «era en España un comienzo absoluto, no una continuidad de algo precedente, y suponía una ruptura con el teatro cómico anterior [...]» (Ruiz Ramón [1975, p. 322]), «tanto por las características de su teatro como por las fechas en que éste se produce, cabe afirmar que con él entramos en una etapa distinta [...]» (Doménech [1980, p. 412]), «la verdadera ruptura se abre con [Mihura] y es aquí [en *Tres sombreros*] donde se inauguran los elementos característicos del nuevo estilo de humor o, más exactamente, la nueva configuración de la farsa» (Guerrero Zamora [1962, pp. 171-172]). Ese teatro humorístico nuevo supone innovaciones en los temas, en las situaciones escénicas, en el lenguaje. Podríamos tratar de definirlo a base de sumar tramas que apuntan hacia el absurdo por darle la vuelta a una situación habitual (si lo normal es aspirar a enriquecerse, un protagonista de Mihura lo que quiere es arruinarse, por ejemplo), de describir escenas en que tiene lugar lo insólito o de reflejar usos lingüísticos que rompen los convencionalismos mostrencos, las frases hechas, el diálogo vacío..., pero todas esas manifestaciones concretas responden a un planteamiento global del humor que el propio Jardiel ha definido en uno de sus textos narrativos (en *Mis Memorias,* Barcelona, Mascarón, 1981, pp. 272-273):

> —El humor es un capricho, un lujo, una pluma de perdiz que se pone uno en el sombrero; un modo de pasar el tiempo. El humor verdadero no se propone enseñar o corregir, porque no es ésta su misión. Lo único que pretende el humor es que, por un instante, nos salgamos de nosotros mismos, nos marchemos de puntillas a unos veinte metros y demos una vuelta a nuestro alrededor contemplándonos por un lado y por otro, por detrás y por delante, como ante los tres espejos de una sastrería y descubramos nuevos rasgos y perfiles que no nos conocíamos. El humor es verle la trampa a todo, darse cuenta de por dónde cojean las cosas; comprender que todo tiene un revés, que todas las cosas pueden ser de otra manera, sin querer por ello que dejen de ser tal como son, porque esto es pecado y pedantería. El humorismo es lo más limpio de intenciones, el juego más inofensivo, lo mejor para pasar las tardes. Es como un sueño inverosímil que al fin se ve realizado.

En efecto, Mihura trata de verle la trampa al mundo, un mundo convencional, inauténtico. Por ello el tema de la autenticidad quizás sea el más permanente de toda su producción y gracias a él surjan parodias y caricaturas de usos y costumbres, de modos de pensamiento, de rutinas e insinceridades. Si como denuncia de un mundo mediocre, la actitud de Mihura no admite nada que rebaje su visión negativa de una realidad contemporánea degradada, ha de observarse, sin embargo, que no se hace en función de ideas o idearios políticos. Esto es importante advertirlo porque Mihura ha manifestado muchas veces en declaraciones públicas su falta de compromiso y ha negado que su labor tenga finalidad alguna. Ello no responde a una actitud evasiva sino que es, por una parte, prueba de una fuerte independencia y, por otra, quizás, el resultado de un profundo escepticismo vital (dos periodistas, Fernando Lara y Diego Galán, le describieron acertadamente como «un burgués con espíritu de *clochard*»). Así se da la paradoja de unas manifestaciones muy tradicionales en un autor que ha hecho una radiografía inmisericorde de nuestro tiempo. En esa radiografía, sin embargo, hay que tener en cuenta un componente sentimental, una inclinación a la ternura que rebaja la crítica e impide que llegue a ser completamente corrosiva. Este rasgo es más acentuado en las últimas piezas del dramaturgo.

Siendo muy estimable el conjunto de la producción de Mihura, su nombre no hubiera alcanzado las cimas de respeto, por parte de críticos e historiadores, y de aprecio, por un amplio sector del público aficionado al teatro, si no hubiese sido por *Tres sombreros de copa*. El primer hecho que hay que destacar desde el punto de vista de la historia literaria es el de la enorme distancia entre su redacción en 1932 y su estreno en 1952. Mihura hizo varios intentos de estrenarla en los años treinta y, aunque tuvo algunas opiniones elogiosas, no logró verla en los escenarios. Este hecho es prueba del enorme poder retardatario que sobre la evolución de nuestro teatro han tenido una serie de factores extraartísticos. Y aunque al hacer historia resulten bastante inútiles los futuribles irremediables, no podemos dejar de pensar en que otra hubiera podido ser la evolución del teatro español de haber tenido lugar aquel estreno en su momento oportuno. Queda el consuelo —pero nada más para su uso nacionalista— de pensar que Mihura se adelantó en cuatro lustros al nacimiento del teatro del absurdo, con el que conecta, y que su texto puede considerarse predecesor cronológico de un Ionesco, dramaturgo que, como siempre se repite, mostró entusiasmo por *Tres sombreros de copa*.

Tres sombreros... es una obra llena de magníficas situaciones que configuran una trama bastante nítida: el joven Dionisio pasa la noche anterior a su boda en un hotel en el que coincide con una compañía de variedades. Las alegres e informales gentes del espectáculo alteran su mundo regular y ordenado y pronto congenia con Paula, que forma parte de la compañía. Entre ambos se establece una profunda corriente de simpatía y Dionisio descubre que el amor no es la rutina y el convencionalismo de la relación que ha mantenido con su novia y ya inmediata mujer y percibe que frente al futuro mediocre que le aguarda hay otro mucho más intenso y atractivo. Dionisio vive una noche de libertad y de alegría, y Paula le propone que marchen juntos. Al amanecer, sin embargo, incapaz de romper con las ataduras, prefiere ir a buscar a su novia para casarse.

Tres sombreros de copa constituye una apuesta por un mundo renovado, más auténtico y feliz. El enfoque crítico de convencionalismos burgueses es patente, aunque Mihura acabe la pieza con un retorno del protagonista a la vida rutinaria de siempre. Aparte esta importante aportación temática, lo más novedoso y revolucionario no es el tema en sí sino su tratamiento teatral. Lejos de un posible desarrollo melodramático, Mihura se aparta de todo naturalismo escénico e introduce el absurdo. Éste entra como componente de las situaciones escénicas, que obedecen a un criterio de libertad absoluta. Forma parte de la configuración de los personajes, que son prototipos de comportamientos sociales (El odioso señor, El cazador astuto) o de modos convencionales y rutinarios de entender la vida (Don Sacramento, futuro suegro de Dionisio). En fin, pasa a ser la materia sustancial de un lenguaje humorístico, lleno de invención, disparatado, imaginativo.[4]

3. La reacción realista

El teatro evasivo o las piezas de tesis que caracterizan la mayor parte de la producción dramática española de los años cuarenta y cincuenta tendrán que enfrentarse, a lo largo de esta última década y de la siguiente con un tipo de teatro bastante diferente por los planteamientos generales de los autores y por

4. Las ediciones de Mihura no son escasas, pero resultan recomendables, por los estudios que las acompañan, las de *Teatro* (Madrid, Taurus, 1965; incluye diversos trabajos críticos) y las de *Tres sombreros de copa* preparadas por Jorge Rodríguez Padrón (Madrid, Cátedra, 1982[6]) y Emilio de Miguel (Madrid, Narcea, 1978). En ellas se encuentra más amplia bibliografía, de la que destaca E. Miguel Martínez [1979].

los temas que presenta. Ese enfrentamiento es muy desigual, pues mientras aquel teatro evasivo accede con regularidad a los escenarios y obtiene grandes éxitos de público, este otro teatro, al que podemos denominar realista, encuentra grandes dificultades para su representación, a causa del propósito político que lo inspira. Antes de entrar en caracteres particulares de esta corriente, de sus autores representativos y de su producción dramática, conviene hacer algunas precisiones generales.

En primer lugar, no es éste el lugar para abordar la discusión de una etiqueta tan polémica como es la del adjetivo realista. Entiéndase, pues, que la utilizo como una forma de entendernos, comúnmente aceptada, y que no tiene otro propósito que el de describir una actividad teatral basada en el deseo de contribuir a una transformación de la escena —y de la sociedad— por medio de un teatro inspirado en planteamientos éticos y, a veces, explícitamente políticos.

En cuanto a la cronología, esta corriente realista abarca un amplio período que se extiende desde muy finales de los cuarenta hasta los últimos años de los sesenta, pero dentro de ese amplio período pueden y deben hacerse distinciones. Una primera fase, localizable en los años cincuenta, está protagonizada por dos nombres, el de Antonio Bueno Vallejo y el de Alfonso Sastre. La segunda, centrada en la década siguiente, fundamentalmente, asiste a los intentos de consolidar su obra teatral por parte de Lauro Olmo, Mauro Muñiz, José María Rodríguez Méndez, Ricardo Rodríguez Buded y José Martín Recuerda, entre otros escritores de menor significación. Aquellos dos dramaturgos —Buero y Sastre— adquieren un cierto papel de mentores de los siguientes, a pesar de que entre ellos existan diferencias en cuanto a la función que desarrollaron. Buero —no sin dificultades— estrenó con regularidad y cosechó triunfos dentro de un teatro serio de signo trágico. Sastre no pudo, en muchos casos, contrastar con el público la virtualidad de sus obras, prohibidas o impedidas de representación, y su carrera como dramaturgo se vio, en buena medida, fracasada por circunstancias ajenas a su labor. Sin embargo, su actividad como teórico es imprescindible para la configuración de ese teatro realista.

Si el teatro no es sólo texto, ha de advertirse que buena parte de la labor de este grupo de dramaturgos se vio silenciada y que, por tanto, sus efectos renovadores se vieron seriamente menguados al no llegar sus piezas a los escenarios. En buena medida, fue una intensa y arriesgada labor renovadora que no tuvo resultados palpables, que no alteró la situación general de nuestra escena ni de nuestro público porque cuando —en momentos de mayor permisividad, o de libertad, después de 1975— ese teatro tuvo posibilidades de representarse, era un teatro ya desfasado por sus temas y por sus planteamientos dramáticos. Una corriente irrealista y experimental cavará la fosa de todo un grupo de autores que no llegaron a existir por completo como presencia viva y real en los escenarios. Desempeñaron, sin embargo, un papel históricamente necesario en el proceso del teatro español de postguerra y, en algunos casos, aunque aislados, obtuvieron, también, resonantes éxitos.

Hablaré, en primer lugar, de Buero y Sastre y luego, en apartado independiente me referiré a la obra algo posterior de los restantes dramaturgos realistas.

1) *Hacia un teatro de compromiso*

BUERO VALLEJO supone la más destacada y casi solitaria excepción dentro de un panorama teatral caracterizado por su mediocridad o por el fracaso impuesto por las circunstancias. Que haya sido capaz de hacer viable un teatro serio y comprometido (entendiendo la palabra en un sentido muy amplio), que sea el protagonista, prácticamente en solitario, de la recuperación de una dramaturgia de signo trágico, que haya mostrado una inusual y creciente preocupación por los problemas técnicos... y, que, a todo eso pueda añadir una aceptación generalizada de los espectadores y hasta, en momentos, el entusiasmo de un sector —el de los jóvenes universitarios— del público, constituye toda una positiva anormalidad en el conjunto del teatro de postguerra. También la crítica le ha sido propicia a Buero. Aunque en ocasiones se le ha acusado de un excesivo conservadurismo en sus primeras piezas y, por contra, en los últimos tiempos, se le tache de inmoderada experimentación, Buero siempre ha sido respetuosamente tratado y, por lo que se refiere a la crítica universitaria, es ya ingente el número de páginas escritas sobre él, se le han dedicado trabajos de investigación, números monográficos de revistas e incluso un considerable número de libros. El tono de esa crítica es generalmente elogioso y un estudioso tan serio como Ricardo Doménech —autor, además, de una de las mejores monografías sobre Buero [1973]— ha llegado a escribir que «es quizá el autor más importante y, desde luego, más representativo de este período [de postguerra]» [1980, p. 416]. Y, por añadir otro juicio más, de los muchos que podrían espigarse, Luis Iglesias Feijoo [1982, pp. 528-529] concluye su documentado y amplio estudio sobre el dramaturgo con estos juicios: «Buero [es] un autor fundamental en la historia del teatro español contemporáneo [...], un autor que se ha convertido, por el peso de su voz trágica y esperanzada, en conciencia viva de nuestro tiempo».

Buero Vallejo (1916) se había inclinado en la anteguerra hacia el mundo de las artes plásticas (es muy conocido su dibujo de Miguel Hernández, con quien coincidió en la cárcel), pero esta vocación se torció quizás por el impacto de la guerra en su biografía. Luchó en las filas republicanas y al acabar la contienda fue condenado a muerte; conmutada la pena, permaneció varios años en la cárcel. A su salida de prisión escribió un drama, *En la ardiente oscuridad,* que estrenó en 1950. Reanudada la convocatoria del Premio Lope de Vega y aprovechando que los originales se presentaban con plica —por lo que el jurado desconocía los antecedentes políticos del autor—, envía *Historia de una escalera,* que gana el concurso y se convierte, en 1949, en su primer estreno y en una de las fechas clave del teatro —y de la literatura— español de postguerra. A partir de entonces, sus estrenos se suceden con bastante regularidad (aunque algunas de sus obras lleguen a los escenarios con mucho retraso respecto de su fecha de composición) y algunos años coinciden en las carteleras varias obras: *Las palabras en la arena* (1949), *En la ardiente oscuridad* (1950), *La tejedora de sueños* (1952), *La señal que se espera* (1952), *Casi un cuento de hadas* (1953), *Madrugada* (1953), *Irene o el tesoro* (1954), *Hoy es fiesta* (1956), *Las cartas boca abajo* (1957), *Un soñador para un pueblo* (1958), *Las meninas* (1960), *El concierto de San Ovidio* (1962), *Aventura en lo gris* (1963), *El tragaluz* (1967), *Mito* (ópera, 1967, no estrenada), *El sueño de la razón* (1970), *Llegada de los dioses* (1971), *La fundación* (1974), *La doble historia del doctor Valmy* (1976), *La detonación* (1977), *Jueces en la noche* (1979), *El terror inmóvil* (publicada en 1979), *Caimán* (1981).

En los años cruciales del resurgimiento del teatro realista y social, Buero participa en numerosas mesas redondas y coloquios. A la vez, en escritos de revistas, sobre todo, va forjando una teoría del teatro que acompaña a su producción. Escritor comprometido, muestra su discrepancia con Alfonso Sastre y participa en una áspera polémica con éste en la que se declara partidario del «posibilismo», es decir, de aprovechar los resquicios que la censura y el poder permiten al dramaturgo. Señal de un reconocimiento general es su ingreso en la Academia de la Lengua.

Aunque nada más sea a efectos didácticos, conviene intentar algún criterio de clasificación y ordenación de esa obra dramática bastante amplia. Hay que decir, en primer lugar, que en ella hay temas y motivos persistentes que permiten establecer una unidad de fondo y de intenciones, sin que ello excluya una notable evolución en el dramaturgo, sobre todo por lo que se refiere a aspectos formales y de construcción. Pero junto a ese sentido coherente, también se perciben elementos muy dispares. Por poner un par de ejemplos, el realismo testimonial de *Historia de una escalera* parece muy diferente del entramado histórico y el subjetivismo de *La detonación*; el corte benaventino de sus primeras piezas está bien alejado de las rupturas temporales, de la experimentación de sus últimos dramas. Estos dos ejemplos no tienen otro propósito que demostrar la diversidad del dramaturgo y la dificultad de reducir su labor a esquemas simplificadores. Sin embargo, es muy útil y cierta la agrupación que establece R. Doménech [1980]:

> 1) Obras que «se nos presentan como un proceso crítico a la sociedad española actual, inmediatamente reconocible» (*Historia de una escalera, Hoy es fiesta, Las cartas boca abajo, El tragaluz*).
>
> 2) «Obras que avanzan en un terreno neosimbolista» (*La tejedora de sueños, La señal que se espera, Casi un cuento..., Aventura..., El sueño..., Llegada..., La fundación*).
>
> 3) «Obras que se alzan como un proceso crítico a la historia de España» (*Un soñador..., Las Meninas, El sueño de la razón, El Concierto...*).

También parece útil la clasificación que propone Iglesias Feijoo [1982], de orden cronológico y que responde, sobre todo, a la evolución dramática de Buero:

a) Primera época: desde *Historia...* hasta *Las cartas boca abajo*.
b) Segunda época: desde *Un soñador...* hasta *Mito*.
c) Tercera época: desde *El sueño de la razón* hasta *Jueces en la noche*.

Luego nos referiremos tanto a los temas como a su tratamiento porque antes me parecen preferibles algunas indicaciones generales. La primera es que —al margen del valor y acierto de sus dramas— la dimensión de Buero tiene una vertiente histórica incuestionable como recuperador de un teatro digno frente al predominio de unas formas evasivas. La valoración de Buero nunca será completa si no se le sitúa en ese contexto en el que hace progresar su teatro serio y severo (tanto que jamás se permite un espacio a lo lúdico y entraña un talante moralista aunque no panfletario). En él hay, además, una clara conciencia social que se junta a planteamientos de raigambre existencialista. Ni aquélla ni éstos se dan por completo aislados, puros —aunque unas piezas puedan inclinarse más que otras a algunas de esas vertientes— y ésa ha sido una de sus virtudes como creador de anécdotas dramáticas. Como dramaturgo social, ha sabido dar testimonio de crudas realidades de nuestro tiempo en, por ejemplo, *Historia de una escalera* y *El tragaluz* (en la que, además, hay una muy explícita y valerosa mención de la guerra civil), pero no ha utilizado una estricta estética de realismo crítico o socialista. Cuando se preocupa por aspectos más generales de la naturaleza humana, no los desarrolla sobre supuestos meramente especulativos o abstractos, no hace, digamos, «filosofía», sino que encarna los problemas en conflictos humanos muy reales (*La tejedora...*, *La fundación...*). Para dar una visión de la naturaleza humana ha acudido con frecuencia a limitaciones físicas (sobre todo la ceguera, pero también la sordera) y a espacios reales, aunque simbólicos (la escalera, el sótano...). Ha acudido, además, a la historia no porque le interese el drama histórico entendido en un sentido tradicional sino porque, a partir de una situación del pasado, puede recrear un problema intemporal o una cuestión de vigencia actual. Finalmente, variaciones técnicas y formales, diferentes temas y motivos, remiten, en última instancia, a una consideración humanista del hombre, a indagar —o denunciar— su situación actual, a plantear un sentido terreno y a la vez trascendente (no, por supuesto, dentro de las coordenadas religiosas oficiales), a hacer partícipe al espectador de unas cuestiones, de unas preguntas sobre la naturaleza humana (de ahí, por ejemplo, el tema de la opresión y de la tortura). Y una última observación. Aunque, a mi parecer, Buero tienda preferentemente hacia motivos universales (lo que no quiere decir que, además, no sean del aquí y del ahora del momento en que escribe), de ninguna manera puede olvidarse la función sociológica que sus piezas han tenido, un plus de carácter político, que corresponde estudiar a la sociología pero que no se puede separar de la significación que se le ha dado. Quizás los tiempos futuros hagan una interpretación menos inmediata de su obra y ésta gane o pierda puntos desde esa perspectiva. Lo que quiero, sencillamente, señalar es que su recepción ha estado mediatizada —para bien y para mal— por las expectativas que las dignas posturas cívicas del autor suscitaban. Esas posturas, claro está, no se deben disociar de su producción —y más en un escritor ético— porque en ella por necesidad se reflejan pero, en cierta medida, pueden resultar perjudiciales a la hora de que el crítico establezca una interpretación de una visión trágica del hombre.

Del testimonio al símbolo. — Desde sus primeras obras, muestra Buero una inclinación a la variedad que no parece síntoma de incertidumbre sino señal de explorar diversas vías para obtener un más amplio —y por ello, más exacto— panorama de la situación del hombre. En la primera —*Historia de una escalera*— se acentúa un estado social degradado; en su segundo éxito en el escenario —*En la ardiente oscuridad*— prefiere acudir al empleo de ciertos símbolos y buscar valores menos inmediatos. En esas dos grandes líneas se va a mover, alternativamente, durante sus primeros tiempos sin que ellas, por otra parte, supongan el establecimiento de compartimentos estancos, pues, por ejemplo, también en ese drama social que es *Historia de una escalera* encontramos una función simbólica y muy eficaz en la escalera que centra los episodios de la acción dramática.

Historia de una escalera supone históricamente la ruptura con los escenarios burgueses, acomodados, lujosos o confortables de buena parte de la comedia de evasión. Éste es un primer dato que no podemos olvidar y por ello conviene reproducir la indicación escénica del propio autor al frente del acto primero:

> Un tramo de escalera con dos rellanos, en una casa modesta de vecindad. Los escalones de bajada hacia los pisos inferiores se encuentran en el primer término izquierdo. La barandilla que los rodea es muy pobre, con el pasamanos de hierro, y tuerce para correr a lo largo de la escena limitando el primer rellano. Cerca del lateral derecho arranca un tramo completo de unos diez escalones. La barandilla lo separa a su izquierda del hueco de la escalera y a su derecha hay una pared que rompe en ángulo junto al primer peldaño, formando en el primer término derecho un entrante con una sucia ventana lateral. Al final del tramo la barandilla vuelve de nuevo y termina en el lateral izquierdo, limitando el segundo rellano. En el borde de éste, una polvorienta bombilla enrejada pende hacia el hueco de la escalera [...].

Ahora la acción transcurre en un medio humilde, protagonizada por gentes de clases trabajadoras. Dos generaciones —o, si se quiere, tres— conviven en un espacio simbólicamente cerrado, que no lleva a ninguna parte porque perpetúa la pobreza y condena a la falta de futuro. Aunque destaque alguno de los numerosos personajes (intervienen nada menos que dieciocho), predomina el sentido de drama colectivo. No hay, por tanto, un conflicto decisivo (aunque alguno destaque sobre los otros) sino problemas particulares que se reparten entre los personajes: tensiones sentimentales, angustias económicas cotidianas (dificultad para hacer frente a los gastos de la casa), aspiración a salir de la clase social. La distribución temporal —la acción produce largos saltos cronológicos— permite dar a esos problemas un carácter de permanencia y, en efecto, el resultado final apunta a la imposibilidad —por determinaciones colectivas pero también individuales— de mejorar de estado, de encontrar un futuro menos problemático, con mayor progreso y libertad de elección. Así, la obra tiene un cierto aire circular porque la situación de los protagonistas se repite en padres, hijos y nietos. Hay, pues, un valor de denuncia solo que no resulta un teatro de propaganda a causa de la implicación en la acción y en los personajes tanto de determinantes socioeconómicos como de conflictos que pertenecen a la esfera íntima del ser humano. Por otra parte, el trasfondo costumbrista del planteamiento dramático —aunque negado por algunos críticos— contribuye a la mayor eficacia del drama.

Otras diferentes piezas de Buero insisten en este camino de un realismo testimonial y, en particular, *Hoy es fiesta* puede considerarse una distinta versión —sin que exista relación argumental— de *Historia de una escalera.* El espacio escénico es, de nuevo, parte de una casa, una azotea ahora: también los personajes son múltiples y tienen un protagonismo colectivo; igualmente los problemas materiales les asedian... por fin, se reitera el tema del futuro, de salir de los agobios presentes y de alcanzar la felicidad. La variante más importante es de construcción, por lo que se refiere a la unidad de tiempo, en *Hoy es fiesta* de tipo clásico; pero también en cuanto a la construcción, coinciden en la multiplicidad de acciones. En *Hoy es fiesta* la esperanza está puesta en el azar, en unos décimos de lotería que, en efecto, resultan premiados; sólo que esa solución no es posible porque los décimos han sido falsificados. Así, de una forma dramática —y esta vez con cierta imaginación costumbrista— Buero vuelve a plantear el desesperanzado horizonte de las pobres gentes.

Tal vez la obra más ambiciosa y más lograda de esta serie realista sea *El tragaluz,* que constituyó uno de los éxitos más importantes de su carrera y por la que la crítica suele mostrar preferencia. En *El tragaluz* se dan conjuntamente tres factores en estrecha relación y que pueden explicar, conjuntamente, el acierto de la pieza. En primer lugar, un carácter crítico testimonial de los efectos de la guerra, explícitamente mencionada en unos momentos en que los escritores todavía solían referirse a ella de manera alusiva. En segundo lugar, una indagación general sobre el comportamiento humano en la que se opone egoísmo y oportunismo a generosidad y nobleza. Por último, una completa estructura teatral que parte de una situación de ficción científica situada dos siglos después del nuestro.

La acción de *El tragaluz* comienza con el experimento de unos investigadores del siglo XXII que reconstruyen, con unos complicados proyectores, los pensamientos y los sucesos de una familia española de nuestro tiempo. Ésta, después de la guerra, quiso tomar un tren. La aglomeración de gente impidió que subieran, pero uno de los hijos, Vicente, lo logró y, además, se llevó los alimentos previstos para el viaje, incluso la leche de su hermanilla Elvira, la cual murió de hambre. Ahora, Vicente ha prosperado y, sin escrúpulos, ha alcanzado un alto cargo en una editora. El resto de la familia —el padre, la madre y otro hermano, Mario— viven muy pobremente en una planta baja desde la que se ve la calle a través de un tragaluz. El padre, enloquecido por el episodio de la estación, sólo se dedica a recortar figuras de periódicos y de postales. Vicente, por otra parte, es amante de su secretaria, Encarna, la cual, a su vez, se enamora de Mario. Acusado Vicente por Mario de ser el causante de la locura del padre, reconoce que no fue arrastrado al tren por la multitud, sino que voluntariamente no quiso bajar cuando arrancó. Acuciado por su sentimiento de culpabilidad, pretende hacer razonar a su padre y éste, en un ataque de demencia, le clava las tijeras con las que recorta figuras y le mata. Encarna está embarazada de Vicente y el bondadoso Mario le ofrece matrimonio.

La parte testimonial y la denuncia de la naturaleza humana están estrechamente unidas. Vicente se ha propuesto prosperar materialmente y para ello no duda en emplear cualquier medio. Por ejemplo, para conservar su puesto privilegiado en la editora, no tiene escrúpulos en hundir a un valioso escritor al que él mismo había apoyado. Ya desde la escena de la estación, Vicente ha decidido tomar el tren, en sentido simbólico, que conduce al triunfo. Este egoísmo y corrupción, aunque sea un caso concreto, no es un fenómeno aislado y Buero se preocupa por alcanzar un sentido superior a esos comportamientos y por ello el padre es una especie de voz de Dios, un Dios justiciero que castiga la maldad. A ello se debe también cierto carácter solemne de algunas escenas. Cuando Vicente va al sótano a tratar de desvanecer las presunciones de Mario sobre su culpabilidad en la locura del padre, el propio Vicente protestará porque aquello parece un juicio y entonces Mario le replicará: «Soy un juez».

Esta agrupación temática precisa de un complemento referido a la técnica teatral, pues es característica de Buero su preocupación por los aspectos formales y estilísticos, unidos a sus inquietudes éticas y sociales. Si, por una parte, sus interrogaciones sobre la naturaleza humana y la sociedad —el egoísmo, la injusticia, la búsqueda de la personalidad, la pérdida de los valores morales—, son permanentes, por otra, se acompañan de una notable evolución teatral de la que es buena prueba *El tragaluz*. El recurso de los proyectores y de los dos personajes que llevan a cabo la experimentación —denominados Él y Ella— es muy eficaz en cuanto que supone un procedimiento de distanciación; al carácter presente del drama central, el de la familia del sótano, de concepción bastante clásica, se suma esa especie de voz del narrador que contiene una valoración de los sucesos y evita la simple identificación del espectador con la tragedia familiar.

Ya he dicho que Buero alterna este teatro que puede apellidarse testimonial con otro de fuerte componente simbolista. Ambos, en realidad, no están incomunicados pues también en las piezas realistas funcionan símbolos. De esta manera puede verse, por ejemplo, el espacio cerrado de la escalera o del sótano, e incluso el de la azotea, que representan una a modo de situación repetida en otros lugares de la realidad exterior. Lo que pasa en esa escalera o en ese sótano es una imagen aplicable al estado de la colectividad. Sin embargo, en otras piezas el carácter simbólico se acentúa y aparece, incluso, lo imaginativo y fantástico. Ello obedece, como han señalado los críticos, al componente mítico de su teatro. En esas piezas —de las que pueden ser prueba *La tejedora de sueños, Irene o el tesoro*— se plantean problemas genéricamente humanos como el de la fe, las relaciones humanas, la cuestión de la verdad —que por cierto, es uno de los motivos reiterados de casi toda su producción—, la expiación de la culpa, la tortura, el contraste entre visión optimista (escapista) y realidad. O, por decirlo con palabras de Ruiz Ramón [1975, p. 347], en alguna de sus obras, «se propone [...] con mayor o menor ambigüedad la presencia del misterio como discusión de la existencia humana y la necesidad de la fe, la esperanza y el amor —vaciadas las tres de toda significación teológica concreta— para transformar el mundo y realizar lo humano en el hombre». Los temas pueden pasar de unas a otras, incluso después de bastante tiempo y el mundo cerrado de la ceguera de *En la ardiente oscuridad* (que es de 1950) se repite en *Llegada de los dioses* (estrenada en 1971). Los conflictos de ambas son diferentes, pero motivos concretos los aproximan: la ceguera permite crearse un falso mundo irreal a uno de los protagonistas de *En la ardiente oscuridad* y es la forma de negar al padre en *Llegada de los dioses.* Claro que los símbolos no funcionan con unas equivalencias precisas y dan lugar a diferentes interpretaciones.

El teatro de base histórica. — El otro gran núcleo del teatro de Buero es el de tema histórico, que suele agrupar las piezas que sitúan la acción en una época pretérita como *Un soñador para un pueblo, Las Meninas, El sueño de la razón* y *El concierto de San Ovidio.* Añadamos que la historia ocupa un lugar importante en otras piezas y que, clasificada dentro del realismo testimonial, también, por ejemplo, *El tragaluz* es una obra histórica, e incluso, *Historia de una escalera.* Pero, en fin, en estas clasificaciones conviene respetar criterios de aceptación común.

Las cuatro primeramente citadas coinciden en partir de personalidades históricas relevantes: Esquilache, Velázquez, Goya y Larra, respectivamente. Se ha insistido más en lo que tienen de análisis de momentos históricos cuyo enjuiciamiento crítico echa luz sobre la trayectoria de nuestro pueblo y sobre el momento presente. Sin infravalorar este sentido, tampoco es justo olvidar el interés intrínseco de unas tragedias a la vez personales y ejemplares. Algo distinta es *El Concierto...* en torno a una orquestina de ciegos, que trae de nuevo los problemas de la realidad, la verdad, la esperanza, la opresión y la degradación humanas.

En ésta y en algunas otras de sus últimas obras ha mostrado Buero una particular atención a la construcción teatral y ha incorporado numerosos recursos, desde los escenarios múltiples hasta corporeización de sueños y visiones. El espacio escénico se ha hecho cada vez más complejo e incluso puede hablarse de un neto propósito experimental. Éste, como decíamos antes, es el resultado de una antigua preocupación por encontrar la forma adecuada a cada tema pero, también, desde un sector de la crítica y el público se ha estimado como una concesión innecesaria —y no siempre afortunada— de Buero a quienes habían visto en él planteamientos escénicos muy tradicionales. Sin que se le pueda negar voluntad de rigor, tal vez no sea descartable una inclinación experimentalista por deseos de presentarse como un autor de la última hora, cuando ello es absolutamente innecesario en un dramaturgo que ya tiene un lugar destacado en la historia. Esta última fase, además, ha coincidido con la aparición —sobre todo en la crítica periodística— de enjuiciamientos más negativos o de unas mayores reservas.[5]

El otro intento más serio —junto con el de Buero— de promover un resurgimiento teatral en la postguerra es el protagonizado por ALFONSO SASTRE, quien, además, coincide en el propósito de alcanzar la realización de un drama trágico contemporáneo. La materialización de ese proyecto ha sido, sin embargo, mucho más precaria por parte de Sastre y no precisamente por su culpa sino por las constantes dificultades que ha encontrado para llevar sus piezas a los escenarios, muchas de las cuales nunca se han podido representar, rechazadas una y otra vez por la censura oficial y por los otros muchos mecanismos que el teatro comercial posee para alejar una dramaturgia renovadora, incómoda o comprometida. Esta ausencia de verificación práctica de un texto dramático es muy grave para cualquier dramaturgo, pero ha resultado especialmente negativa para un hombre como Alfonso Sastre, que reúne la doble condición de teórico y creador. No siempre parece haber correspondencia entre sus propuestas teóricas y la concretización de éstas en su propia creación teatral, pero el escritor no ha podido, en muchos casos, comprobarlo mediante la representación para luego rectificar o confirmar sus ideas, ya que la pieza no llegaba a confrontarse con el público. Algunas de sus obras, además, pueden parecer ambiguas y, de hecho, ha obtenido interpretaciones por completo enfrentadas (una ha llegado a entenderse como un alegato anticomunista, cuando se trata de un escritor de muy patente y claro compromiso político). Todo ello hubiera exigido de manera perentoria —por el bien del propio autor y de nuestro teatro de estos inciertos años— el estreno regular y normal de unas obras que, a la vez que un espectáculo concreto, constituían una investigación sobre las posibilidades presentes de la tragedia. Cualquiera que sea nuestra opinión sobre la virtualidad artística de Sastre, no puede ignorarse lo que entraña de nuevas perspectivas, de discutible pero valiosa reflexión estética, ni su potencial renovador de una mortecina situación teatral.

5. Ya he indicado las voluminosas dimensiones de la bibliografía sobre la personalidad y la obra de Buero Vallejo, en la cual se encuentran minuciosos estudios tanto de aspectos menudos de significación o técnica como análisis globales de su producción. Ante la imposibilidad de hacer una selección medianamente rigurosa, remito a los siguientes trabajos, que considero los más satisfactorios entre los libros sobre nuestro autor, y en los que se encontrará amplia información bibliográfica: Ricardo Doménech [1973], Joaquín Verdú [1977] y Luis Iglesias Feijoo [1982]. También resultan útiles los estudios preliminares, algunos muy valiosos, publicados al frente de varias obras de Buero y preparados, entre otros, por Doménech, Iglesias Feijoo y Mariano de Paco.

Alfonso Sastre (1926) ha sido uno de los hombres de más tenaz dedicación al teatro de toda nuestra historia reciente: ha promovido, desde los años cuarenta, grupos e inspirado movimientos de renovación teatral; ha lanzado manifiestos que convulsionaban nuestra precaria vida cultural; ha polemizado y teorizado, en reuniones, artículos y libros; en fin, ha escrito piezas de teatro, cuyo estreno ha constituido, en alguna ocasión, fecha clave de la historia del teatro de postguerra, por ejemplo el de *Escuadra hacia la muerte,* en 1953, según destaca la crítica. Una indicación más es precisa para presentar la significación de Sastre: aunque sus escritos teóricos se han centrado en temas teatrales, debe considerársele como uno de los patrocinadores del amplio movimiento de literatura social que se extiende durante los años cincuenta y sesenta, y es uno de los propulsores de la llamada generación del medio siglo (participó activamente en la *Revista Española* de Rodríguez Moñino).

Los inicios de Sastre en el teatro son muy tempranos, pues antes de los veinte años ya ha escrito y estrenado alguna pieza breve experimental. En 1945 funda «Arte Nuevo» (con Medardo Fraile y Alfonso Paso, entre otros) que era, según sus propias palabras en una entrevista con R. Doménech, «una forma —quizás tumultuosa y confusa— de decir "no" a lo que nos rodeaba [...], al teatro que se producía en nuestros escenarios» (en *Teatro, vid.* n. 6, p. 262). Ese rechazo de una situación dada caracteriza toda su trayectoria y por ello se le ha calificado, con un sentido positivo, de «aguafiestas» del teatro español (así lo hacen Pérez Minik y José María de Quinto en los respectivos trabajos recogidos en el volumen de *Teatro* mencionado en la nota 6). Esa labor de rechazo y análisis se acentúa con sus constantes colaboraciones en *La Hora* (1948-1950) y *Correo literario* (desde 1953). Decantada su protesta hacia contenidos políticos y sociales, hace campaña por un «Teatro de Agitación» y da a conocer el Manifiesto del TAS (Teatro de Agitación Social) (firmado también por José María de Quinto y publicado en *La Hora,* 1950), en cuyo vigésimo punto se declaraba «fundado el TAS». El manifiesto no resultó operativo, pero alcanzó gran difusión y algunos de sus postulados fueron básicos para el teatro joven que se iba a desarrollar en los años siguientes. Por ello es conveniente recordar algunos de esos puntos:

1) Concebimos el teatro como un «arte social» en dos sentidos:

a) Porque el teatro no se puede reducir a la contemplación estética de una minoría refinada. El teatro lleva en su sangre la exigencia de una gran proyección social.

b) Porque esta proyección social del teatro no puede ser ya meramente artística.

. . . .

4) Nosotros no somos políticos sino hombres de teatro; pero como hombres [...] creemos en la urgencia de una agitación de la vida española.

5) Por eso, en nuestro dominio propio (el teatro), realizaremos ese movimiento, y desde el teatro, aprovechando sus posibilidades de proyección social, trataremos de llevar la agitación a todas las esferas de la vida española.

6) Pero conste que la preocupación técnica por la renovación del instrumental artístico del teatro está orientada a servir a la función social que preconizamos para el teatro en estos momentos, y no obedece, de ningún modo, al ímpetu de un cuidado puramente artístico.

7) Lo social, en nuestro tiempo, es una categoría superior a lo artístico.

. . . .

15) Si bien el TAS es una profunda negación de todo el orden teatral vigente —y en este aspecto nuestros procedimientos no serán muy distintos a los utilizados por un incendiario en pleno delirio destructor—, por otra parte pretende incorporarse normalmente a la vida nacional, con la justa y lícita pretensión de llegar a constituirse en el auténtico Teatro Nacional. Porque a un estado social corresponde como teatro nacional un teatro social, y nunca un teatro burgués que desfallece día a día, animado pálidamente por una fofa y vaga pretensión artística.

Mientras tanto, ha redactado o comenzado diversas piezas y, en un deseo de poner en práctica sus teorías, consigue estrenar *Escuadra hacia la muerte* (1953) en el Teatro Popular Universitario. Obtiene éxito pero es prohibida a la tercera representación y aquí comienza un largo camino de piezas vedadas por la censura o rechazadas por los empresarios. A pesar de todo, sigue trabajando incansablemente y en 1958 publica en *Acento Cultural* uno de los textos fundamentales de la estética de aquellos años, «Arte como construcción», en una de cuyas secciones, «Once notas sobre el arte y su fundación», se defienden algunos puntos de vista de gran trascendencia para la creación del momento:

> 1) El arte es una representación reveladora de la realidad. Reclamamos nuestro derecho a realizar esa representación.
>
> . . . .
>
> 3) Entre las distintas provincias de la realidad hay una cuya representación o denuncia consideramos urgente: el problema social en sus distintas formas.
>
> 4) La revelación que el arte hace de la realidad es un elemento socialmente progresivo. En esto consiste nuestro compromiso con la sociedad. Todo compromiso mutilador de esa capacidad reveladora es inadmisible.
>
> . . . .
>
> 7) Pertenecer a un movimiento político no tiene por qué significar la pérdida de la autonomía que reclamamos para el artista. Este compromiso será lícito y fecundo en los casos en que el artista se sienta expresado totalmente por ese movimiento. Su compromiso será entonces, prácticamente, la expresión de su libertad.
>
> . . . .
>
> 9) Lo social es una categoría superior a lo artístico. Preferiríamos vivir en un mundo justamente organizado y en el que no hubiera obras de arte, a vivir en otro injusto y florecido de excelentes obras artísticas.
>
> 10) Precisamente la principal misión del arte, en el mundo injusto en que vivimos, consiste en transformarlo. El estímulo de esta transformación, en el orden social, corresponde a un arte que desde ahora podríamos llamar «de urgencia». Queda dicho que todo arte vivo, en un sentido amplio, es justiciero; este arte que llamamos «de urgencia» es una reclamación acuciante de justicia, con pretensión de resonancia en el orden jurídico.
>
> 11) Sólo un arte de gran calidad estética es capaz de transformar el mundo. Llamamos la atención sobre la radical inutilidad de la obra artística mal hecha. Esa obra se nos presenta muchas veces en la forma de un arte que podríamos llamar «panfletario». Este arte es rechazable desde el punto de vista artístico (por su degeneración estética) y desde el punto de vista social (por su inutilidad).

Un paso adelante en su lucha por la renovación teatral es la fundación (1960) del G.T.R. (Grupo de Teatro Realista), junto con José María de Quinto, que llevará a cabo una campaña en un teatro madrileño durante 1961. A la vez, acentúa su compromiso político que, sin abandonar el campo cultural, se prolonga en su actividad privada. Nuevas y constantes dificultades impiden que la mayor parte de su teatro llegue a los escenarios. Por otra parte, según hemos visto en el capítulo 1, en 1960 mantiene una dura polémica con Buero Vallejo en torno a dos conceptos que son fundamentales para los planteamientos estéticos y políticos de toda esa época, me refiero a la discusión sobre el «posibilismo» y el «imposibilismo», en la que Sastre termina por afirmar que «la llamada postura "posibilista" pueda ser el caldo de cultivo en que se desarrollen enmascaradas actitudes conformistas». El «imposibilismo» predicado por Sastre (que merecería un comentario para el que no tenemos espacio) se convirtió, por lo que se refiere a su propia obra, en una imposibilidad real de llegar a los escenarios. Recordemos, finalmente, que buena parte de su actividad crítica —teatral y, más generalmente, cultural— fue recogida en diferentes libros que constituyen fechas importantes del pensamientos estético de la postguerra: *Drama y sociedad* (1956), *Anatomía del realismo* (1965) y *La revolución y la crítica de la cultura* (1970).

Es muy difícil presentar un comentario sintético y objetivo de la obra de creación teatral de Alfonso Sastre, ya que se resiste a clasificaciones o agrupamientos. Es cierto, como dice Ricardo Doménech [1980, pp. 420-421], que existen constantes que permiten establecer «líneas o apartados» que, para este crítico, son: «1.º los dramas de la Culpabilidad; 2.º los dramas de Saturno; 3.º los dramas de la Revolución, y 4.º los dramas colaterales, de temática ahistórica». Desde un punto de vista cronológico, este mismo crítico establece varias etapas. La primera, de aprendizaje, se extiende a lo largo de los años cuarenta. La segunda, «de indagación en lo ideológico y en lo estético», ocupa entre 1950 y 1956. La tercera, de madurez, comienza con *Asalto nocturno* (1959). Otra clasificación, más pormenorizada y bastante casuística como consecuencia de la diversidad de la obra de Sastre, es la de Magda Ruggeri [1975], que divide su producción en estos siete períodos: 1) simbólico-surrealista (1946); 2) anarco-nihilista (1950-1954), con dos fases (pura y de confrontación con la praxis marxista); 3) sublevación contra la injusticia (1954-1955), también con dos fases (causas individuales y colectivas); 4) el drama del pseudo no compromiso (1955-1956); 5) del mensaje de paz (1959); 6) marxista (1953-1972), con dos tendencias, una de crítica social y otra de teatro de praxis, y 7) segundo período de pseudo no compromiso (1970-1971).

Sin tener nada que reprochar a estas clasificaciones —a las que habría que añadir la invención de la «tragedia compleja», que más adelante veremos— la multiplicidad del teatro de Sastre no facilita una línea expositiva clara. Por una parte, hay elementos contradictorios en su producción que no nos permiten avanzar por un solo camino. Por otro, la crítica está tan escindida en sus valoraciones, que no tenemos puntos de referencia más o menos seguros o establecidos. Además, las oscilaciones del dramaturgo entre lo que podemos considerar interesantes planteamientos temáticos y la fortuna con que se desarrollan, tampoco permite hablar de una progresiva superación y perfeccionamiento. En este sentido hay que subrayar lo que el teatro de Sastre tiene de continua exploración de caminos, de puesta en práctica de supuestos teóricos y, desde ese punto de vista, su dramaturgia es una de las aventuras más insólitas, por su exigencia, de toda la postguerra.

Dejando aparte el período de «Arte Nuevo» (algunas de las obras de entonces han sido posteriormente rechazadas por el propio dramaturgo), su actividad se inicia con *Escuadra hacia la muerte,* drama de la culpabilidad, según la terminología antes mencionada. Los soldados de una escuadra comisionada para una misión sin retorno, se rebelan contra el cabo que la manda. Planteada esta situación de partida, el drama analiza las diferentes reacciones de cada uno de los soldados frente a la muerte del jefe (uno opta por el suicidio, otro por la huida; hay quien prefiere entregarse y asumir la responsabilidad contraída). *Escuadra...* da inicio a una corriente que explora temas como la libertad y la culpabilidad (ambos dialécticamente articulados en ella) y muestra la visión trágica de Sastre del lugar del hombre sobre la tierra. El origen de esta postura hay que remontarlo a la etapa anterior, en especial a *Cargamento de sueños* (1948), extraño drama, «para vagabundos», en torno a la fe y que representa la crisis religiosa —cristiana si se quiere— del escritor. Encontramos en *Cargamento...* un fuerte simbolismo (el nombre del protagonista es Man; otro personaje se llama Jeschoua y parece ocultar la figura de Cristo) y ofrece una interpretación existencialista, nihilista de la existencia.

Por la evolución teórica que antes hemos presentado, se comprende que Sastre abandone preocupaciones religiosas y místicas y que aborde directamente un teatro de realismo testimonial, político. Ha de advertirse que ese teatro político no caerá en un sociologismo documental, sino que tratará de indagar los mecanismos, las causas, los efectos de la Revolución. Ello es patente en *Prólogo patético* (1953), sobre el activismo revolucionario. El problema, planteado en fecha tan temprana, tiene una gran complejidad y se adelanta al análisis de fenómenos de la realidad de gran vigencia en años posteriores. Esto indica, creo, más que una intuición de futuro, el carácter fuertemente especulativo del teatro de Sastre. En *Prólogo* lo que se investiga es la dimensión moral del activismo político armado, la aceptación o negación de sus consecuencias negativas (la muerte de inocentes), inevitables para alcanzar unos objetivos sociales posteriores. Aunque el punto de partida sea especulativo, el drama se encarna conflictivamente en uno de los personajes, quien sufre las contradicciones de la acción sangrienta y de la inocencia destrozada. Otro aspecto de la revolución lo aborda en *El cubo de la basura* (1951), menos aparentemente político por la dimensión personal del drama, pero eficaz en sus intenciones de poner en evidencia los límites de una acción revolucionaria desarrollada en el marco de la actividad individual, no de la colectiva. También se relaciona con la revolución *El pan de todos* (1953) en el que de nuevo un conflicto personal sirve para analizar la disyuntiva entre la obligación política y los intereses —por legítimos que sean— personales. El protagonista debe elegir entre la pureza revolucionaria o la condena de su propia madre. Más tarde, tras obras con otra temática, *En la red* (1959) afronta el análisis del comportamiento y de los conflictos internos de un grupo clandestino.

Otros dramas de estos mismos años cincuenta abordan problemas en los que confluyen planteamientos éticos, políticos y sociales. *La mordaza* (1954) muestra una situación familiar de opresión. Nadie se atreve a denunciar al opresor, el viejo y déspota cabeza de familia, aunque ha cometido un asesinato. Tras muchas incertidumbres y terrores, una de las nueras denunciará al viejo y causará su muerte, la cual pesará trágicamente sobre toda la familia. *Tierra roja* (1954), especie de *Fuenteovejuna* actual, explica los motivos de la sublevación de un pueblo minero. *Muerte en el barrio* (1955), se vincula con la anterior por presentar otra reacción colectiva contra la injusticia, derivada de la negligencia de un médico que contribuyó a la muerte de un niño.

Otras piezas coetáneas resultan más difíciles de agrupar. En *Guillermo Tell tiene los ojos tristes* (1955) analiza el mito del rebelde suizo, que se opone a la opresión, pero con un final trágico: atravesará con su flecha no la manzana sino a su propio hijo, y no aceptará después el lugar de privilegio que la revolución le otorga. En *Asalto nocturno* (1955) investiga cómo se genera y transmite la violencia a través de las generaciones. *Ana Kleiber* (1959) es pieza experimental de teatro dentro del teatro. En *La sangre de Dios* (1955) vuelve el tema del mito, el del sacrificio bíblico del hijo. *La cornada* (1959), finalmente, es uno de los más perfectos y expresivos dramas de Sastre. En su origen existe también una referencia mítica, según precisa el propio autor en una autocrítica: «tengo la impresión [...] de haber hecho el drama de una relación casi antropofágica: una relación que tiene algo que ver, en mi opinión, con el mito de Cronos-Saturno: alguien que devora a sus criaturas: alguien cuya supervivencia está montada sobre la destrucción de sus creaciones. Encuentro este mito, desdichadamente, vivo en la sociedad en cuyo seno nos movemos o nos debatimos» (en *Tres dramas españoles,* p. 88). La situación anecdótica está relacionada con el mundo de la fiesta de los toros, pero sin ninguna clase de tipismo o folklorismo. El apoderado de un joven matador es quien ejerce sobre éste una inmisericorde explotación. Ante la indecisión o intento de rebelión del torero, el apoderado tendrá que destruir la imagen que él mismo ha creado. Como se deduce de la explicación de Sastre que acabo de transcribir, aunque el dramaturgo parte de una anécdota concreta y casi testimonial, sin embargo, no le interesa por su valor documental sino por su sentido genérico, lo cual suele ser un procedimiento habitual en su teatro.

La evolución dramática de Sastre ha sido, como antes indicaba, incesante. Receptivo del teatro político de Piscator y de la distanciación brechtiana, ha intentado superar planteamientos rígidos y en sus últimos tiempos ha intentado llevar a cabo lo que él denomina «tragedia compleja», cuyos objetivos podemos ver en estas palabras del propio dramaturgo en su conversación con Isasi [1974, p. 87]:

> La «tragedia compleja» sería una superación [del teatro épico y del teatro del absurdo] en cuanto que aceptaría como legítima expresión la desesperación humana sin dejarse sumergir y ahogar en ella, la carga nihilista del teatro del absurdo, reconocería el carácter trágico de la existencia individual (agonía) y, al mismo tiempo, la perspectiva histórica (socialista) para lo que es ciega la tragedia moderna al ser invisible para ella lo que la actividad humana tiene de praxis.

Sastre ha expresado en los últimos tiempos sus reservas a la eficacia de un teatro-documento hecho sobre los planteamientos de Piscator y Weiss y su respuesta es esa «tragedia compleja», en la que otra vez —última por ahora— el dramaturgo ha tratado de encontrar una salida para un teatro renovador, actual y revolucionario. Hay que repetir que, por encima del enjuiciamiento de sus piezas, debe valorarse esta actitud de investigación, tan insólita entre nosotros. *El camarada oscuro* (1979) es el drama que mejor encarna esos supuestos y constituye tanto una elegía al soldado revolucionario desconocido, según las palabras del autor, como una reflexión sobre la propia revolución española. En esta pieza, la «tragedia compleja» trata de superar los tradicionales límites de los géneros; mezcla el teatro documental con el esperpento para provocar, finalmente, esa forma dramática nueva. La degradación del mundo contemporáneo, por otra parte, no puede manifestarse mediante la tragedia clásica, según Sastre, porque ésta resultaría humorística, dado el envilecimiento de nuestras sociedades. Provocar la concienciación a través de la comicidad, alcanzar la tragedia mediante la risa es el planteamiento básico de *Ahola no es de leil* (1980).

El conjunto de la trayectoria dramática de Sastre se basa en esa apasionada investigación de las formas pertinentes para lograr un drama revolucionario. Ese proyecto se ha visto mediatizado casi siempre por la óptica ideológica de los críticos, tanto en los aplausos como en los reproches. No es fácil, al tratarse de un teatro altamente político, deslindar esto de un enjuiciamiento sólo artístico —si es que ello resulta posible por completo en alguna ocasión—, ya que el propio dramaturgo dispone la forma en razón de su efectividad revolucionaria. Sin entrar en el fondo de estos problemas, la crítica no ha sido unánime en su valoración del teatro sastreano y se le han formulado razonadas objeciones. Uno de los reproches más habituales es su excesiva dependencia de una idea previa, lo que hace sus dramas en exceso discursivos. También se le ha acusado de proclividad a la universalización, de cierto exotismo de lugares y personajes, que hace que su teatro resulte poco conectable con una situación específicamente española. Contra ello protestó el dramaturgo y respondió agrupando tres de sus piezas —*El cubo de la basura, La cornada* y *Por la noche*— en un volumen de significativo título, *Tres dramas españoles* (1965). Otro aspecto destacado es la ambigüedad de las soluciones —o, incluso, la ausencia de ellas— de sus piezas. Esto obedece a un explícito deseo de plantear problemas que inquieten al espectador, que le obliguen a interiorizar los conflictos. Así, evita resoluciones impuestas y elude un carácter explícitamente docente del arte. Sastre no es partidario de un inmediato utilitarismo ni de una acción propagandística directa, contra la cual se ha manifestado en ocasiones con dureza mediante lo que ha llamado la «hiperpolitización» del teatro, a la cual acusa de falta de eficacia estética y práctica. Dada la simplificación que, a veces, se hace de la dimensión política de la estética de Sastre, transcribiré estas nítidas palabras suyas («Nivel político, pureza estética», 1966):

> Hacer teatro a nivel político no significa, para un autor, convertir absolutamente su obra en una herramienta de protesta, denuncia o intervención inmediatas en el medio. Se tratará entonces de una hiperpolitización del teatro, que yo rechazo porque creo que con un teatro hiperpolitizado se produce el doble y dialécticamente articulado fenómeno de la degradación estética y la inutilidad política [...] El «sacrificio» de los que digan: yo rebajo la calidad de mi obra para proyectarla sobre zonas más extensas (teatro popular) y producir mayor efecto (político), es un sacrificio inútil (lo que llamaríamos el «sacrificio populista»).

Resulta curioso, para terminar, que Sastre, uno de los principales propulsores de la estética que produjo tanto testimonialismo crítico —los lacerantes y cotidianos problemas del obrero— en el teatro y en la novela, haya rehuido esta temática inmediata en su propia creación. No sólo en sus dramas, según acabamos de ver, sino también en su vertiente, mucho menos conocida, de narrador (*Las noches lúgubres,* 1964; *Flores rojas para Miguel Servet*, 1967), en la que incluso ha hecho incursiones por lo fantástico.[6]

2) *La llamada «generación realista»*

Buero y Sastre encarnan la primera regeneración del teatro de postguerra desde supuestos realistas y testimoniales. Aparte de las dificultades para estrenar, o del éxito alcanzado con sus obras, desempeñaron el papel de guías de una generación de dramaturgos jóvenes que se dan a conocer entre los años cincuenta y sesenta y que desarrollan su labor desde los supuestos de un arte realista, crítico, de proyección social. De hecho, todo un sector de creadores, amparados por un movimiento crítico de signo coincidente, buscan en esta época un teatro que sea testimonio de su tiempo, que denuncie la injusticia social y la opresión y que contribuya a la transformación política y social del país. El empuje viene de una juventud universitaria de signo inconformista e incluye una actitud iconoclasta respecto de las

6. La bibliografía sobre Sastre es amplia, en especial la aparecida en revistas y publicaciones periódicas (pueden encontrarse abundantes referencias en los trabajos de Anderson y Ruggeri citados a continuación). Son interesantes los estudios reunidos al frente del *Teatro* publicado por la Ed. Taurus, Madrid, 1964; también resultan útiles los de Anderson y Ruggeri publicados como introducción a diversas piezas aparecidas en colecciones de clásicos. Los dos estudios monográficos más completos son los de Farris Anderson [1971] y Magda Ruggeri Marchetti [1975].

figuras consagradas del teatro burgués —Benavente y sus secuelas—, de modo que no se trata sólo de forjar un nuevo teatro con un aire generacional distinto sino de derribar unas formas teatrales establecidas, convencionales y caducas. Se presta, de esta manera, una especial atención a los temas. Éste es teatro históricamente necesario, pero con serias limitaciones estéticas sobre las cuales más tarde —a partir de los años sesenta— se volcarán numerosas críticas. Aunque luego volvamos a este asunto, adelantemos unas palabras del también dramaturgo Francisco Nieva (en AA. VV. [1977], p. 266), que expresan una posterior opinión bastante generalizada:

> algunos críticos progresistas [...] fundaban toda su esperanza en que sobre una escena se tratasen temas de salarios, exilios, emigraciones, miserias del subdesarrollo. Sin advertir que la primera miseria del subdesarrollo consistía en la forma en que el propio tema era tratado.

Antes de entrar en el comentario de las obras de los autores que encarnan esta tendencia —y que provisionalmente limitaremos a Muñiz, Olmo, Recuerda, Rodríguez Buded y Rodríguez Méndez— pretenderemos fijar los caracteres generales, lo cual, además, nos permitirá ser más concisos en las referencias a sus respectivas piezas.

Unas cuantas cuestiones es preciso abordar con carácter preliminar: cronología, denominaciones, nómina de autores... Empecemos por la cronología. El desarrollo inicial de este movimiento hay que situarlo hacia la mitad de los años cincuenta y se prolonga durante buena parte de la década siguiente. Algunas fechas de primeros estrenos darán buena prueba de esta cronología:

1954. *La llanura,* de Martín Recuerda
1956. *El payaso y los pueblos del Sur,* de Martín Recuerda
1957. *El grillo,* de Muñiz
1959. *Vagones de madera,* de R. Méndez
1960. *La madriguera,* de R. Buded
Un hombre duerme, de R. Buded
El milagro del pan y de los peces, de R. Méndez
1961. *El tintero,* de Muñiz
Los inocentes de la Moncloa, de R. Méndez
1962. *La camisa,* de Olmo
1963. *La pechuga de la sardina,* de Olmo
Las salvajes en Puente San Gil, de M. Recuerda
1964. *La vendimia en Francia,* de R. Méndez
1968. *English Spoken,* de Olmo

Justamente en el cambio de década parece fraguarse la consolidación de este grupo, pero ello no es así porque pronto una nueva promoción pretende vías estéticas distintas desde supuestos a los que de manera vaga podemos llamar irrealistas (luego hablaremos de ellos y de sus variantes; empleamos ahora el término con un valor descriptivo muy generalizador). Cronológicamente, pues, podemos decir que se trata de un movimiento abortado antes de su completo desarrollo, pues hacia finales de los sesenta parece haberse agotado por completo (una década más tarde se producirá una recuperación, bajo un signo estético modificado, del que son buena prueba *Las arrecogías del Beaterio de Santa María Egipciaca* [1977], de M. Recuerda, o *Las bodas que fueron famosas del Pingajo y la Fandanga* [1979], de Rodríguez Méndez).

En relación con esta cuestión cronológica hay que tener en cuenta un par de factores. En primer lugar, ese desarrollo recortado, incompleto, ha sido causado por una serie de circunstancias ajenas a la propia creación artística en las cuales es preciso incluir una serie de condicionamientos marginales o laterales, pero decisivos: la organización empresarial del teatro comercial, los propios mecanismos de autocontrol de los dramaturgos para hacer viable un teatro comprometido y, por fin, pero no en último lugar, la censura gubernamental. Como esos problemas han afectado a esa corriente y a otras sucesivas, volveremos luego a ello con más detalle. Ahora hay que recalcar que la censura impidió de una manera que puede calificarse de permanente el estreno de la producción del teatro crítico o social —también, o más, es cierto, del simbólico—, con lo cual se produce un constante desfase entre fechas de producción y esporádicos estrenos y, en consecuencia, se resiente cualquier presentación cronológica homogénea. En segundo lugar, la obra de los autores realistas ha evolucionado hacia formas menos naturalistas y por ello habría que establecer dos etapas cronológicamente diferenciadas al referirse a los dramaturgos que se inician bajo aquella estética. Así, es ya normal que la crítica reconozca varias etapas en la producción de Martín Recuerda o Muñiz.

Respecto de las denominaciones, se ha hablado de teatro neorrealista, del realismo social, testimonial, o simplemente realista, etiquetas todas ellas que en sí mismas llevan una información sobre su práctica estética. Quizás el marbete de «generación realista» sea el más extendido y más utilizado por la crítica, no sin los reparos de R. Doménech, para quien «resulta poco exacta la frecuente denominación de "generación realista"» [1980, p. 424]. En alguna ocasión —así lo hace García Templado

[1981]— se ha apostillado «segunda generación realista», para distinguirla de una primera, la de Buero y Sastre.

Referirse a esos autores como «generación realista» plantea, fundamentalmente, un problema (aparte las reticencias presentes hacia los métodos generacionales), el de que es preciso acudir a una relativa proximidad tanto en las fechas de nacimiento como en las de estreno de los autores incluidos en la generación (la situación variaría ligeramente si se considera el año de redacción de las obras). Por lo que concierne al nacimiento, coinciden en fechas próximas los autores antes citados: Muñiz (1927), Olmo (1922 o 1923), Martín Recuerda (1925), Rodríguez Buded (1928), Rodríguez Méndez (1925). Y, como se ha visto, también existe proximidad en el momento de comenzar su actividad. Ocurre, sin embargo, que en años cercanos nacen otros dramaturgos como José María Bellido (1922), José Martín Elizondo (1922), Antonio Martínez Ballesteros (1929), Francisco Nieva (1929), Luis Riaza (1925), Miguel Romero Esteo (1930), José Ruibal (1925)..., con supuestos artísticos diferentes —si no antagónicos— a los anteriores. Unos y otros, por tanto, pertenecen a la misma generación y parece poco apropiado o excluir a éstos de una posible denominación generacional o incluirlos sin reconocer esas diferencias. De todas maneras, y aunque sólo sea por razones prácticas, me parece conveniente aceptar la existencia de una «generación realista», ya que el adjetivo diferencia a los primeros suficientemente. También podría hablarse de grupo, o promoción, o, con fórmula de éxito en otros campos, generación del medio siglo. Las notas coincidentes y características que reúne son: a) nacimiento entre 1922 y el comienzo de la guerra; b) primeros estrenos desde mediados de los cincuenta hasta mediados de los sesenta; c) práctica de una estética social-realista. El otro grupo coincide en el primer rasgo y se diferencia en una aparición pública, generalmente, más retrasada y en una estética irrealista.

Los reparos de R. Doménech pueden venir por la consideración excesivamente unitaria de una obra que ha evolucionado y a ello responde, sin duda, su elección de la fórmula «del neorrealismo al neoexpresionismo». Yo no veo ningún inconveniente en aplicar como caracterizador de un prolongado momento creativo el rótulo «generación realista», cualquiera que haya sido el rumbo posterior de los dramaturgos (en otras áreas sucede algo parecido: en novela, piénsese, por citar un nombre, en Juan Goytisolo y en poesía, en Gabriel Celaya).

Tampoco hay en la crítica unanimidad respecto de los autores que deben figurar en la nómina de la «generación realista». No es este libro el lugar adecuado para discutir las razones de incluir o excluir a algunos nombres y nos contentaremos con recoger como fundamentales aquellos sobre los que suele existir mayor acuerdo y que ya hemos citado: Carlos Muñiz, Lauro Olmo, José Martín Recuerda, Ricardo Rodríguez Buded y José María Rodríguez Méndez. A esta relación básica se podrían añadir un par de nombres asociados a ella por algunos críticos, por ejemplo Alfredo Mañas (1924) o Agustín Gómez Arcos (1933).

Pasemos ahora a alguno de los rasgos generales del teatro de la generación realista: temas, concepción dramática, lenguaje. Acerca de la temática, ya hemos adelantado algo antes. En general, estos dramaturgos tratan de presentar un testimonio con intencionalidad crítica de la realidad social del país. Ésta se refleja en el conflicto que centra el drama pero, también, en numerosas notaciones de hechos, formas de vida, usos, mentalidades, cuya raíz es de inspiración costumbrista aunque su propósito sea el de denunciar un estado colectivo. Este propósito testimonial aparece ya en los decorados, como puede comprobarse en esta breve selección:

> Esta habitación [...] es comedor y cuarto de estar. En su fondo derecha hay una cama turca. Entre ésta y la escalera, una cómoda. Una mesa camilla ocupa el centro. A esto se añaden las sillas y todo lo que se considere necesario para conseguir un ambiente de clase media modesta. La habitación de la izquierda cuenta con una cama vieja, de hierro, y un armario de luna. También se ve un lavabo de madera con jarra y cubo para el desagüe [...] (Lauro Olmo, *La pechuga de la sardina*).

> El decorado de esta obra ha de ser totalmente esquemático [...] la alcoba de la pensión de Crok será la alcoba de la pensión de cualquier pobre hombre (Carlos Muñiz, *El tintero*).

> Decorado del cuadro segundo de la segunda parte: «Una alcoba sucia que huele a pecado» (Carlos Muñiz, *Las viejas difíciles*).

> En segundo término [...] se ve una humilde habitación de chabola [...] A la derecha de la calle [...] se ve «CASA PACO», la tasca. Al perderse la calle hacia el fondo va a dar contra la fachada de una casa popular de dos pisos (Lauro Olmo, *La camisa*).

> La buhardilla, de gran espacio, de una casa de provincias que en un tiempo fue burguesa y ahora es pobre. A un lado y a otro del fondo, dos grandes ventanucos con cristales rotos y descuidados, llenos de polvo, dejando ver las casas vecinas [...] Dos ratoneras con un pedacito de queso están colocadas en distintos lados del suelo y frente a unos agujeros [...] (José Martín Recuerda, *El teatrito de Don Ramón*).

Obreros agobiados por la pobreza, gente humilde sin esperanzas de futuro, burgueses asociales y egoístas, emigrantes por falta de trabajo, explotados con míseros salarios son algunos de los personajes —incluso, a veces, es preferible denominarlos tipos— que aparecen para encarnar esa problemática española, a la que se puede añadir algún motivo más general: el impacto de la guerra en la vida de la época, la postración general del país, las actitudes irreconciliables...

En cuanto a la forma dramática, no es idéntica en todos los autores, pero se pueden hacer algunas generalizaciones. Destaca el acceso a la protagonización de las clases humildes, obreros o modestos empleados que habían estado marginados de la comedia benaventina, y que a veces tienden a la protagonización colectiva, aun sin la pérdida absoluta de los rasgos individualizadores. Las fuentes de inspiración son españolas y están relacionadas con formas como el sainete, aunque con una intencionalidad política. En algún caso se ha hablado, incluso, del «iberismo» caracterizador de algún autor como Martín Recuerda. Si no en un primer momento, también se ha acudido a Valle-Inclán, o García Lorca. De cualquier manera, una constante ha sido el rechazo del experimentalismo, del teatro del absurdo y de las técnicas innovadoras y uno de estos autores, Rodríguez Méndez, muy conocido como polémico e incisivo crítico, lleva a cabo una auténtica campaña contra lo que signifique influencias extranjeras y su oposición se acentúa a medida que constata la invasión de la escena española por técnicas y autores extranjeros (la reacción es lógica si se tiene en cuenta que este fenómeno se da antes de que el teatro realista haya conseguido una presencia viva y continuada en nuestros escenarios). Dentro de esos rasgos generales, las variedades existentes le han permitido a Ruiz Ramón [1975] fijar tres grandes líneas de formas dramáticas: el realismo-naturalismo crítico, el neo-expresionismo crítico y la «farsa» popular, de raíz arnichesca tipo «tragedia grotesca» o de raíz lorquiano-albertiana.

Por lo que se refiere al lenguaje, los diálogos cuidados, cultos, de léxico exigente y preciso, con sabor literario, son sustituidos por un intento de captar las formas populares y coloquiales, con reducciones fonéticas y voces malsonantes o no muy admitidas en los medios burgueses convencionales.[7]

CARLOS MUÑIZ (1927) constituye uno de esos casos en los que debemos lamentar que el entramado de intereses y rutinas de nuestro teatro comercial no haya permitido a un escritor bien dotado —y a pesar de la seriedad de sus intentos— convertirse en un dramaturgo profesional cuyos estrenos se suceden con regularidad. Autor de casi una docena de piezas, buena parte siguen inéditas y otras obtuvieron una tibia respuesta del público. Su presencia en los años cincuenta era muy prometedora y es significativo que varios títulos suyos inauguraran, a comienzos de la década siguiente, la colección «El Mirlo Blanco» (*Teatro,* Madrid, 1963). José Monleón atestiguaba, al frente de ese mismo volumen, lo que entonces representaba Muñiz: «Estamos ante un dramaturgo insoslayable a la hora de esquematizar las líneas dinámicas del teatro español contemporáneo».

El teatro de Muñiz es eminentemente crítico y comprometido y se ha centrado en la denuncia de tipos próximos a las clases medias humildes de profesiones administrativas. Su dramaturgia no sigue una línea única, pues cultiva tanto el naturalismo como el expresionismo. Esta indecisión entre formas opuestas puede ser mostrativa de las dudas de un joven dramaturgo de los cincuenta y de las alternativas que se le ofrecen. Su primera obra, *Telarañas* (1955), combinaba ambos procedimientos, pero ante las críticas negativas que recibió —según ha confesado el propio autor—, se decidió, en contra de su natural inclinación, a probar un naturalismo desnudo, procedimiento que utiliza para escribir *El grillo* (1957). En esta obra dramatizaba un tema también abordado por la prosa narrativa de la época (por ejemplo, *El empleado,* de Azcoaga, o *Funcionario público,* de D. Medio), la falta de perspectivas de futuro de un modesto funcionario (quizás de motivación autobiográfica, pues Muñiz lo ha sido y ha

7. Para las cuestiones planteadas en relación con la «generación realista», véase el libro de Miralles [1977], que, bajo su tono ensayístico, esconde una magnífica documentación y una información muy precisa. Dentro de una concepción más académica, son fundamentales dos libros del profesor y director escénico César Oliva [1978 y 1979], y resulta útil la documentación del de Pérez Stansfield [1983]. En todos ellos se encuentra amplia bibliografía y ha de verse, también, el repertorio de Halsey [1977]. Es interesante, aunque ha quedado anticuado y precisa una completa revisión, el estudio de García Pavón [1962]. Lectura inexcusable es la de la revista *Primer Acto* en su primera época. Aunque más centrado en la narrativa, debe tenerse en cuenta Eduardo G. Rico [1/1971].

solicitado la excedencia en varias ocasiones para dedicarse a la literatura y a la televisión). No mucho después, decide liberarse de sujeciones naturalistas y vuelve al tema de la vida insustancial del oficinista en *El tintero* (1961). Pero ahora lo hace sobre planteamientos muy distintos: hay un fondo kafkiano en la visión absurda de ese mundo burocrático y una rebelión constante y agresiva del empleado Crock, a quien le gustan cosas sencillas y elementales —unas flores en la mesa del despacho— que la sociedad le prohíbe. Un humor ácido y amargo recorre esta implacable parodia en algunos de cuyos momentos se notan huellas del teatro del absurdo y, sin salir de nuestras fronteras, varias situaciones recuerdan el humorismo de *Tres sombreros de copa,* de Mihura.

Expresionismo y denuncia aparecen juntos en otras piezas de Muñiz. La más importante es *Las viejas difíciles* (1967), sátira del convencionalismo moralista de la vida provinciana. La intransigencia de una vigilante y amenazadora «Asociación de Damas» frustra el amor de los dos principales personajes. Si en algún momento puede inclinarse el drama hacia el ternurismo, pronto lo endereza el autor mediante el valor intencional del absurdo de las normas colectivas y la esperpentización de las figuras de las Damas. Nuevas denuncias de la opresión, la intransigencia, el absurdo de la organización social, en general, y de ridículos preceptos, en particular, aparecen en varias piezas breves, *Un solo de saxofón* (1963), *El caballo del caballero* (1965), *Los infractores* (1969).

Una pieza corta y otra extensa pueden relacionarse por partir de un motivo histórico, además de por ciertas similitudes en el tratamiento. Aquélla, *Miserere para medio fraile* (1966), toma como motivo la violencia moral padecida por San Juan de la Cruz y, en último término, aborda de nuevo el tema de la opresión y la intransigencia, que se convierte en un auténtico *leitmotiv* de toda la obra de este dramaturgo. La pieza extensa es la última obra, que yo sepa, de Muñiz, *Tragicomedia del Serenísimo Príncipe don Carlos* (1974). Su planteamiento, en general, es expresionista y se puede filiar claramente con el esperpento valleinclanesco. Su tema no sólo es histórico sino que está basado en una abundante documentación que acompaña a la edición del texto: el enigma de la actitud de Felipe II con su hijo Carlos. Muñiz no se interesa por una investigación psicologista de aquel enigma histórico (dimensión que atrajo a otros dramaturgos de la postguerra) sino por una reconstrucción cruel, furiosa y desgarrada de la España filipina.

Por el tono populista de su primera pieza de significación pública, *La camisa,* e incluso por la propia trayectoria biográfica (orígenes modestos, desempeño de humildes profesiones, autodidactismo), LAURO OLMO (1922) encarna con bastante propiedad los rasgos definitorios de un sector de aquella gente joven que por los años cincuenta buscaban no sólo la notoriedad artística sino la transformación de la sociedad mediante la literatura. La primera muestra significativa de esta actitud en Olmo es la publicación de *Ayer, 27 de octubre* (1958). Aunque no sea teatro sino novela, resulta un título imprescindible en el conjunto de su obra y del que es inevitable partir porque en él encontramos algunas claves del escritor. El argumento se centra en las peripecias cotidianas de los habitantes de una modesta casa de vecindad. El tema nos lleva a la falta de sentido vital de unas gentes agobiadas por el presente y carentes de futuro. Su propósito es testimonial y crítico. Varios llamativos rasgos atraen inmediatamente nuestra atención. En primer lugar, percibimos que el relato tiene antes una configuración teatral que novelesca (el teatro, en efecto, es la principal vocación de Olmo, sin que debamos olvidar su faceta de autor de relatos cortos). En segundo lugar, descubrimos la presencia de unos tipos muy esquematizados y nada verosímiles —sobre todo los tres misteriosos personajes vestidos de negro— que guardan poca relación con un planteamiento realista-social. En fin, la realidad sufre un cierto grado de deformación en una línea esperpentizadora. Pues bien, esa mezcla de realismo e imaginación es característica del teatro de Olmo, que, en alguna ocasión —en *La camisa,* por ejemplo—, tiende a un naturalismo descarnado y, en otras, se interna por caminos expresionistas, aunque, eso sí, siempre dentro de una intencionalidad crítica y social.

La camisa (1962) fue un gran éxito de público y su estreno en 1962 ha sido considerado por R. Doménech [1968] como una de esas fechas fundamentales del teatro de postguerra. Este drama popular es una de las muestras más significativas del teatro social de la época. En él se nos presenta una situación que recorre las páginas de numerosas novelas y relatos de aquellos años, la de la emigración laboral como único recurso para hacer frente a la miseria de la falta de ocupación o de los ruines salarios. El drama que en *La camisa* encarnan Lola y Juan es el de la desesperada búsqueda de trabajo para no verse obligado él a emigrar y la convicción final de que no hay otra alternativa posible. Ruiz Ramón [1975] señala la coincidencia de *La camisa* con un libro posterior de Francisco Candel, *Los otros catalanes.* Mayor relación guarda con otras muchas novelas —la nómina de títulos sería muy extensa— que, desde los años cincuenta, desarrollan ese mismo motivo y en cuya órbita debe inscribirse la pieza de Olmo. De esas numerosas novelas, y por mencionar una, *Con la lengua fuera* (1957), de José María Castillo-Navarro, adopta la forma del relato dramatizado de signo trágico (poco importa que la emigración sea interior). Es necesario señalar estos antecedentes porque —sin que debamos pensar en influjos directos sino en una preocupación temática de época— Olmo no plantea el mérito y singularidad de la pieza en el terreno de la invención imaginativa de su trama. Ésta, como digo, es un tema habitual en la literatura —dramática o no— de aquellos años y, a partir de él, Olmo se propone llevar a la escena el conflicto de la tensión suscitada por dos motivos contrapuestos: la injusticia social que padece el obrero y el fortísimo apego sentimental a la tierra, al lugar natal. Olmo desarrolla ese conflicto con un propósito populista y su intencionalidad es revulsiva: trata de agitar y conmover la conciencia social del espectador. Apela en función de esta meta a un lenguaje directo y bronco, no desdeña situaciones humorísticas y acude a eficaces recursos de corte melodramático (que constituyen uno de los peligros de la obra, e, incluso, en general, del autor, según reconocen Amorós-Mayoral [AA. VV. 1976 b]).

Uno de los personajes de *La camisa,* un vendedor de globos llamado Tío Maravillas, pone una nota de carácter simbólico en el drama y apunta a lo que será la otra gran nota artística de Olmo, un teatro de corte neo-expresionista, en el que se junta la farsa, una renovadora implicación del sainete (Olmo ha montado en 1983 un espectáculo sobre textos de Arniches) y cierta concepción esperpéntica de la realidad, todo ello sin abdicar de un propósito de denuncia social, y sin abandonar un realismo áspero e hiriente. Entre esas piezas, que no han obtenido el éxito de *La camisa,* hay que mencionar *La pechuga de la sardina* (1983), *El cuerpo* (1966), *English Spoken* (1968) y *José García* (1979). Esta última, una pieza breve cuyo tema es difícil de precisar —quizás cómo la rutina se impone frente a cualquier posible libertad—, tiene un interés histórico añadido. Su dedicatoria —«A mis compañeros de la generación realista. Con mucho respeto»— no sólo es un homenaje sino una constatación de la definitiva ruptura de moldes realistas (la obra constituye una mezcla de cuadro costumbrista), pero no el abandono de viejas metas de denuncia y transformación social.

Una frase de Ricardo Doménech [1980, p. 425] sintetiza muy bien la significación de JOSÉ MARTÍN RECUERDA (1925):

> De todos los autores de su generación [...] es quizás el que con mayor profundidad ha asumido la herencia de Valle-Inclán y de García Lorca en este camino de un teatro popular español, desgarrado y violento.

Otro crítico, César Oliva [1978], ha señalado cómo Martín Recuerda evoluciona fuertemente desde unos principios realistas hasta otras formas artísticas, aunque, a la vez, indica, no se hagan a la sombra de un estricto realismo sino bajo la influencia de García Lorca. Estas vinculaciones —y otras más que se han señalado— han sido rechazadas, sin embargo, por algún estudioso (Morales [1981]) que prefiere destacar la enorme personalidad del dramaturgo. Es una lástima que sus primeras obras (a excepción de *La llanura,* escrita en 1954 y editada en 1977), aunque estrenadas, no hayan sido publicadas —*Los átridas,* 1955; *El payaso y los pueblos del Sur,* 1956—, porque ello nos impide precisar esos orígenes y su evolución.

De las piezas que tenemos conocimiento, hay que distinguir *El teatrito de don Ramón* (1958) de otras de gran éxito, de extraordinario interés y que revelan un singular estilo: *Las salvajes en Puente San Gil* (1963) y *Las arrecogías en el beaterío de Santa María Egipciaca* (escrita en 1970, estrenada en 1971). *El teatrito...* se centra en un grupo de personas que se reúnen para llevar a cabo una representación en una especie de teatro familiar. Su tema es la soledad humana y alcanza un fuerte patetismo. A pesar del desvalimiento personal de los personajes, testimonio de un mundo incomunicado, se filtra una especie de emotividad y ternura que contrasta con lo que es característico de las otras piezas posteriores, el estallido brusco de una violencia individual y colectiva. También una historia de soledad y frustración caracteriza *Las ilusiones de las hermanas viajeras* (escrita en 1955, publicada en 1981) que, además, guarda relación con *El teatrito...* por la inclusión de la literatura dentro de la literatura. *Las salvajes...* escenifica la convulsión que produce en un pequeño lugar la llegada de una compañía de revistas; en *Las arrecogías...* trata un antiguo motivo teatral, el de *Mariana Pineda.* En ambas es importante el tema, que no se ciñe a esas anécdotas sino que lleva a una investigación a fondo, inteligente e inmisericorde, de rasgos característicos de nuestra sociedad contemporánea, de sus vicios, lacras, hipocresías, convenciones sociales y políticas... En fin, de todo lo que ha impedido un progreso en consonancia con el mundo civilizado. Hay que destacar la actitud franca, valiente, de Martín Recuerda en la manera de abordar el tema, pero, aún más, estas obras son importantes por su técnica teatral, de libre concepción del espacio escénico, con un propósito de comunicar directamente con el espectador, en el que tienen lugar situaciones de tremenda violencia a cuyo servicio se pone un lenguaje muy agresivo.

Las arrecogías... indica una de las vertientes más sostenidas en el teatro de los años ochenta de Martín Recuerda, la de inspiración histórica. Notable parentesco con ésta guarda *El engañao* (redactada en 1972, pero estrenada en 1981), basada en la personalidad humanitaria y rebelde de Juan de Dios, el fundador de una orden religiosa de beneficencia en el siglo XVI. Martín Recuerda ha realizado una intensa labor de documentación (según se ve en su opúsculo *Génesis de «El engañao». Versión dramática de la otra cara del Imperio,* 1979), pero no le interesa un simple testimonio de época. Éste existe, y es bien palpable en la oposición de las figuras históricas reales (Doña Juana la Loca, por ejemplo) y de una comparsa coral de «mendigos, locos, prostibularios, enfermos...». La atracción de Martín Recuerda se dirige, sin embargo, hacia una versión desmitificadora del pasado —aunque con virtualidad presente— y una denuncia de los mecanismos de opresión sobre las pobres gentes. Todo ello con esa misma tónica de virulencia que caracteriza a la mayor parte de su teatro. También histórica puede considerarse *Caballos desbocados* (1981), cuyo subtítulo, *Teatro carnaval en dos partes,* es ya orientativo de las intenciones del autor. En este caso la historia es inmediata, ya que la trama penetra en la España postfranquista, aunque se remonte hasta la época de la guerra. Se trata de una reflexión burlesca, pero tremendamente airada y dramática, de las condiciones de vida —morales y materiales— de la sociedad andaluza —y, por traslación, nacional— contemporánea. En fin, el interés de Martín Recuerda por la historia es tan acusado que otra pieza más (editada pero no representada), *Las conversiones* (1981), se traslada a la época de los Trastámara y dramatiza el proceso de formación del personaje de Celestina, recreado en el ambiente moral y social de aquella época.

La personalidad de Martín Recuerda dentro del teatro español se completa con una larga labor: ha estado al frente de teatros universitarios (primero en Granada, luego como encargado de una cátedra en Salamanca), es estudioso y conferenciante, ha hecho adaptaciones de obras clásicas e incluso ha refundido textos literarios al servicio de un espectáculo teatral, por ejemplo en su interesante *¿Quién quiere una copla del Arcipreste de Hita?* (1965).

Tres únicas obras, que yo sepa, ha escrito y estrenado RICARDO RODRÍGUEZ BUDED (1928): *La madriguera* (1960), *Un hombre duerme* (1960), *El charlatán* (1962). Su silencio puede deberse —es simple conjetura, ya que desconozco otros datos— al difícil paso de una conciencia crítica de expresión neorrealista a unas formas de tipo vanguardista y al desaliento que fue habitual en no pocos escritores —y no sólo dramaturgos— críticos de los años cincuenta. Tanto *La madriguera* como *Un hombre duerme* tienen el valor primordial de testificar la degradada situación de las capas humildes en aquella época. En ambas se puede decir que el problema central es el de la vivienda, resultado, claro está, de una ínfima situación económica; en la primera, vemos las tensiones de las familias realquiladas en un piso; en la segunda, la imposibilidad de convivir en un solo hogar de un matrimonio, separado por exigencias laborales. En cada una de estas obras, alcanza Rodríguez Buded un extraordinario dramatismo al sobreponer auténticos conflictos humanos a situaciones de origen costumbrista. Como testimonio de época, son piezas de gran valía, incluso por el empleo, eficaz, de elementos melodramáticos.

Ruiz Ramón [1975] afirma, respecto de *La madriguera,* que el limitado sentido social del drama cobra una más amplia significación, «pues se trata de presentar en él, desde una radical actitud de protesta y denuncia de sentido social, esa tortura del convivir impuesta». Creo que no es así por completo. El principal y casi único objetivo —y mérito— de la obra es su intención testimonial y a ella no se le deben buscar sentidos trascendentes. Precisamente, uno de los valores de este teatro —y no me refiero ahora en exclusiva a *La madriguera*— es haber renovado nuestra escena a partir de una actitud documental de lo que era experiencia directa y viva, cotidiana y nada metafísica, de amplios estratos de nuestra sociedad. Lo que hace falta es que ese teatro tenga eficacia dramática sobre el escenario y creo que en el caso de Rodríguez Buded la posee, por lo que resulta de lamentar su prolongado silencio.

En su doble faceta de dramaturgo y crítico merece atención José María Rodríguez Méndez (1929), y en esta última ha alcanzado notoriedad con sus incisivos artículos periodísticos, algunos de los cuales recogió en el volumen *Comentarios impertinentes sobre el teatro español* (1972), de fuerte tono antivanguardista y antiextranjerizante que ya he recordado. El comentario de su labor como dramaturgo está, por nuestra parte, muy condicionado —aparte las restantes servidumbres de un libro como éste— por el conocimiento muy fragmentario de su obra. Si mi información es completa, Rodríguez Méndez ha escrito veinticinco piezas de teatro, de las cuales dieciséis están inéditas; de las estrenadas, varias lo han sido por grupos de limitada implantación. Así, pues, y conscientes de la injusticia que supone, preferimos dejar para otra ocasión un comentario más reposado e indicar que —según esa lectura fragmentaria—, nos parece que Rodríguez Méndez ha alternado tanto el teatro de un realismo crítico naturalista —*Vagones de madera* (1959, ed. 1966), *Los inocentes de la Moncloa* (1961, ed. 1968), *El círculo de tiza de Cartagena* (1963), *La vendimia de Francia* (1964), *La batalla de Verdún* (1969)— con la práctica del esperpentismo —*Bodas que fueron famosas del Pingajo y la Fandanga* (1979).

En esta última, situada en un Madrid popular de fin de siglo, los ecos sainetescos sirven de fondo a una deformación satírica y caricatural de la sociedad española. En las anteriores, de planteamiento más tradicional, encontramos directos testimonios de situaciones modernas (el antibelicismo de *Vagones de madera*; la rebelión cantonal cartagenera en *El círculo...*) o de postguerra (las oposiciones en *Los inocentes...*; la emigración en *La vendimia...*; la emigración suburbial en *La batalla...*). Es curioso señalar que en Rodríguez Méndez, tan atenido a la realidad contingente, se perciben numerosos ecos literarios (Brecht, Valle-Inclán, Machado, incluso Sender) que, a veces, el propio título refleja.[8]

3) *Otras manifestaciones*

La generación realista protagoniza, como hemos dicho, a partir de los años cincuenta una corriente de renovación teatral basada en una concepción ética y política del arte, pero no es la

8. Los artículos sobre estos cinco autores realistas son abundantes y de varias obras de algunos de ellos se han hecho ediciones en colecciones de clásicos que, además de estudio preliminar, incluyen extensa bibliografía. Mencionaré, pues, unas pocas referencias en las que se puede hallar más información (en el caso de las ediciones anotadas, daré sólo el nombre del «editor», pero no el título de las obras publicadas). Deben tenerse en cuenta, también, los títulos mencionados en la nota 7. Sobre Carlos Muñiz hay varios y útiles trabajos en el volumen *Teatro* (Madrid, Taurus, 1963) y en *Primer Acto,* 20, 1961; véase la edición de L. L. Zeller (Salamanca, Almar, 1980). Para Lauro Olmo, véase Doménech [1968], Amorós-Mayoral [AA. VV., 1977 b], el estudio preliminar de García Lorenzo (Madrid, Espasa Calpe, 1981) y R. Doménech, «El teatro de Lauro Olmo», *Cuadernos Hispanoamericanos,* 229, 1969. Varios trabajos sobre Martín Recuerda se encuentran en el volumen *Teatro* (Madrid, Taurus, 1969); sobre este dramaturgo, véase el capítulo correspondiente de Monleón [1976] y los estudios preliminares de Ruiz Ramón (Madrid, Cátedra, 1978), M. T. Halsey y A. Cobo (*ibid.,* 1981) y A. Morales [1981]. Respecto de Rodríguez Méndez, véase Monleón [1976].

que mayoritariamente ocupa los escenarios ni tampoco ha de entenderse —como, por otra parte, es obvio— que sea la única línea dramática de la época. Por ello nos parece oportuno abrir este apartado que, aunque un tanto misceláneo, pretende reflejar esos otros aspectos de la historia teatral.

a) *El teatro convencional.* — Mientras que los autores realistas encuentran dificultades para estrenar sus piezas, cuyo destinatario es principalmente una juventud crítica universitaria, el otro público mayoritario del teatro asiste a un tipo de obras tradicionales, más o menos serias —comedia—, o completamente frívolas (espectáculos del tipo revista que suelen olvidarse en los panoramas del teatro pero que poseen una extraordinaria importancia como documento histórico y sociológico). Ese público —mal conocido en términos precisos, pero que, presumiblemente, está compuesto por una burguesía sin aspiraciones culturales— es el que hace triunfar un teatro de leves contenidos críticos, consolatorio, con rasgos de humor y según fórmulas de la comedia bien hecha, y el que eleva a la popularidad a algunos dramaturgos que hoy ya suelen ser relegados con toda justicia a un lugar secundario en las historias del teatro. De bastantes de los autores que practican estas formas convencionales puede prescindirse si la óptica del crítico es la de la exigencia artística. Por supuesto que, en buena medida, esta dramaturgia tradicional sigue monopolizada por los autores que vimos en un capítulo anterior, pero a ellos hay que agregar otros algo posteriores, pues desarrollan su labor desde los años cincuenta y pertenecen a la generación siguiente a aquéllos. Las diferencias entre ambos grupos —aparte méritos individuales— no son muy grandes, ya que todos ellos practican una misma comedia convencional, neobenaventina y evasiva.

De estos autores más jóvenes citaremos en primer lugar a JAIME SALOM (1925), cuya obra se inicia en 1955 con *El mensaje* y se continúa en 1960 con *El triángulo blanco* y *Verde esmeralda.* Es un autor muy representativo de esa comedia convencional, de intriga, melodramática, semipolicíaca que cultiva, por ejemplo, en *Juegos de invierno* (1963) o *El baúl de los disfraces* (1964), aunque también ha estrenado un drama sobre la guerra civil, *La casa de las chivas* (1968). Una significación semejante tienen otros dos autores de éxito, JAIME DE ARMIÑÁN (1927) con obras como *Eva sin manzana* (1954), *Pisito de solteras* (1962), *La pareja* (1963) y JUAN JOSÉ ALONSO MILLÁN (1936), con piezas como *El cianuro, ¿solo o con leche?* (1963), *Mayores con reparos* (1965), *Juegos de sociedad* (1970), ambos de planteamientos teatrales y de cronología equiparables a la de Salom.

El autor más representativo de este teatro conformista y de enorme éxito es ALFONSO PASO (1926-1978), cuya continuada y clamorosa presencia en los escenarios españoles durante más de veinte años es un fenómeno no sólo artístico —teatral y literario— sino sociológico de primera magnitud y requeriría un estudio serio y pormenorizado que, hasta ahora y que yo sepa, no se ha hecho. En primer lugar, es ya tan tópico decirlo que resulta inexcusable recordarlo, Paso posee una capacidad de creación sólo comparable e incluso superior a la de nuestros más prolíficos dramaturgos. Además, ha sabido identificarse con las aspiraciones de unas amplias capas sociales, que se han visto reflejadas y gratificadas en el escenario y por ello le han dado un respaldo que recuerda al que en su día se dispensó a Lope, Echegaray o Benavente (por supuesto que no establecemos comparaciones de otro tipo). Si Paso hacía un teatro para ese público, también convendría precisar que el tal público hizo de Paso su autor y le permitió, quizás, algunas licencias y atrevimientos mayores que a otros dramaturgos (pienso que nada más perjudicial que una actitud, que es la habitual, generalmente descalificadora de Paso, y no porque defendamos su teatro, sino porque cuatro latiguillos críticos no explican una producción muy interesante para el historiador y el sociólogo de la literatura).

Esa identificación se apoya, principalmente, en una obra teatral incesante, copiosísima, que alcanza una cifra total de cerca de dos centenares de piezas. Ello, además de ser prueba de la fecundidad del escritor, es dato importante, porque Paso no es el escritor que esporádicamente conecte con ese público sino que de forma continuada le asegura la pervivencia de una visión del mundo, en la que se encuentran los tópicos —en el sentido clásico y etimológico— de una manera de entender la vida. Selecciono al azar un par de años y relaciono los estrenos habidos durante cada uno de ellos para precisar mejor esa anterior afirmación. En 1960 estrena:

> *La boda de la chica, Cuidado con las personas formales, Preguntan por Julio César, Cosas de papá y mamá, Las niñas terribles, El niño de su mamá, Cuatro y Ernesto, Por ejemplo, enamorarse, El cardo y la malva* y *Sentencia de muerte.*

Los estrenos dos años más tarde, durante 1963, fueron:

> *La hermosa fea, La viuda alegre, La corbata, Los derechos del hombre, Un 30 de febrero, ¡Vivir es formidable!, Las mujeres los prefieren pachuchos, Veraneando, Las separadas, Sí, quiero, Gorrión.*

Por otro lado, esa identificación se apoya, también, en otra incesante actividad de Alfonso Paso fuera de los escenarios y que hace de él un hombre de notoriedad pública, conocido incluso para quienes sólo esporádicamente tienen algún contacto con la cultura. Paso, además de articulista y autor de novelas, ha sido guionista cinematográfico, actor de cine y teatro, e, incluso, cantante.

Puede decirse que Paso nace al mundo dentro de los ambientes teatrales, de los que ya no saldrá nunca. Pertenece a una familia de populares dramaturgos, hoy olvidados, alguno de tan copiosa producción como su padre, Antonio Paso; su madre era actriz, Juana Gil; su mujer, en fin, es hija de Enrique Jardiel Poncela. Aquellas circunstancias familiares explican su precocidad, pues en 1946, con sólo veinte años, estrena tres piezas y en 1953 obtiene su primer éxito público con *Una bomba llamada Abelardo*. En esos años iniciales forma parte del grupo «Arte Nuevo», asociación juvenil de protesta y renovación teatral, como antes recordé, en la que militan Alfonso Sastre y Medardo Fraile (con quien escribe una de las obras de 1946), entre otros. La actitud inconformista de Alfonso Paso va contra la degradación teatral de aquellos años y exige una renovación tanto en los contenidos como en las formas. Él lo repetirá, luego, en muchas ocasiones con palabras parecidas a éstas: la «obra bien hecha» no se justifica por sí sola, sino que debe estar al servicio de unos contenidos actuales, críticos. Y ello porque Paso ha percibido con claridad la mediocridad de las clases medias españolas, de las que ha dicho y escrito afirmaciones muy duras. De las muchas opiniones que a este respecto podría espigar, prefiero ésta, a modo de ejemplo, muy representativa por ser tardía, de 1966 [AA. VV. b, p. 47]:

> La burguesía española [...] es tal vez una de las burguesías mundiales más encasilladas en sus tópicos, con un mundo moral más falso y esquemático y un miedo a la realidad verdaderamente enfermizo.

La misión de Paso será la de «notariar su contemporaneidad» y para ello se centrará en la burguesía acomodada, clase con sus «taras, defectos, mojigaterías y estupideces», pero, también, «llena de virtudes». Si durante un primer período se interesa más por las limitaciones de esa estancada mesocracia española —en clave de farsa o de humor—, luego prevalecerán las «virtudes» o, al menos, le condicionarán, dado su propósito de satisfacer a un público al que se puede inquietar pero no angustiar y al que, además, hay que entretener y divertir (una buena muestra de sus actitudes sociales y morales durante la última etapa queda reflejada en la entrevista con Isasi [1974]). La evolución es consciente porque Paso piensa —y así lo manifiesta— que para abrir camino a la denuncia hay que aceptar algunas imposiciones de ese público, hacer concesiones y alcanzar lo que él llama el «pacto». Qué entiende por tal lo explicaba con toda claridad en un importante texto de 1960 (importante, al menos, por la discusión crítica que siguió, de la que fueron protagonistas Buero y Sastre, y a la que ya hemos aludido con anterioridad):

> [en un artículo anterior] venía a decir que el autor joven ha de pactar con una serie de normas vigentes en el teatro español al uso, si quiere algún día poseer la necesaria eficacia para derribarlas. Y que más traicionaba a la juventud el extremista teatral, por perderse en la nada sus posturas, que el hombre «al filo de la navaja», pactando constantemente y ganando un punto para su credo teatral en cada pacto.
>
> Todo ello es evidente. El tiempo vino a darme la razón [...] me propuse hacer un teatro «contra corriente». Es decir, contra los tópicos, las falsedades y convencionalismos de mi época. La empresa era arriesgada. Intenté equilibrar los componentes. «Pactemos —me dije— en lo accesorio.»

Más adelante, en ese mismo artículo («Los obstáculos para el pacto», *Primer Acto,* 12, 1960), exponía unas líneas concretas de actuación dentro del «pacto»:

> Hay que lograr algo más [que «hacer bien» las piezas]. Como se pueda. Dando dos buenas comedias, con posibilidades comerciales, por una obra «con algo más» de porvenir económico incierto. O alternando en una pieza partes duras y blandas [...].

Estos planteamientos, sin embargo, iban a desequilibrarse —por razones comerciales o por la propia evolución ideológica del autor— hacia unas concesiones cada vez mayores y una entrega casi total al éxito público. Manifestaciones de esta evolución son una acentuación del carácter evasivo de la pieza (que termina convertida en un espectáculo para hacer pasar amablemente un par de horas, sin graves conflictos de fondo) y una defensa de las «virtudes» de ese público, del que voluntariamente se excluyen los defectos que antes había denostado. Por ello, en la trayectoria de Paso conviene distinguir dos grandes etapas, cuya frontera puede situarse hacia 1960, quizás alrededor de *La boda de la chica.* Elementos comunes se encuentran en ambas y, sobre todo, comparten lo que se suele llamar «oficio»: una gran habilidad para disponer la intriga y una hábil resolución de ésta, excelente capacidad para crear situaciones, para configurar personajes y para mantener un diálogo vivo y ágil. Esa amplia producción —y aun sin abarcar una lectura completa— sigue, además, diversas vías de las que, sin ánimo clasificatorio, se pueden distinguir una corriente más imaginativa y otra más documental, con frecuencia repletas de recursos humorísticos e incluso en tono de farsa o sainete. A aquélla pertenece, por ejemplo, *Cuarenta y ocho horas de felicidad* (1956); dentro de la segunda se inscriben *Los pobrecitos* (1957), *La boda de la chica* (1960), *Buenísima sociedad* (1962), *La corbata* (1963), *Los peces gordos* (1965). También se puede deslindar una línea de piezas de intriga y suspense (*Usted puede ser un asesino,* 1958; *Receta para un crimen,* 1959) y otra basada en motivos de corte histórico (*Preguntan por Julio César,* 1960; *Nerón-Paso,* 1969).

Con la irrupción en el teatro de mediados de los sesenta de un autor exiliado y recuperado, Alejandro Casona, puede marcarse el comienzo del declinar de Alfonso Paso (aunque todavía siga muy presente en los escenarios, con obras nuevas o reposiciones). El fenómeno quizás se deba a razones sociológicas de signo semejante a las que impulsaron su éxito. Por ello, y aunque como mera hipótesis, son interesantes estas palabras de Miguel Bilbatúa («El teatro, artículo de consumo», en AA. VV. [1966 b]):

> la decadencia de la popularidad de Paso y el auge de Casona no se debe tanto a una moda teatral, sino a la mayor adecuación del teatro de Casona a las necesidades evasivas de la burguesía española de 1964, en un momento en que ha perdido su confianza y seguridad respecto al futuro, en

contraste con el teatro de Paso que afirmaba la solidez de los supuestos de la misma al final de la década de los cincuenta.

b) *Diferentes tendencias.* — Todo panorama busca antes los fenómenos generales que los particulares y, en virtud de aquéllos, encuentran difícil acomodo autores que siguen líneas menos comunes o cuya inclusión en uno u otro apartado no es precisa. Olvidarse de ellos por esas razones metodológicas es también injusto y, al menos, haremos una breve mención de sus nombres. Hemos de advertir que, en este apartado, no respetamos la habitual consideración hacia la cronología y seguimos —a falta de mejor criterio— un orden alfabético.

JOSÉ CAMÓN AZNAR (1908-1978), prolífico y polifacético escritor y ensayista, como autor de teatro se ha interesado por una reactualización de la tragedia clásica y obtuvo el Premio Nacional de Teatro por *Minotauro* (1972). *Hitler* (1962), drama de corte intelectual, despertó una fuerte polémica. PEDRO LAÍN ENTRALGO (1908), más conocido como estudioso e historiador de la medicina, ha sido crítico de teatro, adaptador de obras extranjeras y, también, creador de tendencia especulativa en *Cuando se espera* (1966) y *Entre nosotros* (1966). ENRIQUE LLOVET (1918) ha cultivado, sobre todo, la crítica teatral y ha destacado por sus versiones —en realidad, recreaciones— del teatro clásico y moderno (Aristófanes, Molière). JUAN GERMÁN SCHROEDER (1918) y MARCIAL SUÁREZ (1918) suelen ser citados con respeto por la crítica y el segundo posee una obra amplia. Sus textos no me han sido accesibles y por ello dejo la ampliación de esta nota informativa para otra ocasión. CLAUDIO DE LA TORRE (1895-1973) había obtenido ya el Premio Nacional de Literatura en 1924 por una novela (*En la vida del señor Alegre*) y después de la guerra recibió numerosos galardones. Ha sido también director cinematográfico y ha desempeñado una gran labor como director escénico y animador teatral. Su labor como dramaturgo es bastante amplia (*El viajero, Un héroe contemporáneo, Paso a nivel, Tic-Tac, Tren de madrugada, El río que nace en junio, El cerco...*) y responde a registros temáticos y formales muy distintos; a veces se inclina hacia la evasión y en otras hacia el drama testimonial y conflictivo. Finalmente, mencionaremos a GONZALO TORRENTE BALLESTER (1910), a quien nos hemos referido con extensión en el capítulo dedicado a la novela, que ha mostrado una gran preocupación por el teatro: ha ejercido la crítica en periódicos, es autor de un reputado manual [1968] y ha escrito diversas piezas (*Viaje del joven Tobías, Lope de Aguirre, República Bara-*

taria, El retorno de Ulises...; advirtamos que la primera fue redactada durante la guerra y las restantes en los años cuarenta, sin que haya vuelto a cultivar este género, que yo sepa).

Tampoco resulta fácil ubicar en un lugar preciso, dentro del esquema formal de este libro, a ANTONIO GALA (1936). Sus primeros estrenos tienen lugar en los años sesenta, pero estrictamente no pueden vincularse ni con el teatro comercial entonces dominante ni con el drama social de la generación del medio siglo, a la que podemos considerar que pertenece. La acogida de sus obras ha sido irregular, pero algunas han obtenido prolongados éxitos de público; desde los años setenta, la aceptación de los espectadores ha sido enorme y se ha convertido en el dramaturgo que conecta con esa clase media frecuentadora de los teatros como acto social. En este sentido —y sin que pretendamos otra clase de comparaciones—, Gala se ha convertido en el nombre que ha sustituido una demanda teatral antes cubierta por López Rubio, Ruiz Iriarte, Salom o el mismo Paso. La crítica, en términos generales, se ha mostrado severa con Gala, en cuyas obras encuentra contradicciones, insuficiencias dramáticas, ambigüedades...; por contra, algunos estudiosos extranjeros le han dedicado los más encendidos elogios.

La obra teatral de Gala es ya bastante amplia y se viene realizando con notable regularidad, desde 1963 en que estrena su primera pieza, *Los verdes campos del Edén*. Nuevos estrenos se suceden: *El sol en el hormiguero* (1966), *Noviembre y un poco de yerba* (1967), *Spain's Strip-Tease* (1970), *Los buenos días perdidos* (1972), *Anillos para una dama* (1973), *Las cítaras colgadas de los árboles* (1974), *¿Por qué corres, Ulises?* (1975), *Petra Regalada* (1980), *La vieja señorita del Paraíso* (1980). El teatro de Gala oscila entre el lirismo y el testimonio; entre una cierta reflexión sobre grandes temas y una actitud crítica frente al mundo. La trama anecdótica no se presenta con caracteres testimoniales ni costumbristas sino que suele recurrir a la alegoría o a símbolos no siempre transparentes. Por lo común, la trama remite a realidades morales —y, a veces, sociales— que el dramaturgo condena firmemente (la insolidaridad, el desamor, la soledad...), lo que le da una apariencia de intemporalidad; sin embargo, puede pensarse que, bajo esas generalizaciones, se hallan referencias a una situación histórica inmediata, que es la española, lo cual ocurre, sobre todo, en una serie de piezas que constituyen una constante dentro de su producción y que parten de conflictos históricos o de motivos míticos. Muy característico del teatro de Gala es su lenguaje, deliberadamente literario y con propensión a la liricidad; constituye un importante esfuerzo por hacer una literatura dramática de calidad, pero, también, supone un riesgo que llega a bordear la inverosimilitud o el reblandecimiento emotivo (mientras las abundantes voces malsonantes ofrecen un deliberado contraste).

Arrabal y el teatro «pánico»

Una tendencia completamente personal y solitaria es la practicada por FERNANDO ARRABAL (1932), a quien incluyo aquí por cronología —su primer estreno es de 1958—, pero cuya ubicación en este o en cualquier otro apartado del presente libro sería igualmente inadecuada. De hecho, Arrabal es víctima de uno de los más lamentables comportamientos de la historia del teatro español que alcanza —por encima de las duras consecuencias personales que tuvo que padecer el escritor— un valor paradigmático: las insuperables dificultades que encuentra entre nosotros un autor que sigue una vía personal —al margen de la estética dominante en su época— y se niega a aceptar los mínimos que el entorno cultural impone. El de Arrabal, impulsado al exilio, fue el destino más común que un país tan poco propicio al vanguardismo y a la renovación —mucho más en el campo del teatro— como el nuestro guarda a un autor experimental. El fracaso del estreno en sesión única de *Los hombres del triciclo* le lleva a radicarse definitivamente en Francia, donde ya residía, hecho que —aparte del influjo en la propia obra, en la que genera una temática de exilio, no político sino moral— implica una cercenación de nuestro teatro, privado, así, de un dramaturgo renovador. Supone, a la vez, su incorporación al número de dramaturgos de renombre universal, mientras que, curiosamente, en España era olvidado, desconocido o ultrajado.

La marginación de Arrabal de la cultura viva española obedece, fundamentalmente, a esas razones estéticas, pero tampoco se puede olvidar lo que han contribuido las propias actuaciones personales del escritor. Arrabal ha adoptado de modo permanente una actitud provocadora que ha constituido un auténtico reto a la sociedad y a los moldes occidentales de comportamiento más extendidos. Esa actitud se ha basado en una virulenta iconoclastia que atacaba tabúes profundamente arraigados y que poseía un innegable valor revulsivo (por supuesto que son marginales e irrelevantes, en una significación profunda del talante público del escritor, recientes comportamientos pintorescos o casi ridículos). Aparte lo que pueda haber de megalomanía o exhibicionismo en tales manifestaciones públicas, deben entenderse como la respuesta vital coherente a una negativa visión del mundo que es, a su vez, lo que explica el conjunto de su producción, y elemento fundamental para entender su obra.

Arrabal hace su literatura —su teatro, su novela, también su cine— al margen de la sociedad, a causa de un radical rechazo de la misma y en un proceso que va desde una marginación crítica hasta una ofensiva belicosa contra el mundo. Por ello en su producción se pasa de la presencia agobiante de la soledad, de la incomunicación, del sinsentido de la vida al ataque y al intento de demolición de las estructuras morales y organizativas de la sociedad. Este proceso está condicionado por la evolución ideológica de Arrabal —en algún momento llega a aceptar nítidos compromisos políticos— y se produce y culmina a lo largo de más de treinta años de actividad como escritor en los que ha permanecido inalterable un sustrato de raíz surrealista que explica la fundamental unidad de fondo de toda su obra, aunque en ella se perciben formas diferenciadas.

Ángel Berenguer ([1977 y 1979], entre otros trabajos), el estudioso que más atención y años ha dedicado a la investigación y edición de Arrabal (sus análisis son de mención imprescindible y los sigo aunque no los cite expresamente), ha presentado una periodización del teatro arrabalino que es la más satisfactoria de cuantas se han hecho o insinuado en la ya copiosa bibliografía sobre el dramaturgo. De esa periodización [1979, pp. 36-38] se pueden extractar estos rasgos y títulos:

a) Teatro de exilio y ceremonia (1952-1957), que comprende sus ocho primeras obras: *Pic-Nic, El triciclo, Fando y Lis, Ceremonia por un negro asesinado, El laberinto, Los dos verdugos, Oración* y *El cementerio de automóviles*. Este primer teatro presenta universos circulares espacialmente cerrados en los que, rodeados de objetos degradados, se mueven —en un tiempo presente, y por ende sin perspectiva— personajes de lenguaje infantil y reacciones totalmente ajenas a las que corresponden al supuesto mundo «real» del sistema social en que sobreviven. Como articulación entre este período y el que sigue debe considerarse *Guernica* (1959).

b) El teatro pánico, que se caracteriza por la búsqueda formal (espacial y gestual) así como por la utilización casi exclusiva de elementos surrealistas en lo que al lenguaje se refiere. A este período pertenecen: *Orquestación teatral* (1957), *La princesa* (1957), *Los cuatro cubos* (1957), *La primera comunión* (1958), *Concierto en un huevo* (1958), *El strip-tease de los celos* (1963),

Ceremonia para una cabra sobre una nube (1966), *La juventud ilustrada* (1966), *¿Se ha vuelto loco Dios?* (1966).

c) El teatro del «yo» y el mundo, en el que el autor indaga su estar en un determinado entorno social. Corresponden a este grupo: *El gran ceremonial* (1963), *La coronación* (1963), *El arquitecto y el emperador de Asiria* (1966), *El jardín de las delicias* (1967).

d) El teatro del «yo» en el mundo indaga el compromiso del escritor con la sociedad y comprende *La aurora roja y negra* (1968), *...Y les pusieron esposas a las flores* (1969), *La guerra de mil años* (1971), *Jóvenes bárbaros de hoy* (1974), *La balada del tren fantasma* (1975), *Oye Patria mi aflicción* (1975).

e) El teatro bufo, próximo al vodevil practicado en, por ejemplo, *Róbame un billoncito* (1977).

En los orígenes literarios de Arrabal —como ha demostrado el mismo Berenguer— se da una relación algo tardía, de comienzos de los años cincuenta, con el movimiento postista. Esa vinculación es una primera y suficiente señal de su juvenil actitud contestataria y marginal, al tiempo que advierte de su primitiva inclinación surrealista. También nos indica su aproximación a un humorismo crítico —no simple broma desenfadada—, normal en el reducido grupo postista y no ausente en su teatro. Por otra parte, la pieza ahora titulada *El laberinto* iba a llamarse *Homenaje a Kafka* y se encabeza con una cita de una novela del narrador checo, *América*. Estos datos son suficientes para confirmar —si fuera preciso— el origen de la otra gran influencia que recibe Arrabal. A partir de esas iniciales incitaciones, hace unos dramas descarnados, en los que la muerte predomina al final (por ejemplo en *Pic-Nic, El triciclo* o *El laberinto*), cuyos personajes no pueden integrarse en el mundo, con el que no conectan, pero donde la ternura alcanza notable fuerza. Esos dramas muestran, también, los elementos que sirven para sojuzgar al hombre y así surge un rechazo de ese insolidario mundo en el antibelicismo de su primitiva *Pic-Nic*. Todos estos rasgos caracterizan su primer teatro, de gran acierto constructivo y que incluye una de sus mejores piezas, a mi entender, *El cementerio de automóviles*, en la que Arrabal presenta con todo rigor el absurdo de la sociedad actual.

Del contacto en París con el maestro del surrealismo, Breton, surge una especie de disidencia que recibe el nombre de «teatro pánico» —término que posee una precisa significación, de acuerdo con su etimología griega—. El teatro «pánico», a pesar de que haya sido interpretado de diferentes modos, no implica, según el mencionado Berenguer [1979, p. 29], una estética cerrada. Se basa en un sustrato surrealista y en la libertad creativa, pero no supone, sin embargo, «un código estético caótico, sin sentido, en el que todo se permite, incluso la mutilación de una obra. Nada más lejos de Arrabal, cuya preocupación por la construcción precisa, la exactitud del ritmo y la coherencia estructural de la obra son siempre problemas prioritarios».

Progresivamente, Arrabal abandona la reflexión individual y los terrores interiores, que suelen tener una profunda carga autobiográfica (el padre, militar leal a la República, fue condenado a muerte —pena luego conmutada por la de cadena perpetua—, se escapó de prisión siendo Arrabal niño y nunca apareció; la madre trató de borrar su imagen de la familia y esto causó un profundo trauma en el futuro autor). Esa problemática particular —aunque de alcance genéricamente humano— es desplazada por un deseo de explicar la conflictiva inserción de la persona en el mundo y de este planteamiento surgen algunas de sus piezas maestras (*El arquitecto y el emperador de Asiria*, 1966; *El jardín de las delicias*, 1967). Incluso, a causa de una acentuación del sentido de compromiso, aborda un teatro de componente crítico-político (*La aurora roja y negra*, 1968; *Oye Patria mi aflicción*, 1975). Todo ello no con un tono testimonial y documental sino dentro de sus permanentes convicciones estéticas. En este proceso evolutivo de Arrabal ha ido tomando consistencia un importante motivo de su teatro desde los años sesenta, el erotismo, presentado con caracteres nada convencionales, y que ha provocado más de un escándalo.

Todo el teatro de Arrabal muestra una permanente inquietud por la construcción —de lo que es prueba la cantidad de modificaciones que introduce en sus textos— y tiene una de sus grandes virtualidades en el lenguaje, muy apropiado para expresar el mundo desgarrado, solitario u hostil que presenta. El forzado alejamiento del dramaturgo de España ha constituido una incuestionable limitación —y, por tanto, ha supuesto un real empobrecimiento— de nuestro teatro, que hubiera podido beneficiarse de sus aires de libertad y renovación. Cuando, ya muy tarde, se han representado obras de Arrabal en un ambiente de normalidad, ni han podido tener esa función regeneradora ni, además, han logrado una general aceptación por parte del público.[9]

9. Para el conjunto del apartado 3) no hay buena bibliografía específica y es necesario acudir a los libros panorámicos ya citados. Sorprende la ausencia de algún estudio riguroso sobre Paso. Se puede acudir a varios trabajos de Marquerie (en especial [1960]), a un artículo de Monleón en AA. VV. [1966] y a la descripción informativo-biográfica de Julio Mathias [1971]. Sobre Gala, véase el

4. La reacción contra el realismo. El «nuevo teatro»

Hacia finales de los sesenta —y de manera paralela a lo que ocurre en otros órdenes de la vida cultural española de esos años— se produce una reacción contra los supuestos estéticos de la llamada «generación realista» que apunta hacia lo que ya antes, en términos muy genéricos, he denominado tendencia irrealista. Pero entiéndase bien que este fenómeno no entraña ni una desaparición de la estética social —ya hemos visto que, desde supuestos renovadores, algunos de sus dramaturgos penetran en esta época y producen algunas de sus mejores obras— ni un retorno a antiguas formas evasivas. Por ello hay que tener cuidado de que esta nueva compartimentación no parezca una ruptura absoluta con la época anterior, pues no es así. Hay ruptura, es cierto, pero se refiere a la forma de concebir el teatro, y no afecta al contenido y sentido último que, en esencia, es el mismo: una visión negativa, muy crítica —en lo social, en lo moral y en lo político— de la sociedad contemporánea. De tal manera que, incluso, podríamos establecer un dilatado período en nuestro teatro que, desde los años cincuenta, aborda una interpretación crítica de la sociedad y que se desarrolla en dos grandes fases, una primera de tipo realista y otra siguiente de carácter imaginativo, no realista. Algunas fechas, incluso, permiten esta consideración, pues dos autores tan característicos de los nuevos modos como José Ruibal y Francisco Nieva nacen, respectivamente, en 1925 y 1929. Por ello no es de extrañar que Ruiz Ramón, en sus tantas veces mencionado panorama, trate por separado a Buero y Sastre y, luego, toda una parte del libro, la tercera, la dedique al «nuevo teatro» español y que en ella incluya tanto a los realistas como a los no realistas. Por mi parte, como se ve, prefiero incluir a los realistas dentro de su órbita primitiva y marcar un nuevo período para los dramaturgos posteriores. Pero antes de hablar de ellos debemos abordar unas cuantas cuestiones previas.

---

colectivo *Teatro* (Madrid, Taurus, 1970) y los estudios preliminares de Ángel Fernández Santos (Madrid, Júcar, 1974) y Phyllis Zatlin Boring (Madrid, Cátedra, 1983; mejor sería hablar de apología que de estudio); véanse también varias reseñas de R. Doménech (*Primer Acto,* números 49 y 73) y el número 94 (1968) de *Primer Acto.* Los estudios sobre Arrabal son abundantes. Aparte los citados de A. Berenguer, es interesante el colectivo AA. VV. [1979], en el que se encuentra una amplia bibliografía preparada por Joan Berenguer y a la que remitimos.

1) *El «nuevo teatro»*

Aunque la discusión posea un interés secundario, tendríamos que plantearnos, en primer lugar, la propiedad de denominar como «teatro nuevo» al de un grupo de autores cuya labor se desarrolla, fundamentalmente, a finales de los sesenta. ¿Dónde está el límite de lo nuevo? ¿Es adecuado este calificativo para un largo período que, hasta nuestros días, ocupa ya casi tres lustros? ¿Es que el año 1975 y el fin del régimen anterior no suponen nada en nuestra evolución teatral? Por fin, pero en primer lugar, todos los autores a los que se suele incluir bajo ese aceptado rótulo, ¿comparten una estética tan idéntica —o, al menos, semejante— como para agruparlos o es sólo la referencia cronológica la que permite reunirlos? No podemos desarrollar en extensión la respuesta a estas cuestiones, pero nos parece que el marbete «nuevo teatro» es sólo útil como recurso didáctico y, por nuestra parte, no pretendemos llegar más lejos en su utilización. Sí queremos dejar bien claro, sin embargo, que los integrantes de este «nuevo teatro», salvo quizás durante una breve fase inicial, no se han sentido grupo homogéneo ni han querido dar una respuesta a la crisis teatral con una óptica colectiva (como, por ejemplo, es característico de la generación realista).

Esa impresión de grupo tal vez se deba a la manera un tanto fortuita como saltaron unos cuantos nuevos dramaturgos al conocimiento público amplio, si bien limitado a sectores bastante minoritarios. La ocasión fue la publicación del libro de George R. Wellwarth, *Spanish Underground Drama*, en 1972, en el que, aparte «otros autores», reivindicaba el teatro de una larga lista de dramaturgos, en este mismo orden: Ruibal, Martínez Ballesteros, Bellido, Castro, López Mozo, Romero Esteo, Martínez Mediero, Matilla, García Pintado, Salvador, Rellán, Quilis, y los exiliados Elizondo y Guevara. Tendría mucho interés comentar el impacto que causó este libro (precedido en el tiempo por otro madrugador artículo del mismo Wellwarth [1970], que también contribuyó a consolidar el «nuevo teatro»), pero no es éste el lugar adecuado. Aparte polémicas e incluso disensiones entre los propios seleccionados, el libro de Wellwarth sirvió para poner de relieve la existencia de toda una corriente dramática que, a causa de la estructura de nuestro teatro, no tenía acceso a los escenarios y resultaba suficientemente distinta del teatro más conocido. Se trataba de un teatro *underground*, según la denominación del crítico americano, pero que ha recibido otros muchos nombres: nuevos autores del silencio, novísimos, noveles, el otro teatro, vanguardista, soterrado, innombrable, maldito, marginado, de alcantarilla, de la generación del 65, del 70, joven, mimético, inconformista, más premiado y menos representado, difícil, de la generación imaginativa, parabólica, alegórico-grotesco... (todas estas denominaciones en Miralles [1977]). Este catálogo de marbetes, dentro de su diversidad, encierra un aproximado valor descriptivo.

En cuanto a los temas, ya he dicho que se basa en una actitud crítica respecto de la realidad contemporánea y aun se podría añadir que específicamente española. El apasionamiento por los motivos nacionales pasa de la generación realista a este grupo. Ahora bien, siendo los conflictos en el fondo idénticos, su tratamiento es diferente. Los motivos de la injusticia social, de la pobreza, de la soledad, de la incomunicación, e incluso asuntos más concretamente políticos, son temas reiterados, pero su presentación ya no es directa, testimonial, sino alegórica. Las figuras sustituyen a los personajes individualizados y con personal psicología, se convierten en tipos y éstos encarnan símbolos: el poder, la dictadura, la opresión... Incluso, las figuras humanas adquieren el aspecto de seres magmáticos, de indefinibles contornos y terminan por desaparecer, mientras el escenario se puebla de una variada y abundante fauna (sería extensísima la enumeración de las diversas clases de animales que protagonizan las piezas de los «nuevos» dramaturgos) o se ve invadido por artilugios mecánicos o electrónicos. Por este camino se llega a la creación de grandes alegorías del mundo moderno. La crítica ha denunciado con frecuencia no el uso de la simbología sino el abuso que de ella se hace en estas obras, con el grave riesgo de que esos símbolos sean simplemente claves ocasionales que el espectador —o el lector— tiene que desentrañar, con lo cual este teatro no remite a significaciones generales sino a enmascaramientos de la realidad, detrás de los cuales ésta sigue siendo un elemento referencial del que se habla de manera indirecta.

La verdadera renovación se produce en la forma. En este campo podemos señalar incluso una actitud revolucionaria, pues, de hecho, y más allá de concretas investigaciones formales, lo que se pretende es dar por liquidada toda una concepción anterior del teatro en la que un texto dispuesto sobre un escenario sirve a un público. Aunque las posturas varíen de unos autores a otros y no se puedan hacer generalizaciones absolutas, sí que me parece característico de un tono medio del nuevo teatro un radical cambio de mentalidad y de actitud. El texto ya no es el soporte literario sobre el que actúa un director tradicional o un director-creador. La opción va más lejos. El texto es la base para la creación de un espectáculo (por ello los propios críticos hablan más de función que de obra), a veces con poco contenido lingüístico (ya que debe ser completado con otros elementos: desde el sonido o la luz a los gestos), abierto a la incorporación de otros factores (por supuesto que no sólo «morcillas») cuya necesidad se deriva del proceso de montaje, entendido como una contribución de todos sus integrantes (a los que, a veces, se suma el autor como una voz más). Por este camino se llega a la creación colectiva, desaparece el nombre del autor, porque no es único, y el espectáculo es el resultado de la incorporación de sugerencias y sugestiones distintas. Ello da lugar no sólo a «funciones» ocasionales y experimentales, sino que una de las representaciones fundamentales de estos años, *Castañuela 70* (1970), sigue este proceso creativo. Ha de entenderse que la creación colectiva se plantea como una forma nueva y distintiva de concebir el hecho teatral y que sus propósitos son renovadores de una anquilosada situación. Se desarrolló primordialmente en el ámbito del teatro independiente y aunque no fue una experiencia generalizada, constituye una de las más interesantes vías para conectar el espectáculo con la realidad y con un nuevo espectador. La colaboración de los autores en estos proyectos ha adoptado diversas formas y grados de participación, según la enumeración de Luis Matilla [1978]: a) vinculación plena al grupo y trabajo dramático realizado desde el colectivo creado en su seno (caso muy poco habitual); b) colaboración para un proyecto concreto, a partir de una idea del grupo o del autor, pero a desarrollar de modo colectivo, aun cuando el dramaturgo sea el encargado de la realización total del texto; c) vinculación de un autor al grupo para la remodelación de un texto propio, de acuerdo con unas directrices adoptadas de modo colectivo; d) permiso de un dramaturgo para que el grupo pueda trabajar libremente el texto. Varias de las piezas que se han gestado por alguno de estos procedimientos —y aunque no siempre han alcanzado la representación— poseen un verdadero interés. A la ya mencionada *Castañuela 70,* habría que añadir varias colaboraciones de Matilla y López Mozo —que mencionaremos luego, al referirnos a cada uno de estos autores— o de Matilla con el grupo Ditirambo. Señalemos el extraordinario interés que posee para el estudioso del teatro la edición de los procesos de creación de estas obras, que pueden encontrarse, por ejemplo, en Aliaga-Oliva [1978] y Matilla [1978]. Ha de destacarse la actividad del profesor y director teatral César Oliva como impulsor, al frente del Teatro Universitario de Murcia, de creaciones colectivas, una de las cuales sobresale no sólo por la calidad de la obra resultante sino por aglutinar a buena parte de los autores del «nuevo teatro». Se trata de *El Fernando* (1972, ed. 1978), en la que, bajo la dirección de Oliva, participaron (aunque en muy desigual medida, según las declaraciones recogidas por *Yorick*, 55-56, 1972): José Arias, Ángel García Pintado, Jerónimo López Mozo, Manuel Martínez Mediero, Luis Matilla, Manuel Casaux, Luis Riaza y Germán Ubillos (tanto el texto como el proceso de creación se encuentran en Oliva [1978 b]). Sin llegar a la creación colectiva, Francisco Nieva [1975, p. 45] crea la «reópera», una especie de género descrita por su propio creador con estas ilustrativas palabras:

> La reópera es una modalidad de teatro de breve escritura, susceptible de un profundo desarrollo en manos de un «maestro de ceremonias». Teatro abierto, para introducir formas y reformas de carácter visual: bailes, desfiles, escenografía cambiante y efectista. Se trata, pues, de un cañamazo inductor, un guión conciso sobre el que pueden engarfiarse otras intenciones y conceptos. El texto puede ser musicado, convertido en canción o melopea, e igualmente desarrollado en improvisaciones o en añadidos marginales. Busca ser una fiesta de variable duración y tanto admite su realización frontal y distanciada como su inserción agresiva en el público. Puede ser un espectáculo envolvente y su máxima aspiración sería aparecer como un desfile triunfal al modo barroco, con elementos decorativos montados sobre carrozas. Por lo tanto, es preferible que el espacio teatral, cubierto o descubierto, sea amplio y capaz de acoger una distribución imaginativa y sorprendente.

También, decía, ha de cambiar la concepción del director y del público. El director no se limita a «ilustrar» el texto sino que pretende crear un espectáculo coherente en el que todos los componentes tiendan a alcanzar un sentido homogéneo dentro de una concepción significativa global, y, así, cada vez se habla más del director-creador e incluso el director se diluye dentro de los integrantes de las compañías de teatro independiente. En cuanto al público, ya no deberá ser el elemento receptor de lo que sucede en el escenario sino que se pretende integrarlo en el desarrollo del propio espectáculo. Y, en consecuencia, cambia la concepción del espacio —un escenario «enfrentado» a un patio—, que invade todo el local, que mezcla actores y espectadores y que hasta obliga a éstos a participar. Así, se quiere recuperar un sentido lúdico y festivo o se intenta potenciar la capacidad comunicativa del teatro, en cuanto arte religioso que propicia la comunicación colectiva. Todas estas características son causa del resultado por completo insuficiente e insatisfactorio que se obtiene al abordar este teatro desde el punto de vista de los textos, como manifestaciones de la historia de la literatura (el problema añadido es que relativamente pocas de las obras del «nuevo teatro» han llegado a los escenarios, y, cuando lo han conseguido, ha sido, con frecuencia, en representaciones ocasionales). Algunos autores del nuevo teatro se caracterizan, incluso, por la especial dificultad de llevar a la escena lo que han ideado, como varias veces se le ha reprochado a José Ruibal, por ejemplo.

La forma del «nuevo teatro» incorpora corrientes europeas que con cierto retraso, pero con gran entusiasmo, llegan a nuestro país. Si en más de una ocasión se ha dicho que *La muerte de un viajante,* de Miller, había apadrinado a la «generación realista», respecto del «nuevo teatro» hay que señalar —claro que con distingos respecto de cada autor— los influjos del teatro del absurdo (Beckett, Ionesco), del teatro de la crueldad (Artaud), del teatro épico (Brecht), más el impacto de corrientes o de técnicas o de personalidades del teatro occidental de nuestro siglo: Grotowski, Stanislavski, Piscator... Además, elementos procedentes del surrealismo, de la farsa y del dramaturgo español más influyente en el «nuevo teatro», el Valle-Inclán de los esperpentos. Aparte estas enriquecedoras influencias, es preciso subrayar la actitud de algunos dramaturgos que buscan unas formas muy personales de expresión. Ello les lleva, en alguna ocasión, a olvidarse de cualquier condicionante del teatro espectáculo —desde el público hasta las limitaciones materiales del espacio escénico, por muy abierto que éste sea— a favor de una creación por completo libre de toda traba. E incluso es de notar la postura de destrucción del propio teatro en cuanto forma inserta en una tradición, en una línea que, por acudir a la fórmula más común en otros géneros, se podría denominar antiteatro. Así, Luis Riaza [1976] ha llegado a decir que

> Los [gusanos] de mi teatro particular puede que consistan en un ataque sañudo, terco y más o menos solapado contra todo teatro.

La de Riaza no es una opinión común, pero tampoco única.

Este panorama del «nuevo teatro» necesitaría completarse con algunos datos concernientes al entorno en el que se mueve. Por ejemplo, la labor desarrollada por los grupos de «teatro independiente», que logran acceder a circuitos comerciales con planteamientos renovadores. También hay que mencionar los cambios en la situación de los actores, cada vez más concienciados de la necesidad de una preparación intelectual y física sólida y del conocimiento de las teorías vigentes más allá de nuestras fronteras. Debe recordarse el papel desarrollado por la crítica —la periodística y la especializada— y por algunas revistas —*Yorick, Pipirijaina, Primer Acto* (que abandona su anterior «realismo»)— que han impulsado la renovación... Todas estas circunstancias no cambian, en realidad, de una manera profunda una situación de crisis de la que constantemente se sigue oyendo hablar: desinterés del público, pervivencia de estructuras anquilosadas... Por ello este nuevo teatro no puede llegar a servir de eficaz estímulo social, ni a convertirse en vehículo de comunicación habitual de una sociedad, ni siquiera puede comprobar realmente, mediante su puesta en escena, la vitalidad o no de sus planteamientos, y como consecuencia algunos de sus dramaturgos caen en el desaliento o la inactividad. La organización empresarial del teatro español —dominado por unas «empresas de local» atentas sobre todo a los beneficios económicos y que evitan las obras que puedan implicar un riesgo— ha sido, en parte, responsable de que esa generación que tan prometedora se presentaba se haya visto casi anulada. No menor importancia ha poseído la censura, que ha coartado la libertad creadora, fomentando un alegorismo innecesario —en una situación normal— o, sencillamente, mutilado o prohibido textos y espectáculos. La censura ha sido para el teatro todavía más dañina que para otros géneros, pues, aparte de decidir sobre el texto, podía intervenir en el estreno o siguientes representaciones de una obra, cuando ya habían sido realizadas las cuantiosas inversiones económicas que el teatro suele exigir. Así, la natural prevención de los empresarios se acentuaba al pensar en riesgos y conflictos posteriores. Este teatro nuevo ha sido asumido, sobre todo, por grupos teatrales no comerciales, aunque ha tenido que luchar con la acusada preferencia de un sector del «teatro independiente» por autores extranjeros. A la vez, la precariedad de medios materiales de las compañías «independientes» ha fomentado una dramaturgia «pobre», que exigía montajes poco costosos y breves repartos. Por contra de esta limitada eficacia real, algunos sectores del hispanismo han reivindicado todo el teatro prohibido o marginado y han caído en actitudes de inmoderado y acrítico entusiasmo, próximo a la beatería. De estos sectores proceden numerosos ensayos y artículos que, dedicados a cualquier insignificante piececita —muchas veces ni siquiera editada—, la elevan a las máximas cumbres del arte dramático. Con ello distorsionan gravemente la auténtica significación y valor del teatro más reciente, el cual, de guiarse por esos apologistas, se encontraría en una auténtica edad de oro. A la vez, puede causar daño a la necesaria labor de autorreflexión de los propios escritores. Un papel importante ha debido desempeñar el público. Aunque no es decisiva su general conformación burguesa y tradicional para impedir el desarrollo de una obra progresista —por su tema, por su concepción, o por ambas—, es de sospechar —ya que no hay estudios sociológicos fiables— que su gusto por formas convencionales, en las que, mayoritariamente, se ha educado, haya contribuido a su desinterés por el «nuevo teatro».

El conjunto de rasgos generales que hemos descrito son compartidos por un buen número de dramaturgos, muchos de los cuales poseen rasgos muy específicos, por lo que resulta muy difícil establecer alguna línea de exposición que los vincule entre sí. Ricardo Doménech [1980] opta, por ejemplo, y después de hacer convenientes matizaciones, por distinguir a aquellos que nacen entre 1920-1930 de los que por nacer hacia 1940 forman, en buena medida, un grupo generacional posterior. Ruiz Ramón [1975], en cambio, prefiere agruparlos según varias líneas específicas dentro de un planteamiento global que denomina «Del alegorismo o la abstracción»: a) sátira, alegoría y hermetismo (Ruibal, Martínez Mediero, García Pintado); b) de la farsa al experimento (Matilla, López Mozo, Salvador); c) El teatro puesto en cuestión o la búsqueda de un estilo (Riaza, Martín Elizondo, Sáinz); d) un teatro para la sociedad de censura (Martínez Ballesteros); e) Nuevo teatro en libertad (Romero Esteo, Nieva). Se trata de dos criterios posibles, con sus ventajas e inconvenientes y, sobre todo, víctimas —como los propios críticos reconocen— de la provisionalidad de enfrentarse con obras en marcha y sin perspectiva suficiente. Por ello mismo, prefiero utilizar un orden alfabético. No hará falta, por otra parte, recordar que muchos textos de estos autores ni han sido representados ni editados —aunque a veces han circulado en copias mecanográficas— y no he tenido acceso a ellos, por lo cual sólo mencionaré aquellas obras que, por una u otra condición, hayan alcanzado estado público. Esta circunstancia acentúa todavía más la provisionalidad de las presentes páginas, que habré de revisar —con más información y mayor perspectiva— en futuras ediciones, si llegan, de este libro.[10]

2) *Los dramaturgos del «nuevo teatro»*

José María Bellido (1922) es muy precoz como escritor de teatro, pues ya en 1943 redacta su primera pieza, *Albergue 3000 metros*. En una nota informativa aparecida en *Primer Acto* en 1970 mencionaba más de treinta títulos preparados. Esta fecundidad (no sólo como dramaturgo, pues también posee abundante prosa novelesca inédita), no se ha acompañado de una subida regular de sus obras a los escenarios (creo que sólo ha estrenado cinco de ellas), ni siquiera de una publicación amplia y regular, pues, hasta ahora, ha editado *Fútbol* (1963), *Tren a F...* (1970), *El simpatizante* (1970), *Noray sin cabos* (1970), *El vendedor de problemas* (1970), *El baño* (1972), *Milagro en Londres* (1972), *Esquina Velázquez* (1975). Bellido fue nombre importante en la nómina del libro de Wellwarth [1972], en el que se le dedica un amplio espacio, y ya antes de publicar su estudio, este mismo crítico norteamericano le distinguía, junto a Martínez Ballesteros y a Ruibal, como uno de «los tres dramaturgos más importantes, consecuentes y fecundos de la nueva corriente del teatro» [1970, p. 52]. Por contra, y sorprendentemente, Ruiz Ramón no lo trata en su mencionada historia [1975]. Wellwarth [1972, p. 101] resaltó que lo que daba unidad a toda la producción de este dramaturgo vanguardista era «su invención de símbolos dramáticos que encierran las preocupaciones de nuestro tiempo».

Unas palabras escritas por el propio Bellido en 1964, al frente de la edición de *Fútbol,* nos ponen en la pista de los orígenes de sus estímulos como dramaturgo y muestran una sustantiva coincidencia con los postulados de la generación realista:

10. Como bibliografía fundamental para este apartado, debe verse Wellwarth [1972] y su artículo de [1970], el libro de Miralles [1977] y su introducción a la edición española de Wellwarth en 1978. Son imprescindibles las revistas citadas —*Yorick, Primer Acto* y *Pipirijaina*—, más la norteamericana *Estreno.* Las referencias fundamentales para la creación colectiva han sido ya citadas y para *Castañuela 70,* véase Amorós-Mayoral-Nieva en AA. VV. [1977 b]. También es interesante, para el conjunto de este apartado, Pérez Stansfield [1983] y diferentes cuestiones reseñadas se discuten en Isasi [1974], Medina [1976] y AA. VV. [1977]. Sobre el teatro independiente son fundamentales las colecciones de revistas citadas y debe consultarse también Hormigón [1974]; para la trayectoria de uno de esos grupos, Els Joglars, véase G. Ayesa [1978].

> Los hombres, siempre con su identidad de hombres y sus problemas idénticos, anduvieron y siguen andando divididos. La sociedad sabe inventar para cada momento un motivo de división. A veces la sociedad los lanza a unos contra otros, y los hombres, ovejas de crines largas e inteligencia media, luchan entre sí [...].
>
> Y, ¡por favor!, que no nos digan que somos libres. No lo fuimos nunca. Mientras se nos pueda obligar a luchar —obligar de grado u obligar a la fuerza— por algo que no nos importa, no seremos libres.

En estas declaraciones queda manifiesto el soporte crítico de su dramaturgia y su actitud contestataria y de denuncia, pero se desarrolla sobre una concepción teatral vanguardista. En ella se crean símbolos y alegorías que remiten a una realidad inmediata —por ejemplo, a un país en el que hubo una guerra civil—, que, sin embargo, no se presenta de un modo directo. De esta manera, su teatro alude a específicas circunstancias españolas, pero, a la vez, posee un valor universalizador. A veces, el entramado anecdótico funciona como si se tratase de una metáfora de una realidad concreta; así, un partido de fútbol genera una situación semejante a la de la España de postguerra, el tren se dirige hacia un simbólico lugar llamado F. y que se vislumbra como nuestra propia sociedad... La denuncia que hace Bellido de la explotación del hombre, de la injusticia y de los condicionantes políticos, incorpora elementos imaginarios, componentes surrealistas y adopta un tono desmitificador.

ÁNGEL GARCÍA PINTADO (1940), periodista y narrador, tiene también una amplia obra inédita (ocho títulos) y ha publicado *Una chimenea irlandesa* (1969), *Odio, celo y pasión de Jacinto Delicado* (1970), *Gioconda-Cicatriz* (1970) y *Laxante para todos* (1974). Wellwarth [1972, p. 173], que lo incluyó en su nómina, decía que el tema principal de García Pintado «es la erosión moral de la nueva sociedad española». En efecto, el dramaturgo lleva a cabo un proyecto de descripción de los mecanismos profundos de la colectividad en el que subyace una fuerte concienciación política. Al servicio de esa meta escribe un teatro denso, oscuro, de significados que se intuyen, pero que resultan difíciles de explicar, y en el que se satirizan situaciones contemporáneas La frecuente simbología de García Pintado —cuyas claves a veces no son nada diáfanas— sirve de medio irrealizador, pero, a la vez, como un recurso para presentar indirectamente al hombre actual. No llega, sin embargo, por completo a «un estilo mágico irracional» porque su pasión de denuncia, su inquietud política le hacen referirse a nuestra historia contemporánea, y porque, según declaraba en una entrevista con M. Pérez Coterillo [1974, p..20], «por debajo de lo que escribo hay siempre un subtexto de racionalidad». La agresividad de García Pintado es enorme y alcanza una extraordinaria dureza en, por ejemplo, *Jacinto Delicado,* furibunda denuncia y burla del consumismo moderno y de la sujeción de los seres a las estrictas y aberrantes normas sociales. No menos implacable resulta en *Gioconda-Cicatriz,* cuya significación última se me escapa, pero que en la flagelación del Hijo para imitar la misteriosa cicatriz del hombro del padre contiene un enorme poder revulsivo frente a las imposiciones autoritarias. Intensa es la denuncia contenida en otros títulos, debajo de bastantes de los cuales subyace un tema común, el de la castración, como ha señalado certeramente R. Doménech [1974].

Esta temática no se presenta dentro de cánones miméticos o testimoniales sino mediante la intervención de numerosos elementos del teatro del absurdo, habitual tanto en las piezas largas como en las cortas. La descripción que el propio García Pintado hace de una de éstas, *La pulga* (en *Primer Acto,* 168, mayo, 1974, p. 19), pone de relieve ese carácter:

> [en ella] hay una situación única: los amores de un hijo con una pulga en el espacio de una mesa camilla y un padre encima que le dice «esa pulga no te conviene».

Elemento importante del teatro de García Pintado es el humor y una construcción de sus piezas que, al entender de A. Fernández Santos [1970], guarda relación con la farsa. El diálogo, con frecuencia muy vigoroso y agresivo, llega a repeticiones casi al margen de la lógica, pero de notable expresividad. En cuanto a las situaciones, el crítico recién citado señalaba un rasgo importante del dramaturgo:

> El empleo de la extravagancia y del carácter insólito que subyace bajo algunas conductas habituales como revelación de la ridiculez de los modelos de relación humana considerados «normales».

También debe resaltarse que la sangre es elemento común de varias piezas (desprendida de la materialización de alguna mutilación, según señalaba el artículo citado de Doménech), y se debe, creo, a una cierta liberación del autor por medio de una agresión al entorno. Este rasgo expresa un radical inconformismo y es la respuesta artística coherente a una declaración del propio García Pintado [1970, p. 89], preliminar de *Jacinto Delicado,* en la que afirmaba que «mi indigente producción es el resultado fisiológico de mis frustraciones como "hombre político"».

ANTONIO MARTÍNEZ BALLESTEROS (1929) tiene una producción copiosísima de obras cortas, las más abundantes, y algunas largas. Bastantes permanecen inéditas, casi ninguna ha sido representada y, entre las editadas, señalemos las cuatro piezas reunidas en *Farsas contemporáneas* (1970, *La opinión, Los esclavos, Los opositores, El hombre vegetal*), otras cuatro publicadas en *Retablo en tiempo presente* (1972, *La colocación, La distancia, El silencio, El soplo*), dos recogidas en *Teatro difícil* (1971, *La distancia, La bicicleta*), además de *Los placeres de la egregia dama* (1975), *Fábulas zoológicas* (1976) y *Romancero secreto de un casto varón* (1976).

Martínez Ballesteros ha dirigido un modesto teatro de cámara, «Pigmalión»; fue acogido por Wellwarth [1972]; en cierto modo, forma con Ruibal y Bellido uno de los frentes del nuevo teatro español a finales de los sesenta y en 1970 figuró como uno de los autores seleccionados para la sección «*Yorick* promociona» (núm. 39, abril) de la importante revista catalana. Su obra tiene una dimensión fundamentalmente crítica de usos y situaciones del hombre actual, actitud que es explícita en el mismo subtítulo de *Retablo...*, «Cuatro rarezas contemporáneas sobre otras tantas cosas no tan raras». Estas «rarezas», según decía Wellwarth en el prólogo a su edición (Madrid, Escelicer, 1972), «tratan aspectos de la hipocresía moderna». Las *Fábulas zoológicas* tienen una concepción y un propósito semejantes. Coinciden con otros autores del «nuevo teatro» en la utilización de animales —en la primera, primates; en la segunda, perros— y, de una manera alegórica, reproducen, mediante equiparaciones de fácil identificación, en el mundo animal denunciables comportamientos humanos. Esto permite decir, como señalaba el crítico americano en otro trabajo, que el teatro de Martínez Ballesteros posee «un enfoque didáctico» y que sus piezas son «en esencia, ensayos dramatizados» [1970, p. 51]. Este propósito docente de Martínez Ballesteros se incorpora, incluso, a la trama de una de sus obras, *La opinión,* en la que dos actores con distinta concepción de la finalidad del arte debaten el sentido evasivo del teatro frente a una intencionalidad utilitaria.

MANUEL MARTÍNEZ MEDIERO (1939) publica, también, sus primeras piezas en *Yorick* a finales de los sesenta. No tuvo, en aquellos momentos, la suerte de alcanzar su representación, pero, sin embargo, aparte de un buen número de obras inéditas, otras muchas han sido publicadas: *Jacinta se marchó a la guerra* (1967), *El último gallinero* (1969); *El convidado* (1971), *Espectáculo Siglo XX* (1971), *Un hongo sobre Nagasaki* (1973), *Denuncia, juicio e inquisición de Pedro Lagarto* (1973), *Las planchadoras* (1974), *El bebé furioso* (1974), *Las hermanas de Búfalo Bill* (1974). Algunas de éstas han sido estrenadas (*El bebé furioso, Las hermanas...*), además de otras como *El día que se descubrió el pastel* (1976), *Mientras la gallina duerme* (1976), *Juana del Amor Hermoso* (1983). Según decía A. Carlos Isasi [1978, p. 190], «el teatro de Mediero tiene como tema principal la dialéctica entre opresores y oprimidos»; añadía el crítico que, aunque haya grados de libertad, «lo específico de Mediero al tratar el problema es que todos son en el fondo víctimas de la alienación, de la dejación de la propia libertad».

En la extensa dramaturgia de Martínez Mediero se pueden distinguir diversas etapas. En la primera, la de *Jacinta...* hay un cierto componente costumbrista y una concepción realista bastante inmediata. En el fondo, se trata de una denuncia de las falsas apariencias de unos grupos sociales venidos a menos, aunque con un planteamiento de rebelión frente a las convenciones que el autor disuelve en un cierto temperamento lírico. Una segunda manera toma como elemento básico una reactualización de la fábula esópica con un sentido crítico. Es lo que ocurre en *El último gallinero,* amplia alegoría de la sociedad actual, de valor universalizador, en la que, en un gallinero, Martínez Mediero encierra una reconstrucción de las formas de opresión sobre el individuo. Otro modo distinto, aunque coincidente con el anterior en su alegorismo, es el que, sin relación directa con el teatro de Nieva, se puede denominar como «teatro furioso». A él pertenecen *El convidado, Las planchadoras* y *El bebé furioso.* En estas piezas se desarrollan unas situaciones desgarradas y desgarradoras que dan cuenta amarga de nuestra sociedad. Mediero lleva a cabo una intensa potenciación del espacio cerrado para que actúe progresivamente sobre los personajes, los cuales expresan hasta situaciones límite los trastornos que encarnan. Así ocurre con los dos personajes que martirizan y asesinan a su mudo invitado en *El convidado* o en el diálogo tremendo de las dos planchadoras que se acusan de sus frustraciones mientras esperan a un tercer personaje que encarna una falsa libertad y que también resultará muda al ser incapaz de articular los sonidos con coherencia (este tipo de obras las ha recopilado el autor bajo el rótulo de *Teatro antropofágico,* 1978). La limitación física tiene un valor simbólico —además de resultar un expresivo elemento dramático— de la impotencia del ser humano para modificar la actuación de quien le acecha.

Martínez Mediero se ha interesado también por la tragedia clásica (ha estrenado versiones de *Lisístrata* y *Fedra* en el teatro romano de Mérida) y por el drama histórico en *Juana del Amor Hermoso*. En cierto sentido, puede decirse que vuelve en ésta al tema de la opresión sobre el individuo, situado en el contexto de la corte castellana, de las intrigas palaciegas y de las mezquindades familiares. Su tono es desmitificador y, entre el lirismo y la farsa, se aprecia el empleo de recursos humorísticos que llegan a caer en el chiste fácil.

LUIS MATILLA (1939) cuenta con no menos de una docena de piezas inéditas, algunas pocas estrenadas y un número ya considerable publicadas: *Funeral* (1968), *El hombre de las cien manos* (1969), *El observador* (1969), *El adiós del Mariscal* (1970), *El piano* (1970), *El Fernando* (1972, en col.), *Parece cosa de brujas* (1975), *Los fabricantes de héroes se reúnen a comer* (1978; las dos últimas en col. con López Mozo), *La maravillosa historia de Alicia y los intrépidos y muy esforzados Caballeros de la Tabla Redonda* (1978), *Ejercicios para equilibristas* (1980 y 1983). Buena parte de éstas son piezas breves, género que varios críticos han señalado como el más adecuado a las aptitudes teatrales de Matilla, ya que se presta muy bien a una visión crítica de la realidad que se hace desde los supuestos de la farsa. Su trayectoria general ha sido sintetizada en estas palabras de José Monleón [1970, p. 65]:

> [Matilla] se adscribe perfectamente [a un] grupo de escritores, entre quiméricos, precursores, angustiados y lúcidos. Su gran pregunta se centra en torno a las posibilidades de un "teatro popular". Su respuesta, provisional y coherente, lejos de los paternales populismos de biblioteca, es el esperpento, lo que él llama farsa popular, la búsqueda de una poética que haga reír y duela al mismo tiempo, que, superando toda imagen del tradicional «corregir y divertir», dé conciencia al espectador de la miseria éticosocial de su mundo.

En el teatro de Matilla existe, bajo formas que acogen no sólo la farsa sino el absurdo, un propósito de denuncia, aunque no se haga sobre realidades inmediatas ni surja de actitudes miméticas. Así, dos de las mencionadas piezas en colaboración —*El Fernando* y *Parece cosa de brujas*— parten de una crítica histórica referida a la época del «Deseado» y a la Inquisición y los autos de fe, respectivamente. En otras, el absurdo invade las situaciones escénicas —*El funeral* o *El piano*— y tiene un carácter revulsivo. En aquélla vemos la reducción a fórmula de un discurso fúnebre, pronunciado por dos personas que nada tienen que ver con el difunto y por una tercera que ha tratado de averiguar algo sobre el muerto. En *El piano,* la prohibición a un músico de interpretar un concierto sirve para denunciar la opresión en términos muy genéricos, pero, a la vez, conciliables con experiencias políticas concretas. El valor alegórico de estas obras, bastante herméticas, e incluso algo crípticas, se atenúa en *El adiós del mariscal,* cuya concepción es más costumbrista: una prostituta va a despedirse en la primera escena de su cliente, un mariscal, pero le halla muerto en la cama. A partir de esta situación, Matilla monta un proceso de desrealización en clave de farsa que permite poner en solfa valores establecidos (la heroicidad, el patriotismo, los símbolos...). El resultado es una especie de esperpento —en el que sería posible ver un valor antimilitarista— de las ridículas convenciones y formalidades de nuestra sociedad. Destaca en esta entretenida y jugosa caricatura la flexibilidad del lenguaje. La estética del absurdo, sin concesiones a la farsa, domina *Ejercicios...*, compuesta por dos situaciones dramáticas distintas, de las cuales la número uno, de dificilísima comprensión, muestra la gran capacidad de Matilla para crear un ambiente de agobio psicológico que llega a bordear la situación límite. Elemento fundamental es la supresión de todo antecedente —un «observador» mudo se instala en la vivienda de una pareja a la que observa incluso en el dormitorio— de las causas de la situación dramática (quién impone el castigo, qué delito se reprende...), con lo cual el terror ante las fuerzas ajenas que pueden dominarnos —cualesquiera que sean— alcanza una expresión casi pura.

Especial mención hay que hacer de Matilla como uno de los dramaturgos que con más constancia han trabajado en la creación colectiva como un medio de renovación teatral. A las piezas creadas por este procedimiento que antes he señalado habría que añadir otras inéditas y que desconozco (en las que han participado García Pintado, Arrieta, López Mozo, Juan Margallo), además de *La maravillosa historia de Alicia...* (en colaboración con el grupo independiente Ditirambo). Ya señalé al comienzo de este capítulo la importancia de la creación colectiva y ahora sólo quiero añadir el gusto, dentro de ésta, de Matilla por experimentar con una mitología popular. En *Los fabricantes...* se intenta trasladar a la escena el mundo del «comic» (Superman, El guerrero del antifaz... y otros muchos personajes de este género) con el propósito de denunciar su instrumentalización para el control y manipulación de las masas (véase Aliaga-Oliva [1978]). En *Alicia...* son dos temas del repertorio popular los que coinciden, el de Alicia y el de los Caballeros de la Tabla Redonda. También posee la finalidad de denunciar los abusos del poder y quizás involuntariamente pueda parecer una réplica bufa del anterior Régimen (véase Matilla [1978]).

ALBERTO MIRALLES (1940) reúne en su persona variadas facetas del mundo del espectáculo teatral: ya lo hemos mencionado como estudioso y crítico, ha sido propulsor de grupos de teatro independiente, consejero de *Yorick,* editor, director escénico... Estas actividades quizás hayan coartado la mayor difusión de su propia obra de creación, que no es escasa. Acuñó, para referirse a su propia promoción, la fórmula de «generación más premiada y menos estrenada», y él mismo ha logrado numerosos galardones. Aparte varias obras estrenadas y su colaboración decisiva en diversos espectáculos, ha estrenado *Catarofausto* (1969), *Espectáculo Collage* (1970, montaje con textos propios y de otros autores), *La guerra y el hombre* (1967), *Versos de arte menor por un varón ilustre* (1969, reeditada con el título *Colón...*), *Crucifernario de la culpable indecisión* (1980), *La Asamblea de las mujeres* (1981, versión libre de Aristófanes), *Sois como niños* (1983).

El teatro de Miralles se inscribe netamente dentro de actitudes experimentales, pero su razón última de ser apunta hacia una denuncia sin paliativos del ser humano. El autor puede adoptar una postura relativamente cínica, y entonces la ironía y el sarcasmo inundan la pieza. Otras veces elige un talante severo y surge un radical nihilismo. En ambos casos, da rienda suelta a una agresividad que tiene algo de liberación y bastante de provocación. Por ello, uno de los dos personajes de *Catarofausto* afirma de forma tajante: «La crueldad es para mí una voluptuosidad». Y, por esa misma razón, al frente de *La Asamblea...* coloca esta nota: «Al adaptador le importa un culo Aristófanes. Él lo único que quiere es cobrar derechos de autor para joder con hetairas». La suma de desgarro, ironía, desmitificación y denuncia dan como resultado una revulsiva versión de la España de los Reyes Católicos y del Descubrimiento en *Colón...* Pocas veces un dramaturgo —un escritor, en general— ha llegado tan lejos en su propósito de dinamitar una versión consagrada de la historia. No sólo se permite toda clase de licencias sobre los hechos del pasado, sino que convierte ese fundamental episodio del mundo moderno en un turbio negocio, manejado por egoísmos inconfesables. Procede, además, Miralles, con una absoluta libertad, lo que le permite mezclar prosa y verso, y llevar y traer personajes de cualquier tiempo y lugar.

Es extraño que Ruiz Ramón no trate en su mencionado panorama a DOMINGO MIRAS (1934), pues, aunque su obra sea corta hasta ahora, creo que es uno de los nombres con auténtico futuro del momento actual de nuestro teatro. Su primera dedicación a la escena es algo tardía (ya en los años setenta). Ha hecho versiones de clásicos griegos e hispanos, ha recibido numerosos e importantes premios, ha visto representadas varias obras y editadas *La saturna* (1974) y *De San Pascual a San Gil* (1975 y 1980). Ésta es una vigorosa farsa tragicómica de corte histórico (su primera edición tuvo lugar en la revista *Tiempo de historia*) que, partiendo de la potencialidad dramática de la sublevación en el siglo pasado de los sargentos del cuartel de San Gil, lleva a cabo un desgarrado, hondo y humorístico esperpento del reciente pasado español. Personaje importante es Sor Patrocinio, la consejera áulica cuyo retrato —y el recuerdo no es ocioso— tan vigorosamente trazó Valle-Inclán en *El ruedo ibérico.* Diferentes momentos del siglo XIX le hubieran permitido a Miras una reconstrucción histórica con valor actual, pero, aunque nada más sea para señalar el buen tino del dramaturgo en su elección, recordemos que precisamente los sucesos de San Gil fueron los que, en cierta medida, decidieron la vocación literaria de Pérez Galdós. Los principales artífices históricos del momento desfilan por el escenario (Isabel II, la Monja, O'Donnell, Narvaez, el Padre Claret, nobles, palaciegos, políticos...) y van haciendo verdad la degradada situación histórica y mostrando el predominio del fanatismo, la intolerancia y la estupidez. Todo ello con un aire de farsa, de gran riqueza imaginativa, de muy afortunado ritmo dramático, y de un espléndido lenguaje, con notable variedad de registros (y que evita la proximidad al pastiche que ha bordeado algún otro texto expositivo de Miras). Esta preocupación por el lenguaje invade incluso las acotaciones, de raigambre valleinclanesca:

> Un chorro de luz cálida y consoladora es emitido por un foco habilidoso y funcional sobre un lugar elevado del espacio escénico donde, aislado sobre las tinieblas en su luminoso limbo, se contonea un guapo general de redondas caderas con el emplumado ros sobre el brazo, a su tiempo marcial y celeste como arcángel portador de felices nuevas.

Acotaciones en las que como consecuencia de la vocación artística del dramaturgo, es posible incluso la ironía:

> [se provoca] una feliz anagnórisis, que es cosa de mucho resultado en este tipo de teatro decimonónico.

Francisco Nieva (1927) es un ejemplo destacado de persona íntegramente dedicada al teatro. Él mismo ha contado cómo siendo adolescente escribió una pieza situada en una diligencia en la que viajaban unas niñas unidas por el costado, lo cual nos da idea de la precocidad con que intuye los caracteres básicos de su dramaturgia posterior. Temprano empezó a escribir un teatro irrealista que, lógicamente, no pudo estrenarse en un contexto de predominio de las formas de testimonio social. Sus relaciones literarias, también según el propio Nieva, se establecen con el grupo postista de Chicharro, Sirnesi y Ory. En París, empieza su dedicación a la escenografía, dentro de actitudes muy renovadoras. Mientras, abandona la creación de obras teatrales, consciente de la poca aceptación que han de tener en el teatro comercial. Los nuevos aires de los años setenta le confirman el valor de aquel teatro hasta entonces imposible y estrena en Madrid una «función para luces y sombras», *Es bueno no tener cabeza* (1970, editada en 1971) (véanse para la reconstrucción de la trayectoria e impulsos artísticos de Nieva sus artículos [1973 a y b] y [1971]). A partir de entonces lleva a cabo una obra de regulares dimensiones que agrupa en dos grandes tendencias, «Teatro de farsa y calamidad» y «Teatro furioso». Aparte merece recordarse una de sus piezas más interesantes, no integrada en esos grupos, *Sombra y quimera de Larra* (1976), sugestivo drama histórico que, bajo la advocación del escritor romántico, lleva a cabo una exploración sobre aspectos de su vida —algunos de carácter literario— y de la medio-burguesía de la época. Al «teatro de farsa y calamidad» pertenecen *Tórtolas, crepúsculo y... telón* (1972), *El rayo colgado y peste de loco amor* (1975), *El paño de injurias* (1975), *El baile de los ardientes* (1975). Dentro del «teatro furioso» se inscriben: *Es bueno no tener cabeza* (1971), *Pelo de tormenta* (1973), *La carroza de plomo candente* (1973), *El combate de Opalos y Tasia* (1973), *El fandango asombroso* (1973), *Nosferatu* (1975), *Coronada y el toro* (1975).

Aunque existen diferencias entre estos dos grupos de obras, algún crítico —Pérez Coterillo [1975]— ha insistido en la auténtica unidad de fondo de ambos, pues el segundo supone una intensificación de los rasgos más notables del primero. Esta diferencia de grado estaría motivada —según este estudioso— por la actitud de Nieva respecto de la posibilidad de que las obras accedan a los escenarios. En las piezas de «farsa» no destierra su viabilidad como espectáculo y mantiene unas mínimas convenciones, mientras que crea el «teatro furioso» con absoluta libertad formal, sin tener en cuenta ninguna clase de condicionamiento. Conviene resaltar, de todas maneras, en uno y otro grupo, la libérrima concepción de los elementos teatrales, la subversión de los espacios tradicionales, la supresión de la psicología de los personajes y la renuncia a incluir contenidos ideológicos. La actitud del dramaturgo, según coincide la crítica, se carga en las piezas de «farsa y calamidad» de un mayor contenido romántico, pero siempre dentro de un aire de ruptura. *Tórtolas, crepúsculo...*, puede ser un buen ejemplo de las inquietudes del autor. Nieva empieza por aclarar en el prólogo a la mencionada edición que «la primera razón de ser de esta comedia es el placer del teatro mismo» y, de hecho, es el teatro dentro del teatro el motivo de la pieza. Ha sido el propio dramaturgo quien en ese mismo prólogo ha sintetizado los temas principales de la obra:

> 1) [Una especulación] sobre ciertas ideas explosivas del teatro moderno, en cierto modo utópicas, en cierto modo presentes ya.
>
> 2) Rebeldía, injerencia, dictadura del público, límites impuestos por él, por la circunstancia, por la censura oficial y privada, por la mentalidad de clase y de partido. Rechazo o absurda aceptación de convencionalismos escénicos.
>
> 3) La libertad del artista, su rebeldía o sumisión al público. Sentimientos de orgullo o degradación ante él.

La libertad del «teatro de farsa y calamidad» se transforma, en el «teatro furioso», en una reivindicación neta y desembarazada de cualquier corsé mental o lingüístico, de lo marginal, lo heterodoxo, lo escatológico, lo prohibido. La raigambre profunda es irracional y el propio Nieva [1971 b] ha escrito que «Quizás yo me sirva en parte de un delirio onírico y unas rupturas del sistema lógico». En la pieza no existe un hilo dramático tradicional y se compone de escenas o situaciones que adquieren, a veces, el aire de un sueño materializado sobre el escenario. El carácter mágico y onírico de las situaciones, por otra parte, y según también ha declarado el autor, persiguen una liberación de los instintos básicos del hombre; de ahí la importancia del erotismo en estas obras, que, si no es el único sí es uno de los elementos básicos de esa liberación del subconsciente. Además, como un aire de provocación recorre estas piezas en las que, por añadidura, se derrumba el teatro tradicional, pues es básica en Nieva una actitud antinaturalista, que destierra, de entrada, cualquier viejo precepto de verosimilitud. Por ello, quizás, más que de teatro, habría que hablar de orgía, de fiesta popular, de zarzuela crítica y surreal (Nieva es uno de los pocos dramaturgos de corte intelectual que ha reivindicado el interés del «género chico»).

Esta concepción anticonvencional hace que, en nuestro contexto social y cultural, no sea fácil su representación, ya que más bien habría que presentarlo como una función que pretende una comunicación lúdica y festiva a desarrollar en la calle o en una plaza pública. El tradicional texto dramático, por otra parte, sufre una transformación no menos importante y se convierte no en algo adaptable a las necesidades de un director-creador sino en una sugerencia básica de espectáculo que se pone a disposición de las compañías para que éstas puedan utilizarlo como guión de sus funciones. Así es como Nieva inventa la «reópera» (véase su descripción en p. 291). Uno de los estudiosos del teatro de este dramaturgo, Pérez Coterillo [1975], ha sintetizado los rasgos del «teatro furioso» que enumeraremos sin transcribir literalmente:

> 1) El desarrollo de la acción no transcurre de forma lineal; pequeños actos conforman como una estampa carnavalesca que sólo contemplada en su conjunto nos da una síntesis de totalidad.
>
> 2) Funcionalidad teatral de la palabra. La frase se condensa. El lenguaje distorsionado priva a la literatura del peso reverencial y académico. Utiliza dos procedimientos: la condensación y la distorsión.
>
> 3) Nueva concepción del espacio escénico. El talante arquitectónico y plástico de Nieva va a encontrarse en rotunda libertad con un marco de ejercicio completamente inédito. La acción no puede desarrollarse en el «teatro a la italiana» y sería necesario un nuevo marco social.
>
> 4) Personajes absolutamente prototípicos, desprovistos de psicología, apoyados en unos pocos rasgos de urgencia que les definen absolutamente y les hacen encarnar una idea o una pasión.

Aparte las diferencias de matiz entre ambas formas dramáticas, en las dos se da una extraordinaria inclinación a lo imaginativo que se pone al servicio de una gran capacidad satírica que reivindica la libertad del hombre. Por eso emplea procedimientos lingüísticos revulsivos, entra en lo escatológico y penetra en el mundo de la enormidad. Todo ello en respuesta a la concepción, descripción y hasta definición del teatro que da Nieva al frente del «teatro furioso»:

El teatro es vida alucinada e intensa.
No es el mundo, ni manifestación a la luz del sol,
ni comunicación a voces de la realidad práctica.
Es una ceremonia ilegal,
un crimen gustoso e impune.
Es alteración y disfraz:
Actores y público llevan antifaces,
maquillajes,
llevan distintos trajes...
o van desnudos.
Nadie se conoce, todos son distintos,
todos son «los otros»,
todos son intérpretes del aquelarre.
El teatro es tentación siempre renovada,
cántico, lloro, arrepentimiento, complacencia y martirio.
Es el gran cercado orgiástico y sin evasión;
es el otro mundo, la otra vida,
el más allá de nuestra conciencia.
Es medicina secreta,
hechicería,
alquimia del espíritu.
Jubiloso furor sin tregua.

Luis Riaza (1925) es un dramaturgo de muy peculiares inquietudes y de un notable interés, un autor, según lo describe F. Nieva [1976], barroco y romántico, que se basa, ante todo, en sensaciones. Su obra, compuesta por piezas cortas y largas, ha sido frecuentemente estrenada en teatro comercial y ha editado *Representación del Tenorio a cargo del carro de las meretrices ambulantes* (1973), *El desván de los machos y el sótano de las hembras* (1974 y 1978), *Drama de la dama que lava entre las blancas llamas* (1974), *Retrato de dama con perrito. Drama de la dama pudriéndose* (1976 y 1980), *El palacio de los monos* (1978), *Medea es un buen chico* (1981), *Antígona... ¡Cerda!* (1983), *Mazurca* (1983), *Epílogo* (1983).

Unas cuantas afirmaciones de Riaza en unas declaraciones a García Pintado [1974] nos sitúan, creo, en una adecuada perspectiva frente a su teatro:

> La revolución en el teatro la creo posible sólo a través de las formas. Si elaboramos unos signos nuevos, podemos lograr un mundo nuevo. Pero eso sí: de forma mediata, a largo plazo. Un teatro verdaderamente revolucionario debe

> incidir más en la revolución formal que en la de contenidos.
>
> [...] no creo en el poder de ruptura inmediato del arte.
>
> Estimo [...] que el teatro ceremonial puede atacar más la conciencia del espectador burgués.

Estas declaraciones —y otras de sentido parecido— no suponen, sin embargo, una simple actitud formalista y experimentalista y más tarde, en un texto de [1983], reconoce dos etapas en su teatro: una primera impulsada por una actitud de denuncia crítico-política inmediata («Escribir contra el Gran Gorila [...]»), y otra, posterior, motivada por «la imposibilidad de llevarse una vida pasable a la boca o a debajo [...] del rabo». Y agrega: «Ahora se trata de toda una forma de ser —¿de ser?— del mundo circunstancial». Interés formal y sentido crítico se alían, pues, en una labor creadora que posee, además, numerosos elementos comunes (ya lo sugieren así sus curiosos títulos): indiferenciación sexual de los personajes, acumulación de objetos en el escenario, frecuente presencia de animales (vivos, muertos o para sacrificar), desgarramiento lingüístico, fragmentos de texto en verso... En cuanto al lenguaje, el mencionado Nieva [1976, p. 12] llega a afirmar que es «uno de los más bellos, imaginativos y fluidos que es posible observar en el nuevo teatro». Por lo cual, añade, el teatro de Riaza «se debe leer y se debe escuchar como poesía teatral». A estos rasgos debe añadirse lo que tal vez sea su aportación más personal, una reflexión —paródica o crítica— sobre el propio teatro.

En efecto, lo que caracteriza a Riaza y le distingue en el conjunto del teatro de postguerra es su permanente inclinación hacia una literatura de segundo grado (o, como él ha dicho en alguna ocasión, hacia un teatro de sustitución). Riaza parte para su dramaturgia del fenómeno de que la literatura sea un signo sustitutivo de la realidad y reflexiona sobre el propio signo y no sobre la realidad a la que éste remite. Bastantes de sus piezas tienen este carácter distintivo y rehacen viejos motivos o temas desde la clasicidad griega (*Medea...*, *Antígona...*) hasta la *Divina Comedia* (*Drama de la dama...*) o la literatura romántica (*Representación del Tenorio...*). Además, no sólo practica una reflexión desde fuera de la literatura sino que Riaza es gran aficionado a incorporar el teatro dentro del teatro. A veces no se trata sino de una cuña humorística y distanciadora en la pieza. Por ejemplo, en *Drama de la dama...*:

[...]
Y que ustedes respetable auditorio
de cadáveres
podrán ver proyectadas
en chinescos sombrajes
a no ser
que disponga otra cosa
el dios de los montajes.

En otras, sin embargo, toda la pieza es una reflexión, comentario, crítica y denuncia de la existencia del propio teatro. Éste es el tema, por ejemplo, de *Epílogo*. Por una parte, la situación dramática trata de las reacciones de una actriz, una vez acabada la representación. Por otra, al hilo de la reflexión de la susodicha actriz, se denuncia toda una estructura del espectáculo teatral, desde el mecenazgo oficial hasta el público, y sin olvidar a los propios autores (se menciona, aunque sólo por el nombre propio, a Benavente, Galdós y Buero; y el mismo Riaza se incluye, sin nombrarse, pero con una referencia muy clara). La pieza resulta, casi, un breve tratado de teatro español actual, escrito con rabia (apoyada eficazmente por un léxico violento) y con enorme desesperanza (que es otro de los rasgos permanentes de la dramaturgia de Riaza).

Miguel Romero Esteo (1930) es un dramaturgo verdaderamente revolucionario por su concepción de la pieza teatral, que supera las barreras convencionales y admitidas en la historia de los espectáculos occidentales. La mayor parte de sus obras oscilan entre doscientas y cuatrocientas páginas; alguna tiene más de cien personajes; su representación —de llegar a realizarse íntegra— se prolongaría durante siete u ocho horas (por ello Romero Esteo ha dicho que el espectador debería llevar un bocadillo para tomar durante la representación, de modo que formase parte también del espectáculo colectivo)... La revolución propuesta por este autor, además, no afecta sólo a estos aspectos externos y tradicionales, sino a la misma raíz del drama: Romero Esteo destierra la concentración anecdótica, suprime la progresión temática, elimina el concepto habitual del personaje, prescinde del sentido comunicativo e informativo del lenguaje... En fin, inventa la «grotescomaquia», género que no es fácil analizar con los criterios al uso y que exigiría, de manera inexcusable, la representación para juzgar de su virtualidad. El crítico puede, incluso, tener la tentación de juzgar estas piezas como textos narrativos con disposición dialogada. A ello invita, por ejemplo, la identidad de peculiares rasgos lingüísticos en los parlamentos de los personajes, en las acotaciones del dramaturgo y en el extenso ensayo preliminar de la edición de *Pizzicato irrisorio*...

De lo dicho, ya se desprende la dificultad de representar el teatro de Romero Esteo, a pesar de lo cual varias de sus obras han llegado a los escenarios y suscitado encontradas opiniones y descalificadores juicios. Otras han sido publicadas: *Pasodoble* (1973), *Fiestas gordas del vino y el tocino* (1975), *Paraphernalia de la olla podrida, la misericordia y la mucha consolación* (incompleta, 1975), *Pizzicato irrisorio y gran pavana de lechuzos* (1978), *El vodevil de la pálida, pálida, pálida, pálida rosa* (1979). Las piezas largas, de hecho, están compuestas por secuencias conexas —que responden a una unidad de intuición o que funcionan a modo de variaciones o ampliaciones musicales—, pero que resultan, en cierto sentido, aislables. El *Pizzicato,* por ejemplo, está formado por tres grandes partes —El encono, El encojono, El descojono— que, a su vez, constan de episodios relativamente independientes. *El vodevil* está también integrado por dos partes

Característico de Romero Esteo es un propósito desmitificador —de la cultura, la religión, los usos sociales— que no se lleva a cabo mediante procedimientos alegóricos sino a través de unas situaciones escénicas deliberadamente provocadoras y revulsivas. La irreverencia, lo escatológico, el desenfado sexual se proyectan hacia el espectador (o lector) sin ninguna dulcificación; al revés, se presentan como parte integrante de una concepción ritualizada, litúrgica del mundo, que choca, por tanto, mucho más, con sus anticonvencionales contenidos. Quizás esta concepción del teatro entronque con unas formas de espectáculo popular de tipo chusco (tendrían que ver con ello los espacios escénicos que sugiere: sala conventual antigua, nave de lo que fue una fábrica...). En apoyo de esa intencionalidad revulsiva, utiliza un lenguaje que transgrede las formas habituales de comunicación y que, aunque en alguna ocasión pueda parecerlo, nada tiene que ver con el absurdo. Repeticiones, ampliaciones, modificaciones, figuras internas, se agolpan a partir de un sintagma básico o de una noción léxica; la prosa se carga de asonancias y consonancias (incluso en las largas acotaciones); entran con desenfado tacos, voces malsonantes... Esa deliberación desmitificadora alcanza, por otra parte, al propio teatro —convencional o vanguardista— como forma de comunicación. Una cita, algo extensa, pero muy expresiva, de su prólogo al *Vodevil*... da una idea clara de la actitud profundamente renovadora de Romero, a la vez que muestra algunas de sus peculiaridades estilísticas:

> La verdad, a mí lo que los críticos del ramo y los especialistas de la logorrea y el derramo llaman teatro me aburre de muerte. En realidad, lo que con la mejor buena voluntad del mundo llaman teatro me parece a mí que ya hoy no es más que una honorable forma de aburrimiento. Unas veces, una honorable forma burguesa de aburrición. Otras veces, una honorable forma pequeño-burguesa de aburrimiento, y tan contentos. Y otras veces, mitad y mitad. Desde otro ángulo, unas veces es una honorable forma de aburrirnos a todos en unión defendiendo la bandera de la santa tradición. Y otras veces, cuando agarramos un dolor de cabeza y luego al salir del teatro nos largamos rápidamente a comprar aspirinas a la primera farmacia de guardia, entonces una honorable forma de aburrirnos a todos en santa comunión defendiendo la bandera de la vanguardia. En resumidas cuentas, lo que los críticos y especialistas cuatro llaman teatro es unas veces una honorable forma de aburrimiento de izquierdas.

José Ruibal (1925) parte de una radical actitud renovadora que responde a un explícito deseo de «escribir contra el público», lo cual implica, según él mismo ha explicado, un valor ético y un propósito de no degradar al espectador. La primera consecuencia inmediata es la dificultad, muchas veces subrayada, de llevar sus piezas a los escenarios. La segunda tiene que ver con la comprensión total de algunas de sus obras: rara vez el crítico encuentra unos mundos significativos más densos y oscuros. La producción de Ruibal editada, aparte la inédita, posee ya ciertas dimensiones: *El asno* (1962; 1970 en castellano), *Los mutantes* (1969), *Curriculum vitae* (1970), *El mono piadoso y seis piezas de café-teatro* (1969; varias publicadas independientes; más tarde incluidas en *Teatro sobre Teatro,* 1975), *La máquina de pedir* (1970 y 1975), *La ciencia de birlibirloque* (1970), *El hombre y la mosca* (1977).

Por encima de la diversidad anecdótica de las piezas de Ruibal, y de su evolución dramática, existen suficientes constantes que permiten hablar de un teatro sustancialmente unitario. El factor básico de relación es una visión indirecta de la realidad, que se transforma en símbolo o alegoría. Lo que sucede en la obra tiene su propia coherencia, pero, además, remite a unas situaciones externas con un propósito de denuncia. Los símbolos no siempre son claros, pero suelen referirse a la opresión, a la explotación y a la libertad. Este último motivo es muy neto en *El hombre y la mosca.* Los dos anteriores parecen ser el objetivo de *El asno* o de *La máquina*... La deshumanización, el desbordamiento tecnológico son motivos añadidos de *La máquina* o de alguna de las piezas de café teatro. A veces, la alegoría no es sólo genérica y atemporal sino que remite a usos españoles concretos y actuales. La representación de este núcleo de ideas sobre el escenario corre a cargo de uno de los factores distintivos del teatro de Ruibal —aunque no extraño en otros autores vanguardistas—, la abrumadora presencia de animales en bastantes de sus piezas (a modo de ejemplo en *Los mendigos* actúan el leopardo, la jirafa, el lagarto, la cebra, el asno, el perro, el cuervo; en otros aparecen monos, cuervos...). A ellos debe añadirse el no menos característico empleo de máquinas o de artilugios electrónicos... Todo ello en función de su valor simbólico y con el propósito de conectar, por una parte, con el mundo fabulístico —pero con sentidos crítico-políticos nuevos— y, por otra, con un futuro tecnificado y amenazador. Los rasgos expuestos son los que se desprenden de la lectura de sus piezas, ya que no he visto representaciones de las mismas, con la consiguiente limitación de un comentario que, por tanto, ignora su dimensión espectacular, tan importante en un teatro que no quiere ser única ni fundamentalmente literatura dramática. Respecto de la efectividad dramática de las obras extensas de Ruibal, ha manifestado Ruiz Ramón [1975] serios reparos, por parecerle que carecen de suficiente desarrollo y que se basan en la acumulación de motivos sueltos.

Los autores de quienes acabo de hacer una rápida presentación no constituyen la nómina completa de representantes del «nuevo teatro» y varios nombres más han quedado sin mencionar. La provisionalidad de un trabajo como éste puede servir de justificación, pues en varios casos su obra no me ha sido accesible, y en otros prefiero aguardar a enjuiciarla con más reposo; de ninguna manera debe considerarse su ausencia como una deliberada preterición. Entre los nombres que deben añadirse —al margen de algún involuntario olvido, o de una posible ignorancia— figuran:[11]

11. Para los autores reunidos en el apartado 2), se encontrará más amplia bibliografía en Pérez-Stansfield [1983] y en parte de los trabajos mencionados a propósito de cada dramaturgo; también se puede completar con la recogida en publicaciones que se incluyen en ediciones prologadas y anotadas. Esa indicación genérica nos evita presentar un largo repertorio de artículos sobre estos autores, cuyo lugar apropiado no es este libro. Por tanto, únicamente haré algunas sugerencias indicativas. Para García Pintado, véase Doménech [1974]; para Martínez Mediero, véanse Isasi [1978] y diversos trabajos reunidos en *Teatro antropofágico*;

Jesús Campos (*7000 gallinas y un camello*).
Juan Antonio Castro (*El puñal y la hoguera*).
Jerónimo López Mozo (*Los novios o la teoría de los números combinatorios, La renuncia, Moncho y Mimí, Negro en quince tiempos, Los sedientos, Maniquí, Crap, fábrica de municiones, Guernica, Anarquía 36*, todas ellas publicadas; *Collage Occidental, El retorno, Comedia de la olla romana en que cuece su arte la Lozana,* estrenadas pero no publicadas).
F. Martín Iniesta (*Yatto, La señal en el faro, El parque se cierra a las ocho, Los enanos colgados de la lluvia, Final de horizonte, Andamio, No hemos perdido aún este crepúsculo, Quemados sin arder, La tierra prometida*).
Miguel A. Medina Vicario (*Claves de vacío, El camerino*).
Francisco Ors (*El día de gloria*).
Eduardo Quiles (*Los farandúleros. El asalariado, Pigmeos, vagabundos y omnipotentes, Su majestad la moda, La concubina y el dictador, La ira y el éxtasis*).
Carmen Resino (*Ulises no vuelve*).
Concha Romero (*Un olor a ámbar*).
Hermógenes Sáinz, Diego Salvador...

5. El teatro en el exilio

Una afirmación de R. Doménech [1977] puede servir para delimitar la significación profunda del teatro en el exilio. El crítico, después de enumerar una amplia relación de hombres de la escena que forman parte de la «España peregrina», concluye que «un hecho —común a todos ellos— se nos presenta como algo indiscutible: en la inmediata postguerra son ellos quienes, fuera de España, hacen el verdadero teatro español» (p. 194). En efecto, por encima de las personalidades —dramaturgos, directores, actores— que tienen que abandonar su patria al final de la contienda, debe recalcarse lo que ello supone de limitación para el desarrollo normal del teatro del interior que, según antes

para Matilla, ténganse en cuenta los artículos de Oliva y la bibliografía de L. Teresa Valdivieso recogidos en la edición de *Ejercicios para equilibristas* (1983); para Miralles, véanse diversos artículos en la edición de *Colón*... (1981); para Nieva, véanse Pérez Coterillo [1975] y la edición en Cátedra de Antonio González; para Riaza, véanse García Pintado [1974], Nieva [1976] y la edición en Cátedra de Alberto Castilla; Para Romero Esteo, véase la edición del propio autor en Cátedra; para Ruibal, véanse los trabajos reunidos en la ed. de *El hombre y la mosca* (1977) y la edición del propio autor en Cátedra.

hemos descrito, conoce unos momentos de extraordinaria degradación. En el exilio se lleva a cabo una literatura dramática de considerable importancia y por la geografía americana —principalmente— actúan compañías que recogen la mejor y más atenta tradición de la preguerra. Todos esos esfuerzos se realizan, sin embargo, en unas circunstancias especialmente adversas, pues los autores, en particular, se ven aislados de su público normal, al que no pueden acceder ni por la difusión de los textos ni por la práctica imposibilidad de representar sus obras en la Península. En consecuencia, la temática, la forma e incluso el lenguaje del teatro en el exilio acusarán esas peculiares condiciones creativas.

Al igual que sucede en otros géneros, la descripción organizada de la dramaturgia en el exilio resulta bastante difícil porque no existen criterios cronológicos o estéticos firmes que permitan agruparla. Respecto de la cronología, entre la fecha de nacimiento de Jacinto Grau (1877) y la de José Guevara (1928) median cinco décadas y, por tanto, una gran diferencia separa el momento de aparición pública de muchos dramaturgos. En fin, por lo que concierne a líneas temáticas o artísticas, una gran variedad de preocupaciones impide relacionarlos de modo general. Utilizaremos, pues, un socorrido criterio ya empleado en el capítulo dedicado a la novela, discutible pero mínimamente útil: dramaturgos que comienzan su producción antes de la guerra frente a los que la inician una vez concluida. Antes de referirme a algunos de ellos, estimo necesaria una aclaración. La localización de los textos dramáticos de los exiliados es extraordinariamente difícil, salvo unos cuantos casos señeros; con frecuencia no me han sido accesibles y, por consiguiente, eludiré su enjuiciamiento.

1) *Dramaturgos con obra anterior a 1939*

Un nutrido grupo de dramaturgos exiliados se habían dado a conocer con anterioridad a la guerra y prolongan su actividad después de ésta. Ello plantea un primer problema que concierne, sobre todo, a uno de los más interesantes autores de nuestro siglo, JACINTO GRAU (1877-1958), el de la propiedad con que puede incluírsele en este apartado en función de unas circunstancias biográficas. Grau publica interesante teatro en el exilio (*La casa del diablo,* 1939; *La señora guapa,* 1943; *Las gafas de don Telesforo,* 1954; *Destino,* 1954; *En el infierno se están mudando,* 1959; *Tabarín,* 1959; *Bibí Carabé,* 1959), pero no altera fundamentalmente un sistema establecido con anterioridad, dentro del que se mueven sus nuevas creaciones. Por ello —al igual que hicimos en el terreno de la novela con Benjamín Jarnés—, creemos que debe considerársele dentro de una órbita que se sitúa en la preguerra. Sobre Grau se ha hablado ya en el volumen anterior de esta *Historia de la literatura española* y puede consultarse lo que allí se dice. En ese mismo volumen del profesor G. G. Brown se trata también de algunos de los más importantes dramaturgos del exilio, de Alejandro Casona y de Rafael Alberti, y, para evitar repeticiones, remitimos a esas páginas. Aparte estos muy destacados dramaturgos, tal vez el más significativo de todo el exilio sea MAX AUB.

Dentro de la prolífica y dispersa actividad literaria de Aub, el teatro —junto con la novela— constituye la vertiente más sostenida e interesante. El mismo número de obras escritas, que ronda el medio centenar, da idea aproximada de la importancia que el escritor le concedió, no correspondida mínimamente por un acceso no ya regular, ni siquiera ocasional a los escenarios. Si en ello fueron responsables circunstancias extraliterarias —en buena medida, de tipo político—, también hay que reconocer el peso de una dramaturgia que, con frecuencia, no respeta las convenciones del escenario y que, finalmente, se inclina por una concepción teatral al margen de las posibilidades reales de representación. Sin embargo, hay que distinguir piezas de construcción, digamos, bastante clásica y convencional —*Deseada,* por ejemplo— de otras de alto poder innovador. Problema básico para referirse al teatro de Aub en el espacio exigido por un libro como el presente es el de ordenar una dramaturgia que, aunque responda a permanentes motivos de fondo, tiene notable variedad formal y temática. Un posible criterio a seguir sería el adoptado por el propio Aub en la edición del *Teatro completo* (México, 1968): Teatro primero, Teatro de circunstancias, Teatro mayor, Tres monólogos y uno solo verdadero, Los trasterrados, Teatro de la España de Franco, Las vueltas, Teatro policiaco, Teatrillo, Diversiones, Adaptaciones (relación a la que hay que añadir dos piezas posteriores a esa edición, *El cerco* y *Retablo de un general, visto de medio cuerpo y vuelto hacia la izquierda*).

Los dos primeros apartados de esa clasificación tienen un interés menor, en comparación con los restantes. El primero, por tratarse de un teatro vanguardista alejado de las preocupaciones posteriores del dramaturgo. El segundo, por reunir piezas de carácter ocasional, de urgencia, hechas durante la guerra y con un propósito militante. Los otros apartados suponen una ordenación un tanto caprichosa, pues buena parte de ellos remiten a una sola inquietud fundamental: dar respuesta literaria al desorden del mundo moderno, al predominio de la injusticia, a la condición exiliada del hombre. A veces se hará en piezas largas y otras en cortas (éstas son las predominantes); en ocasiones tendrá concretas referencias hispanas o europeas, o se presentará de manera más genérica. La guerra española con sus consecuencias y la gran contienda europea están en la base de la reflexión de Aub, la cual da lugar a unas piezas que escribe al poco de establecerse en México, después de haber conocido varios campos de concentración (experiencia que también es sustancial para ese teatro): *San Juan, El rapto de Europa, Morir por cerrar los ojos.* En la primera trata el trágico destino de unas gentes acosadas y reunidas en un viejo barco que terminará por hundirse. La persecución alemana en Francia es el punto de partida anecdótico de las otras dos.

Entre las consecuencias de la guerra —denunciada por su poder de envilecimiento en las obras anteriores— está el exilio, motivo reiterado de la literatura de Aub y que, en el teatro, da lugar a la serie «Los trasterrados» (*A la deriva, El puerto, El último piso*) y a otras dos que, con cierta flexibilidad, se le pueden asociar, «Las vueltas» (*La vuelta,* tres piezas de 1947, 1960 y 1964) y «Teatro de la España de Franco» (*Los guerrilleros, La cárcel, Un olvido*). En «Los trasterrados» analiza el drama humano de diferentes exiliados (de varias nacionalidades: húngara, española, rusa) y en «Las vueltas» ese drama se concreta más que en la dificultad, en el sentido del regreso del exilio. Con ellas se puede relacionar el grupo de «Teatro de la España de Franco» en cuanto que aquí es la condición trasterrada del propio autor lo que le lleva a unas reflexiones sobre la opresión y la delación distorsionadas por la distancia; su catalogación bajo ese epígrafe es más bien caprichosa y quizás hubieran tenido buen acomodo al lado de las obras del «Teatro policiaco» (*Un anarquista, Los excelentes varones, Así fue*) y junto a *No* (una de sus más importantes piezas, que incluyó en el «Teatro mayor»). La vigilancia represiva sobre el hombre es uno de los motivos persistentes en Aub. Que lleve a la traición, a la delación voluntaria o impremeditada, o a la anulación del individuo son variantes anecdóticas de un tema profundamente arraigado. En *No* es donde el conflicto adquiere un más desgarrado sentido dramático. El escenario se halla partido en dos mitades que ocupan, respectivamente, fuerzas soviéticas y americanas separadas por una valla infranqueable. Las gentes que, a uno y otro lado, pretenden sobrepasarla —más en un sentido moral que físico— acabarán destrozadas, anuladas por una vigilancia ideológica, policiaca, irreductible. Así, en estas piezas, y en otras muchas, Aub se convierte —al igual que en buena parte de su novelística— en un censor implacable de la triste suerte del hombre contemporáneo, víctima de intereses y de absolutismos.

Bajo el engañoso rótulo de «Teatrillo» incluía, entre otras, una de sus piezas, a mi parecer, más interesantes, *Deseada* (1948), que tiene en común con alguna más —*La vida conyugal,* por ejemplo— el desarrollo de un vigoroso y tradicional drama psicológico. *Deseada* analiza el despecho de una hija hacia su padrastro por una idealización de su padre. *La vida conyugal* expone el enorme deterioro de una relación matrimonial. Por su correcto planteamiento dramático, por las cualidades de profundización psicológica, estos dramas muestran hasta qué punto Aub pudo haber hecho un teatro más convencional, menos comprometido con su imperiosa necesidad de dar testimonio de la degradación del hombre actual y que tal vez hubiera tenido más suerte en los escenarios, o, al menos, mayores posibilidades de intentarla.

Otros dramaturgos más deben recordarse entre los que prosiguen su labor teatral en el exilio. De JOSÉ BERGAMÍN (1897-1983) sólo he accedido a algunas piezas de anteguerra y de las que escribió en el exilio sólo poseo referencias bibliográficas (*La hija de Dios, La niña guerrillero, Melusina y el espejo, Medea la encantadora, Los tejados de Madrid*). RAFAEL DIESTE (1899-1981) mostró una fuerte vocación teatral en la preguerra, participó activamente —como promotor y como autor— durante la guerra en la regeneración de nuestra escena, pero en el exilio no escribió, que yo sepa, nuevas piezas, aunque reeditó algunas anteriores. En las páginas dedicadas a la narrativa he reivindicado a PAULINO MASIP (1900-1963), quien también escribió teatro fuera de España (*El hombre que hizo un milagro,* 1944; *El empleado,* ?). El dramaturgo de trayectoria más persistente es JOSÉ RICARDO MORALES (1915), cuya obra se desarrolla prácticamente en su totalidad en el exilio, en Chile, hasta el punto de ser considerado, a veces, escritor hispanoamericano. Según J. Monleón [1969], Morales es un autor de estirpe noventayochista que enlaza, en sus primeras obras, la tradición culta y la popular del teatro. Ello es especialmente comprobable en *Burlilla de don Berrendo, doña Caracolines y su amante* (1938 y 1955). Su evolución, al menos en la parte de su teatro que conozco, le aparta de esa inclinación para progresar en un intento de indagación en los mecanismos profundos de la realidad, a través de ciertos componentes expresionistas y vanguardistas. Y, en último extremo, por medio de una concepción dramática que le acerca al teatro del absurdo. Si las pocas obras de Morales que me han sido accesibles (*Peque-*

ñas causas, Prohibida la reproducción, La odisea, Hay una nube en su futuro, Oficio de tinieblas, además de *Burlilla...*) representan bien su trayectoria, estamos ante un dramaturgo de fuertes contenidos éticos, propenso a la especulación y bien dotado para los símbolos de carácter universal.

2) *Dramaturgos posteriores a 1939*

La guerra civil afectó a la producción teatral de algunos dramaturgos de preguerra y estimuló la vocación por este género de bastantes otros más. Es el caso, en primer lugar, de LEÓN FELIPE (1884-1968) con *La manzana* y *El Juglarón,* aquélla de corte poético y ésta reunión de piezas de muy variados registros vinculadas por medio de un hilo conductor. También otro poeta, PEDRO SALINAS (1891-1951), practica un singular teatro, con dimensiones de cierta consideración, catorce obras entre piezas cortas y largas. Aunque mucho menos conocido que su poesía y no muy estudiado, ha merecido elogiosos enjuiciamientos. Para R. Doménech [1977], por ejemplo, se caracteriza «por su inventiva y pulcritud literaria, por la transparencia de su lenguaje, por su hondo sentimiento poético y por su capacidad para armonizar muy diferentes tradiciones españolas —Cervantes, Unamuno, el sainete y otras muchas—». Las dos piezas largas de Salinas son *Judit y el tirano* y *El Director.* Aquélla, a pesar de los razonados reparos de Ruiz Ramón [1975], no deja de ser una interesante dramatización de la doble cara o doble personalidad —la oficial, terrorífica y la privada, humana— del dictador. La segunda es más densa de realización, más profunda en su temática y de mayor complejidad en su significación. Varios personajes acuden en búsqueda de ayuda a una especie de academia de la Felicidad y obtienen el auxilio de su Director. Éste se ve obstaculizado por un Gerente al que la mecanógrafa de aquél matará para evitar su perniciosa intervención. Sin embargo, Director y Gerente son las dos caras de una misma personalidad, por lo cual los «clientes» quedarán abandonados a sus propias y únicas fuerzas. Las restantes obras teatrales de Salinas son piezas cortas, muy singulares y variadas. Por su interés crítico-literario, llama la atención *Ella y sus fuentes,* sátira de desviaciones profesionales que Salinas denunció, también, en algún ensayo. En la mayor parte, sorprende la valentía y la habilidad para pasar del terreno de unas situaciones incluso populistas al de la más franca imaginación (*La fuente del arcángel, La bella durmiente, Los santos*). En alguna denuncia la tecnificación deshumanizada (*Caín o una gloria científica*), motivo también de su prosa de postguerra, con ecos en la lírica y que puede considerarse un *leitmotiv* de la literatura del exilio de Salinas. En fin, varios críticos han subrayado el rigor intelectual y el valor político y moral de *Los santos,* en la que unas imágenes sustituyen a unos condenados a muerte republicanos.

En el mencionado trabajo de Doménech [1977, pp. 240-241] se puede encontrar una larguísima nómina de otros dramaturgos exiliados, la mayor parte de cuyas obras no me han sido accesibles. Según el limitado conocimiento que tengo de estos dramaturgos, sus piezas revelan una gran variedad que va del teatro rural de J. R. Arana (*Veturián,* 1951) a composiciones de corte simbólico y crítico (algunas piezas de M. Andújar, por ejemplo). Remitimos al ilustrativo catálogo de Doménech a quienes deseen una mayor información y, aparte de lamentar estas dificultades, deseamos que algún día esas piezas estén al alcance del público, aunque nada más sea para reparar la injusticia de tan grave marginación. En fin, en este epígrafe de dramaturgos en el exilio todavía debería añadirse el nombre de quienes tuvieron que abandonar España en fechas posteriores a la guerra, pero también como consecuencia de ésta. En diversos lugares de Europa y América ha desarrollado una gran actividad teatral José María Camps (1915-1975), que logró el premio Lope de Vega en 1973 con *El edicto de Gracia* (1974). También José Martín Elizondo (1922) ha llevado a cabo actividades teatrales en Francia, a la vez que ha escrito una amplia obra de creación.[12]

6. El teatro desde 1975

El impacto del nuevo período histórico que se abre en 1975 sobre el teatro tendría que haber sido intenso, ya que este género es, por su contacto inmediato con el receptor, el que más acusa las circunstancias del entorno político-social. Las expectativas que entonces se abren —tras superar los primeros momentos de

12. La bibliografía panorámica sobre el teatro en el exilio es muy escasa. El trabajo básico e imprescindible es el de R. Doménech [1977], en el que se encuentra la más completa nómina de autores que conozco y más amplias referencias críticas. Sobre Grau, véase L. García Lorenzo [1971]. Para Alberti y Casona, consúltese el mencionado volumen de G. G. Brown. Los estudios sobre Aub son más abundantes y en Soldevila [2/1973] se hallan más referencias, aunque se refiera a la narrativa; una guía útil es el ensayo de J. Monleón [1971 b]. Para José Ricardo Morales, consúltense los diversos trabajos presentados al frente de la antología publicada en «El mirlo blanco» (Madrid, Taurus, 1969). Más referencias críticas sobre Salinas se hallan en G. Torres Nebrera [1979]. Sobre el teatro del exilio en México, véase el número 201 de *Primer Acto* (noviembre-diciembre, 1983).

ambigüedad política, de duras consecuencias para las gentes del teatro: prohibiciones, procesos militares...— no se confirman desde aquella fecha hasta nuestros días. La situación del teatro no ha mejorado sustancialmente desde entonces; en términos generales, puede decirse —y ahora trataremos de explicar la aparente paradoja— que es igual a la de períodos precedentes, pero, a la vez, existen factores que permiten diferenciar esta nueva —si así puede apellidarse— época.[13]

Si nos atenemos a la cartelera, en efecto, el teatro es prolongación del anterior a 1975, con predominio de esa comedia burguesa que, por entendernos, podemos situar en la tradición neobenaventina y en la línea de la pieza bien hecha (ello por hablar de un teatro digno de tal nombre, porque el absoluto predominio pertenece al vodevil, la revista zafia y las variedades). Ha habido, sin embargo, cambios en los nombres y efectos de sustitución. Recordemos la inactividad de Pemán o de López Rubio y la práctica desaparición de los escenarios de Alfonso Paso, fallecido antes de que se consumara este fenómeno. El dramaturgo que, desde un punto de vista sociológico (otras comparaciones podrían resultar inadecuadas), toma el relevo es Antonio Gala. Pero la pervivencia de una situación dada no viene ni única ni fundamentalmente de la actividad de los escritores sino de la inmutabilidad del aparato comercial-empresarial que rodea al teatro. Los empresarios de local siguen constituyendo el principal soporte de un gusto tradicional y sólo algunas compañías se aventuran con piezas menos convencionales. Ese gusto responde, por otra parte, a la demanda de un público conformado en los hábitos de la comedia burguesa. Sin duda alguna, el gusto del público, imposible de transformar al ritmo de las estructuras político-sociales, es uno de los principales factores retardatarios de la evolución de nuestro teatro. La eficaz labor de algunos grupos independientes —que alcanzan, además, un alto grado de profesionalización— es muy importante, pero sigue siendo marginal en el conjunto de nuestra vida cultural. El teatro más valioso que en estos años se ha hecho no puede considerarse como una comunicación social amplia y viva, aunque su vitalidad en otras esferas más reducidas sea incuestionable. Una de las mejores pruebas de

13. La bibliografía sobre el teatro desde 1975 es, obviamente, muy provisional. La fuente de información más útil son las revistas y colecciones citadas, más catálogos y carteleras (esperemos que tenga continuidad el de M. F. Vilches [1983]) y el panorama anual ofrecido por *El año literario*, anuario editado por Ed. Castalia; debe destacarse, finalmente, como el trabajo que consigue mayor visión histórica a pesar de la falta de perspectiva temporal el de L. García Lorenzo [1978-1980] (recogido en [1981]).

la pervivencia de esa situación estancada es la frecuencia con que se habla de crisis, en términos muy semejantes a como se ha venido haciendo desde varios lustros anteriores. A la consabida crisis se debe añadir, además, un progresivo abandono del público, que cada vez acude en menor medida a los teatros, quizás por la falta de atractivos, quizás por verse solicitado por otros medios como la televisión, o por la suma de ambos factores más un cambio en los gustos sociales y el influjo de la crisis económica. La degradación del conjunto de factores que constituyen el hecho teatral quedó bien de manifiesto en el amplio coloquio que se celebró a mediados de 1976 en la Fundación Juan March, bajo la dirección de Andrés Amorós (recogido en AA. VV. [1977]).

Recalcada esta idea básica de continuidad, también hay que reconocer los elementos diferenciadores que permiten ver este momento en que nos encontramos como una época de transición —tal vez fuera más exacto decir de desorientación— cuyas salidas no son fáciles de prever. En cuanto a la producción de los dramaturgos, existen rasgos característicos. La actividad de los escritores de la primera promoción de postguerra es prácticamente nula (alguno ha fallecido y ninguno crea nuevas obras). Los autores de la «generación realista» han abandonado por completo la estética del realismo social y han dado vía libre a procedimientos más imaginativos, según antes vimos. Pero tampoco constituyen una presencia viva y continuada en los escenarios (lo que no quiere decir que no estrenen alguna pieza aislada de gran importancia), en parte porque han sido desbancados por el teatro vanguardista, en parte porque han sucumbido al desaliento de una larga lucha. Alfonso Sastre —a pesar de algún estreno y de algún nuevo texto—, ya no es, por decirlo con frase prestada, el «excitator Hispaniae» (mucho han debido influir las dramáticas circunstancias personales que vivió desde la muerte de Carrero Blanco a finales de 1973). Pero, signo todavía más importante de esta transformación es el ya mentado cambio en la recepción de Buero Vallejo, quien, a propósito de sus últimos estrenos, recibe no disimuladas críticas, e incluso se llega a recomendarle que no vuelva a estrenar. Respecto del llamado teatro de vanguardia, tampoco consigue subir regularmente a los escenarios, sus autores siguen acumulando obras que no estrenan (o lo logran muy esporádicamente), mientras les cabe la satisfacción de verse reconocidos, justo en estos años, por el hispanismo e incluidos en colecciones especializadas en la edición de clásicos.

Tanto los autores realistas como los vanguardistas vieron sistemáticamente silenciado su teatro durante el período franquista y tampoco ahora, en momentos de mayor normalidad política, consiguen llegar al público, a pesar de la especial actividad de los últimos. Cualesquiera que sean las causas de este hecho, el resultado es el mismo: dos generaciones de escritores han sentido cercenadas sus posibilidades creativas y nuestro teatro se ha visto privado de los necesarios mecanismos de renovación que —al margen de la calidad individual de las obras— hubieran puesto al día nuestra escena. Ocurre, además, que, cuando la censura política desaparece (no, sin embargo, otras formas menos explícitas de coacción que impone el aparato teatral) y los textos prohibidos pueden, en teoría, ser representados, tampoco resulta factible porque, en buena medida, han surgido como respuesta a un momento o unas circunstancias concretas que les hacen perder eficacia posterior. Buena parte del simbolismo vanguardista es inútil cuando desaparecen los motivos que lo inspiraron.

Pero no es sólo la dudosa vigencia de unos textos pensados para otras circunstancias la causante del apartamiento del teatro joven (si es que puede llamársele así, pues muchos de los autores sobrepasan los cuarenta años). La responsabilidad, en cierto modo, se debe al postergamiento de los autores españoles vivos en la programación de compañías con ayuda estatal o dependientes de organismos públicos. En un artículo de 1979 denunciaba M. Pérez Coterillo [1979] la programación estival del Ayuntamiento de Madrid, basada en piezas de los hermanos Quintero, Benavente, Calderón, que resumía en estas duras palabras:

> Es decir, que el programa es una buena muestra del teatro reaccionario que hoy ya sólo vive en la guardarropía mental del sector más conservador de la profesión y que en la Delegación de Cultura del Ayuntamiento madrileño han tomado por pura vanguardia y renovación del postfranquismo.

En otro artículo del mismo año, Alberto Miralles [1979] era no menos contundente respecto de la abrumadora presencia de dramaturgos extranjeros en compañías prestigiosas como el Lliure, el Teatro Estable Castellano, o el Teatro Estable Complutense y apostillaba, a propósito de este último, que «un Estable salido de la Universidad ignorara a los autores españoles que estaban siendo estudiados en las universidades extranjeras, parecía una inconsecuencia». El desaliento de críticos y autores ante semejante situación se fraguó, en enero de 1979, en un indignado manifiesto en cuyo comienzo se podía leer:

> Ante la presente situación teatral española, y conscientes de que la misma no se corresponde çon la evolución política que se está experimentando en el país, un grupo de autores y críticos DENUNCIAMOS a grupos teatrales, cooperativas, compañías estables y centros dramáticos subvencionados por el Estado, en cuyas programaciones la inclusión de autores vivos es mínima y en la mayoría de los casos inexistente.
>
> DENUNCIAMOS que los montajes de Chejov, Ibsen, Strindberg, Schnitzler, Büchner, etcétera (autores que siempre dignificarán cualquier programación teatral) están siendo empleados como coartada para ignorar el teatro español actual, ofreciendo dichos montajes como única alternativa a la crisis.

Este manifiesto lo suscribieron —aparte varios críticos— algunos de los nombres más destacados entre nuestros actuales dramaturgos: Alonso de Santos, Jorge Díaz, García Pintado, Gil Novales, López Mozo, Luis Matilla, Martínez Mediero, Miralles, Pérez Casaux, Romero Esteo, Ruibal y Diego Salvador.

A este conjunto de caracteres debe añadirse uno nuevo, la incorporación al mundo teatral de algunos autores que, de cronología incluso semejante a la de los más jóvenes del *underground*, no estrenan con anterioridad a 1975 y sus publicaciones se producen después de esta fecha. Reconozco que esta parcelación puede parecer excesiva a más de uno, pero trato de describir el fenómeno de la aparición pública, en los escenarios, de unos dramaturgos que antes no habían figurado en las habituales nóminas (otro asunto es que tuvieran profundas relaciones con el espectáculo, a través de la dirección escénica —Alonso, Amestoy— o de la colaboración con grupos como Tábano —Cabal—). Sus fechas de nacimiento se sitúan en los años cuarenta y practican diversos caminos. Cuatro de estos dramaturgos me parecen, con todo lo que de apresurado puede tener un juicio como éste, destacables y con un mayor porvenir: JOSÉ LUIS ALONSO DE SANTOS (1942), IGNACIO AMESTOY (1947), FERMÍN CABAL (1948) y ALFONSO VALLEJO (1943). Si Cabal acude a formas que le entroncan con la farsa, el humor satírico y la denuncia (*Tú estás loco, Briones, Fuiste a ver a la abuela???, Vade retro!, Esta noche, gran velada*), Vallejo ahonda en un teatro de difícil significación, continúa la experimentación y gusta del absurdo (su obra publicada es ya extensa: *El cero transparente, Acido sulfúrico, El desguace, Monólogo para seis voces sin sonido, Infratonos, A tumba abierta, Cangrejos en la pared, Latidos, Eclipse*):

Amestoy es el más claro restaurador de una tragedia actual, atenta a los problemas más conflictivos de nuestra sociedad, de raigambre realista, pero de significados simbólicos, en una línea que entronca con el mejor Buero Vallejo (*Mañana, aquí, a la misma hora, Ederra, Dionisio. Una pasión española*).

Precisamente, el realismo de Amestoy sirve de contrapeso a lo que quizás sea la más reciente inclinación del ultimísimo teatro español, el del mismo momento en que escribo estas líneas. Me refiero a un olvido del teatro como vehículo de indagación colectiva —al margen, por supuesto, de estrechos didactismos—, de reflexión con el espectador sobre conflictos genéricamente humanos o de una concreta circunstancia histórica. Ello lleva de nuevo a planteamientos evasivos o meramente lúdicos, lo cual se aprecia, por ejemplo, en remozamientos de la revista teatral, de la comedia musical o del juguete histórico (por ejemplo, *Del rey Ordás y su infamia,* 1983, de Fernando Fernán Gómez, en la que el autor indica que su propósito fue «escribir una comedia de entretenimiento, una diversión»).

No obstante, creo conveniente destacar algunos síntomas esperanzadores. M. F. Vilches [1983] señala, por ejemplo, que en estos últimos años el interés del público hacia un determinado género de espectáculos no propiamente «comerciales» es cada vez mayor. Sin embargo, la mayor parte de esos signos afectan más al ámbito de los profesionales y estudiosos que al del propio teatro como espectáculo. Tras un cierre temporal, han reaparecido las revistas *Pipirijaina* y *Primer Acto,* y esta última se acompaña de dos colecciones (La Farsa y Primer Acto) en las que se editan textos y se publican estudios teatrales, respectivamente. Las ediciones de obras teatrales conocen un cierto auge y una interesante relación de piezas ha acogido la colección del Centro Español del Instituto Internacional del Teatro y, sobre todo, la colección La avispa. En fin, el periódico *El público,* a cargo del Centro de Documentación Teatral, permite una amplia difusión de la actividad teatral en el conjunto de España. Hay que reconocer, sin embargo, que estas notables iniciativas pueden y suelen responder a elogiables empeños personales y a voluntarismos bienintencionados, pero no necesariamente garantizan un cambio cualitativo en las relaciones entre teatro y sociedad.

Capítulo 4

LA POESÍA

1. De la guerra a la primera postguerra

El impacto de la guerra en el conjunto de la actividad intelectual y artística, al que ya nos hemos referido con anterioridad, quizás no fue tan grande en ningún género literario como en la poesía. Al menos, desde un punto de vista cuantitativo, resultó tan enorme su influjo que se cuentan por millares los hombres que se ven atraídos por la poesía y que, mediante el verso, desean expresar las pasiones políticas del momento. Es obvio que se trata de una poesía de urgencia, circunstancial, perecedera; una poesía, en suma, comprometida. El compromiso del poeta, como bien demostró Cano Ballesta [1972], no es nuevo y se había convertido en la inclinación dominante de un amplio sector de nuestra lírica durante los crispados años de la República. Esa línea se acentuó desde el estallido de la contienda y se convirtió en la meta fundamental de los contendientes en uno y otro bando. Cuantitativa y cualitativamente —y hasta donde hoy nos es posible conocer el fenómeno—, fue mayor la contribución poética de los republicanos. De cualquier modo, en las dos Españas se encuentran rasgos formales y temáticos semejantes, aunque de significación contraria. Y se hallan, también, notas externas coincidentes; por ejemplo, el amplio número de escritores ocasionales, hombres urgidos por una necesidad comunicativa inmediata que utilizan el verso para liberar el odio al enemigo o para exaltar sus propias creencias. En consecuencia, la calidad estética se resiente y esta poesía, de gigantescas dimensiones, queda —cuando se ha conservado— como testimonio histórico y no como obra de arte estimable.

La poesía, durante la guerra, fue copiosa, pero una información meramente cuantitativa dice muy poco respecto de su virtualidad. Ésta es, tal vez, la nota distintiva peculiar y el fenómeno que, sobre todo, conviene subrayar. Porque lo importante no es la cantidad sino la función que desempeña en aquel momento histórico, inseparable, además, de los medios a través de los cuales se transmite. Por supuesto que se editan libros —con frecuencia se reúnen compilaciones temáticas—, pero el vehículo habitual son las publicaciones periódicas, de modo que la poesía sale del círculo restringido de lectores que parece serle consustancial para convertirse en medio de expresión y de comunicación de ideas y de sentimientos de una colectividad. Por ello alcanza tanto auge el romance y, a veces, esos poemas sencillos se memorizaban y se hacían populares, por ejemplo este reproducido por M. Bertrand [3/1980]:

Canta, miliciano, canta
y canta todos los días,
que quiero con tus cantares
convivir las alegrías
lo mismo que los pesares.

El domingo ya pasó,
las flores se estropearon,
las campanas no tocaron
y Madrid no se tomó.

Le he prometido a mi novia
ser algo más que valiente,
pues ella sabe la rabia
que tengo yo al otro frente.

Mientras tengamos fusiles
y no falten municiones,
venceremos los civiles
contra todas las naciones.

En ocasiones, poetas de prestigio —entonces o más tarde— eran autores de letras que se convertían en marchas, canciones militares o himnos de un Regimiento (diversas composiciones de este tipo escribieron Herrera Petere, Pla y Beltrán, Miguel Hernández, Pedro Garfias, Rafael Alberti; en el bando contrario, Dionisio Ridruejo contribuyó en 1935 a la creación del «Cara al sol», el himno de la Falange).

Este florecimiento de poesía política y belicista parece un fenómeno de carácter espontáneo —y, de hecho, numerosos poemas son anónimos—, pero es inseparable de la acogida que encontró en las mentadas publicaciones periódicas, que, sin una índole estrictamente cultural —y, mucho menos, literaria—, apostaron por la utilidad revolucionaria del verso. A ninguno de los dos sectores contendientes se le ha de considerar depositario exclusivo de esta actitud, aunque fue, sin duda, la España republicana la que más auge le dio. Y no sólo en publicaciones de importancia y cierta perdurabilidad —*Hora de España* o *El Mono Azul*— sino en decenas de periódicos y boletines, ya de difusión generalizada, ya limitados a un lugar del frente o la retaguardia, a una asociación... En todas ellas se incluían poemas de guerra y de exaltación política. Especial importancia poseyó el romancero insertado en *El Mono Azul,* que alcanzó gran popularidad y que dio origen a diferentes publicaciones unitarias (entre otras, *Romancero de la guerra civil,* 1936; *Romancero general de la guerra de España,* 1937). Da idea, también, de las dimensiones de este fenómeno el cancionero libertario que, según las investigaciones de Serge Salaün [1971], está firmado por unos dos mil nombres de autores.

La mayor parte de estos autores —incluidos aquellos que gozaron de cierta notoriedad en aquellos años— no han pasado a la historia de la literatura. En algún caso concreto, puede deberse al silencio impuesto en la postguerra sobre toda la literatura revolucionaria, pero, por lo común la causa se halla en el carácter ocasional de aquella poesía, y en el limitado interés artístico de muchos de los que la cultivaron. Incluso, aquellos poemas no pretendían la perpetuidad sino tan sólo contribuir a la causa que defendían. Así lo dice explícitamente la presentación de una *Colección de Canciones de lucha* (Valencia, 1939):

> [...] consideramos dignas de figurar en el cancionero de nuestra guerra aquellas [canciones] que, improvisadas en el fuego mismo del combate, surgieron espontáneas sin afán artístico o literario.

El *corpus* fundamental de esta poesía de guerra está constituido por esos millares de poemas y poetas ocasionales, pero también contribuyeron —dentro, además, de las exigencias del arte— escritores de renombre. De los poetas consagrados, recordaremos los nombres de Antonio Machado, Rafael Alberti, Miguel Hernández. También en el ámbito de los sublevados hubo una poesía de compromiso. De ella fueron portavoz algunas publicaciones periódicas antes recordadas como *Vértice.* Poetas conocidos —Dionisio Ridruejo, Agustín de Foxá, Manuel Machado...— contribuyeron a esa poesía política, ideológica y de propaganda. Se reunieron, además, compilaciones que presentaron aquella producción ocasional (por ejemplo, la *Antología poética del Alzamiento,* 1939; *Corona de sonetos en honor de José Antonio Primo de Rivera,* 1939) y alguno de aquellos poemas se convirtió en el emblema de la poesía sublevada, en especial el *Poema de la Bestia y el Ángel* (1938), de José María Pemán.

Separada por la radical frontera de dos concepciones del mundo antagónicas, toda esta poesía de la guerra tiene puntos en común: su carácter propagandístico, sus ataques al contrario, su general maniqueísmo... y, además, numerosos temas coincidentes. Sin el propósito de presentar un panorama completo, señalaremos algunos. Es frecuente la exaltación de los símbolos y la glorificación de las figuras destacadas de la lucha. Así, los sublevados encomian los emblemas de la Falange o la bandera bicolor. En el mencionado *Cancionero de la guerra* se incluye un «madrigal» firmado por C. Cienfuegos en algunos de cuyos versos se ve con claridad ese tono apasionado:

No te verán mis ojos
de nuevo suplantada
por trapos tricolores
ni por andrajos rojos,
ni has de volver a ser jamás arriada;
que para defenderte
con mi vida, mi honor tengo empeñado,
y soy por ti soldado,
y falangista y requeté esforzado [...].

En el lado contrario, por ejemplo, un poema de Félix V. Ramos (recogido por Calamai [1979]) ensalza símbolos de un sector de la España republicana:

No se ven las amapolas
en su mano rojear;
el rojo ahora lo llevan
de estandarte, de ideal,
con una hoz y un martillo,
símbolos de libertad. [...]

También es frecuente el panegírico de los protagonistas de la lucha. Se escriben poemas de homenaje a Líster, a la Pasionaria, al «Campesino», en un sector. En el contrario, se canta a Franco, a José Antonio, a Mola, a Calvo Sotelo, a Sanjurjo... Y, en ambos, son nombres muy significativos quienes los firman: Alberti, Altolaguirre, Miguel Hernández, Herrera Petere, Machado, Prados, Serrano Plaja...; Gerardo Diego, Foxá, Laín Entralgo, Leopoldo Panero, Pemán, Ridruejo... Entre otros temas habituales figuran la vida en el frente, el elogio del soldado, las actitudes en la retaguardia, en fin, el propio papel del poeta en la lucha que, como antes dijimos, había sido objeto de largas especulaciones teóricas. Todos esos motivos, tratados de la manera un mucho inmediata que hemos sugerido, poco decantados, fueron los responsables de esa anormal abundancia de creación poética que mereció las descalificadoras palabras de Luis Cernuda [1970, pp. 184-185]:

> Durante los años de la guerra civil hubo excesivo acopio de versos, tanto de un lado como de otro; y aunque la consigna fuera «cantar al pueblo», de un lado, y de otro «cantar la causa», ni unos cantos ni otros, productos de ambas consignas (era inevitable), sobrevivieron al conflicto. La destrucción y la muerte, sea bajo tal o cual pretexto, no se pueden cantar y mucho menos glorificar; quienes por ellas han tenido que pasar, y sobrevivieron a la catástrofe, acaso puedan utilizarlas más tarde como experiencias humanas [...]

La poesía más inmediata al fin de la contienda será deudora, siquiera en una pequeña parte, de los planteamientos literarios de la guerra. Por ello no faltará ni exaltación política, ni belicismo, ni triunfalismo. De hecho, cuando estas manifestaciones declinen entonces empezará la historia de la poesía de postguerra, cualquiera que sean sus postulados artísticos. La idea imperial que predomina entre los vencedores —según la vimos antes— intentará crear artificiosamente una característica poesía de corte heroico; a veces, dará lugar a manifestaciones poéticas más decantadas —el movimiento garcilasista, por ejemplo, del que luego hablaremos—; en otras ocasiones, la implicación en los sucesos inmediatos será mayor. Sin embargo, una tal poesía heroica fue menos abundante de lo que se ha dicho, y según señaló García de la Concha [1973], no tuvo grandes repercusiones. Es imprescindible recordar una antología en dos gruesos volúmenes —de cuidada y casi lujosa presentación— preparada por Luis Rosales y Luis Felipe Vivanco que bajo el título *Poesía heroica del Imperio* (Ediciones Jerarquía, 1940) recogía una amplísima selección de poetas de los Siglos de Oro. Más que por la excelencia de los poemas heroicos seleccionados, importa por el influjo que tuvo en la reafirmación de un decir clasicista cuya recuperación se había iniciado con anterioridad, pero que se impondría como una de las tónicas dominantes de la primera postguerra. Muestra de la pervivencia de esa poesía de compromiso en estos mismos años es *El almendro y la espada* (1940), de AGUSTÍN DE FOXÁ. El neorromanticismo sentimental de sus dos primeras partes da paso a una tercera, «Cantos de guerra», con todos los tópicos del momento: el Cid cabalga hacia Valencia y el Duce recibe su canto; los asesinatos al alba y la evocación de un mundo mejor aparecen al lado del tanque ruso que aplasta Castilla; los vituperios a la URSS se hallan junto a los elogios a la Falange; en fin, se lanza una proclama para unir a todos —menestrales, obreros, «hermanos del taller y la tahona»— en el proyecto de la España vencedora, bien extraña dado el aristocratismo que en otros lugares había exhibido Foxá. En conjunto, sin embargo, y fuera de los inevitables poemas propagandísticos, la poesía heroica no ocupó tanto espacio como sería esperable. En este sentido, es interesante recordar —aunque no sea un caso por completo representativo— que un Dionisio Ridruejo, incluso cuando escribe en el fragor de la guerra española o en el frente ruso sólo en pequeña medida atiende a una temática épica y, por el contrario, predomina una reflexión que puede calificarse de intimista.[1]

2. La poesía en los años cuarenta

La poesía es el género literario que, durante la postguerra, ofrece mayor variedad y también, posiblemente, mayor riqueza, a pesar de que se haya denunciado reiteradamente la monotonía y esterilidad de amplios períodos temporales. En el capítulo 1 de este libro ya hemos planteado cómo, en buena medida, aunque se inscriba en la órbita general de las grandes tendencias estéticas que se suceden desde los años cuarenta, a la vez tiene caracteres específicos. Son éstos los que le apartan de los fundamentos literarios más establecidos en ese discurrir histórico y los que hacen más dificultosa su exposición. En primerísimo lugar, debemos recordar algo que también dijimos: la poesía conserva mucho mejor la tradición de anteguerra y, aun en el supuesto de una innegable ruptura, recupera bastante pronto las señas fundamentales de dicha tradición; a la vez, es necesario señalar que el contacto de nuestros jóvenes poetas con la más significativa lírica occidental, sin alcanzar una completa normalidad, resultó relativamente amplio. La innegable complejidad del panorama poético ha producido, sin embargo, hasta fechas bastante recientes una sorprendente simplificación teórica e histórica que ya se encuentra en un oportuno proceso de revisión. Revistas como *Garcilaso*,

1. La bibliografía fundamental para este primer epígrafe ha sido mencionada a lo largo de la exposición del mismo. Son útiles las entradas citadas en la Bibliografía inicial del capítulo 1 de este libro. Poseen particular interés los trabajos de Cano Ballesta [1972] y [1984], Calamai [1979] y J. Lechner [1968]. Para la poesía anarquista, véase S. Salaün [1971].

Escorial o *Espadaña,* aunque ostenten sus signos distintivos, no se constituyen en portavoces de tendencias monolíticas y excluyentes (basta, para comprobarlo, constatar la ubicuidad de algunas firmas). Ni son, tampoco, los únicos órganos que transmiten las corrientes vivas de la poesía de aquella época, pues con frecuencia se han relegado publicaciones como *Cántico* o *Postismo* o preterido singularidades —Miguel Labordeta, por recordar un nombre— que suponen interesantes y cualificadas disonancias en ese panorama de pretendida uniformidad. A la vez, dichas revisiones críticas implican el riesgo de acentuar una excesiva diversidad —o de promover revalorizaciones desmedidas— en detrimento del reconocimiento de algunas tendencias predominantes, pero no únicas. También se corre el peligro de olvidar el impacto negativo causado por el exilio de poetas de la altura de Juan Ramón Jiménez o de los grandes líricos del 27 (Guillén, Salinas, Alberti, Cernuda...). Bien es cierto que la sensación de orfandad parece menor que en otros géneros por la residencia en el interior de algunos nombres —Dámaso Alonso, Vicente Aleixandre y Gerardo Diego— que garantizaban la pervivencia de la tradición de anteguerra. La función de aquellos dos, sobre todo a partir de 1944, como orientadores de la poesía de postguerra resulta inexcusable (lo que no es obstáculo para que la crítica discrepe sobre la intensidad real de su magisterio o de su influjo).[2]

2. A pesar de la importancia intrínseca de la poesía en el conjunto de la literatura de postguerra, no existe ningún manual general, amplio y abarcador de todo el período, en la línea de los diferentes —señalados en su momento— que se ocupan de la novela. Sí deben consignarse, en cambio, varios trabajos sintéticos, de breve extensión y de interesantes, y, por lo común, coincidentes planteamientos globales. Ahora los citaremos, porque antes hay que mencionar el trabajo básico y modélico para toda esta década, el de Víctor García de la Concha [1973], estudioso al que sólo debemos reprochar que no haya extendido su análisis a fechas posteriores. Puesto que el conocimiento de la poesía debe seguirse, sobre todo aunque no exclusivamente, en las revistas poéticas —tan abundantísimas—, el otro estudio básico, de consulta inexcusable, para toda la postguerra es el de F. Rubio [1976], libro más veces saqueado que citado.

Entre esos estudios sintéticos, recordamos el excelente panorama de F. Grande [1970] y los atinados trabajos de J. Benito de Lucas [1981], J. Paulino Ayuso [1983]; anteriores, pero todavía útiles, son los de F. Quiñones [1966] y L. Rodríguez Alcalde [1956]. Entre los capítulos consagrados a la poesía en las historias de la literatura, son de imprescindible recuerdo el de E. Miró [1980] y el de A. Valbuena Prat [1983], siempre que se maneje esta edición, revisada y muy ampliada por María del Pilar Palomo. En el terreno de los artículos, hay varios que deben consultarse: los de C. Bousoño de [1972] y [1979] (si se leen de forma continuada, constituyen un estudio básico de las sucesivas promociones o tendencias de postguerra), A. Gallego Morell [1972], G. Carnero [1978] y varias colaboraciones de J. Marco recogidas en [1969] y de J. L. Cano reunidas

1) *La primera generación de postguerra*

Hechas las anteriores precisiones y advertida en el epígrafe precedente la escasa vigencia de la poesía heroica e imperial, directamente relacionada con la lucha, nada más acabar la contienda nos encontramos con la plena actividad poética de unos nombres que, a la vez que sirven de eslabón con la lírica de preguerra, marcan algunos sostenidos rumbos de los primeros años cuarenta. Se trata de poetas con interesante obra anterior (Panero, Rosales, Vivanco, Ridruejo...) o más incipiente (García Nieto...), que deben considerarse como la primera promoción de postguerra y que ya cuentan con discutibles y cómodos tranquilos encasilladores: la polémica «generación del 36», el grupo de *Escorial*, el grupo de *Garcilaso*... Todas estas clasificaciones merecen una atenta y paciente revisión —cuyo lugar no es este libro— y, sin aceptarlas como normas definitivas, acudiremos a ellas en virtud de su valor didáctico.

El marbete de «generación del 36» ha hecho correr bastante tinta y ha provocado notables discusiones. Bajo esa etiqueta —o bajo otras alternativas que se han propuesto: de la República, de la Dictadura, del 35—, lo cierto es que acoge a un nutrido grupo de poetas cuyo voz lírica se consolidaría con el tiempo y que coinciden en comenzar su obra entre los últimos tiempos de la República y finales de la guerra. El aplicarla, como en ocasiones se ha hecho, sólo a los poetas adictos a la sublevación militar (los Panero, Rosales, Ridruejo) o sólo a los de fidelidad republicana (Gil Albert, Miguel Hernández, Serrano Plaja...) parece que desvirtúa el carácter colectivo que deben tener los movimientos generacionales (no es cuestión de entrar aquí a debatir su misma validez). Por ello, reconocido ese rasgo común, parece

---

en [1974]; el artículo de J. Lechner [1984] se fija en las poéticas de postguerra. El trabajo de P. Gimferrer (en S. Clotas y P. Gimferrer [1/1971]) es una interesante muestra de la consideración entre distanciada y airada de la poesía precedente desde el punto de vista de la generación de los novísimos. El libro de J. González Muela [1973] es poco orgánico, pero resulta útil e interesante; telegráfica información sobre poetas contiene el de L. López Anglada [1967]; también deben consultarse dos libros que exceden el horizonte cronológico de la postguerra, pero que entran en ésta, los de L. F. Vivanco [1971] y G. Siebenmann [1973].

Varias antologías van precedidas de estudios preliminares que abarcan las diferentes tendencias poéticas desde la lucha; por la amplitud y el carácter panorámico de sus estudios destacamos las de J. P. González Martín [1970] y F. Rubio-J. L. Falcó [1981]; igualmente deben recordarse los preliminares, más breves, de G. Carnero [1976], M. D. de Asís [1977], R. Velilla [1977], M. García Posada [1979].

preferible atender a algún tipo de vinculaciones que voluntariamente establezcan los escritores. Y, desde este punto de vista, no estimamos inexacto hablar de un grupo de *Escorial*. En efecto, en torno a esta revista se aglutinan poetas que se distinguen por algunos caracteres formales y temáticos conciliables y que, además, presentan coincidencias en su evolución biográfico-intelectual. A varios de ellos los encontramos primero en la revista *Jerarquía* y constituyen el núcleo poético de los escritores falangistas (apelativo que sólo les será aplicable durante un período de su vida, pues alguno como Ridruejo se desligó pronto no tanto de las esferas del poder como, incluso, de la militancia política).

Escorial, sin embargo, no fue una revista prioritariamente de poesía y, por ello, sólo de modo aproximado puede decirse que tuviera una explícita «poética» propia. El signo más llamativo de su concepción de la poesía lo hallamos indirectamente en la recuperación exaltadora del clasicismo renacentista español y en la consecuente difusión de un modo lírico que contribuye al asentamiento de la línea formalista predominante en los primeros cuarenta. En este sentido, su influjo fue considerable, pero también es cierto que en ella firmaron jóvenes, nuevas y, con frecuencia, inéditas voces que poco tiempo después protagonizarían diferentes y aun contrapuestas orientaciones literarias (desde Valverde hasta Nora, por citar un par de nombres). Así pues, si en *Escorial* subyace una teoría poética en consonancia con el ideario falangista, en la práctica acogió sin un criterio exclusivista a los poetas del momento con un eclecticismo que, por otra parte, caracteriza a las publicaciones de este período, según tendremos ocasión de repetir.

Con frecuencia se asocia la obra de LEOPOLDO PANERO (1909-1962) con una preferente inclinación religiosa, pero una consideración global de sus *Poesías* (preparadas por Juan Luis Panero en 1973) nos hace ver en él un poeta de algo más variados estímulos y registros, aunque no desdice esa preocupación central. En especial, los poemas juveniles incorporados en esta edición rinden tributo a un sorprendente vanguardismo. Parte de lo que escribe y publica durante los años treinta muestra ya una clara tendencia a la recuperación de las formas tradicionales y a la exposición de un nudo de vivencias religiosas. Sobre esos sustratos básicos, su obra, de moderadas proporciones, crece con continuidad, como ampliaciones sucesivas de una sustancial visión del mundo. Por ello quizás tarda tanto en editar su primer libro, *Escrito a cada instante* (1949), precedido de dos publicaciones en cierto modo marginales, *Versos del Guadarrama* (1945) y

La estancia vacía (1944). En estas obras, Panero habla, ante todo, de Dios, a quien invoca o se dirige en numerosas ocasiones. A veces adopta un tono narrativo (por ejemplo en la extensa composición «La estancia vacía») adecuado para transmitir su permanente inquietud por la temporalidad. Desde ésta intentará el poeta explicar las relaciones del hombre con lo contingente y con la trascendencia. Y todo ello mediante un verso sin aparentes ornatos, sencillo de léxico, cauto en la imaginería. En *Canto personal* (1953) reafirma su sistema estético y su visión del mundo a través de un largo poema unitario presentado como una carta a Neruda. Respecto de aquella, insiste en un decir directo:

> Permite, musa mía, que a la rosa
> la llame rosa; y música a su rama
> de fuerza desvivida y espinosa

En cuanto a la visión del mundo, descubrimos una ratificación de su actitud creyente,

> Mi fe es también creer lo que no he visto,
> pero que sólo con cerrar los ojos,
> perpetuamente sé que lo conquisto,

También hallamos una confirmación de la bondad del dolor («Toda necesidad nos perfecciona»), de la creencia en la salvación de la persona y del orden necesario del universo. El largo recorrido narrativo por paisajes, por su propia biografía, por amigos y por lecturas, le permite llegar a una conclusión que es, ante todo, una corroboración del sentido itinerante de la vida del hombre. Por ello uno de los estudiosos de Panero ha calificado la suya como «la poesía de la esperanza» (E. Connolly) y L. F. Vivanco [1971] lo describió «en su rezo personal cotidiano». A pesar de algunas innecesarias e impertinentes irrupciones políticas en sus versos, la obra de Panero se consolida con el tiempo y hay que reconocer en él a un certero poeta intimista. Del grupo vinculado con Falange, tal vez sea el de una emotividad más sincera y decantada, y, aunque ha obtenido menos resonancia que otros —un Rosales, por ejemplo—, creemos que su poesía permanecerá por encima de prestigios ocasionales.

La dimensión cívica —incluso, si se quiere, política— de DIONISIO RIDRUEJO (1912-1975) es siempre un serio escollo para una valoración ecuánime —desde perspectivas estéticas— de su producción poética. Ello no sólo por el relieve público de su biografía —tanto en la época de su inicial falangismo como en los momentos de contestación al Régimen— sino porque, en buena medida, su poesía es la plasmación lírica de las inquietudes morales, intelectuales y, en menor grado, hasta políticas del autor. Al igual que en otros compañeros de su promoción, la poesía de Ridruejo puede considerarse desde la óptica de una autobiografía moral. Sin embargo, no es un poeta testimonial (aunque puedan espigarse poemas que encajen bajo este rótulo). Por otro lado, nos hallamos ante un escritor en cierta medida caudaloso, estimulado por las múltiples vicisitudes de su azarosa existencia, poco contenido —a pesar de que haya realizado varias veces severas selecciones— y, en consecuencia, algo irregular. Sus primeros tanteos poéticos tienen lugar en la preguerra (*Plural,* 1935, contiene poemas escritos desde 1929) y a lo largo de la lucha se consolida una inicial línea poética que se prolongará en los primeros años cuarenta (*Primer libro de amor,* 1939; *Poesía en armas,* 1940 y 1944 —ésta con los «Cuadernos de Rusia»—; *Fábula de la doncella y el río,* 1943; *Sonetos a la piedra,* 1943; *En la soledad del tiempo,* 1944; *Elegías,* 1948). Ridruejo se ve ganado por una inclinación formalista (bien manifiesta, por ejemplo, en los *Sonetos...*, estrofa, por otra parte, frecuente en los títulos de esta década) y entre los influjos se detectan los de Salinas y Gerardo Diego.

Existen poemas de urgencia —reunidos en parte en *Poesía en armas*— como «18 de julio» o los elogios a Franco o a José Antonio, por ejemplo, pero no son muy numerosos y el propio poeta los desautorizó en diferentes compilaciones de su obra. Su honestidad personal le indujo a no eliminarlos por completo, pues se debatía entre la voluntad de no ocultar un pasado que nunca negó y la evidencia de que eran «ya escasamente representativos de mis sentimientos y convicciones». En *Hasta la fecha* (volumen selectivo de poesías completas al que pertenecen las palabras entrecomilladas) explicaba su distanciamiento de esta poesía:

> Hoy, el modo de vivir la ocasión histórica que estas poesías documentan me resulta no sólo extraño, sino inconcebible. Y principalmente porque el retoricismo y la superficialidad evasiva de estas composiciones no trasluce de ningún modo una experiencia viva, y más parece aludir a cosas ocurridas en el país de los sueños que a furias, dolores y esperanzas encarnizadas [*sic*] en un pueblo real.

Predomina en Ridruejo una veta intimista y una temática amorosa que contrastan con las circunstancias sangrientas en que escribe muchos de los poemas —en España y en Rusia— que pasan a varios de los libros mencionados. El paisaje y la naturaleza, algunas composiciones religiosas, sentimientos íntimos, construcciones artísticas y ruinas, motivos metaliterarios... son algunos de los temas más frecuentes. Predomina la dicción neoclásica, se acerca a los modelos —a veces hasta el extremo del eco mal oculto—, vierte en el poema estímulos de la vida afectiva, intelectual, moral...

Ya desde mediada la década se percibe un cambio en Ridruejo que supone, sobre todo, el progresivo apartamiento de los moldes formalistas. Ese cambio será notorio en el distintivo acento de los poemas a su hija recogidos en *Los primeros días* (1958) y en algunas de las secciones —«Assumpta», particularmente— de su compilación *Hasta la fecha* (1961). Desde estos años su actividad lírica es menor: *Cuaderno catalán* (1965), *Casi en prosa* (1972), *Cuadernillo de Lisboa* (1974), *En breve* (1975). La evolución general de Ridruejo le lleva hacia una expresión más sencilla y un sentimiento más reconcentrado, paralelos a la progresiva aparición de unos contenidos de mayor proximidad a la nostalgia y al escepticismo. Esa trayectoria culminará en un predominio de las estrofas breves, incluso en la adopción de un tono narrativo y en el empleo de unas formas cercanas al decir en prosa.

También en la inmediata anteguerra empieza su obra LUIS ROSALES (1910). *Abril* (1935), su primer libro, coincide en la fecha de edición con otros significativos poemarios de escritores de su promoción y muestra inclinación religiosa, apego a las formas tradicionales y, como ha señalado la crítica reiteradamente, influjo guilleniano. Poeta parco de obra —aunque últimamente haya alcanzado ciertas dimensiones—, aparecen sus versos en publicaciones periódicas y en 1949 edita su título más importante, *La casa encendida*. Se observa, en primer lugar, la desaparición de las estrofas clásicas que predominaban en *Abril* —sonetos, décimas, romances...— y su sustitución por un largo poema, que se fragmenta en unidades de contenido, de carácter eminentemente narrativo. A partir de su más inmediata experiencia biográfica —recuerdos de juventud, amigos y colegas actuales—, sin desdeñar incluso lo más próximo al autor —la calle y el número de la casa en la que vive—, supera todo lo contingente para conseguir una pervivencia de lo fundamental; la memoria es, en este proceso, esencial; una memoria de recuperación de vivencias que en el prólogo del libro se expresa en términos que podría suscribir un *Azorín* (se dice, por ejemplo, que «vivir es ver volver»). Interés posee la mezcla de estímulos y de actitudes literarias que percibimos. Si el tono narrativo impone la presencia de voces cotidianas —por lo que concierne al léxico— y la configuración de escenas casi costumbristas —en lo que afecta al desarrollo anecdótico—, no se trata, sin embargo, de un poema testimonial; al contrario, una rica imaginería, con frecuencia de origen surrealista, contribuye a desrealizar el contenido y a ahuyentar toda clase de didactismo.

Los libros sucesivos de Rosales prosiguen en la explicación del hombre a través de la vivencia de la temporalidad: *Rimas* (1951), *Segundo abril* (1972), *Canciones* (1973). Toda su obra, de este modo, tiene un carácter bastante unitario, aunque también se percibe en ella una considerable evolución. Por un lado, desembocará, en los títulos posteriores (*Diario de una resurrección,* 1979; *La carta entera,* 1980; *Un rostro en cada ola,* 1982; compilados en *Poesía reunida,* 1983), en una visión poco luminosa, escasamente positiva del mundo, que implica un acuciante sentimiento de la soledad y del desasistimiento humanos, muy distante de la inicial de *Abril.* Por otro, en cuanto a la forma, extiende el uso casi exclusivo del versículo amplio. También debe anotarse la irrupción de un humor algo ácido, y, a la vez, distanciado y la deliberada presencia —con sentido directo u oblicuo— de lo ensayístico y discursivo. La mencionada evolución, no obstante, no debe entenderse como ruptura, pues en estos últimos títulos encontramos, como referencias a una labor de conjunto, no sólo antiguas estrofas sino motivos y situaciones de su segundo libro (en ocasiones la relación no es tan directa, pero el eco sí perfectamente discernible; por ejemplo, estos versos del *Diario...* bien podrían serlo de *La casa encendida*: «Así ha pasado el tiempo desde entonces / y las cosas que he vivido contigo se convirtieron en necesidades / y la vida que no vivimos juntos es una casa sin ventanas»).

La poesía de Rosales gozó de prestigio en los años cuarenta y en ellos aportó un decir personal y suficientemente diferenciado de las formas más convencionales del momento. Más tarde conoció un notable desinterés —sus libros se reeditaron en colecciones de muy poco prestigio— y en fechas recientes se ha producido una recuperación que incluye el respeto de los poetas del medio siglo y el influjo en algunos más jóvenes. Si aquel olvido fue injusto, tal vez resulte extremada la posterior valoración, pues Rosales nos parece un poeta al que no puede negársele ni habilidad para el manejo del lenguaje —se suelen señalar sus aciertos en este terreno— ni capacidad para la creación de imágenes, pero de un limitado orbe de vivencias que hace su poesía un tanto monocorde y reiterativa. Un voluntarioso esfuerzo por superar esas restricciones creemos que explica su más reciente inclinación a la paradoja, al absurdo, al léxico infrecuente o llamativo —en resumen, un verbalismo atractivo y un punto gratuito—, como si tras esa superficie sugeridora intentase ocultar la ausencia de profundos e insoslayables estímulos.

LUIS FELIPE VIVANCO (1907-1975) es el poeta de este grupo relacionado con *Escorial* que ha obtenido menos resonancia, aunque su obra coincida en algunos sustanciales planteamientos con la de sus compañeros de promoción y alcance no menor altura que la de éstos. Su primer libro aparece en el umbral de la guerra (*Cantos de primavera,* 1936) y, aparte su dimensión religiosa, tiende a un barroquismo del que se desprenderá progresivamente a lo largo de los títulos posteriores. Éstos tampoco son muy amplios: *Tiempo de dolor* (1940), *Continuación de vida* (1949), *El descampado* (1957) y *Los caminos* (1974), un volumen que recoge diversos libros con poemas fechados entre mediados de los cuarenta y los sesenta. El proceso de Vivanco apunta a una depuración del decir poético, a una palabra más sencilla y transparente, cargada de profunda emoción para expresar un sentimiento religioso de la vida a partir de experiencias íntimas. La interioridad tiene claro predominio en Vivanco sobre el mundo exterior. Póstumo apareció un libro enormemente singular, *Prosas propicias* (1976), que muestra una impensable evolución vista desde la perspectiva de su primitivo neoclasicismo. El verso ha sido sustituido a lo largo de todo el volumen por la prosa, se suprimen los signos de puntuación, entra prácticamente el discurso automático y aparece algo semejante a la corriente de conciencia. Buena parte de él es muy culturalista (homenajes a escritores de diferentes tendencias) y no falta un abierto aire lúdico y experimental. En el «Soneto en prosa», por ejemplo, cuatro fragmentos en prosa reconstruyen visualmente la estructura de la tradicional estrofa.

También por cronología pertenecen a la misma generación otros poetas que van a determinar una tendencia teórica de fuerte aunque limitado impacto. Se trata de los escritores que se congregan en torno al movimiento «Juventud creadora» y que constituyen el núcleo fundamental de la revista *Garcilaso.* García de la Concha [1973] ha narrado con detalle aquel movimiento y nos atendremos a su exposición. Ya desde la misma guerra se venían reuniendo un grupo de jóvenes falangistas —Rafael Moreno Moliner, Jesús Juan Garcés, Jesús Revuelta y José Fernando Aguirre— que discutían sobre poesía y sobre el carácter de ésta en la previsible nueva situación política. A ellos se sumaría pronto José García Nieto. Acabada la guerra, desde diversas publicaciones vinculadas con la Falange —el semanario *Juventud,* el periódico *Arriba*...— se polemiza sobre los valores presentes de la poesía y se publican diversos textos teóricos —algunos con carácter de manifiesto— que, a la vez que exigen una ruptura con una literatura «reblandecida», postulan una nueva estética. De esta manera, según de la Concha [1973, pp. 192-193],

> Se va perfilando [...] una poética del joven grupo falangista que podríamos sintetizar en dos puntos: atención preferente a un contenido vital; proyección en el quehacer creador de un talante apasionado y heroico.

A estos jóvenes se une Pedro de Lorenzo, quien en diferentes plataformas había reclamado un retorno a la creación y un abandono del ensayo y de la exégesis. Así surgirá, vinculado a este grupo de poetas aposentados en el madrileño Café Gijón, el movimiento de la «Juventud creadora», que será presentado públicamente en *Juventud* y en *El Español*. Pero este movimiento necesitaba un órgano propicio de difusión y aquellos jóvenes poetas acudieron a Juan Aparicio —promotor de la cultura oficial a quien ya hemos mencionado varias veces— quien les ofreció su ayuda, pues percibió que tras esa tendencia literaria se escondían enormes posibilidades de montar una operación política de prestigio cultural del Régimen. Así surgió en 1943 la revista *Garcilaso*, bajo el lema «Siempre ha llevado y lleva Garcilaso» y en la que figuran como fundadores Jesús Juan Garcés, José García Nieto, Pedro de Lorenzo y Jesús Revuelta. Hasta la desaparición de la revista en 1946 hubo disensiones y enfrentamientos, y, de hecho, su responsable permanente fue García Nieto. Es interesante indicarlo porque sólo de forma parcial expresó una poética falangista. Sí que, en cambio, el propio título de la revista ponía bajo la advocación de Garcilaso una visión «castrense, imperial, caballeresca y amorosa» (de la Concha, *ibid.*) de la vida a la que se unía una recuperación del estilo neoclásico. La revista se convierte, más allá del eclecticismo que en ocasiones revela, en la manifestación de toda una corriente poética, un «garcilasismo» que el mismo de la Concha ha resumido en estos rasgos generales: reviviscencia del Cancionero y tendencia neopopularista; tema amoroso en torno a la ausencia o la pérdida de la amada cercano al tópico; preferencia por el paisaje de Castilla, «contemplado como expresión de espiritualidad»; abundancia de poesía sacra y religiosa bastante retórica; cierta inclinación por unas situaciones paisajísticas románticas; cierto gusto por una poesía burlesca y satírica; preferencia por poetas clásicos —Santillana,

Aldana, Quevedo, Meléndez Valdés...—, aparte del propio Garcilaso; una visión positiva del mundo...

El comienzo del editorial del número inicial de *Garcilaso*, siempre citado, posee un extraordinario interés histórico porque expone con claridad los intentos de ordenar una poesía oficial que se reveló inviable. Dice así:

> En el cuarto centenario de su muerte (1936) ha comenzado de nuevo la hegemonía de Garcilaso. Murió militarmente como ha comenzado nuestra presencia creadora. Y Toledo, su cuna, está ligada también a esta segunda reconquista, a este segundo renacimiento hispánico, a esta segunda primavera del endecasílabo.

Las conexiones entre política y poesía son patentes en este texto, pero, como ha subrayado F. Rubio [1976], ésa es sólo una de las dos principales tendencias que conviven y se enfrentan en la revista, y no precisamente la vencedora. Al contrario, José García Nieto asume en el número 3 la dirección y con él triunfa una tendencia más próxima al arte por el arte. Según escribe esta misma estudiosa,

> Creemos [...] que se sobreestimaron en su momento ciertas connotaciones y sugerencias políticas en torno al fenómeno garcilasista. Su «politicismo» no lo era de una manera directa, como lo entendieron los que identificaron la revista con sus editoriales o el nombre de determinados colaboradores.

En la nómina de colaboradores de *Garcilaso* sobresalen las personas implicadas en su lanzamiento y gestión. Sin embargo, otras presencias indican lo que ya antes hemos anotado, una normal frecuentación de diversas publicaciones de nombres que más tarde han representado, bastante esquemáticamente, tendencias muy definidas. *Garcilaso* acoge —al margen de la poética sustentada por la revista— una amplia muestra del quehacer del momento. Por eso es menos llamativo el encontrar la firma de C. E. de Ory, de J. M. Valverde, R. Morales, C. Bousoño o del mismo Juan Ramón Jiménez. De los escritores de mayor implicación «garcilasista», escasa memoria ha guardado la historia. De Pedro de Lorenzo suele recordarse —en ocasiones y sin otorgarle un lugar prominente— su refinada prosa ensayística y novelesca. En relación con esta revista es necesario, sin embargo, citar *Los Cuadernos de un joven creador* (1971), por su valor informativo. Quien ha mantenido un quehacer poético más constante es José García Nieto (1914), con más de una veintena de títulos, reiteradamente premiado, y sostén de otras revistas posteriores, sobre todo de *Poesía española.* Una imagen deformada del garcilasismo quizás le haya detraído lectores y consideración crítica, pues hoy sufre un excesivo olvido, injusto a la vista del mayor predicamento logrado por otros poetas de méritos inferiores o iguales. Convendría hacer una seria revisión de su poesía y, desde luego, es preciso destacar que se trata, desde sus inicios, de un poeta de fortísimo acento intimista, tal vez algo convencional, pero sincero y diestro en el manejo del lenguaje y en la construcción del poema, de sabor clasicizante. En los años sesenta publica, entre otros, varios títulos que merecen particular atención: *Elegía en Covaleda* (algo anterior, 1958), *Circunstancia de la muerte* (1963), *La hora undécima* (1963), *Memorias y compromisos* (1966).[3]

2) *1944, fecha sintomática*

El formalismo a ultranza de *Garcilaso* había generado una tendencia mimética que fue pronto objeto de denuncias y, por otra parte, había producido malestar en algunos círculos literarios que la atacaron por diferentes causas. La reacción contra ella, pues, se produjo tempranamente y, aunque no sea el único grupo opositor, la encarna —con aire explícito de polémica y de combate— otra publicación periódica, *Espadaña,* que empieza a editarse en León en 1944. Este mismo año aparecen, además, dos libros sintomáticos de una profunda transformación —*Hijos de la ira,* de Dámaso Alonso, y *Sombra del paraíso,* de Vicente Aleixandre—, de larga huella en la poesía posterior. Este conjunto

3. Sobre Panero puede consultarse J. García Nieto [1963], E. Connolly [1969], L. F. Vivanco [1971] y C. Aller [1976]. Para Ridruejo, véase H. P. Schmidt [1972], el capítulo que le dedica L. F. Vivanco [1971], el artículo de A. Sierra de Cózar [1978] y el estudio preliminar de Manuel A. Penella a *Cuaderno de Rusia* y otras obras (Madrid, Castalia, 1981). En el número 257-258, monográfico, de *Cuadernos Hispanoamericanos* (mayo-junio, 1971) se hallan diferentes enfoques de la obra de Rosales y una bibliografía preparada por Alberto Porlan; téngase en cuenta, además, el correspondiente capítulo de Vivanco [1971] y el análisis de V. de la Concha [1973]. L. F. Vivanco, que fue también crítico informado y lúcido, no ha obtenido mucha atención para su obra; cf. los trabajos reunidos en *Cuadernos Hispanoamericanos,* n.º 311 (mayo, 1976). En relación con *Garcilaso,* son fundamentales los libros mencionados de de la Concha [1973] y F. Rubio [1976]; para *Escorial* ya se ha citado bibliografía en el capítulo 1. En conjunto, y por lo que concierne a las relaciones entre poesía y cultura en los años cuarenta, cf. también F. Rubio [1973].

de circunstancias convierten esa fecha, 1944, en un hito de toda la postguerra.

Espadaña, con su dilatada existencia —no exenta de grandes dificultades— entre 1944 y 1951 (fecha ésta del último número), se convierte en un imprescindible testimonio de la situación de la lírica española en los años cuarenta, en una pieza fundamental de la renovación poética y en un estímulo básico de las corrientes de signo realista dominantes en la década siguiente. Es cierto que, como acabo de decir, *Espadaña* nace, en buena medida, contra *Garcilaso* y ahora volveremos a ello, a pesar de que uno de sus promotores, V. Crémer, haya escrito que «La verdad es que *Espadaña* no intentaba oponerse a nada ni a nadie» (prólogo a *Poesía Total*). Antes, sin embargo, me parece necesario recalcar que tampoco pueden hacerse simplificaciones extremas y presentar estas publicaciones como banderas exclusivistas, según ya antes hemos advertido. Si Dámaso Alonso o José Hierro pueden calificarse como poetas más «espadañistas», no debemos olvidar que también publicaron en *Garcilaso.* Por contra, Luis López Anglada, Luis Felipe Vivanco, L. Panero, García Nieto escribieron en *Espadaña,* el primero con enorme frecuencia. En ambas revistas aparecieron poemas de Carlos Bousoño, José María Valverde, José Luis Hidalgo, Carlos Edmundo de Ory. En fin, por ampliar algo más el sentido de esta afirmación, no conviene olvidar, por ejemplo, que en *Cántico* colabora Gabriel Celaya. A veces, tras la consideración distanciada de estos fenómenos, podemos tener, incluso, la impresión de que más allá de distingos —por otra parte, incuestionables—, lo que realmente se produce es la existencia de unos amplios movimientos poéticos con más elementos en común de lo que suele decirse.

Espadaña constituye, en realidad, un panorama completo de toda la poesía española de los cuarenta, en la que se congregan desde los maestros de preguerra (Aleixandre, D. Alonso, Guillén entre los españoles; Vallejo y Neruda, de los hispanoamericanos) hasta alevines como Caballero Bonald o Carlos Barral. En ella se descubren importantes textos de Miguel Hernández y en sus páginas escriben buena parte de los jóvenes poetas de la inmediata postguerra (Nora, Rosales, García Nieto, Bousoño, Valverde, Hierro, Labordeta..., por citar algunos nombres representativos de diferentes tendencias). Los estudiosos de esta publicación (García de la Concha [1969], F. Rubio [1976]) han destacado el tono programático de un artículo de Antonio G. de Lama aparecido en la revista del Colegio Mayor madrileño *Cisneros* bajo el auspicio de Eugenio de Nora. En ese artículo se atacaba el clasicismo de *Garcilaso,* el apego a la retórica y al formalismo y se exigía «Menos perfección estilística y más gritos, menos metáforas y más gritos... Vida, vida, vida». Allí mismo se escribía una sentencia que luego ha sido repetidas veces transcrita: «Si Garcilaso volviera, yo no sería su escudero, aunque buen caballero era». Nora y Lama llevarían esos criterios —nunca expuestos de forma tan explícita— a su revista leonesa *Espadaña,* que pondrían en marcha junto con el también poeta y narrador Victoriano Crémer.

Al frente de la edición facsimilar de *Espadaña* (1978) ha comentado Nora las diferencias temperamentales, teóricas y, si se quiere, ideológicas que separaban a los tres mencionados fundadores y que explican la desigualdad y hasta las contradicciones de la revista y que justifican lo que vio bien García de la Concha [1969], la distancia entre la teoría postulada en artículos y notas y la tendencia estética de las creaciones en ella acogidas. No se puede, pues, dar una visión simplista de *Espadaña,* porque fue un fenómeno complejo. Pero no deben olvidarse sus aportaciones a la renovación poética en los cuarenta. En primer lugar su antiformalismo (lo que no es obstáculo para que se publiquen bastantes textos clasicistas) y su petición de una poesía menos blanda, menos edulcorada y menos tópica. Después, su declarado propósito rehumanizador. En fin, su deliberación de instaurar una poesía realista, comprometida con la problemática existencial e histórica del hombre, opuesta a la evasión pseudorreligiosa y aproblemática del grupo garcilasista. En este sentido, *Espadaña* puede considerarse como el vehículo impulsor de la poesía testimonial de la década siguiente.

Por su especial vinculación con *Espadaña,* haremos aquí una breve mención a la labor creativa de V. Crémer y de E. G. de Nora, aunque por su temática y planteamientos bien podrían figurar en la nómina de escritores que son mencionados en el apartado posterior a éste, «Las nuevas voces líricas».

Subraya de la Concha [1973] en las páginas que dedica a VICTORIANO CRÉMER (1908) el epígrafe que éste puso al frente de *Poesía Total* (1967), recopilación de sus poemarios desde 1944 hasta 1966, «¿Poesía = biografía...?». En efecto, en esa introducción insiste Crémer en el contenido autobiográfico de sus poemas como manifestación de arraigada solidaridad de la trayectoria vital del escritor con los otros hombres. «[...] la poesía —escribe Crémer— viene a reducirse o a elevarse a la consideración de pura biografía... y no porque exprese fielmente, estrictamente, las vivencias del poeta, sino porque cuenta —y canta— la vida general, que en el poeta adquiere unas resonancias específicas» (p. 13). Así, volverá a insistir, los libros de *Poesía Total*

«Son, pues, pura biografía» (p. 15). Por ello, en su poesía aparece con frecuencia lo que rodea al poeta —una calle, una plaza, su casa— y las gentes a las que siente próximas —algún poema dedicado a los trabajadores...—. Su actitud es solidaria y, en consecuencia, crítica. Crémer, en este sentido, se constituye en uno de los impulsores más decididos de la conciencia realista y testimonial durante los años cuarenta. Sin embargo, no es un poeta de decir sólo angustiado, pues reconoce que en el mundo conviven la belleza y la miseria. Crémer, por consiguiente, estimula esa corriente realista con una finalidad idéntica a la que él mismo ha atribuido a *Espadaña*: «Lo que pretendía era proponer a los poetas una contemplación real del hombre y del mundo» (*Poesía Total*, p. 28). Su verso, generalmente de entonación clasicista, a veces, se crispa y expresa un inconformismo en el que la raíz política que, sin duda, lo alienta, se une a una actitud negativa de corte existencialista, por lo cual ha podido hablarse, a propósito de su obra, de tremendismo. No obstante, las influencias patentes —Lorca, M. Hernández— y las referencias y lemas al frente de sus versos indican una poética no ceñida a un escueto realismo. No puede olvidarse —y la crítica no lo ha subrayado— que al frente de *Tacto sonoro* (1944) y de *Caminos de mi sangre* (1947) figuran unos versos de Pedro Salinas (*Tacto sonoro,* además, está presidido por un texto de G. Diego). Más significativo —e incluso extraño— resulta que un poema de *Caminos...*, «Recuerdo de la nada», vaya encabezado por una cita de Cernuda.

EUGENIO DE NORA (1923), además de impulsor de la rehumanización poética a través de *Espadaña* y de su propia poesía, es autor de uno de los estudios básicos de la novela española del siglo XX [2/1958], citado en su momento, pero cuyo recuerdo en éste es conveniente en virtud de los supuestos realistas que lo inspiran y que presiden toda una etapa de nuestra crítica literaria reciente. En cuanto poeta, en un decenio concentra sus publicaciones en libro: *Cantos al destino* (1945), *Amor prometido* (1946), *Contemplación del tiempo* (1948), *Siempre* (1953) y *España, pasión de vida* (1954). Luego, ha sobrevenido un largo silencio sólo roto por la inclusión de *Angulares* en la amplia antología *Poesía 1939-1964* (1975).

La conexión de Nora con el significado histórico de la revista leonesa ha hecho que la crítica subrayara su poesía de corte comprometido, cuyo máximo exponente es *España, pasión de vida* y otro libro que no he citado por haber aparecido como anónimo, *Pueblo cautivo* (1946). Pero antes —tal vez fuera mejor decir a la vez—, Nora es un escritor atraído por las más genéricas preocupaciones humanas, ante todo el amor. En la mencionada *Poesía,* el volumen *Cantos al destino* aparece en segundo lugar, y el emplazamiento es significativo porque, aunque contega poemas de la misma época que *Amor prometido,* la composición inicial, «Otra voz», declara un enriquecimiento y ampliación temáticos que configuran casi toda su poesía de los años cincuenta. Durante mucho tiempo, dice, «el poeta fue como un erguido girasol celeste», asombrado en la belleza, mirando a lo alto..., pero «hasta que un día, / la desnuda presencia de la muerte, de pronto, / abrió sus ojos». De la Concha [1973] entiende ese «poeta» con un valor genérico, mientras que yo lo veo como una personalización; de ahí que no me parezca que plantee una alternativa a la poesía pura o evasiva del momento; al contrario, me parece más significativo de una voluntad de romper moldes poéticos establecidos el titulado «Lamento»: «¡Seguid, seguid ese camino, / hermanos; / y a mí dejadme aquí / gritando! / [...] ¡No, no quiero seguiros!, / no puedo ya seguiros; / estoy cansado...».

Amor, muerte y, en consecuencia inevitable, temporalidad y trascendencia constituyen los motivos de un amplio sector de la poesía de Nora. El acento es generalmente escéptico o elegíaco (la palabra tristeza aparece con frecuencia) y manifiesta una visión existencialista del mundo. No nos parece que estos libros de Nora proclamen una significativa valoración de la dimensión histórica del hombre; ésta se hallará, sin embargo, en esos otros títulos de intencionalidad comprometida, pero como si constituyera una vertiente independiente. Ya sabemos que no es normal que un escritor presente este aspecto de Jano bifronte, pero así nos parece la poesía de Nora. También es cierto, no obstante, que algunos poemas de *Contemplación...* poseen un acusado acento crítico, recuperan el tema de la guerra y se oponen con inusual energía a las actitudes literarias escapistas:

> (¡Pero, entretanto, rosas, más luna, tropos hechos,
> y que todos circulen!
>   Los poetas
> no dirán lo que vieron).

Pueblo cautivo (del que se ha publicado una edición facsimilar en 1978) es la primera muestra incontrovertible de las preocupaciones sociales, cívicas y hasta políticas de Nora, que alcanzarán mayor madurez estética en *España...*, pero que posee el enorme interés histórico de ser el título inaugural de toda una corriente de poesía de dimensión testimonial, anterior a los más conocidos poemarios de Otero o Celaya. *España, pasión de vida,* según anuncia el título, es, por una parte una muy noventayochesca y regeneracionista recuperación del típico tema finisecular. «¡Dueles, dueles!», llega a escribir en «Presencia», y añade: «¡España, España! / ¡Pasión de sangre! Amor de vida, / amor de libertad te canta / en una aurora de destino. / Amor amargo de la patria». Por otra, como indican estos últimos versos, constituye un libro de dimensión histórica y de reivindicación política. España se repite reiterada, casi obsesivamente en los poemas: el verso aisla la palabra, o la reitera, o la subraya con interrogaciones, con admiraciones..., incluso se funde con el nombre del poeta («—Eugenio, España—», en «Un deber de alegría»). En el libro hay un deliberado propósito de investigación (España, «Eso escribe, diréis. Pero ¿qué canta?») que conduce a una visión lírica de la dimensión histórica de un pueblo y de sus gentes y entre ella se filtra una acusación y un testimonio, una negación del pasado y una apuesta por el futuro. Podemos encontrar un sentido antiutilitario del poema («Amigos míos, poetas, nuestro oficio / es inútil, pensadlo. / Los que nos oyen no comprenden, y los que entenderían... / no tienen tiempo de escucharnos.»), y, en consecuencia, un escepticismo respecto de las posibilidades de renovación nacional. Es una falsa alarma, porque Nora puede exhibir una fe generacional:

País viejo,
padrastro ya inmisericorde,
con delirios (ay, de grandeza, dicen),
manías y rencores
de viejo loco.
Sólo el pueblo
joven.

Otros dos acontecimientos de gran trascendencia para nuestra lírica —como he indicado— tienen lugar en 1944, la aparición de *Sombra del Paraíso,* de Vicente Aleixandre, y de *Hijos de la ira,* de Dámaso Alonso. El profesor Brown se refiere a ALEIXANDRE en el tomo anterior de esta *Historia de la literatura* y me remito a sus páginas. Lo que ahora me interesa, tan sólo, es anotar la polémica trascendencia de esta publicación. Por una parte —y ello es un dato objetivo— suponía la reincorporación del escritor, uno de los más destacados de la promoción del 27, a la vida creativa activa, tras un prolongado silencio. Por otra, su libro significaba un decir bastante diferenciado de los temas y del estilo predominantes en aquel momento. Donde surge la discusión es en la valoración de la influencia que *Sombra del Paraíso* pudo tener sobre la poesía del momento. Aparte de poetas como Bousoño, que han declarado el magisterio de Aleixandre, se ha hablado, incluso, de una especie de moda «aleixandrista». Sin embargo, F. Grande [1970] planteó en 1969 sus dudas respecto del influjo real de ese libro ya que, señalaba certeramente, es difícil de aceptar «que una concepción panteísta del mundo pueda influir de modo sustancial en la conciencia cultural de postguerra» (p. 36). Más tarde, A. Hernández [1978] ha sido tajante a este respecto: «[...] a nuestro entender, no influye en los poetas con recorrido y sólo de modo ocasional en algún poeta de los que se inician» (p. 41). No se pueden negar las atinadas precisiones de F. Grande, pero desde el punto de vista histórico del presente libro interesa subrayar no tanto el influjo como la novedad —en aquel momento— de *Sombra del Paraíso,* poemario en el que afloraba un cierto neorromanticismo y se daba paso a una cosmovisión de corte surrealista (tal vez el calificativo sea también discutible; se aceptará si aclaro que sólo posee la intención de describir unos contenidos no por completo conscientes). De ese carácter novedoso se deriva la polémica influencia que, en efecto, no fue directa, pero no por ello menos real. Aleixandre aportaba una verdadera emoción poética, un escribir desde la pasión y no desde el convencionalismo garcilasista. Estos rasgos excedían los más extendidos usos temáticos y formales de la primera postguerra y suponían un enriquecimiento de nuestro quehacer poético. Sus huellas —más o menos precisas— son discernibles en el decir poético de un Gaos, de un Morales, tal vez hasta de Dámaso Alonso. Esa actitud informa también la poesía de José Suárez Carreño, escritor que cultivó con acierto y con éxito todos los géneros literarios —en particular la novela— y que como poeta suscitó también esperanzas que luego ha defraudado su posterior abandono de la literatura. Por otro lado, la presencia humana y cordial de Aleixandre —infatigable lector de primeros versos de cuantos poetas ha habido en estas décadas, alentador de obras que luego han cuajado— es un dato importante en todo el proceso del poetizar en castellano del último medio siglo.

En una línea de potente rehumanización incidía —y de modo muy llamativo— el libro de DÁMASO ALONSO. Sin hacer un análisis exhaustivo ni estadístico, puede afirmarse que la inmensa mayoría de la crítica considera *Hijos de la ira* como la obra decisiva para la configuración de lo más valioso de la lírica de la postguerra. Debe reconocerse, además, que si no siempre virtualidad estética y significación histórica se dan la mano, en la de D. Alonso coinciden ambos méritos. Se trata de un libro complejo, cuyo enjuiciamiento crítico no resulta fácil por culpa de las abundantes etiquetas que se le han colgado, algunas bien poco reductibles. Lo que sucede es que puede considerarse de muchas maneras y ofrece materiales que admiten ser clasificados de modos muy diferentes. Así, no es inadecuado afirmar que se trata de un libro religioso (siempre con precautorios matices), o de corte social; también puede hablarse de su óptica realista, descarnada, casi tremendista. Tampoco debemos ignorar su componente surrealista, aunque haya sido rechazado por el propio Dámaso Alonso. A nosotros nos parece, en cambio, que explica incluso la actitud global del libro. Por una parte, describe un no absoluto control lógico del discurso que puede comprobarse en la sorprendente aparición de vigorosas imágenes que truncan con fuerza expresiva la disposición racional del poema. Por otra, podría ser una explicación suficiente del contenido crítico de la obra, pues el necesario tono de denuncia y de inconformismo implícito en el surrealismo —reacción, en el fondo, contra un racionalismo limitador— se transforma en *Hijos de la ira* en un sentido casi social no tanto por la deliberación política del escritor —pienso que inexistente— como por las circunstancias históricas en que aparece.

En un estudio como el presente no podemos entrar en el comentario detenido de la obra y por ello nos contentaremos con subrayar lo más notorio desde el punto de vista histórico que nos interesa. Creo que un adjetivo define muy bien su significación: es un libro insólito. Resulta insólito en el panorama poético en el que aparece —como tal volumen en conjunto, pues poemas aislados de la misma intencionalidad podrían encontrarse— y contribuye a su transformación. Destacaremos algunos elementos temáticos y formales que le conceden ese carácter. Dámaso Alonso ofrece una visión del mundo negativa y violenta, presentada desde un radical inconformismo. Todo el volumen es un grito de protesta enérgico y apasionado. Ofrece, desde esta perspectiva, la antítesis del mundo bien hecho del «garcilasismo», la negación de las posturas evasivas y de todo triunfalismo. El primer poema, el conocidísimo «Insomnio», irrumpe con una energía y una autenticidad demoledora de tantas afirmaciones inconmovibles de aquellos años:

> Madrid es una ciudad de más de un millón de cadáveres (según las últimas estadísticas).
> A veces en la noche yo me revuelvo y me incorporo en este nicho en el que hace 45 años que me pudro,
> y paso largas horas oyendo gemir al huracán, o ladrar los perros, o fluir blandamente la luz de la luna.
> Y paso largas horas gimiendo como el huracán, ladrando como un perro enfurecido, fluyendo como la leche de la ubre caliente de una gran vaca amarilla.

Y paso largas horas preguntándole a Dios, preguntándole por qué se pudre lentamente mi alma,
por qué se pudren más de un millón de cadáveres en esta ciudad de Madrid,
por qué mil millones de cadáveres se pudren lentamente en el mundo.
Dime, ¿qué huerto quieres abonar con nuestra podredumbre?
¿Temes que se te sequen los grandes rosales del día,
las tristes azucenas letales de tus noches?

Esta capacidad de subversión literaria implicaba —sin que caigamos en extrapolaciones de sentido— una dimensión, incluso, política. *Hijos de la ira* hay que leerlo —para comprender ese valor histórico— al lado de tanto verso inane o retórico, de tanta prosa —creativa o informativa— exaltada o doctrinaria. Además, *Hijos de la ira* se dirigía contra los poetas «distraídos» en la belleza, en el paisaje, en la religiosidad resignada o convencional. En cuanto a la forma, su carácter revolucionario es no menor. El libro se aparta radicalmente de la estrofa y del verso tradicionales. La palabra corre impetuosa en un verso libre sin más condicionamiento que el del ritmo poético (lo que no quiere decir que no puedan descubrirse algunas preferencias en la medida). El léxico llama la atención, con enorme fuerza, ante todo por su carácter antirretórico, por el olvido de palabras con tradición lírica y por la incorporación de términos convencionalmente no poéticos.[4]

3) *Las nuevas voces líricas de los años cuarenta*

A lo largo de los años cuarenta, en diferentes publicaciones, se da a conocer un importante número de poetas cuya situación en el panorama histórico-literario no resulta nada fácil de describir. Son escritores con voz personal y, a la vez, con elementos

4. Sobre *Espadaña,* véase de la Concha [1969] (reformado en [1973]), F. Rubio [1976] y los prólogos de E. de Nora y V. Crémer a la ed. facsimilar (1978). Respecto de Crémer, resulta muy interesante su propia introducción a *Poesía total* (Barcelona, Plaza Janés, 1970) para percibir los fundamentos de su poética. Tanto para él como para los otros autores tratados en este epígrafe véase de la Concha [1973]. Sobre Nora, consúltese F. Rubio [1978], J. M. López de Abiada [1984] y A. Soladano Carro [1984]. En cuanto a la trascendencia de las obras de D. Alonso y V. Aleixandre, véase F. Grande [1970] y el capítulo correspondiente de de la Concha [1973]. Una completa bibliografía de D. Alonso ofreció Fernando Huarte Mortón en el *Homenaje*... al autor de *Hijos de la ira* (Madrid, Gredos, 1970) y muy amplia es la que recoge A. Debicki [1974]; Aleixandre cuenta con abundancia de estudios de su obra, pero no es éste el lugar de recordarlos (cf. el tomo de G. G. Brown, *El siglo XX (del 98 a la guerra civil),* que precede al presente libro).

comunes en sus poéticas que permiten relacionarlas. Algunos de ellos, hacia el final de la década, insinuaron una tendencia declaradamente realista que se fraguará en la década siguiente. Se trata de poetas muy jóvenes —un Caballero Bonald, por ejemplo— a los que dejaremos para un epígrafe posterior. Aparte de éstos, un grupo nutrido, de mayor edad, cuenta en aquella década con publicaciones en libro destacadas y, a comienzos de los cincuenta, posee una obra consolidada y, en cierto sentido, ejerce ya un claro magisterio en este momento. El reconocimiento de estos hechos resultaba palpable en la selección «consultada» de la *Antología* preparada por Francisco Ribes y publicada en 1952. Los nombres seleccionados fueron: Carlos Bousoño, Gabriel Celaya, Victoriano Crémer, Vicente Gaos, José Hierro, Rafael Morales, Eugenio de Nora, Blas de Otero y José María Valverde. Treinta años más tarde, la crítica no se pronunciaría con igual relieve sobre todos ellos —e incluiría otros que quedaron postergados—, pero es innegable el acierto general de la selección. Este plantel de nombres, más algunos de los citados en los puntos anteriores y los jóvenes que les sucederán en el medio siglo, hace que la poesía alcance una de las cotas de mayor interés de toda la literatura de la postguerra y que, en conjunto, ofrezca un bastante rico panorama, descollante, incluso, en el conjunto de nuestra historia literaria. Reconocidos estos hechos, no es sencillo, sin embargo, reducirlos a un esquema expositivo. Los problemas que se plantean son muchos. Un Gabriel Celaya, por ejemplo, pertenece, en cuanto a cronología —que no en otros sentidos— a la llamada generación del 36. En otros casos, las diferencias mostradas a lo largo de sus trayectorias son notables, por ejemplo entre un Bousoño o un Celaya. Incluso el propio recorrido individual implica actitudes muy diferentes: no sólo en un escritor polimórfico como Celaya; también guarda poca relación la primera poesía de un Blas de Otero con su obra posterior. Conviene plantear estas dificultades porque los aspectos metodológicos en un libro como el presente tienen mucha importancia. También debemos reconocer que a estos poetas hay que situarlos en la órbita de los años cuarenta en razón de las fechas de edición de sus primeros títulos, pero algunos de ellos alcanzan las formas más características —y por las que han obtenido mayor repercusión— en los cincuenta. Otros, muy versátiles, deberían ser tratados en diversos momentos de este panorama, coincidiendo con sus diferentes formas predominantes. En fin, optamos por incluirlos en el lugar de arranque de su labor creativa y referirnos someramente a su trayectoria individual. Lo haremos, además, dentro de dos grandes corrientes, ya insinuadas en la *Antología consultada*: por una parte, la tendencia imprecisamente denominable realista, que destaca el sentido histórico de la existencia humana, concibe la poesía como un compromiso ético-político, rehuye toda clase de esteticismo y pretende un decir sencillo. En esa corriente coincide un momento central de la poesía de Gabriel Celaya y Blas de Otero, algo mayores, de V. Crémer, y de los más jóvenes José Hierro y Eugenio de Nora (a Crémer y a Nora, por su especial vinculación con *Espadaña* ya nos hemos referido antes). La otra corriente no se desentiende de la realidad, pero, por encima de lo aparente, trata de investigar una visión más completa que no relega lo «interior». En esta segunda dirección pueden incluirse Bousoño, Gaos, Morales y Valverde. Señalaremos en fin, que estas dos grandes tendencias —admitidas comúnmente como tales por la crítica— no constituyen fenómeno apreciable para algún estudioso, por ejemplo para J. P. González Martín [1970], quien entiende que no ha habido homogeneidad en la poesía de postguerra, salvo en la corriente realista testimonial. En otra dirección, en cambio, apunta muy razonablemente J. Marco [1981] al indicar que «cada quince años [...] desde 1940 parece variar el rumbo de la poesía dominante en sus diversos planos». Anota, además, que poetas de distintas promociones concuerdan en sus intencionalidades en un mismo período. Nosotros también creemos que en estas cuatro últimas décadas han existido fenómenos estéticos homogéneos que permiten la compartimentación que hacemos en el presente libro.

GABRIEL CELAYA (1911) es uno de los nombres, en perspectiva histórica, más importantes de toda la postguerra y, quizás, el que encarna de manera más patente una de las directrices centrales de todo este período, la de tipo testimonial y comprometida que predomina en los años cincuenta. Sin embargo, con todo el relieve y representatividad que posea en esa época, su obra, amplísima obra, no puede ceñirse a esa sola directriz, pues ostenta direcciones muy distintas y aun contrapuestas. Celaya es un poeta caudaloso —ha publicado medio centenar de libros— y de asombrosa evolución que no debe entenderse como un capricho sino como el resultado de una profunda adecuación de su sentir poético a la evolución histórica de nuestro país. Incluso parece que los diversos nombres con que ha firmado su obra patentizan esa evolución y ese deseo de autenticidad. Si sus primeros libros —escritos, y alguno publicado, en la preguerra— figuran bajo su nombre civil —Rafael Múgica—, más tarde adoptará el de Juan de Leceta y finalmente firmará como Gabriel Celaya (segundo nombre y segundo apellido). Esa transformación explica la enorme diferencia —hasta el punto de parecer de escritores distintos— que puede haber entre algunos de sus poemas. Veamos, por ejemplo, éste:

Tarde malva y oro
bajo el cielo blanco.
Por el pinar
se ha ido cantando.

¡Qué soledad!
¡Oh, qué altura
sobre el ancho campo!
Por el pinar
vuela un pájaro.

Tarde,
tarde eterna,
tarde de mayo.
Por el pinar
vuelve llorando.

«Tarde» pertenece a su primer libro, *Marea del silencio,* de 1935. Obsérvense ahora un par de estrofas de «La invasión», escrito probablemente a comienzos de los cincuenta (y recogido más tarde en *Poemas tachados,* ed. 1977):

Sonriendo, mostrando sus blanquísimos dientes
de muerte y de «use usted el dentífrico Collins»,
el almirante Gardner ha puesto pie en España
saludado por todas las músicas canallas [...]

Tendremos autos, radios y Lucky Strike baratos;
tendremos *frigidaires* del último modelo.
Y si no nos sentimos ya dichosos con eso
nos mandarán psiquiatras que nos curen de iberos. [...]

En fin, no menos llamativos resultan los poemas experimentales de *Campos semánticos* en comparación con cualquiera de los precedentes.

En sus inicios poéticos, Celaya se ve influido por las tendencias dominantes en los años treinta (*Marea del silencio*; *La soledad cerrada*, 1947), no sin aciertos personales; una voz auténticamente propia se encuentra en *Movimientos elementales* (1947) y, sobre todo, en *Tranquilamente hablando* (1947). En estos libros, Celaya trata de dar una visión global del mundo y habla de múltiples realidades, desde lo material hasta lo trascendente. Su posición frente al mundo no es evasiva pero incluye una afirmación de la existencia por encima de las limitaciones:

> Hoy, por ejemplo, estoy más bien contento. / No sé bien las razones, mas por si acaso anoto: / mi estómago funciona, / mis pulmones respiran, / mi sangre apresurada me empuja a crear poemas. / (Solamente —¡qué pena!— no sé medir mis versos.) // Pero es igual, deliro: rosa giratoria / que abres dentro mío un espacio absoluto, / noche con cabezas / de cristal reluciente, / velocidades puras del iris y del oro. / (Solamente —¡qué pena!— estoy un poco loco.) // Mas es real, os digo, mi sentimiento virgen, / reales las palabras absurdas que aquí escribo, / real mi cuerpo firme, / mi pulso rojo y lleno, / la tierra que me crece y el aire en que yo crezco. / (Solamente —¡qué pena!— si vivo voy muriendo.) («Se trata de algo positivo», de *Tranquilamente hablando.*)

Y lo hace, además, desde una descarada presencia del yo del escritor (aspecto en el que coinciden bastantes poetas de la postguerra: no sólo el caso siempre recordado de D. Alonso; también, por ejemplo, José Hierro) y a través de un sistema estético que aquí formula con claridad y al que sacará su mejor partido en títulos posteriores. Ese sistema se basa en un decir sencillo, elemental —que a veces incluye grandes dosis de pasión—, alejado de las pompas retóricas. Así lo expresa en «Mi intención es sencilla (difícil)»:

> Recuerdo a Núñez de Arce y a don José Velarde, / tan retóricos, sabios, / tan poéticos, falsos, / cuando vivía Bécquer, tan inteligente, tan pobre de adornos, / tan directo, vivo. // No quisiera hacer versos; / quisiera solamente contar lo que me pasa / (que es lo que nunca pasa), / escribir unas cartas destinadas a amigos / que supongo que existen, / quisiera ser el Bécquer de un siglo igual a otros. // Tengo compañeros que escriben poemas buenos / y otros que se callan o maldicen sin tino; / pero todos me aburren (aunque los admiro), / y todos me ocultan lo único que importa / (ellos, estupendos / cuando se emborrachan y hablan sin medida). // Yo que me embriago sin haber bebido, / yo que me repudro y, tontamente, muero, / no puedo callarme, / no puedo aguantarlo, / digo lo que quiero, y / sé que con decirlo sencillamente acierto.

Una etapa claramente diferenciable de su poesía es la que preside la redacción de libros como *Las cartas boca arriba* (1951), *Lo demás es silencio* (1952, poema semidramático), *Paz y concierto* (1953), *Cantos iberos* (1955), *Las resistencias del diamante* (1957), *Episodios Nacionales* (1962), entre otros. Se trata de una poesía de claro y explícito compromiso social —incluso podría decirse que político— en la cual Celaya protesta, denuncia, se solidariza, expresa su confianza en el futuro. Parte de una actitud personal vehemente y clara que se observa en *Las resistencias del diamante*·

> No es fácil ser poeta, cantar en este bronco
> mundo paralizado que, cuanto más hiere,
> más provoca las iras no santas del yo roto.

Esa actitud se acompaña de una concepción instrumental de la poesía, de una fe en su valor utilitario que expresa en el conocidísimo poema «La poesía es un arma cargada de futuro». Éste alcanza, incluso, carácter de manifiesto estético y se convierte en uno de los textos clave de la poética comprometida de los cincuenta. Su significación histórica es tan grande que merece la pena recordar todas las afirmaciones de Celaya:

> Cuando ya nada se espera personalmente exaltante,
> mas se palpita y se sigue más acá de la conciencia,
> fieramente existiendo, ciegamente afirmando,
> como un pulso que golpea las tinieblas,
>
> cuando se miran de frente
> los vertiginosos ojos claros de la muerte,
> se dicen las verdades:
> las bárbaras, terribles, amorosas crueldades.
>
> Se dicen los poemas
> que ensanchan los pulmones de cuantos, asfixiados,
> piden ser, piden ritmo,
> piden ley para aquello que sienten excesivo.
>
> Con la velocidad del instinto,
> con el rayo del prodigio,
> como mágica evidencia, lo real se nos convierte
> en lo idéntico a sí mismo.
>
> Poesía para el pobre, poesía necesaria
> como el pan de cada día,
> como el aire que exigimos trece veces por minuto,
> para ser y en tanto somos dar un sí que glorifica.
>
> Porque vivimos a golpes, porque apenas si nos dejan
> decir que somos quien somos,
> nuestros cantares no pueden ser sin pecado un adorno.
> Estamos tocando el fondo.
>
> Maldigo la poesía concebida como un lujo
> cultural por los neutrales
> que, lavándose las manos, se desentienden y evaden.
> Maldigo la poesía de quien no toma partido hasta mancharse.
>
> Hago mías las faltas. Siento en mí a cuantos sufren
> y canto respirando.
> Canto, y canto, y cantando más allá de mis penas
> personales, me ensancho.

Quisiera daros vida, provocar nuevos actos,
y calculo por eso con técnica, qué puedo.
Me siento un ingeniero del verso y un obrero
que trabaja con otros a España en sus aceros.

Tal es mi poesía: poesía-herramienta
a la vez que latido de lo unánime y ciego.
Tal es, arma cargada de futuro expansivo
con que te apunto al pecho.

No es una poesía gota a gota pensada.
No es un bello producto. No es un fruto perfecto.
Es algo como el aire que todos respiramos
y es el canto que espacia cuanto dentro llevamos.

Son palabras que todos repetimos sintiendo
como nuestras, y vuelan. Son más que lo mentado.
Son lo más necesario: lo que tiene nombre.
Son gritos en el cielo, y en la tierra, son actos.

Desaparecida la necesidad de una estética de urgencia —aunque siempre persista una concepción comprometida de la misión del escritor—, Celaya se lanza por caminos antes en él insólitos que entran en el campo de la experimentación y que investigan, incluso, en el reducido terreno, entre nosotros, de la poesía concreta. Algunos de sus más recientes títulos prueban esas múltiples inquietudes, esa pluralidad de caminos: *Campos semánticos, Función de uno, equis, ene* (1973), *El derecho y el revés* (1973), *Buenos días, buenas noches* (1976). Celaya, que ha escrito también interesantes estudios sobre poetas y teoría de la poesía, ha incorporado a *Penúltimos poemas* (1982) un ensayo que —aparte la discutible interpretación que hace de los fenómenos poéticos en general— tiene el valor sustancial de presentarnos a un escritor de avanzada edad siempre inquieto en la práctica y en la especulación; un escritor autocrítico y alerta —de ahí su infrecuente polimorfismo— que trata de surcar nuevos caminos a través de lo que denomina «poesía órfica».

Se observará, en fin, la ausencia de juicios de valor en la descripción que acabo de hacer. No resultan fáciles a propósito de Celaya, poeta que ha concitado firmes detractores y fervorosos defensores. Tal vez sea necesaria más distancia cronológica para enjuiciarlo desde perspectivas estrictamente literarias. Por una parte, nos parece incuestionable su destacadísima representatividad histórica. Por otra, tal vez no alcance todo el acierto lírico que pudo lograr por culpa de imperativos éticos y cívicos. Tenemos la impresión —que manifestamos con toda cautela y no sin dudas— de que Celaya es de esos escritores en los que su significación histórica y su sistema estético no logran un completo ajuste.

Blas de Otero (1916-1979) es uno de los máximos poetas de toda la postguerra y su obra, poco voluminosa, es el feliz resultado de una acuciante problemática más un muy peculiar sistema estético. Así Otero es un poeta de acentos muy personales e inconfundibles. Al igual que otros líricos de los años cuarenta, su primer libro, *Cántico espiritual* (1942), se sitúa en la órbita de preocupaciones religiosas, con acentos místicos y ecos sanjuanistas. Es un libro, si se quiere, de afirmación. Semejante problemática religiosa se hallará en dos títulos siguientes, ya de absoluta madurez, de enorme valor en su formulación intelectual y de segura expresión artística: *Ángel fieramente humano* (1950) y *Redoble de conciencia* (1951). Ambos libros, aumentados, darán *Ancia* (1958), título que procede, como es bien sabido, de la aglutinación de las sílabas inicial y final, respectivamente, de los dos títulos precedentes. *Ancia* es un magnífico ejemplo de lo que Dámaso Alonso llamó poesía desarraigada, que se constituye, además, en modelo de un cierto tono generacional que el propio Otero intuyó y expresó en unos repetidos versos (el subrayado es mío):

> Un mundo como un árbol desgajado.
> *Una generación desarraigada.*
> *Unos hombres sin más destino que*
> *apuntalar las ruinas*

La presencia de Dios ha cambiado de sentido respecto de *Cántico espiritual* y ahora Otero se dirige a Él para clamar, protestar, imprecar; e incluso retar. Es lo que indica el primer cuarteto de uno de los mejores y más conocidos poemas del libro:

> Me haces daño, Señor. Quita tu mano
> de encima. Déjame con mi vacío,
> déjame. Para abismo, con el mío
> tengo bastante [...].

Se trata de una poesía tremendamente angustiada, basada en un ansia de Dios que lleva precisamente a una lucha con Él bajo el imperioso estímulo de la muerte y del amor. El resultado, desgarrador, es una gran desolación y la visión estremecedora del vacío absoluto que es la vida del hombre.

Tras estos libros de profunda conflictividad, Otero, sin abandonar inquietudes espirituales, se encuentra ya liberado mediante la enérgica protesta del incierto destino del hombre. Es lo que vendrá a decir en una prosa de *En castellano*: «al fin he comprendido que aprovecha más salvar el mundo que ganar mi alma». Entonces se vuelva hacia los hombres, hacia sus contemporáneos, sus «com-pa-ñe-ros» —según destaca en un poema—, los españoles, para, junto con ellos, reivindicar la dignidad de la persona humana y de su país, de España. Así surgen nuevas obras que pueden calificarse de sociales si con ello reconocemos un talante ético y cívico —un compromiso histórico— y no la práctica de una mera estética del realismo social. Ese proceso se inicia en *Pido la paz y la palabra* (1955), se continúa con *En castellano* (1960) (ambos se reúnen, con los dos anteriores, en *Hacia la inmensa mayoría,* 1960) y en *Esto no es un libro* (1963) y culmina en *Que trata de España* (1964). El título del primer poema de *Pido la paz...* es ya suficientemente expresivo de la dimensión de su nueva poesía, «A la inmensa mayoría». Y en el poema siguiente, «En el principio», quedará constancia de la utilidad del lenguaje no sólo para una exploración personal:

> Si abrí los labios para ver el rostro
> puro y temible de mi patria,
> si abrí los labios hasta desgarrármelos,
> me queda la palabra.

A partir de ahí, estos libros se convierten en un inmenso acto de solidaridad. Quizás, por encima de los muchos matices y temas que aparecen, esta última palabra, solidaridad, sea la que exprese mejor el conjunto de los poemarios. Ella es la que, a veces, le lleva a ponerse de parte de los que sufren, y otras a clamar, a protestar con una extraordinaria energía. La protesta, de todas maneras, no es una actitud negativa sino que surge de un acto de fe, que incluso tiene una formulación programática en uno de los textos finales de *Pido la paz...*:

> Creo en el hombre. He visto
> espaldas astilladas a trallazos,
> almas cegadas avanzando a brincos
> (españas a caballo
> del dolor y del hambre). Y he creído.
>
> Creo en la paz. He visto
> altas estrellas, llameantes ámbitos
> amanecientes, incendiando ríos
> hondos, caudal humano
> hacia otra luz: he visto y he creído.

Creo en ti, patria. Digo
lo que he visto: relámpagos
de rabia, amor en frío, y un cuchillo
chillando, haciéndose pedazos
de pan: aunque hoy hay sólo sombra, he visto
y he creído.

Ese triple postulado —Creo en el hombre, en la paz, en la patria— es como el eje germinal de las diferentes modulaciones de sus poemas. Un eje que, partiendo de lo menor, va englobando nociones más amplias hasta formular la pregunta obsesiva del poeta en *Que trata de España*:

Pregunta, me pregunto, ¿qué es España?

Pregunta que antes ha tenido sus respuestas («España, espina de mi alma») y sus originales afirmaciones («españa ahogándose»). Se añade, además, una clara conciencia de para qué escribe el poeta. Nítida es su postura en el poema «Por - Para» (de *En castellano*):

ESCRIBO
por
necesidad,
para
contribuir
(un poco)
a borrar
la sangre
y
la iniquidad
del mundo
(incluida
la caricaturesca españa actual).

La pluralidad de registros de Otero —a los que ahora me referiré— genera, además, un libro inclasificable, *Historias fingidas y verdaderas* (1970), compuesto por prosas de diverso carácter —meditativas, algunas con tendencia a lo narrativo o descriptivo, otras a lo lírico— que suponen una definitiva liberación de cualquier sujeción formal del poema en verso. Esas prosas se centran, preferentemente, en una reflexión de raíz autobiográfica pero que se proyecta hacia el exterior —sobre fenómenos estéticos, por ejemplo— y en una meditación sobre la realidad española y sobre algunos aspectos de la nueva realidad cubana (el libro está escrito desde la perspectiva geográfica de la isla caribeña).

Las preocupaciones fundamentales de Otero —e incluso su propia evolución desde el desarraigamiento hasta el compromiso— no son algo atípico en el panorama de la poesía española de postguerra. Su singularidad, pues, no hay que buscarla en este sentido, sino en haber sabido encontrar una voz tremendamente personal, mediante unos específicos recursos estilísticos. En primer lugar, llama la atención su inicial verso bronco que evoluciona hacia un decir más directo y, finalmente, hacia una liberación absoluta de cualquier clase de ataduras. Ya en sus primeros libros destacaba una poderosa imaginería que establece muy insólitas relaciones. Y el uso de un léxico que no tiene reparos en acudir a fuentes muy distintas, desde cultas hasta populares y coloquiales. Y una gran afición a variaciones expresivas, a juegos lingüísticos. La seguridad en el decir le lleva a practicar con absoluta desenvoltura el «collage» y a un empleo que es muy característico suyo —aunque tenga su tradición en nuestras letras—, el uso de frases prestigiosas, de fragmentos literarios, de citas de versos, rehechos con una nueva e intencionada expresividad. Su sistema estético, en general, apunta hacia lo que él mismo anota en *Historias fingidas...*: «Ésta es la cuestión: escribir libre, fluida y espontáneamente: al menos, en apariencia». Ya con anterioridad (*En Castellano*) había formulado esta sobria «Poética»:

ESCRIBO
hablando.

Esa fluidez, sin embargo, es el engañoso resultado de un estricto cuidado, de una exigente elaboración.

La confianza —luego se ha sabido que preferente— que depositaron en José Hierro (1922) los encuestados por Ribes para su *Antología consultada* demuestra la notable aceptación de su poesía desde sus mismos inicios. En el momento de la *Consultada,* había publicado tres títulos: *Tierra sin nosotros* (1946), *Alegría* (1947) y *Con las piedras, con el viento* (1950). Los libros posteriores fueron *Quinta del 42* (1953), *Estatuas yacentes* (1954), *Cuanto sé de mí* (1958) y *Libro de las alucinaciones* (1964). Aquellas enormes expectativas han quedado, en parte, defraudadas al no publicar desde este último ningún nuevo volumen, pues sólo ha agregado algunos poemas más que incluyó en las poesías completas editadas bajo el rótulo de una entrega anterior, *Cuanto sé de mí* (1974).

El propio Hierro ha reflexionado en varias ocasiones sobre su poesía y el prólogo a unas *Poesías completas* (1962, también reproducido en 1974) es una guía bastante segura para entrar en su producción. Hierro distingue en su poesía dos caminos: el «reportaje» y las «alucinaciones».

> En el primer caso —dice— trato, de una manera directa, narrativa, un tema. Si el resultado se salva de la prosa ha de ser, principalmente, gracias al ritmo, oculto y sostenido, que pone emoción en unas palabras fríamente objetivas. En el segundo de los casos todo aparece como envuelto en niebla. Se habla vagamente de emociones, y el lector se ve arrojado a un ámbito incomprensible en el que le es imposible distinguir los hechos que provocan esas emociones.

Ambos caminos constituyen —siempre que se tome la afirmación con un valor relativo— los polos de su evolución poética, que, así, estarían marcados por la preponderancia de lo testimonial o por la mayor fuerza de un intimismo que incluye una dosis de surrealismo y de hermetismo. La primera de estas direcciones precisa algunas puntualizaciones. A Hierro suele incluírsele entre los poetas sociales y él mismo se ha autoaplicado la etiqueta. Incluso, uno de los textos preliminares de *Quinta del 42*, el conocido «Para un esteta», aunque discutido en su significación, avala esa clasificación:

> Tú que hueles la flor de la bella palabra / acaso no comprendas las mías sin aroma. / Tú que buscas el agua que corre transparente / no has de beber mis aguas rojas. // Tú que sigues el vuelo de la belleza, acaso / nunca jamás pensaste cómo la muerte ronda / ni cómo vida y muerte —agua y fuego— hermanadas / van socavando nuestra roca. // [...] Tú que bebes el vino en la copa de plata / no sabes el camino de la fuente que brota / en la piedra. No sacias tu sed en su agua pura / con tus dos manos como copa [...]

Hay que aclarar, sin embargo, que pocas veces por su temática y nunca por su expresión es un poeta social según suele entenderse esta etiqueta. Algunas anécdotas pueden acercarse más al dolor de los desposeídos, algún poema evoca con aire regeneracionista el tema de España («Canto a España»: «Oh España, qué vieja y qué seca te veo» [...]). Mas, por lo común, Hierro parte de unas vivencias personales que hace colectivas en cuanto que conectan con un sentir y con unas aspiraciones comunitarias. Por ello, incluso, practica un vigoroso poema de autonominación:

> Yo, José Hierro, un hombre
> como hay muchos, tendido
> esta tarde en mi cama,
> volví a soñar [...]

Dos de los mejores estudiosos de Hierro —J. O. Jiménez [1964], primero; A. de Albornoz [1982], después— han señalado el carácter conflictivo y la tensión dramática que alberga su poesía. Por ello emplea continuamente el contraste (J. O. Jiménez) y acude al enfrentamiento de situaciones, ideas, sentimientos, conceptos (A. de Albornoz). Se trata, además, de una poesía muy arraigada en la temporalidad, hasta tal grado que el mencionado J. O. Jiménez (p. 181) llega a escribir que «El punto de partida y el de llegada, esto es, el eje de toda su obra, es en Hierro el sentimiento y la conciencia del tiempo: una emocionada lucidez sobre su transcurrir». En esa temporalidad domina, además, una gran pasión de vida, según señala la ya citada A. de Albornoz, y debemos añadir que no es obstáculo —como en el caso insigne de Antonio Machado— para que la realidad inmediata —contingente y multiforme— aparezca reiteradamente en Hierro. Por otro lado, y en función de lo que acabo de anotar, es normal que la memoria constituya un elemento básico de su poética. Recuperado a través de la memoria, puesto de relieve —esencializado y, a la vez, eternizado, por recordar el juicio de Juan de Mairena— mediante la temporalidad, así va Hierro rescatando el mundo: sentimientos de amistad y recuerdos juveniles, su tierra santanderina de adopción, el mar y la naturaleza, el hombre en su transcurrir histórico, las zonas veladas y algo enigmáticas del yo... No es mucho, parece decirnos el poeta, pero es lo único que poseemos y a ello se agarra con un paradójico sentimiento entremezclado de frustración y gozo sobre el que vuelca un consciente vitalismo.

En cuanto a la forma, no es Hierro partidario ni de los juegos metafóricos ni del vocabulario prestigioso *per se*. Prefiere un decir desnudo, con palabras a veces coloquiales, pero intensificando su significación. Sí merece la pena señalar en un escritor tan poco dado a recursos formalistas que emplea muy intencionadamente las repeticiones y que el encabalgamiento del verso es una necesidad expresiva, pues «este juego de concepto frío y ordenado y de verso y ritmo encrespado crean una especie de conflicto interior que el lector puede percibir» (Hierro en *Poesías completas*).

Carlos Bousoño (1923) es, a la par que poeta, teórico de la poesía. Otros líricos escriben estudios literarios y ejercen la docencia y no lo hemos subrayado. Si lo destacamos ahora a propósito de Bousoño es porque esa vertiente de su actividad intelectual se diferencia de otros casos en apariencia semejantes. Por lo común, la actividad crítica va paralela, pero, en cierto sentido, independiente, de la creativa en quienes simultanean ambas ocupaciones. La especulación sobre el fenómeno poético y su obra en verso responden, sin embargo, en Bousoño a una coincidente preocupación de fondo: la necesidad de exponer una interpretación del mundo y de explicar cómo el fenómeno poético la lleva a cabo. Por eso los trabajos teóricos de Bousoño —en particular su *Teoría de la expresión poética*— constituyen, a la vez, una cabal declaración de su propia poesía, de los fundamentos últimos de la misma y del alcance que para él posee un poeta o un poema, sin que, por otra parte, quepa pensar en ninguna confusión ni mezcla de los objetivos de estos dos géneros que frecuenta, tan distintos por métodos y fines.

La obra creativa de Bousoño es uno de los proyectos más importantes de la postguerra de alcanzar una interpretación global y coherente del mundo. De ahí su admirable trasfondo unitario, que no excluye importantes variaciones temáticas, de visión de la existencia, de registros artísticos. Dentro de esa variedad —que debe entenderse como progreso, maduración y enriquecimiento— en pocos poetas se da una tan común y persistente motivación: cuál es el lugar del hombre en el universo. La respuesta descarta de entrada simplificaciones de valor absoluto y, en consecuencia, el poeta se enfrentará con motivos religiosos, morales, éticos y llegará, incluso, a bordear cuestiones cívicas. Esa amplia cosmovisión le obliga a hablar de la materia y del espíritu, de la realidad inmediata y de la trascendencia, de lo infinito y de lo limitado y corruptible..., también, por tanto, del amor, y, curiosamente, como ha señalado la crítica, menos de la muerte. Esa diversidad de motivos tiene un soporte básico, un eje de toda su poética que tal vez pueda describirse como un deseo de afirmación del hombre y de la vida, de la realidad, por decirlo con término tomado en préstamo del título de uno de sus libros. Lo que acabo de afirmar no dejará de sorprender, en cambio, a alguien que recuerde la «autocrítica» del propio Bousoño [1976] o su «poética» en la *Consultada* de Ribes. Aquí defendía un subjetivismo que, incluso, incluía una velada censura a la poesía machadiana. En efecto, después de explicar que aceptaba la poesía realista si se refería a la realidad interior, comentaba:

> Pero si queréis significar poesía escrita en el lenguaje consuetudinario, no estoy conforme. Y si deseáis decir poesía que refleje las cosas tal como son, no logro entender lo que esas palabras pretenden significar.

Lo que sucede, creo, es que, desde el intimismo, Bousoño ha ido implicando cada vez con mayor intensidad al hombre en su dimensión histórica; si se quiere, desde el yo ha entablado contacto con la problemática más genérica de la persona (repetiré: desde lo metafísico hasta lo circunstante; obsérvese, además, que esta problemática del yo ha sido motivo de demorada reflexión en algunos de sus trabajos ensayísticos). O, por decirlo con el certero enunciado de otro de sus títulos, cuando el hombre Bousoño descubre la «primavera de la muerte», la presencia de una realidad gozosa aunque amenazada por la finitud, el poeta emprenderá una afirmación de aquélla que le conduce a un descubrimiento de la existencia y a una constatación de ésta en sus múltiples vertientes (véase la explicación de este proceso por el propio poeta en Bousoño [1980]). Por ello, pienso que, a pesar de las veces, numerosas, en que Bousoño se ha pronunciado en términos distantes de la poesía de inmediatez realista, la suya posee un alto valor como testimonio moral, real de las vicisitudes históricas del hombre contemporáneo. Esto, a mi parecer, no es una limitación —aunque otra cosa parezca pensar el autor— sino un mérito que amplía el análisis de la angustia existencial del individuo hasta el diagnóstico colectivo de nuestro tiempo.

La primera obra de Bousoño, *Subida al amor* (1945) es —lo mismo que el volumen inicial de otros autores de esta primera generación de postguerra— un poemario religioso de afirmación, de identificación. Pronto, sin embargo, se iniciará una temática de cuestionamiento que un año más tarde produce *Primavera de la muerte*; existe un mayor reconocimiento de la finitud humana, pero no se renuncia a la trascendencia. Se trata de un proceso dialéctico, según ha señalado J. O. Jiménez [1964], que incorpora una nueva variación en *Noche del sentido* (1957), el libro que introduce la duda como elemento renovador de la precedente cosmovisión. El título siguiente de Bousoño es uno de los más importantes de todos estos años: *Invasión de la realidad* (1962). Resulta, desde la perspectiva del conjunto de la obra del poeta, una síntesis de los poemarios anteriores que toma elementos sustanciales de ellos y orgánicamente —quiero decir desde dentro de la propia poética bousoñiana— los supera por enriquecimiento. En efecto, ahora hallamos una afirmación que ya se encontraba en el primer libro —la aceptación del mundo en su realidad— pero con una importante corrección: se reconoce la limitación de la existencia. Es más, esta limitación, en sí misma, es un elemento al que se agarra el poeta y le transfiere energía suficiente para transformarla en motivo de afirmación de cierto aire guilleniano:

Toca la piedra. Mira.
Huele la rosa. Sáciate.
Gusta, mira, comprueba,
duele, solloza: sabe

No es que el mundo esté bien hecho; es que se acepta vitalmente la existencia concreta del mundo «como hondo valor y aun como encendida y coloreada dádiva», según escribe el propio poeta.

Oda en la ceniza (1967) supone un nuevo jalón en esa obra de madurez, pues, en cierto modo, encierra la problemática de todos sus libros anteriores y, a la vez, se abre a una interpretación de la vida que, según señaló la crítica, es de raíz fuertemente existencialista, dentro, sin embargo, de una visión del mundo en sí misma semejante a la que había estimulado la obra precedente. Llama la atención, al tiempo que una afirmación de la existencia —un vitalismo en el que cuenta no poco el sentimiento amoroso— una mayor presencia de la finitud, de la muerte. También debe resaltarse un propósito de aclarar la función existencial de la propia poesía, elemento redentor según el poema «Salvación en la palabra». Esta línea de creación unitaria pero a la vez diversificada de Bousoño se confirma en *Las monedas contra la losa* (1973), que cierra, por ahora, una trayectoria que había visto bien J. O. Jiménez antes de que este título se editara:

> La historia de la poesía de Carlos Bousoño resume, desde sus fondos espirituales y temáticos y en una de las múltiples direcciones posibles, los avatares de la conciencia propia de un hombre contemporáneo a quien no le es posible vivir, pensar y expresarse sino existencialmente.

Por su parte, E. Miró [1980] ha señalado que desde *Invasión de la realidad*, la poesía de Bousoño ha encontrado «nuevas vías liberadoras, una experimentación del lenguaje, de la imagen, de la autonomía poemática» y en posteriores entregas, su mirada, metaforiza la realidad «entre la viva inteligencia alerta y el oscuro temblor irracional». Estos dos más recientes libros constituyen una última y bien diferenciada etapa de su poesía, lo cual se observa incluso en el aspecto formal de la misma: unos poemas largos que abandonan la estrofa tradicional y que incorporan un verso libre —sobre todo en *Las monedas*...— que se integra con los otros en la búsqueda de un tono analítico, muy reflexivo a veces, aunque en ocasiones adquiera la formulación de la letanía. Ese mencionado tono resulta muy peculiar de esta última etapa, casi definitorio, y se construye con una gran abundancia simbólica, con una intensa imaginería y con un decir más oscuro que, no obstante, busca la claridad —si se quiere, la clarificación— casi como una investigación:

> TODA emoción se origina y se hunde en la realidad,
> arraiga como un árbol en ella, y de ella vive y se nutre, la representa y pone
> como un actor en el escenario, o un hábil diplomático
> en el salón del trono [...].

VICENTE GAOS (1919-1980) había reunido ya en dos ocasiones su poesía (en 1959 y 1974), antes de la aparición póstuma de la *Obra poética completa* (1982). Sus primeros poemas, publicados a comienzos de los cuarenta, participan de un característico neoclasicismo de época, que se extiende por buena parte de su poesía, dada a conocer casi toda ella en esa década. Un largo silencio se ve interrumpido en 1961 por *Concierto en mí y en vosotros,* volumen de concepción formal mucho más libre. Esta irregularidad en la edición hace que Gaos quede casi olvidado como poeta, pero desde *Última Thule* (1980), también póstumo, se ha producido una revalorización de su obra.

El conjunto de la poesía de Gaos se caracteriza por su temática religiosa, que expresa una visión confiada y creyente de la vida; se trata de una poesía de fe y de afirmación, compenetrada en extremo con la religión positiva. Simultáneamente, el amor se constituye en el otro gran motivo de Gaos. Esa poesía de fe religiosa se transforma progresivamente en una pregunta ansiosa, a veces en una queja enérgica relativas a la eternidad. El título de algunas de las secciones de *Concierto*... no puede ser más significativo: «Tema y variaciones de la nada», «Canción de la niebla», «Variaciones de la niebla». La transformación, sin embargo, no es tan nítida como podrían hacernos pensar algunos poemas de corte descreído (en especial el «Padre nuestro» del libro recién citado). Dámaso Alonso [1982] ha subrayado este poema y también, por contraposición, otro agregado entre los inéditos en la *Obra* (1982) y titulado «Adjuración». En él reniega de cuanto de queja y protesta, de duda, de apariencia de «ateo y blasfemo» haya en sus escritos anteriores. Podría tratarse de una sincera palinodia del poeta al llegar a una avanzada edad, pero, en cualquier caso, abre interesantes enigmas sobre la autenticidad de pensamiento de una poesía que manifiesta posturas tan encontradas. D. Alonso [*ibid*] olvida, sin embargo, un texto muy anterior, el «Mea culpa» que cierra *Concierto*..., que, en un acto de afirmación, niega todas las invectivas contenidas en el mismo volumen. Así pues, Gaos es un poeta contradictorio en su sentimiento de la divinidad, pero no debe pensarse, creemos, que se trate de alguna clase de inautenticidad sino de la expresión atormentada de un hombre que se debate entre la nada y la afirmación, entre la disolución por la muerte y la necesidad de asegurarse una existencia ultraterrena. Seguramente, ambos y contrapuestos sentimientos fueron vivencia simultánea y dramática en el poeta.

La gran constante de la poesía de RAFAEL MORALES (1919) es su decidido propósito de reivindicar el sentimiento y de propiciar el retorno a una intensa rehumanización de la poesía sin renunciar a la expresividad del lenguaje. Esto lo hace desde sus primeros tanteos poéticos, nada más finalizada la guerra y cuando eran muy otros los cánones estéticos predominantes y se aprecia en su primer libro, *Poemas del toro* (1943). Dicha decisión la confirman los títulos siguientes: *El corazón y la tierra* (1946), *Los desterrados* (1947) y *Canción sobre el asfalto* (1954). Al recoger estas obras en un volumen de *Poesías completas* (1967), el propio Morales sintetizaba los pilares de su creación poética:

> [...] la búsqueda de la belleza expresiva, que afecta al aspecto formal; la atracción de la realidad del mundo, que afecta a los temas; el amor, que afecta al contenido esencial, al sentido más profundo y universal de toda ella.

En *Los desterrados* dominaba ya un claro propósito de presentar una realidad amorosamente vista pero dominada por la limitación, la desdicha. Así, se sucedían poemas dedicados a los enfermos (locos, leprosos, ciegos), a los olvidados (gentes tristes, abandonados, nostálgicos, desamados), a la muerte (niños fallecidos, suicidios)... El paso definitivo hacia la creación del más peculiar mundo poético de Morales se encuentra en *Canción sobre el asfalto,* volumen en el que se hacía plena realidad la desiderata expresada por el escritor al frente del poemario precedente:

> La poesía [...] se encuentra en todas partes. [...] Bajad también entre los lodazales, entre las yerbas de la primavera que se pudrieron... Buscadla también en los ojos de los ahorcados o en las manos sucias de los trabajadores. Yo he ido escribiendo estos versos junto a las cosas desagradables, junto al dolor de los demás y, muchas veces, con mi propia angustia, con mi propio dolor. [...]

En consecuencia, surge una temática que se aparta de la convención tradicional y en la que entran humildes oficios (traperos, barrenderos), modestos y usados objetos («Soneto triste para mi última chaqueta»), materia poco poética («El cemento»). Aparecen, incluso, útiles cotidianos bien prosaicos, como el conocido «Cántico doloroso al cubo de la basura»:

> Tu curva humilde, forma silenciosa,
> le pone un triste anillo a la basura.
> En ti se hizo redonda la ternura,
> se hizo redonda, suave y dolorosa.
>
> Cada cosa que encierras, cada cosa
> tuvo esplendor, acaso hasta hermosura.
> Aquí de una naranja se aventura
> la herida piel que en el olvido posa.
>
> Aquí de una manzana verde y fría
> un resto llora zumo delicado
> entre un polvo que nubla su agonía.
>
> Oh, viejo cubo sucio y resignado,
> desde tu corazón la pena envía
> el llanto de lo humilde y lo olvidado.

Dentro de esa unidad de concepción, la forma ha evolucionado considerablemente y desde el predominio del soneto clásico ha pasado a una mayor libertad formal, incluso a una cierta experimentación de la estructura orgánica del libro; de este modo, crea el «lirodrama» en *La máscara y los dientes* (1958), poema unitario de corte simbólico sobre la existencia cotidiana del hombre. La más reciente entrega de R. Morales, *Prado de serpientes* (incluida en *Obra poética,* 1982) revela la persistencia de sus primitivas inclinaciones hacia los seres humildes, pero, a la vez, incorpora un intimismo que ahora surge con renovadora urgencia.

JOSÉ MARÍA VALVERDE (1926) es poeta de muy mesurada creación, más tras la reducción de sus libros anteriores realizada en *Enseñanzas de la edad* (1971), que recoge su producción poética desde 1945; *Hombre de Dios* (1945), *La espera* (1949), *Versos del domingo* (1954), *Voces y acompañamiento para San Mateo* (1959), *La conquista de este mundo* (1960) y *Años inciertos* (1970), a la que más tarde agregará *Ser de palabra y otros poemas* (1976). La constante de sus primeros poemarios es una persistente preocupación religiosa, hasta el punto de que en su primer título la palabra Dios aparece en todos los poemas. Se ha resaltado que la suya es una visión arraigada (Dámaso Alonso) y ortodoxa (de la Concha) de la existencia considerada desde el prisma de un poeta católico. Es cierto, pero hay que notar que junto a afirmaciones de esperanza y de salvación, no escasean las expresiones de soledad y miedo: «Siento tu negro hueco / devorando mi entraña, como una hambrienta boca»; «Pero no. Tú me faltas. Y te nombro por eso.»; «¡Pero es inútil todo; tengo miedo!» Incluso hallamos la incertidumbre del destino humano, expresada en la pregunta final de la «Elegía del toro en lidia»:

> ¿Qué le irás a decir de nosotros a Dios?

Valverde evoluciona hacia un sentido más histórico del hombre con cierto tono crítico que, sin olvidar antiguas preocupaciones, es patente en *Años inciertos,* por ejemplo en el poema «Visita a los pobres». Pero, sobre todo, impregna su poesía de la propia conflictividad generacional. Por ello la literatura entra en su misma poesía mediante citas que proyectan la ocupación del escritor e incorpora una reflexión personal del desnortamiento y marginación de las gentes de su edad, con un tono autocrítico, autocompasivo y escéptico que patentiza «Toma de conciencia»:

> Seré traidor para unos, blando para los otros,
> abierto a un porvenir sin asiento ni gloria,
> quizá colaborando, pero siempre mal visto,
> progresista gruñón, mesurado extremista...

El «Colofón» de *Enseñanzas de la edad* —que más tarde volveremos a recordar— es un texto insustituible para entender la peripecia humana y estética de algunos poetas de la primera promoción de postguerra.

La prematura desaparición de José Luis Hidalgo (1919-1947) privó a nuestra poesía de una de sus voces líricas más auténticas; ignorado durante bastante tiempo, hoy suele obtener comentarios muy elogiosos y su breve obra siempre se recuerda como una de las significativas de los años cuarenta. Su labor poética se inicia en la preguerra, paralela a su afición plástica, y en ella, junto con ecos vanguardistas, se percibe una inclinación por las formas clásicas, de las que más tarde se desprenderá. Su primer libro es *Raíz* (1944), que recoge poemas datados desde 1935. Es un libro irregular, de propósitos trascendentes, con gran preocupación por la naturaleza, con mayores aciertos en la temática amorosa y con una intuición de los elementos sustanciales del que será su título de más certera expresión, *Los muertos* (1947). Antes había publicado un brevísimo poemario, *Los animales* (1945), especie de bestiario con composiciones dedicadas al caballo, el tigre, el gato, la tortuga, la vaca, el gallo, el conejo, la araña, la hormiga, la víbora y el pez, en el que la crítica ha subrayado el sentido plástico del poeta. La preocupación por la muerte es temprana en Hidalgo y se convierte en el motivo central de *Los muertos*. Se trata de una afirmación de la vida, a la vez que de una reflexión sobre el más allá. La muerte forma parte, para Hidalgo, de la propia existencia

> Pero ya no estoy solo, mi ser vivo
> lleva siempre los muertos en su entraña.
> Moriré como todos y mi vida
> será oscura memoria en otras almas.

No obstante este tono sosegado, pregunta con insistencia a Dios por el destino de las almas y, sin adoptar una actitud creyente, trata de alcanzar una postura confiada pero negativa:

> Si supiera, Señor, que Tú me esperas
> en el borde implacable de la muerte,
> iría hacia tu luz, como una lanza
> que atraviesa la noche y nunca vuelve.
>
> Pero sé que no estás, que el vivir solo
> es soñar con tu ser inútilmente
> y sé que cuando muera es que Tú mismo
> será lo que habrá muerto con mi muerte.

Una vigorosa imaginería —a veces de cierta raigambre surrealista— muy entrañada en una visión sensorial del mundo, según ha señalado la crítica, es la utilizada por Hidalgo para esta reflexión sosegada sobre la muerte en la que va implícito un notable desamparo del ser humano.

A un libro como el presente siempre le acecha el riesgo de aproximarse al catálogo de autores, pero, aun corriendo ese peligro, no puede cometerse la injusticia de olvidar por completo a algunos cuya obra forma también parte de la creación literaria de un determinado momento histórico. No son tan inusuales las revalorizaciones —o la pérdida de crédito de valores que parecen más firmes— como para no pensar que algunos de ellos no ocupen próximamente el lugar de otros hoy más apreciados. Así pues, mencionaré unos cuantos nombres cuya cronología coincide con la de los poetas que hemos recordado en este epígrafe. Sobre alguno, por otra parte, poseo referencias elogiosas, pero mi conocimiento de sus libros no me permite una indicación más amplia: Juan Alcaide (1907-1950), Enrique Azcoaga, Germán Bleiberg,

José Luis Cano, Carmen Conde, Ángela Figuera (1902-1984), Ildefonso-Manuel Gil, José Antonio Muñoz Rojas, Juan Ruiz Peña, José Suárez Carreño.[5]

4) *Algunos movimientos* («*Cántico*», «*Postismo*»)

La abundantísima lírica de afirmación religiosa, presente en casi todos los poetas de los primeros cuarenta (resulta muy sintomática la publicación en 1940 de una *Antología de la poesía sacra,* preparada por Ángel Valbuena Prat), el garcilasismo neoclasicista, una poesía amorosa convencional y evasiva más, en oposición a esas tendencias, la rehumanización espadañista, constituyen las principales líneas dominantes de la inmediata postguerra. Se trata de unas tendencias tan hegemónicas que durante mucho tiempo han circulado como las únicas del momento hasta el punto de que, a veces, han dado lugar a descalificaciones genéricas sobre todo el período, como la de Carlos Barral [1969] al afirmar que lo que caracteriza a éste es la ausencia de estilo y el predominio de una poesía «cuajada en pétreos sonetos y en vacuas volutas verbales». Sin embargo, desde los años sesenta, coincidiendo con la renovación que luego veremos, se empiezan a reivindicar algunos fenómenos marginales, hoy completamente revalorizados y a los que cada vez se concede más importancia. Se trata de dos tendencias vinculadas, respectivamente, a dos revistas —*Postismo* y *Cántico*— y en cada una de las cuales han participado muy considerables individualidades.

5. Gabriel Celaya carece de un amplio estudio monográfico; describen su trayectoria poética los prólogos a diferentes ediciones de su obra redactados por J. M. Valverde [1977], A. González [1977] y G. Domínguez [1980]. El estudio durante mucho tiempo básico sobre Blas de Otero ha sido el de E. Alarcos Llorach [1966]; cf. así mismo el libro de J. Galán [1978], el número 254-255, monográfico, de *Papeles de Son Armadans* (mayo-junio, 1977) y el prólogo de S. de la Cruz [1980]. Sobre José Hierro, cf. A. de Albornoz [1978] y [1982], J. O. Jiménez [1964], P. J. de la Peña [1978] y el número 11 (junio, 1978) de la revista *Nos queda la palabra.* Son imprescindibles para conocer los fundamentos de la poética de Bousoño y los motivos de su evolución sus propios trabajos de [1976] y [1980]; destacan los estudios críticos de su obra de J. O. Jiménez [1964], Ch. D. Ley [1962] y F. Brines [1977]. Sobre V. Gaos, véase C. Bousoño [1960] y D. Alonso [1982]. Para Valverde, cf. de la Concha [1973], J. Marco [1972] y no se olvide el propio Valverde [1978]. R. Morales cuenta con un repertorio bibliográfico (M. Fernández Valladares [1981]) y pueden consultarse un par de trabajos amplios sobre su obra: M. D'Ors [1972] y J. López [1979]. Para Hidalgo, véase L. Rodríguez Alcalde [1956b] y A. García Cantalapiedra [1975]; en éste se hallarán más referencias bibliográficas; escaso interés posee el librito de O. Guerrerro [1971].

El movimiento postista tiene su primera manifestación en el número único de *Postismo* (1945), continuado por el también solitario ejemplar de *La Cerbatana*. Son Carlos Edmundo de Ory, Eduardo Chicharro y Silvano Sernesi los propulsores de *Postismo*. Como ha subrayado F. Rubio [1976], tiene un sentido universalista que contrasta con el cerrado ambiente interior de la cultura de postguerra. Su carácter de ruptura formal fue, a la larga, el responsable de su fugaz presencia en el panorama poético de los cuarenta. Los mismos postistas advirtieron en *La Cerbatana* la efímera duración del movimiento con palabras premonitorias (en F. Rubio [1976, p. 129]):

> [...] nos llaman vándalos y nos llaman blasfemos [pero lo son ellos, los que] siempre holgaron con la poesía, sin conocerla, sin reconocer a Ella en la velada dama, y sólo haciendo de tan Augusta Señora su concubina.
>
> He aquí por qué gritamos, y por qué gritan también ellos. Y he aquí por qué nos echan también de la poesía.
>
> Y decimos nos echan, pero aún nadie nos echa. Es que lo sabemos. Es que lo presentimos, y nos lo figuramos como si lo viéramos. ¡De esta vez nos echan de la poesía!...
>
> No lo sabemos, pero nos lo esperamos.

El postismo, por una parte, tiene el valor histórico de recuperar de una manera abierta —aunque no sin importantes diferencias, en las que no podemos entrar— el surrealismo. O, más precisamente, su deseo de enlazar con las vanguardias de preguerra, respecto de las cuales se considera un movimiento posterior (de ahí su nombre: post-ismo). Con claridad lo expresaba el «Primer manifiesto del Postismo» (*Postismo,* 1, 1945) al decir que era

> especialmente, un post-surrealismo, y en buena parte un post-impresionismo. Pero es también un post-dadaísmo. En mínima parte, un post-cubismo. Mientras que tan solo históricamente es un post-ultraísmo, un post-futurismo, un post-realismo, etc.

Desde esta postura abrían una brecha en la poesía conformista y establecida del momento. Más llamativa resulta —a pesar de su ineficacia en aquel contexto literario— la reivindicación de la imaginación y la puerta abierta a un aire humorístico y desenfadado, un punto irreverente e iconoclasta, que era, a la vez, la expresión literaria de un anticonvencionalismo vital.

Numerosos hombres de letras del momento estuvieron más o

menos vinculados a la aventura postista, algunos incluso de las tendencias poéticas más oficialistas. Otros se relacionaron no tanto con la revista como con sus inspiradores en fechas algo más tardías. Por su relieve posterior recordaremos al pintor Saura y a los dramaturgos Arrabal y Nieva. En el campo de la creación poética, la figura más singular es la de CARLOS EDMUNDO DE ORY (1923). Escritor con abundante obra desde los años cuarenta —poesía sobre todo, pero también prosa narrativa—, su primer libro no se edita, sin embargo, hasta 1963 (*Los sonetos*). Desde esta fecha hasta 1969 (*Poemas*) recoge en revistas (en particular *Cuadernos Hispanoamericanos* y *Papeles de Son Armadans*) diferentes composiciones. Señalo estos datos para subrayar —si es que hiciera falta— la permanente marginación de Ory. El cambio decisivo de esta situación se da a partir de 1970 en que Félix Grande prepara una antología de *Poesía 1945-1969* en cuyo prólogo exige la justicia que Ory merece y que está en vías de lograr gracias a ese oportuno y enérgico preliminar. A partir de entonces aparecen con cierta regularidad nuevos títulos: *Técnica y llanto* (1971), *Los poemas de 1944* (1973), *Poesía abierta* (1974), *Lee sin temor* (1976), *18 poemas* (1976).

Si una palabra tuviera que condensar la poesía de Ory, ésta sería libertad. No pienso en la práctica del «collage», ni siquiera en las mínimas condensaciones —entre la sentencia y la greguería— de los «Aerolitos». Me refiero a una actitud humana a partir de la cual la poesía no conoce ninguna limitación temática ni formal. Muy llamativo puede parecer el aire grotesco de alguna de sus composiciones, pero no es tampoco lo más destacable de su obra. Lo verdaderamente significativo es cómo hace literatura vigorosa y fresca, provocativa o tierna desde una experiencia personal en la que se entremezclan bohemia indigente y profundo desgarramiento vital. Sobre ese sustrato —y con una alerta inclinación surrealista— abordará sin traba de ninguna clase el poema. Éste ya recogerá lo escatológico, ya experimentará con los sonidos, ya ofrecerá sorprendentes imágenes o presentará auténticos hallazgos verbales. En fin, terminará —o mejor, empezará— su camino hacia la libertad desprendiéndose de la mínima atadura del escritor: los signos de puntuación.

Señaló Grande [1970 b] la subterránea armonía de una obra «aparentemente dispersiva». Los temas —variados— surgen de una actitud desarraigada y agónica frente al mundo que ya se preludia en algún texto temprano: «Digo de mi existencia que es una peregrina / noche fugaz errático bulto inmenso y sombrío [...]» («Oración nocturna», 1946). Actitud que adquiere fuerza expresiva mediante variados recursos; por ejemplo, esta mezcla de discurso automático, imaginería lingüística y aparlegómenos («Cabeza de silencio»):

> ¿Por qué álfico aquilón surto desvío
> mi corazón del liquen y entre colas
> de pelúcido cómo dejo solas
> estas manos de pájaro vacío?

A veces aflora la situación emotiva del poeta («Triste estoy como un cajón vacío») y se transforma en ternura: «Mi hija es una hoja de nieve / desde los pies a la cabeza / [...] // Nacer es ya un principio del fin / Y a ti te dimos nombre». Pero, por lo común, se vuelca en la interpretación siempre personal —diferente— de la realidad exterior. Tan singular que basta comprobar su frecuente visión de España con la habitual en la postguerra para hallar un indicio más que suficiente («Oh mi España de peluca y de tomate / Matricúlame de muerto en la alcaldía / y celebra un carnaval de escapularios [...]»). Ory escribe a partir de un profundo dramatismo que no es obstáculo para su reticencia sobre la labor del poeta. En una ocasión se pregunta, en «Los poetas», «¿Son señores? ¿Son globos de colores?»; luego explicará cómo se ríen de él, cómo «Poeta paga caro / paga a precio de sangre / tu voltereta en la existencia / tu soledad de pelota abandonada». En otra, escribirá que «Nunca espero hacer un verso / ni en invierno ni en verano». Tampoco es obstáculo para un franco y descoyuntado humorismo. Una imaginación sin límites es sustancial en Ory. Pero no debe desligarse, como antes sugería, de un poderoso instinto verbal, que le permite toda clase de juegos: la aliteración («Soneto en eses»), la enumeración caótica, la asociación insólita, la fusión de términos más o menos sorprendente..., en fin, hasta el empleo de la palabra con un sentido eminentemente lúdico.

Entre los poetas de los cuarenta habitualmente marginados —y que no ha conocido una recuperación equivalente a la de los recién citados— se encuentra JUAN-EDUARDO CIRLOT (1916-1973), bien conocido, en cambio, como crítico y estudioso del arte. El mencionarlo en este momento se debe a que, en un sentido lato, guarda alguna correspondencia con Ory, pues en una época semejante lleva a cabo una valerosa defensa y práctica del surrealismo. Fue miembro destacado del contestario grupo catalán «Dau al Set», su poesía es copiosa y, aparte de su inspiración surrealista, se ve influida por corrientes orientales y por la Cábala. También cultivó la poesía experimental y visual. Prácticamente desconocido es JULIO GARCÉS (1919) quien, por la escasa obra suya que me ha sido accesible, también debe recordarse a causa de su relación con el surrealismo, aunque tenga una vertiente más descriptiva.

Parecida trayectoria a la de Ory en cuanto a la peripecia de su apreciación crítica —y tan sólo en ese campo— es la de la revista cordobesa *Cántico* (1947-1949 y 1954-1957), aglutinadora de otra tendencia marginal —o al menos, marginada— de los cuarenta, rescatada, en buena medida, por el empeño de Guillermo Carnero [1976]. Sus redactores fueron Pablo García Baena, Ricardo Molina y Juan Bernier. *Cántico,* a la vista de sus variados colaboradores es, en alguna medida y, sobre todo, en su segunda época, un amplio repertorio de todas las corrientes poéticas del momento y en ella firmaron todos quienes lo hacían habitualmente en otras revistas de diferentes y aun contrapuestos sentidos (desde garcilasistas hasta poetas sociales). Por ello, no parecerá impertinente recalcar, una vez más, la maniquea parcelación que suele hacerse de la poesía de postguerra. Pero *Cántico,* en cuanto aportación a la poesía de los cuarenta supone, en palabras de la mencionada F. Rubio [1976], una fuerte conexión con la generación del 27 —con un temprano entronque con Cernuda—, la incorporación de una poesía de reflexión, y, en su segunda época, adquirió un «marcado carácter de pureza poética». Por otra parte, en la etapa de los años cuarenta, que parece representar con mayor propiedad las aspiraciones peculiares del grupo fundador, se destacan los siguientes caracteres, según el citado trabajo de Carnero (p. 41): presencia abrumadora de un intimismo de contención culturalista; refinamiento formal, búsqueda de la palabra rica y justa; potenciación del análisis introspectivo mediante la selección léxica; barroquismo; tratamiento vitalista del tema amoroso; ausencia de formas de amor dentro del orden, como el conyugal; presencia de poesía de tipo religioso (sacra, intimista religiosa, de correlato religioso prescindible). La enorme revalorización de *Cántico* desde los años sesenta —acompañada ahora de la reedición de la revista en 1983— se debió, por un lado, al reconocimiento de una estética postergada, pero, también, por otro, a la necesidad de algunos movimientos poéticos de esa década de hallar unas señas de identidad que les permitieran entroncarse con la tradición de anteguerra. En cuanto rescate de una tendencia marginada, nos parece muy justa dicha revalorización, pero pensamos que ha resultado algo extremada y excesiva.

De los poetas estrechamente vinculados con *Cántico,* hoy conoce un justo rescate el malogrado RICARDO MOLINA (1917-1968). De no ser por el adverso medio literario en que publica sus primeros títulos, ya en la primera década de postguerra hubiera destacado, pues en ella aparecen dos interesantes entregas: *Elegías en Sandua* (1948) y *Corimbo* (1949). Hasta la fecha de su muerte editará tres títulos más: *Elegía de Medina Azahara* (1957), *La Casa* (1966) y *A la luz de cada día* (1967). Inéditos dejó dos títulos, *Psalmos* y *Homenaje* (en parte recogidos por Mariano Roldán en *Antología 1945-1967,* 1976) y recientemente se ha publicado su *Obra poética completa.* La palabra elegía al frente de dos de sus poemarios da ya idea del tono predominante de su poesía: reflexión emotiva y triste sobre la fugacidad de la existencia. Los tonos apagados, el atardecer, la sombra y el olvido, lo vacío, el recuerdo hecho lamento, la dulzura ida frente al presente hostil y al incierto futuro; lo que se poseyó y se perdió... recorren constantemente sus versos. A veces, esa vivencia de la temporalidad se encrespa y halla una salida en la expresiva reiteración:

> oh amor, oh amargo amor, amor perdido,
> siempre amor, siempre amargo y ya perdido,
> oh amor amargo como el olor de las palmiras,
> oh amor perdido que amo todavía...

Sin embargo, el decir lastimero de nuestro poeta posee un signo distintivo muy suyo y es que lo elegíaco no supone renuncia ni claudicación sino, por el contrario, la afirmación de un notable vitalismo. Ello se reconoce en el léxico (goce, dulce...) y se plasma en versos redondos como «vivir, ¡vivir aunque se viva en vano!», pero se nota aún más, si cabe, en su persistente temática amorosa. La separación, la ruptura, el olvido causan dolor y hacen temblar de emoción al poeta; sin embargo, sus poemas están repletos de un goce sensorial, de un contacto físico, epidérmico..., en fin, de un erotismo inmediato, franco, directo. Es la afirmación frente a la elegía que acabo de señalar. Por otra parte, si la poética de Molina suele contraponerse a la del realismo testimonial, tampoco debe entenderse como un deseo de marginarse del mundo histórico, y buena prueba de ello la constituye un ensayo suyo, con frecuencia olvidado, *Función social de la poesía* (1971), en exceso divagatorio pero que supone una preocupación por el sentido histórico de la poesía. Bien es cierto que éste se aparta de cualquier instrumentalización inmediata. El poeta no es un privilegiado ni posee armas espectaculares. Su hermosa «Elegía XXVII» nos lo dice despacio: muchos piensan que el poeta «es un hombre que vive en dichosos dominios», que es un ser que no tiene «inquietudes por nada en la vida, /

pero el poeta es siempre / un hombre silencioso y vestido de negro, / y los bosques que canta no son suyos [...]»; tras pasar revista a diferentes realidades, el poema concluye

> Buscadlo sin crepúsculos, sin gloria,
> casi sin juventud y sin amores,
> solitario, perdido en lejanos recuerdos...
>
> ¡Ah, buscadlo en las calles más profundas de Córdoba!

No obstante, tampoco es tan inútil el poeta. La irónica «Elegía XIII» lo evidencia. Las gentes, dice, se preguntarán un día quién era este hombre:

> [...] Este poeta era igual que nosotros. / ¿Sus amores? ¡Acaso no hemos amado todos! / ¿Su tristeza? ¡Quién no estuvo triste en la vida! / Así cualquiera puede ser poeta. / Es fácil hacer versos sin medida / y hablar siempre de rosas y de lilas, / de cielos y de nubes, de besos y recuerdos
>
> [...] Amaba sólo el cuerpo. / Era un materialista. / Sus Elegías son poco recomendables. / Muchas podrían tacharse incluso de inmorales

Un día, sin embargo, una doncella acaso diga: «Cuánto amor, cuánta dulzura / hay en este poeta». Mientras, aunque el poeta haya muerto, las flores despertarán y él andará por la naturaleza y será una sombra dulce y apasionada.

Nostalgia y vida constituyen los dos polos entre los que oscila la poesía de Molina. Un decir sencillo cargado de intuición es su vehículo expresivo. Una profundísima emoción, una intensa vivencia de la temporalidad se disponen a servir a un intimismo reconcentrado y, a la vez, amante del mundo. Todo ello nos parece muy positivo, pero para ser un gran poeta tal vez le falte mayor densidad de pensamiento.

Aparte de la figura de Ricardo Molina —seguramente la más ensalzada por la crítica—, otros poetas muy estimables —y alguno de la calidad de Pablo García Baena— se relacionan con *Cántico* y ofrecen rasgos coincidentes en sus estéticas. Incluso se hallan en ellos algunos comunes rasgos anecdóticos que no dejan de tener interés. Por ejemplo, los largos silencios creativos —o, al menos, de edición— que se producen entre sus obras de los alrededores de los años cincuenta y su resurgimiento a finales de los setenta. También parece relacionarlos el que la sevillana editorial Renacimiento se haya ocupado de algunas de sus últimas publicaciones. Por encima de estas curiosidades les vincula su propensión a un verso sonoro, de corte modernista y una cierta visión elegíaca de la existencia. De los fundadores de *Cántico* recordaremos a PABLO GARCÍA BAENA (1923) y a JUAN BERNIER (1911).

García Baena había publicado en los cuarenta un par de volúmenes de profundo esteticismo (*Rumor oculto,* 1946; *Mientras cantan los pájaros,* 1948). Ofreció otro par de entregas en la década siguiente y reaparece en los setenta con el breve *Almoneda* (1971) y, sobre todo con *Antes que el tiempo acabe* (1978). Nuevos textos, no todos de reciente redacción, incorpora a las *Poesías completas* (1982). Las muy elogiosas palabras de L. A. de Villena en el prólogo a esta compilación dan ya idea de lo más llamativo de García Baena: barroquismo, sensualidad, decorativismo. Añadamos un amor exultante, un hedonismo no disimulado, notas de misterio y elegía. E. Miró [1980] escribía, a propósito del último poemario citado, que en él culminaba la hermosa y gran poesía de García Baena: «poeta del cuerpo, del verano y la juventud, del placer y el goce de vivir y amar, contemplado todo desde la mirada hacia dentro y atrás, la melancolía del inexorable paso del tiempo, el sentimiento de impotencia, la caducidad y el derribo, la proximidad y el sabor de la muerte».

JUAN BERNIER reanuda con gran impulso una actividad mucho tiempo en suspenso: desde *Aquí en la tierra* (1948) y *Una voz cualquiera* (1959) hasta *Poesía en seis tiempos* (1977) y *En el pozo del yo* (1982). En *Poesía...* recogía toda su producción anterior y la distribuía en seis ámbitos temáticos —de ahí el título— que muestra las grandes preocupaciones de Bernier: el Sur, el Deseo, el Hombre, la Muerte, Dios y el Ahondar. En esos «tiempos» Bernier se mueve entre la elegía y la sensualidad, entre la emoción y el pensamiento (en el último título) y lo hace con una actitud esteticista que busca la sonoridad del verso y la hermosura del mundo.

Además de los citados —cabezas prominentes de *Cántico*—, otros nombres pueden vincularse con la estética de este movimiento y por ello fueron incluidos por Carnero [1976] en su estudio-antología. Se trata de JULIO AUMENTE (1924) y MARIO LÓPEZ (1918). También Aumente se inicia en el medio siglo con *El aire que no vuelve* (1955) y mucho más tarde presenta *Por la pendiente oscura* (1982), dentro de su primitiva línea esteticista y de regusto por los recursos formales. M. López publica *Garganta y corazón del sur* (1951) y *Universo del pueblo* (1960) en una primera etapa. Con *Museo simbólico* (1982) parece reanudar una labor parcialmente interrumpida. El sentimiento religioso es lo que unifica todos sus libros en los que, por otra parte, una visión bastante conformista de la existencia abunda en temas amorosos y rurales.[6]

5) *La poesía trasterrada*

Ya hemos repetido que un amplio sector de los hombres de ciencias y de letras emprenden el camino del exilio a lo largo de la lucha civil de 1936 o al finalizar ésta. El efecto, en lo que concierne a la poesía, fue enorme, pues buena parte de la plana mayor de los poetas que por entonces figuraban entre los maestros de nuestro siglo o de quienes habían conseguido ya obra amplia, cuajada, personal y, con frecuencia, popular tuvieron que abandonar su país. De esos nombres con reconocimiento crítico en aquellas fechas no nos ocuparemos aquí, pues su obra suele estudiarse en la órbita que arranca de sus primeras inquietudes de anteguerra, y ya ha sido analizada en el volumen anterior de esta *Historia de la literatura.* Recordemos, nada más, que fuera de España se completan, con signos distintivos y peculiares, o se acrecientan trayectorias poéticas como las de Juan Ramón Jiménez, Jorge Guillén o Luis Cernuda. Además, el propio exilio se refleja en la inmensa mayoría de los poetas trasterrados tanto por su significación histórica como por lo que supone de lacerante experiencia personal. Estos dos grandes rasgos debieran llevarnos a desarrollar aquí esos nuevos estímulos y su reflejo en su obra lírica, pero preferimos remitir al lugar en el que habitualmente se estudia su obra, que es el mencionado tomo anterior de esta *Historia.* Quizás en él cabría añadir algún nombre más o ampliar la información; sin embargo, pensamos que, dentro de las limitadas dimensiones del volumen, ofrece una información básica para quien quiera adentrarse en el tema.

La redacción de este epígrafe presenta muy especiales dificultades, pues la poesía en el exilio es copiosísima y de laberíntico acceso. La persona que más esfuerzos ha dedicado a histo-

6. La bibliografía sobre estos movimientos marginales se ha publicado muy recientemente y todavía no es muy amplia. Información sobre la revista *Postismo* se encuentra en F. Rubio [1976] y C. E. de Ory [1970]. Los prólogos de F. Grande [1970b] (recogido en 1970) y R. de Cózar [1978] constituyen dos acertadas introducciones a la obra de C. E. de Ory. Sobre Cirlot, cf. la introducción de C. Janés [1981] y el reivindicador prólogo de L. Azancot a *Poesía* (Madrid, 1974). El estudio fundamental sobre *Cántico* es el de G. Carnero [1976], junto con las páginas que le dedica F. Rubio [1976]; el trabajo de Carnero es, además, básico para los poetas vinculados a la revista a los que nos hemos referido en este epígrafe.

riarla, Aurora de Albornoz [1977], ya ha advertido los enormes obstáculos que ofrece su estudio cabal y satisfactorio: imposibilidad de hallar la obra completa de los exiliados y, a veces, ni siquiera información sobre algunos de ellos; incertidumbres para organizar expositivamente una labor abundantísima, dispersa y carente, todavía, de estudios básicos que permitan llegar a una visión global. Si estas trabas encuentra una estudiosa que ha recopilado con tenacidad un *corpus* lírico de enormes dimensiones —y que ha accedido a ejemplares rarísimos—, quienes no hemos realizado una labor semejante —que exige un alto grado de especialización en el tema— nos vemos obligados a trabajar sobre unos materiales muy reducidos, lo que limitaría drásticamente —de hablar sólo de poemarios conocidos de primera mano— la información que podríamos ofrecer. Por ello, tendremos constantemente presente el citado estudio de A. de Albornoz —sin que mencionemos en cada caso la deuda que contraemos con él— y otros de los pocos que existen sobre el tema y que referimos en nota.

Antes de recordar algunos autores y títulos, conviene plantear un par de cuestiones: la dimensión cronológica de los escritores trasterrados y la existencia de caracteres generales que permitan hablar como tal de una poesía del exilio. Respecto del primer asunto —y al igual que lo indicado en el capítulo sobre la novela—, en el exilio conviven diferentes generaciones literarias, desde escritores mayores de la edad de un Juan Ramón Jiménez hasta gentes tan jóvenes que eran niños en los tiempos de la guerra. De este modo, cuando abandonan España, unos poseen ya una labor amplia y de nítidos perfiles, mientras que otros llevan a cabo toda su producción fuera de su patria. Un grupo intermedio, nacido en los años diez de nuestro siglo, aunque se hubiera dado a conocer en España, no había logrado todavía una creación de gran importancia y realmente sus integrantes se hacen poetas lejos de su tierra natal. Así pues, en un sentido muy estricto sólo serían poetas del exilio estos dos últimos grupos. Sin embargo, tampoco resultaría muy exacto hacer tan tajante restricción porque la experiencia humana del destierro afecta a todos, aunque no por igual (no pueden sentirlo de la misma manera quienes deben abandonar su tierra cuando están en plena realización de un proyecto vital o intelectual que unos jóvenes o niños que se integrarán con bastante naturalidad en los países de adopción). Estos condicionamientos —que he planteado en otras ocasiones— determinan toda actividad intelectual y hay escritores que hallan su principal estímulo creativo precisamente en ese dramático hecho biográfico, mientras que otros parecen adoptar a partir de él un silencio absoluto (es el caso de un Juan Larrea, a quien indebidamente se cita a veces entre los poetas trasterrados, pues no volvió a escribir poesía fuera de España; incluso desde bastante antes de su involuntaria salida). Decía que el exilio afecta a toda actividad intelectual, pero, además, debe influir de manera muy intensa en los líricos, ya que este género es más propicio a acoger estados emotivos que, por ejemplo, la novela. Por consiguiente, también la poesía de esos escritores mayores es poesía del exilio en cuanto que recoge estímulos vivenciales que no se hubieran dado de no haberse producido la experiencia de tal suceso histórico. Esto es lo que me llevaba líneas arriba a plantear la cuestión de la existencia de caracteres generales como tal poesía del exilio. Pienso que sí existen, y A. de Albornoz ha señalado un par de ellos. La salida de España supone, en un número considerable de poetas, un período de menor personalidad poética, tras el cual tardarán en hallar una voz de nuevo singular y precisa. Recuperada ésta, puede hablarse de una nueva etapa, con diferenciadores signos, en muy relevantes líricos. Pienso, por ejemplo, en Luis Cernuda o en Emilio Prados; también en Jorge Guillén, cuyas nuevas entregas de *Cántico* tan distantes se encuentran de la visión del mundo de su obra juvenil. No es cuestión, por ejemplo, de especular sobre cómo hubiera evolucionado aquella visión luminosa de no haber conocido el poeta la guerra española, la mundial, el exilio...

Otro rasgo que permite hablar de poesía del exilio es la reiterada preocupación por el tema de España, el recuerdo de la guerra civil, la recuperación del pasado. Estas inquietudes se encuentran en un número importante de poetas —por no extremar la afirmación y decir que en todos— y con ellas conecta otro aspecto muy generalizado, un tono de nostalgia, de evocación que impregna hasta lo más hondo alguna de las poéticas del exilio y que consigue, en algunas de ellas, sus acentos más verdaderos. Sin pasión momentánea, con distanciamiento artísticamente creador, la obra de un Juan José Domenchina crece enormemente dentro de estas preocupaciones y es una de las que más certeramente la expresan.

Tal vez merecería la pena que a la ya amplia bibliografía sobre el tema de España en la literatura se añadiera un estudio monográfico que, además de constatar su presencia en la poesía exiliada, analizara su evolución. Hasta donde se me alcanza, y por lecturas que distan mucho de abarcar por completo el asunto, creo que esa transformación se erige en un rasgo característico del exilio: el paso de unos planteamientos exaltados, de una intensa emocionalidad no reprimida, a un sentimiento en el que se alían, mitad y mitad, serenidad y nostalgia. Dos o tres lustros después del fin de la guerra, España sigue siendo preocupación notable de los poetas (en general, de los escritores, y del conjunto del exilio, y ha dado lugar incluso a irónicas narraciones), pero la percepción de la imposibilidad de un cambio en el interior lleva a una evocación emotiva, dolorida pero entrañable y conduce a la presencia de la memoria como signo muy distintivo de la lírica trasterrada de los cincuenta y sesenta. Según escribe F. Rubio [1981], «La distancia acentúa las notas sublimadoras del recuerdo. El trauma de la guerra civil reciente propicia que el tema de los amigos muertos, del amor como supervivencia y la religión como refugio asome en primer lugar a los textos de los más líricos, una vez que el primer momento de angustia ya ha pasado. En casos muy concretos empieza a funcionar la escritura como memoria, y la memoria como recuperación del pasado [...]».

Por otra parte, un destierro tan prolongado en el tiempo no puede considerarse de una manera monolítica porque en esa dilatada cronología se dan sucesos históricos y políticos en relación con España que cambian el estado de ánimo de las gentes del exilió y, por tanto, ello también se reflejará en la poesía, según ha señalado igualmente A. de Albornoz, para quien la España de postguerra posee «un peso decisivo en la conciencia y en la obra de los poetas desterrados [...]: creo que hay un *antes* y un *después* de ciertas fechas clave [...] que se refleja en la poesía o en la actitud vital —inseparable de la poesía— de muchos creadores». Asimismo, indica esta estudiosa otra evolución de carácter general que es paralela a la que acabamos de sugerir a propósito del tema de España. Observamos, dice, «en todo poeta, un primer momento, más o menos largo, de vacilaciones o de desesperanza, y un segundo tiempo que podríamos llamar de "nostalgia" o de "serenidad": más o menos cercanamente, la realidad objetiva pesa en esos estados de ánimo». Además, y aunque no se trate de una preocupación excesivamente generalizada, también en ocasiones la obra de los poetas exiliados refleja las emociones surgidas en relación con los nuevos lugares de residencia. Por otro lado, en fin, la experiencia humana del destierro acentúa la recuperación del «espacio interior», del mundo personal del poeta, que es, al decir de F. Rubio [1981], uno de los mayores logros de la poesía peregrina. Justamente dentro de este ámbito —entre la soledad y el recuerdo—, queremos subrayar la obra exilada —muy superior a la precedente— de Juan José Domenchina, a quien no vamos a referirnos por respetar los criterios seguidos con el resto de los poetas con libros antes y después de la lucha. Sin embargo, nos parece de justicia aprovechar la mención para reivindicar una urgente recuperación de una poesía postergada a pesar de ser de las más valiosas, sinceras y emotivas de todo el exilio. Pensamos que el día en que se revise con serenidad será estimada muy por encima de la de otros autores que han obtenido notable predicamento.

La poesía en el exilio constituye, pues, uno de los capítulos más importantes de la lírica castellana de todos los tiempos, pero aquí no hablaremos —por las razones prácticas expuestas— de los grandes poetas de anteguerra —o que en ella publicaron títulos de relieve— y tan sólo mencionaremos sus nombres sin otro propósito que evidenciar su trascendencia, debida a la enorme calidad de esos poetas, primero y a la amplitud de su obra, después. El simple recuerdo de esos nombres es más que suficiente prueba de la veracidad de nuestra afirmación. La evocación de Antonio Machado es sólo un homenaje, ya que fallece el mismo año en que finaliza la guerra, poco después de cruzar la frontera. No olvidemos, sin embargo, que obra suya se publicó póstuma. Entre los grandes maestros de comienzos de siglo, destaca Juan Ramón Jiménez, que escribe algunos de sus poemas definitivos fuera de España. Un núcleo importante de los poetas de la «España peregrina» constituye un grupo fundamental de las nóminas canónicas de la apellidada «generación del 27»: Rafael Alberti, Manuel Altolaguirre, Luis Cernuda, Jorge Guillén, Emilio Prados, Pedro Salinas y a ella puede vincularse Pedro Garfias. Otros poetas más, de obra estimable, y alguna de gran nivel, no hallan un acomodo generacional tan fácil y extienden su creación antes y después de la lucha: Ernestina de Champourcín, Enrique Díez Canedo, Juan José Domenchina, Antonio Espina, Juan Gil-Albert, Concha Méndez y José Moreno Villa. Todavía, en fin, la nómina no es completa: otros rumbos estéticos son los de Eleazar Huerta y poseo elogiosas referencias a libros que no conozco de César Arconada, Ángel Lázaro, José Ribas Panedas y Marina Romero.

Según acabo de indicar, es amplio el número de poetas trasterrados que desarrolla buena parte o la totalidad de su obra fuera de España. Llama la atención, por ejemplo, la coincidencia de narradores que también cultivan la poesía. Muy normal resulta en escritores que en su obra en prosa muestran una clara inclinación lírica. Es el caso de AGUSTÍ BARTRA, con títulos como *El árbol de fuego* (1946), *Odiseo* (1955), *Quetzalcoatl* (1960), *Ecce Homo* (1964), *El hijo pródigo* (1972), escritos en catalán y traducidos al castellano por el propio poeta (una amplia selección de estos títulos ofreció en España en *De la voz total*, 1972). Bartra muestra inclinación por el mundo clásico, que proyecta incluso sobre la guerra (*Marsias y Adila*, 1962), cultiva con frecuencia el tono elegíaco; a veces le distingue una gran preocupación por el intimismo, pero también hallamos la expresión de un mundo exterior desgarrado. No siempre hay una frontera clara entre su poesía y su prosa, pues libros en apariencia total o parcialmente narrativos (*Odiseo, Cristo de 200.000 brazos*) tienen un profundo tono lírico. También la exacta tensión lírica de la prosa de RAFAEL DIESTE conduce con gran naturalidad al poeta, sobre todo en gallego, pero también en castellano con *Rojo farol amante* (1940).

En otros escritores, esa relación entre los géneros que cultivan no es tan intensa y más bien parece que el frecuentar una u otra forma —la poesía o la prosa narrativa— constituye dos vertientes distintas de su preocupación literaria. Puede suceder que una predomine claramente sobre la otra, caso de MAX AUB o de RAMÓN J. SENDER, cuya actividad como poetas nos parece secundaria en relación con su obra narrativa, aunque como tales merezcan atención. También descubrimos algún escritor que alcanza una importancia pareja en cada uno de estos géneros. Así lo estimo en el caso de JOSÉ RAMÓN ARANA, a juzgar, al menos, por los títulos poéticos a los que he tenido acceso, y sin conocer toda su obra en verso, compuesta por *Mar del Norte, Mar Negro* (1938), *Ancla* (1941), *A tu sombra lejana* (1942). En su poesía hay un componente testimonial, pero, también una propensión a la decantación serena y sosegada de dramáticas vivencias. Un notable espíritu de ecuanimidad le lleva a conseguir un decir aquietado y esperanzado, como en este poema que no recogió en libro: «Mis ojos son tan viejos / que han visto derrumbarse / el mundo de mi infancia / y brotar este mundo // Mira y dime si queda / recuerdo, huella, sombra / del hombre que se erguía / difícilmente humano // si algo queda es posible / que amanezca de nuevo».

JOSÉ BERGAMÍN (1896-1983) ha obtenido notable resonancia como ensayista y promotor cultural y ello ha relegado a un segundo lugar su poesía, de aparición en libro, por otra parte, bastante tardía: *Rimas y sonetos rezagados* (1962), *Duendecitos y coplas* (1963), *La claridad desierta* (1973), *Del otoño y los mirlos* (1975), *Apartada orilla* (1976), *Velado desvelo* (1978), *Por debajo del sueño* (1979). Llama sorprendentemente la atención la enorme diferencia que existe entre su prosa —a poco que se haya frecuentado— y su poesía, pues ésta es de extremada sencillez, tanto en las estrofas tradicionales a las que suele acudir como en su propio lenguaje. Se trata de una poesía de intenso lirismo, en torno a los más genéricos temas humanos y poéticos y con una fuerte carga emotiva.

De José Herrera Petere no he logrado sus libros poéticos, escritos en francés y en castellano, que practican, según A. de Albornoz, una estética surrealista.

Luis Alberto Quesada es, además de autor de interesantes cuentos (*Mineros* y *La saca* son libros de relatos), poeta estimable en *El hombre colectivo* (1974). La suya es poesía de corte comprometido que, preocupada por el tema genérico del hombre, desde él desciende a lo hispano, con toda una sección dedicada a los andaluces. También destaca su preocupación por el tema de España, con cierto aire de denuncia política que lleva a una visión esperanzada de la vida.

También Arturo Serrano Plaja ha conseguido renombre como novelista, pero en este caso creo que su mayor acierto expresivo se encuentra en su poesía: *Versos de guerra y paz* (1945), *Galope de la muerte* (1968), *La mano de Dios pasa por este perro* (1965). Poeta también de testimonio y de compromiso, con una vertiente casi de tipo político e ideológico, a la vez es un lírico reflexivo, preocupado por la trascendencia; no son dos actitudes simultáneas sino progresivas que, posiblemente, reflejan una peripecia interior del exilio que va desde el ánimo combativo hasta la búsqueda de la religiosidad.

Manuel Andújar había publicado ya su importante trilogía novelesca *Vísperas* cuando edita su primer libro de versos, *La propia imagen* (1961 y 1979); posteriormente, será poeta de moderada producción pero regular: *Campana y cadena* (1967), *Fechas de un retorno* (1979), *Sentires y querencias* (1984). Señala Manuel Urbano en el prólogo a este último libro el trenzado de sentimientos y querencias que constituye toda la obra poética de Andújar y A. de Albornoz destacaba el definidor título del primero: una indagación en la propia persona mediante la exploración del presente, el pasado y las vivencias íntimas. Se trata, en efecto, de una vigorosa poesía de reflexión de la que surge un análisis del entorno del poeta desde un intimismo de vivencias y sentires muy arraigados, muy lúcidos, que combinan un intenso dolor, una actitud crítica, pero, a la vez, un sentimiento de esperanza.

En otros nombres destacados, la de la poesía es la actividad más sostenida (dentro de la creación literaria, se entiende, ya que un Sánchez Vázquez, por ejemplo, es, ante todo, filósofo). Es el caso del también antólogo y estudioso de la poesía FRANCISCO GINER DE LOS RÍOS: *La rama viva* (1940), *Pasión primera* (1941), *Romancerillo de la fe* (1941), *Los laureles de Daxaca* (1948), *Poemas mexicanos* (1958), *Llanto con Emilio Prados* (1962), *Elegías y poemas españoles* (1966). En Giner destaca, en primer lugar, su entroncamiento con el tradicional tema de España y, después, su persistente tratamiento de grandes motivos humanos, sobre todo el amor y la muerte. También, como subraya A. de Albornoz, resalta la frecuencia con que los amigos, a menudo escritores, aparecen en sus versos.

JUAN REJANO fue durante mucho tiempo un casi completo desconocido en nuestro país, a pesar de haber publicado entre mediados de los cuarenta y de los sesenta más de una docena de títulos poéticos. La edición de unas selectas *Poesías* (1977) no sólo recuperaba una voz marginada sino que llamaba la atención sobre un poeta de notable interés. Una parte de su obra tiende hacia una concepción testimonial de la poesía dentro de la que destaca su preocupación por el tema de España. Otra, más frecuente a medida que pasa el tiempo, acentúa las vivencias interiores y se ocupa de temas más universales, sobre todo amorosos. Una parte diferenciada de su obra está presidida por poemas de gratitud y admiración, de «homenajes» a amigos, sobre todo escritores, en los que se hallan los acentos más esperanzados de Rejano. Bastante inclinado a las estrofas tradicionales, hay que destacar sus aciertos en composiciones de tono ligero, de apariencia menor, pero muy logradas y de gran expresividad.

De esos nombres que cultivan preferentemente la poesía hay que destacar a tres poetas que, por diferentes referencias que poseo, deben estimarse muy valiosos, aunque de ellos conozco una porción tan pequeña de su obra que sólo puedo mencionarlos. JOSÉ MARÍA QUIROGA PLA (1902-1955) ha publicado nada más una mínima parte de su obra (*Morir al día*, 1946; *La realidad reflejada*, 1955) y prefiere las formas clásicas. LORENZO VARELA (1916) editó poemas en revistas y el volumen *Torres de amor* (1942) en castellano, además de una importante obra en gallego; parece que en él la evocación y el recuerdo son elementos fundamentales. Una inclinación surrealista es característica del filósofo ADOLFO SÁNCHEZ VÁZQUEZ (1912), según anota A. de Albornoz respecto de *El pulso ardiendo* (1942). A estos nombres hay que añadir otros más de los que igualmente poseo referencias muy positivas, pero cuya obra lírica no me ha sido accesible: Antonio Aparicio, Bernardo Clariana, María Enciso, Jacinto-Luis Guereña.

En el capítulo dedicado a narrativa destaco el fenómeno de los escritores españoles que por edad han desarrollado toda su actividad intelectual fuera de España, pues eran tan sólo adolescentes cuando abandonaron su patria en compañía de sus padres exiliados. Este grupo de escritores —que se corresponde con la generación del medio siglo— tiene una específica problemática que en ese otro apartado he apuntado y que, por tanto, ahora no repetiré. Me parece de necesaria justicia reivindicarlos, ya que forman no tanto un conjunto como un número importante de singularidades, casi por completo desconocidos en España, pues a ellos no les ha alcanzado ni siquiera la parcial recuperación de sus progenitores. Alguno, incluso, ha realizado una importante obra y ha fallecido sin lograr no ya el reconocimiento, sino ni tan siquiera el conocimiento de sus compatriotas; por ejemplo, Luis Rius (1930-1984). La obra de estos poetas se ha publicado, habitualmente, en sus países de residencia y en España resulta difícil, incluso, tener noticia de ella. En consecuencia, no puedo osar referirme a ellos con un mínimo de seguridad y juzgo más oportuno hacer esta simple llamada de atención (por otra parte, no solitaria, pues un número monográfico de *Peña Labra* ha evidenciado el interés de estos jóvenes —ya no tanto— poetas) en espera de que pueda ir accediendo a un mayor número de títulos. Desde el conocimiento fragmentario de esta poesía que poseo, me atrevo a destacar el dramatismo de algunos poemas de MANUEL DURÁN; el carácter reflexivo de *Anagnórisis* (1967), de TOMÁS SEGOVIA; la emotividad y nostalgia de *Vilano al viento* (1982), de ANGELINA MUÑIZ, en otras ocasiones más sentenciosa; el decir sencillo y entrañado de ENRIQUE DE RIVAS; el acento elegíaco de JOSÉ PASCUAL BUXO. En fin, de otros poetas poco más me ha llegado que algunos poemas sueltos o tan sólo mención de su nombre: Jomí García Ascot, César Rodríguez Chicharro, Gerardo Deniz, Francisca Perujo, Federico Patán.[7]

7. La bibliografía sobre la poesía en el exilio es extraordinariamente escasa, salvo en lo concerniente a los grandes poetas de anteguerra, que no corresponde citar aquí. El trabajo más completo, punto de referencia inexcusable para cualquier investigación posterior, es el de A. de Albornoz [1977]; también imprecindible es el estudio de F. Giner de los Ríos [1981]. Para la poesía exilada relacionada con México, uno de los lugares más importantes de concentración de republicanos españoles, debe verse M. Andújar [1984]. En relación con la generación más joven de poetas exilados, téngase en cuenta el número 35-36, monográfico, de la revista santanderina *Peña Labra* (primavera-verano, 1980). En esos trabajos mencionados se encontrarán citadas las escasas referencias críticas que existen sobre los poetas del exilio; cf. también la bio-bibliografía reunida por Rubio-Falcó [1981].

3. La poesía en el medio siglo

1) *La poesía durante los años cincuenta*

Ya hemos comentado que la *Antología consultada,* de Ribes, indicaba un cierto estado general de nuestra lírica a comienzos de la década del medio siglo. Casi un decenio más tarde, J. M. Castellet [1960] sintetizaba la situación al filo de los cincuenta en términos que corroboraban la lección que desprendía la selección de Ribes. Para Castellet, las tendencias del momento eran, por una parte, una poesía que expresa la subjetividad del poeta en conflicto con el mundo exterior (la llamada «desarraigada»); otra, parcialmente realista, intimista, religiosa (la «arraigada»); en fin, una tercera, objetiva y de denuncia social. Si reducimos estas tres corrientes a un par de grandes tendencias, podemos afirmar que la *Consultada* detectaba un movimiento de realismo inmediato, histórico y otro que, sin desdeñar la realidad, prestaba más atención al intimismo. Esas tendencias generales serán las preponderantes durante varios lustros, con un proceso general que —aun a riesgo de una excesiva generalización— se puede describir como el predominio, en un principio, de la inclinación hacia lo histórico y lo social y su sustitución, más adelante, por un intimismo que, sin embargo, no renuncia al componente ético del escritor. Esa trayectoria general es la que encarnan un nutrido grupo de poetas de un elevado nivel medio de calidad artística. Se trata de escritores que han publicado, principalmente en revistas, los primeros poemas muy a finales de los años cuarenta y que han ido dando a conocer sus libros iniciales a lo largo de los años cincuenta. Su completa madurez la obtienen, sin embargo, algo más tarde, en el transcurso de la década siguiente. Por ello, pueden ser aludidos como los poetas del medio siglo —tiempo en el que confirman su vocación lírica— o, también, según prefiere algún crítico (J. O. Jiménez [1972], por ejemplo), como los poetas de la generación del 60. La preferencia por uno u otro marbete, depende, por consiguiente de que se ponga el acento en el momento de su primer desarrollo o en el de su madurez. Estas cuestiones de etiquetaciones no deben convertirse en estériles polémicas y lo advertimos únicamente en función de las diferentes fórmulas que se utilizan en las bibliografías más conocidas para referirse a un único fenómeno. También debe advertirse que al grupo primitivo se suman algo más tarde por razones cronológicas —son más jóvenes— otros poetas que participan de las mismas ideas sustanciales. Por ello, su poesía traerá un matiz renovador, pero conviene tratarlos en un mismo apartado ya que su poética responde a estímulos que pueden considerarse coincidentes con los de la generación del medio siglo.

Intentaremos precisar las dimensiones de esta poesía de los cincuenta mediante puntualizaciones cronológicas, temáticas y teóricas. El núcleo fundamental de poetas de los cincuenta se corresponde con el fenómeno equivalente en la narrativa (la generación del medio siglo) o en el teatro (la generación realista): un grupo de poetas —algunos han practicado también otros géneros— cuyo rasgo biográfico fundamental es el de no haber participado activamente en la guerra civil. Sus fechas de nacimiento se extienden entre 1925 y la contienda, según esta cronología orientativa: 1925 (A. González, J. Mariscal), 1926 (Caballero Bonald, A. Crespo), 1928 (J. A. Goytisolo, C. Barral), 1929 (J. A. Valente, J. Gil de Biedma), 1930 (E. Cabañero, M. Mantero, F. Quiñones, F. Aguirre, J. López Pacheco), 1931 (M. Fernández), 1932 (F. Brines, M. Roldán), 1933 (R. Defarges, C. Álvarez), 1934 (C. Rodríguez), 1935 (J. Marco, A. García López), 1936 (R. Soto Vergés), 1937 (F. Grande), 1938 (C. Sahagún).

Los nombres enumerados son los que, desde un amplio criterio generacional, constituyen el núcleo básico de los poetas del medio siglo (he incorporado a aquellos que, según he señalado, editan sus primeros libros en el cambio de década: F. Grande y J. Marco). Se trata de los poetas generalmente admitidos como singulares y representativos en las antologías que se refieren primordialmente a esta promoción aunque el peculiar criterio de algunas —muy conocidas, por otra parte— amplíe o restrinja la nómina. En exceso restrictiva es la de F. Ribes [1963], que solamente incluye a E. Cabañero, A. González, C. Rodríguez, C. Sahagún y J. A. Valente. Caprichosa resulta la inclusión de J. M. Valverde en la selección de Juan García Hortelano [1978], a pesar de su título, *El grupo poético de los años cincuenta* (el resto de los seleccionados son A. González, J. M. Caballero Bonald, A. Costafreda, C. Barral, J. A. Goytisolo, J. Gil de Biedma, J. A. Valente, F. Brines y C. Rodríguez). Demasiado amplia parece la selección de Florencio Martínez Ruiz [1971], no por el número ni calidad de los antologados sino por la muy discutible inclusión dentro de una supuesta «segunda generación de postguerra» de poetas bastante más jóvenes y alejados de la estética predominante en dicha generación (Vázquez Montalbán, Antonio Hernández, José Miguel Ullán, Pedro Gimferrer o Guillermo Carnero). En fin, otras antologías más presentan amplias selecciones de nombres representativos de la estética de los cincuenta, por ejemplo las de Batlló [1968] o Antonio Hernández

[1978]. Esta última, que incluye una interesante «consulta», se atiene a poetas que destacan en los años cincuenta (lo que explica la ausencia de Grande y Marco), y presenta una nómina que, aparte gustos personales y matizaciones oportunas, puede representar bastante aproximadamente lo más significativo de la generación del medio siglo: A. González, Julio Mariscal, Caballero Bonald, Gil de Biedma, Barral, J. A. Goytisolo, Cabañero, Manuel Mantero, F. Brines, F. Quiñones, Mariano Roldán, C. Rodríguez, C. Sahagún y Rafael Soto Vergés.

Los primeros libros poéticos de esta generación coinciden, en buena medida, en los alrededores de 1955: *A modo de esperanza* (de Valente, 1955), *El retorno* (J. A. Goytisolo, 1955), *Áspero mundo* (A. González, 1956), *Metropolitano* (C. Barral, 1957)... Algún título preanuncia esa estética: *Las adivinaciones* (Caballero Bonald, 1952), *Don de la ebriedad* (C. Rodríguez, 1953). Otros, algo más jóvenes sus autores, aparecen en el cambio de década: *Fiesta en la calle* (J. Marco, 1961), *Las piedras* (F. Grande, 1963). Por el contrario, en fin, el poeta más joven del grupo, C. Sahagún, publica en los años cincuenta, siendo casi un adolescente. Aun considerando que existen divergencias y claras opciones personales entre estos poetas y los libros que los distinguen (el mayor hermetismo de Barral; la admiración más neta de F. Grande por Vallejo; un intimismo más intenso en C. Rodríguez, por señalar tan sólo algunos caracteres peculiares) se puede sostener que estamos ante un movimiento de cierto carácter colectivo, ante un reconocible aire de época, que es el que caracteriza este período del medio siglo.

Todo este movimiento resulta inseparable —como primer signo distintivo— de la polémica teórica predominante en el momento. Esos poetas serán hijos —y, a veces, víctimas— de ella, al margen de la actitud individual que adopten. Me refiero, claro está, a la polémica sobre la función de la poesía. Acaloradamente se discute sobre la poesía social y sobre la poesía como comunicación o como conocimiento, dos aspectos distintos pero íntimamente intrincados en la teoría y la práctica poética de los cincuenta. Por ello, llegados aquí, debemos hacer un alto sobre la poesía social y su estética, pues no podemos perder de vista que en estos mismos años están apareciendo algunos de los libros clave de la generación anterior (la de Celaya, Otero...), impulsora de la poesía comprometida.

No resulta fácil ni simple sintetizar qué se entiende por poesía social ni cuáles son sus rasgos característicos, pues hubo no tanto diferencias sustanciales como importantes matizaciones. Los lemas generales que la presiden podrían ser los ya recordados, «a la inmensa mayoría» y «la poesía es un arma cargada de futuro». Resulta prácticamente imposible dar una definición de cómo la entienden los poetas de la primera o segunda generación de postguerra. En principio, parecen pertinentes todas las notas que señalaba Leopoldo de Luis [1965] en su conocida antología: historicidad, realismo, participación épica o narrativa, compromiso, testimonio, intención denunciadora (L. de Luis recoge poetas de las diferentes generaciones de postguerra con un criterio bastante amplio). Si es difícil obtener una definición exclusiva procedente de los propios poetas sociales, pueden servir, a nuestros efectos, las propuestas de delimitación de un par de estudiosos. Para Félix Grande [1970, p. 54], «Entiendo por poesía social aquella que toma la decisión de constituirse en testimonio; testimonio, fundamentalmente, sobre realidades colectivas». Según de la Concha [1973, p. 37]:

> [es] aquella que se ocupa del hombre en cuanto personalidad inserta en un contexto histórico concreto y en cualquiera o en todas las dimensiones de interrelación con otros hombres: laborales, económicas, culturales, de clase...

Un valor descriptivo semejante pueden tener estas palabras de Carlos Sahagún («Poética» en de Luis [1965, pp. 423-424]):

> Poesía social es aquella que se propone una transformación del mundo o, cuando menos, de las estructuras de la sociedad en que esa poesía nace.
>
> [...] En un sentido estricto, plenamente actual, por poesía social hay que entender aquella que pone al descubierto la corrupción y los defectos de base de la organización burguesa.

En fin, por añadir una curiosa opinión más, recordaremos las cavilaciones de José Hierro al frente de sus *Poesías completas* de 1962. Hierro defiende que un poema a un obrero es social, pero no uno a un enamorado. Si es social el del minero porque éste representa a todos los mineros, se pregunta si lo sería uno sobre los miembros de un Consejo de administración. Concluye que tan sólo en el caso en que defienda al minero contra el Consejo. Luego plantea la cuestión de qué ocurriría si la defensa se hiciese porque las clases dominantes han transgredido las enseñanzas evangélicas. Se trataría, dice, de un poema religioso, pero no social. Así pues, una de las características de la poesía social debe ser «su sentido ético, su afán de justicia, su solidaridad con el oprimido, su clamor contra el opresor».

En general, la poesía social se constituye, en la postguerra, como un arte de urgencia que se ve motivado por la situación sociopolítica del país, a cuya transformación quiere contribuir mediante la denuncia de la opresión y la injusticia. No siempre, claro, pues a veces se circunscribe a la narración de la cotidianeidad. Muchos serían los poemas de este tipo que podríamos espigar, pero, a modo de muestra, recordaremos las «Reflexiones de un hombre honrado», de A. F. Molina:

> Como todos los días he llegado tarde a casa / y he madrugado esta mañana (como todas las mañanas) / y sin parar durante el día / me encuentro cansado / sin ganas de hablar / y menos de leer / (eso que tanto me gustaría) / y casi sin fuerzas para pensar / [...] // Apago la luz. No puedo seguir pensando. / Mañana he de madrugar y veré las mismas caras cansadas. / Las mismas caras de todos los días. / Los mismos movimientos mecánicos. / Ojalá pueda dormir esta noche sin sobresaltos.

Para conseguir aquellos propósitos, deben adoptarse unos criterios estéticos, estilísticos y temáticos. Se trata, en primer lugar, de hacer una poesía de carácter histórico, enraizada con una concreta problemática del hombre actual (entiéndase del momento en el que el poeta escribe). Según decía Ángel González (en de Luis [1965]), «yo sigo teniendo fe en esa poesía crítica que sitúe al hombre en el contexto de los problemas de su tiempo, y que represente una toma de posición respecto a esos problemas». Como consecuencia de lo anterior, se adopta un tono eminentemente narrativo y el poeta propende a eliminar los elementos imaginativos, sustituidos por un prosaísmo que se acompaña de una extremada sencillez léxica que desemboca, finalmente, en una auténtica estética de la pobreza. Por eso, un poeta que en buena parte de su obra sigue directrices bien ajenas a la tendencia social, A. F. Molina, escribía que ésta «debe ser clara y popular», ya que tiene la responsabilidad «de comunicarse de una manera clara y eficaz» con los hombres (en de Luis [1965]). Además, deseoso el escritor de llegar a amplios sectores de público, prima el tema sobre la forma hasta el punto de que esta última llega a tener muy poco interés. La temática, como es obvio, está en función de esas metas extraliterarias ya señaladas. Según indica A. Hernández [1978, p. 61], no aparece Dios entre los motivos de estos poetas; al contrario, predominan las exigencias más inmediatas de la vida, aparecen abundantemente los asuntos políticos, la guerra civil, las experiencias fuera de España y, sobre todo, los temas de la infancia y de la adolescencia. Así, incluso, se presenta el origen familiar, obrero, del poeta, como en este poema de Jesús López Pacheco:

> Padre obrero: de tu trabajo vengo, / de tu ascensión a mano dura y dura / por la vida. Mi grito de poeta, / mi vida de hombre claro y enfrentado, / vienen de ti, de tu sudor de oro. / Tengo mi infancia en la memoria llena / de tus manos de hombre manejando / las herramientas [...]

Poema que termina con estos muy significativos versos:

> Más orgullo que el mío, pocos hijos
> pueden tenerlo por su origen. ¡Obrero
> que supiste subir a mano honrada,
> obrero de la luz y padre mío,
> padre de mis hermanos y mi pluma,
> y abuelo de mi hijo y de mis versos!

Ese último motivo coincide con idéntica preocupación de amplios sectores de la narrativa de los cincuenta —según antes comentamos—, lo que nos permite hablar de una comunidad temática, de época, por encima de los géneros. Debe advertirse, sin embargo, según señaló J. P. González Martín [1970, p. 59], que no abunda «en esta poesía [...] una denuncia concreta y específica [de] realidades circunscritas a un espacio y tiempo determinado». Añade, además, certeramente el crítico que «Lo que se ha llamado poesía social, comúnmente, se ha preocupado de denunciar y criticar abstractas injusticias, genéricas violaciones de derechos humanos, y expresándose, a menudo, en un lenguaje en clave difícilmente inteligible para el no iniciado». Todos los rasgos que hemos mencionado son indisolubles de una actitud ética del escritor que, a veces, es la manifestación literaria de un explícito compromiso civil. Ello otorga a un amplio sector de esta poesía un notable tono de fraternidad humana, de entrañamiento con el dolor del prójimo que exige un volcarse hacia el exterior, un contemplar solidariamente el mundo entorno y un relegamiento casi absoluto de la subjetividad y de las vivencias individuales. Todo ello, unido a la ausencia de lirismo, determina los acentos más característicos de este tipo de poesía. Son precisamente estos últimos rasgos los que más adelante motivarían algunas de las críticas más aceradas contra esta estética y determinarían una evolución que, en sustancia, consistía, en palabras de J. A. Goytisolo (en de Luis [1965]), «en no caer en la tentación de confundir los nobles sentimientos con la buena poesía».

La poesía social fue auspiciada por una de las líneas de la primera promoción de postguerra y, en un sentido muy general, constituyó una saludable reacción contra un fenómeno que J. M. Castellet [1960] había denunciado insistentemente en su primera polémica antología: la persistente irrealidad de la poesía de los años cuarenta. Más tarde, superada la etapa de vigencia de una estética real-socialista formulada con cierta precisión, ha supervivido en algunos casos particulares como el de Carlos Álvarez, en quien, incluso, tiene una dimensión estrictamente política. Fue frecuentada en una primera etapa por los poetas de la generación del medio siglo, aunque estos establecen una peculiar relación: intensa proximidad, en algunos casos, en los poemas de los años cincuenta, con los cuales, en la gráfica expresión de A. Hernández [1978], «activan con distintas y diferentes técnicas las espoletas ya preparadas por Celaya, Blas de Otero, Nora, Crémer [...]»; posteriormente —pero ya en esta misma década— adoptan un oportuno distanciamiento de los aspectos más endebles de dicha estética, aunque no renuncien, por lo común, ni a una postura eminentemente realista ni se desprendan de una actitud ética. Así pues, no debe hablarse de forma monolítica de la generación del medio siglo sino que habría que distinguir, por lo menos, dos momentos. Uno primero, más próximo al testimonio (y no en todos los poetas, pues alguno nunca lo frecuentó; por ejemplo, Barral). Otro, posterior, de carácter ético, en el que se insiste menos en la problemática colectiva y se ahonda más en el individuo, aunque siempre con un sentido generalizador y crítico. No se trata de ninguna clase de solipsismo sino de un ahondar en el hombre para hablar de los hombres. Este proceso se acompaña de una mayor preocupación por el lenguaje. Ello explica que un poeta cronológicamente al borde de la siguiente generación, Félix Grande, pero que participa de semejantes actitudes éticas, no haga directamente poesía social pero constituya, a la vez, una de las voces más lúcidas, desgarradas y críticas del hombre contemporáneo; simultáneamente, sus versos son una permanente investigación de nuevas formas expresivas.

Síntoma muy importante de esta transformación es el cambio radical que se produce en la teoría acerca de la comprensión del poema, que pasa de ser un fenómeno de comunicación a ser un vehículo de conocimiento, según han subrayado certeramente tanto José Olivio Jiménez [1972] como Fanny Rubio [1980]. La primera promoción de postguerra había coincidido con la hipótesis aleixandrina —defendida por Bousoño en su conocida *Teoría...*— que sostenía que la poesía comunicaba un contenido. En una fecha temprana, según ha recalcado posteriormente el propio poeta-editor, Carlos Barral publicó un artículo en la revista *Laye* (núm. 23, 1953) de muy intencionado y expresivo rótulo, «Poesía no es comunicación», que inauguraba una serie de declaraciones, abundantes durante los años cincuenta y sesenta, que reivindicaban el valor de la poesía como conocimiento. Unas manifestaciones de José Ángel Valente, repetidas veces citadas, planteaban en 1961 de forma tajante el cambio que se había producido en la situación. Para Valente, el poeta no posee un previo contenido de realidad que desee transmitir, pues el acto de creación es azaroso, aunque parta de la realidad experimentada. Desde luego, añadía, no se puede descartar por completo la comunicación, pero ésta no es lo primordial de la creación poética. En fin, decía literalmente: «[...] el acto poético me ofrece una vía de acceso, para mí insustituible, a la realidad. [Por consiguiente] veo la poesía, en primer término, como conocimiento, y sólo en segundo lugar como comunicación». Aunque no todas las opiniones sean tan estrictas como ésta, el estado general de la teoría entre los poetas del medio siglo apunta en una dirección semejante. Sin embargo, dicha actitud no condujo a un decir de corte simbolista porque esos mismos poetas afirmaron unos contenidos realistas, un tono narrativo y una actitud ética. De tal manera, se obviaron los peligros de un extremado tematismo y de una expresión en exceso sencilla —amenazadoras consecuencias de un inmediato deseo de comunicación— y se abrieron nuevas y enriquecedoras posibilidades en una poesía que seguía, no obstante, muy atenta a la realidad inmediata, histórica.

La poesía de los jóvenes poetas de los años cincuenta estuvo, en buena medida, presidida por su deseo de tomar conciencia histórica, según señaló Castellet [1960]. Su tema, en palabras de este mismo crítico [*ibid.*] era

> [...] el hombre histórico que pertenece a un mundo en transformación y al que, tenga o no tenga conciencia de ella, las circunstancias urgen dramáticamente, obligándole a comprometerse con su época. En este sentido, su obra tiende a ser autobiográfica, a consecuencia de efectuar una toma de conciencia histórica y de clase que les permita vincular su poesía con su vida cotidiana, con sus responsabilidades ciudadanas.

Proseguía Castellet afirmando que de ahí se podría deducir que escribían poesía social. Y ello era adecuado, sostenía, porque expresaban en sus poemas experiencias que poco antes sólo ocupaban al teatro y a la novela. Éste era el motivo, concluía, del que se derivaba su tono narrativo.

La conciencia crítica e histórica de la generación del medio siglo lleva a sus integrantes a recuperar el noventayochista tema de España, que abordan con una inusitada acritud, con un explícito tono de denuncia. García Hortelano [1978, pp. 32-33] ha dicho que esta temática «se sitúa [...] en las antípodas de los noventayochistas», pues España ni es una invocación, ni duele, ni se clama, ni se la llama así. No parece muy acertado este diagnóstico, ya que ni falta el nombre, ni deja de hablarse de la patria, ni se abandona una postura, en el fondo, regeneracionista; es más, en contra de lo que sostiene el mismo García Hortelano respecto de haber sepultado el «aldeanismo», hay que constatar en buena parte de estos poetas un fuerte ruralismo. Otra cosa es que, como bien observó Barral [1969], desde mediados de los cincuenta vayan apareciendo imágenes de la vida urbana, de la existencia cotidiana, de objetos de uso común. Ruralismo —constante de toda nuestra historia literaria, por otra parte— y recuperación de lo urbano pueden —y de hecho así sucede— convivir. Lo que acontece respecto de la visión tradicional del tema de España es que, en parte, a esa consideración establecida se añaden claras posturas políticas y sociales. Así ocurre en un significativo poema de Gil de Biedma, «Apología y petición»:

> Y qué decir de nuestra madre España,
> este país de todos los demonios
> en donde el mal gobierno, la pobreza
> no son, sin más, pobreza y mal gobierno
> sino un estado místico del hombre,
> la absolución final de nuestra historia?

La interrogación inicial da paso a un desarrollo —el hombre ha encargado el mal gobierno a los demonios— que se cierra con esta especie de apóstrofe del poeta:

> Porque quiero creer que no hay demonios.
> Son hombres los que pagan al gobierno,
> los empresarios de la falsa historia,
> son hombres quienes han vendido al hombre,

los que le han convertido a la pobreza
y secuestrado la salud de España.

Pido que España expulse a esos demonios.
Que la pobreza suba hasta el gobierno.
Que sea el hombre el dueño de su historia.

Lo mismo ocurre en otra tremenda composición del mismo Gil de Biedma, «Años triunfales», radiografía inmisericorde de la postguerra:

Media España ocupaba España entera
con la vulgaridad, con el desprecio
total de que es capaz, frente al vencido,
un intratable pueblo de cabreros.

Barcelona y Madrid eran algo humillado.
Como una casa sucia, donde la gente es vieja,
la ciudad parecía más oscura
y los Metros olían a miseria.

Con luz de atardecer, sobresaltada y triste,
se salía a las calles de un invierno
poblado de infelices gabardinas
a la deriva, bajo el viento.

Y pasaban figuras mal vestidas
de mujeres, cruzando como sombras,
solitarias mujeres adiestradas
—viudas, hijas o esposas—

en los modos peores de ganar la vida
y suplir a sus hombres. Por la noche,
las más hermosas sonreían
a los más insolentes de los vencedores.

Quizás el poeta de este grupo que plantea con un propósito más histórico y de denuncia el tema de España —junto con otros problemas de la inmediata situación sociopolítica— sea Jesús López Pacheco —de quien ya hemos hablado como novelista— que, incluso, en un libro suyo de largo y muy significativo título, *Algunos aspectos del orden público en el momento actual de la histeria de España* (1970), llega a componer este poema visual que reproduce los límites periféricos nacionales:

GEOGRAFÍA (Gráfico N.º 1)

Aquí mataron la esperanza,
aquí, debajo de este muro.
Se extienden hacia el sur
tierras verdes y fuertes, laboriosas comarcas de mares
y de montes, de minas y de pastos, de hombres tejedores,
de lluvia y sueño, de canción valiente y danza comunal.
Aquí empieza la muerte, aquí comienza el sol a asesinar.
La tierra se alza, y sólo hacia la costa
del fuego y de la sed se salva el hombre.
Corazón seco y viejo. Mano diestra en el mar.
Sangre muerta y dolor. Naranjas encendidas.
Duro pecho a la luz. La mano siembra y boga.
Hombre seco de fe. Y empieza aquí la triste
tierra de la alegría y la miseria azul.
Extrema y dura, pronto se hace verde,
inmensa y honda de canciones,
de imposibles nostalgias. Éste
es el territorio donde
mataron la esperanza
y donde aún
se vive.
Aún.

Característica, también, de esta promoción es su autoafirmación generacional que implica la ruptura con un sector literario del pasado inmediato. Variados son los ejemplos que podríamos aducir, pero nos limitaremos a un par de ellos muy significativos. José Agustín Goytisolo traza en «Los celestiales» la historia lírica de la postguerra. Cuando acabó la contienda, dice, «asomaron los poetas, gente de orden, por supuesto». ¿Qué hicieron estos poetas?

> Es la hora, dijeron, de cantar los asuntos / maravillosamente insustanciales, es decir, / el momento de olvidarnos de todo lo ocurrido / y componer hermosos versos, vacíos, sí, pero sonoros / melodiosos como el laúd, / que adormezcan, que transfiguren, / que apacigüen los ánimos, ¡qué barbaridad!»

Luego explica cómo Garcilaso fue entronizado y paseado y más tarde sustituido por el buen Dios. Afirma que «Y así perduran en la actualidad», y concluye con una confirmación y defensa de su propio grupo literario:

> Esta es la historia, caballeros, / de los poetas celestiales, historia clara / y verdadera, y cuyo ejemplo no han seguido / los poetas locos, que, perdidos / en el tumulto callejero, cantan al hombre, / satirizan o aman al reino de los hombres, / tan pasajero, tan falaz, y en su locura / lanzan gritos pidiendo paz, pidiendo patria, / pidiendo aire verdadero.

Ese mismo espíritu generacional se ve con claridad en el irónico título de Gil de Biedma, *Compañeros de viaje*, y, sobre todo, en la conclusión del poema «En el nombre de hoy»:

> Finalmente a los amigos,
> compañeros de viaje,
> y sobre todos ellos
> a vosotros, Carlos, Ángel,
> Alfonso y Pepe, Gabriel
> y Gabriel, Pepe (Caballero)
> y a mi sobrino Miguel,
> Joseagustín y Blas de Otero,
>
> a vosotros, pecadores
> como yo, que me avergüenzo
> de los palos que no me han dado,
> señoritos de nacimiento
> por mala conciencia escritores
> de poesía social,
> dedico también un recuerdo,
> y a la afición en general.

La ironía de este poema conecta, por otra parte, con algo que también observó C. Barral [1969], la aparición en la poesía de esta generación de un distanciamiento respecto de las propias emociones y de las actitudes del personaje-escritor.

El desinterés lingüístico y formal de la legión de poemas sociales manieristas —ya que en los más atentos nunca hubo un desprecio absoluto— de esta corriente crearon una situación de evidente fatiga ya en los mismos años sesenta. A ello debe agregarse una concepción de la poesía que primaba lo temático sobre cualquier otro aspecto. Ya había señalado Ángel González (en de Luis [1965, p. 265]) que «A mi modo de ver, lo que define como *social* a la poesía no es el estilo sino el tema». Dada esta preeminencia, no es de extrañar que J. A. Valente, en una encuesta publicada en 1963 (*Ínsula,* 205, diciembre) acusara a la poesía social de «*formalismo temático*». J. M. Castellet [1970, pp. 17-18] sitúa lo que él llama «pesadilla estética» en la madrugadora fecha de 1962 y lo cierto es que en esa misma década se producirá el proceso de renovación de la estética realista desde dentro de la misma generación del medio siglo. Ya Ribes [1963] había atisbado algo de esa nueva situación en el prólogo de su *Poesía última.* Allí afirma que los poetas seleccionados en la antología narran su tiempo y, agrega,

> [...] comienzan por contarnos su infancia —origen de su mundo— y su patria —centro vital de su circunstancia—;

> en suma, su biografía no ya espiritual, sino también histórica. Todos han cogido el mundo, lo han apretado contra su corazón y han dicho con palabras sencillas —cada uno según su propia sencillez—, la verdad de su instante. En unos puede más la piedad y en otros la ilusión de una próxima alegría; pero a ninguno le falta la virilidad de una afirmación meditada y sentida, y todos creen en el imperativo de la solidaridad.

A partir de esta actitud genérica se desarrolló una poética en el fondo renovadora que, en palabras de F. Grande [1970, p. 66], se caracteriza porque

> parten de lo humano, se sumergen en lo humano. Dicho de otro modo: su plataforma es la ambición de significar al hombre total y esta ambición es en sí misma una aventura, y toda aventura artística es una investigación incesante [...]

La consecuencia es una evolución que el mismo Grande [1970, p. 69] ha explicado muy acertadamente: como resultado de unas circunstancias históricas distintas a las de los años cincuenta, la poesía española «tiende a hacerse más lírica, o tiende a regresar hacia un mayor lirismo», sin que ello signifique un caminar hacia la deshumanización sino la posibilidad «de investigar el verdadero origen de la obra de arte: su lenguaje». Esta investigación sobre el lenguaje y la renovación del utillaje poético se hacía absolutamente necesaria, pues ya, por ejemplo, Ángel Crespo (en de Luis [1965]) había llegado a preguntarse «¿Cómo puede facilitarse un cambio de las circunstancias sociales con una técnica conformista?». De todas maneras, se puede convenir con Castellet [1970, p. 11] en que la poesía de la postguerra, incluida la de este grupo mediosecular, mantiene una cierta coherencia que se explica por los factores sociopolíticos de esas décadas y que sólo se romperá cuando una nueva generación se forme «más que en contra, de espaldas a sus mayores» (p. 21). Es la generación apellidada de los novísimos, a la que luego nos referiremos.[8]

8. El trabajo panorámico fundamental para la poesía del medio siglo es el de A. Debicki [1982]; también de lectura inexcusable es el libro de J. O. Jiménez [1972], en particular los capítulos «Diez años de poesía española (1960-1970)» y «Poética de una nueva promoción lírica»; para el aspecto concreto que trata, debe verse F. Rubio [1980].

Especial interés para este epígrafe poseen los respectivos estudios incorporados a sus conocidas antologías por J. M. Castellet [1960], L. de Luis [1965], J. García Hortelano [1978] y A. Hernández [1978]; merecen recordarse, además, las breves explicaciones que preceden a cada poeta en F. Martínez Ruiz [1971].

2) *Poetas de la «generación del 60»*

Descrito el panorama general de las tendencias realistas mediseculares, abordaremos ahora la obra de los poetas de esta segunda generación de postguerra de la manera muy sucinta que el carácter de este libro impone. En primer lugar, describiremos la de aquellos que publican sus títulos iniciales en los años cincuenta y dejaremos para el final de este apartado a quienes, perteneciendo a la misma promoción, aparecen como autores en libro en la década siguiente. Adelantaremos que —según luego se explica con más detalle— otros autores de cronología semejante se apartan de las directrices comunes a los aquí incluidos. Con el único objeto de facilitar metodológicamente la exposición, abriremos para ellos un apartado diferente que titularemos «Otras tendencias y algunas singularidades».

A Carlos Barral (1928) se le ha citado con frecuencia en este libro por su relevante papel en la promoción de los escritores del medio siglo y por haber sido el impulsor del más importante proyecto renovador de nuestra cultura durante las décadas de los cincuenta y sesenta. Estas destacadas actividades han podido oscurecer su propia labor de creación, lo mismo que su peculiar práctica literaria. Mientras que como editor y crítico propició la estética realista, su poesía discurre por cauces ajenos a estos postulados, sobre todo en su primer y sorprendente libro, *Metropolitano* (1957), poema unitario, pero compuesto de diversas secciones, que se aleja del habitual indigenismo del momento de su publicación para abordar, a través de una experiencia urbana,

---

Sobre la poesía social no existe —como subraya Marco [1981], que ofrece más entradas— una buena bibliografía específica. Para la teoría, es útil la que citamos en los capítulos dedicados a novela y teatro; a ella se puede añadir el ya mentado Lechner, más un artículo de Crémer [1952], la parte correspondiente del libro de B. Ciplijauskaité [1966] e informaciones de diferentes artículos de Marco [1969]; muy importante para seguir las actitudes realistas, también en poesía, es la colección de *Acento cultural*. Muy escaso interés, a pesar de sus atractivos títulos, poseen los libros de J. G. Manrique de Lara [1973] y [1974].

Para el influjo de Machado y Cernuda en la postguerra, cf., respectivamente, J. O. Jiménez [1975-1976] y A. Amorós [1984]; en relación con la influencia de Machado es de sospechar que resultará decisivo el anunciado libro de José Olivio Jiménez, *La presencia de Antonio Machado en la poesía de postguerra* (The University of Nebraska), que no he visto al cerrar estas páginas.

Dada la importancia de las antologías para el conocimiento de la poesía de postguerra, recordamos que se halla una amplia nómina en Rubio-Falcó [1981]. También nos parece oportuno recordar el interés de la colección Adonais para seguir algunas tendencias poéticas de los últimos decenios; fue fundada en 1943 por José Luis Cano y Juan Guerrero Ruiz y de ella se han hecho varias recolecciones antológicas (1953, 1962, 1983).

una visión global del hombre desalojado del mundo. Llama la atención su poderosa imaginería, un cierto hermetismo —tan distante de la «facilidad» de época— y unos considerables impulsos surrealistas.

El conjunto de la obra poética de Barral es poco amplio, según puede comprobarse en sus *Usuras y figuraciones* (1973), que contiene el libro citado y *Diecinueve figuras de mi historia civil* (1961), *Usuras* (1965), *Informe personal sobre el alba* (1970); algunos poemas más completan su obra. Desde *Diecinueve figuras...*, Barral entra decididamente en el campo del trasvase poético de experiencias personales que adquieren un cierto aire de indagación generacional que no pierde nunca el sentido individual: «Por eso / hundo la mano en la memoria, palpo / sus calientes rincones y sus pliegues / más húmedos, buscándome» («Discurso» de *19 figuras...*), «Historia / estrictamente personal, exilio / del corazón entre la gente, pero / historia que no está deshabitada» (*ibid.*). En ocasiones, incluso, irrumpe un sentimiento amoroso casi ternurista (por ej., en «Hombre en la mar»). Sin embargo, la recordación personal de *19 figuras...*, la recuperación de lugares y personas en *Usuras* poseen una dimensión histórica y crítica.

La experiencia personal parece ser el elemento sustantivo del trabajo creador de Barral. Ello resulta evidente si a su poesía agregamos no sólo sus mencionadas memorias —lo cual es normal, dado el género elegido— sino también su única y reciente novela, *Penúltimos castigos* (1983), que aporta una semejante concepción de los estímulos básicos del quehacer literario (bien es cierto que la novela posee un entramado anecdótico de configuración realista, cosa que no sucede de manera evidente en su poesía).

En 1984 reúne FRANCISCO BRINES (1932) toda su obra en *Poesía 1960-1981* y el volumen permite apreciar lo que hay de unitario y coherente en el conjunto de sus cuadernos y que puede resumirse en estos criterios esenciales: cierto despegue de la colectividad y notable inclinación a lo personal; una actitud contemplativa, autorreflexiva, meditativa, de corte filosófico; una preocupación por la temporalidad y sus efectos; un gusto por las imágenes. Esa unidad, sin embargo, se asienta sobre una incuestionable evolución que se aprecia en sus sucesivas entregas: *Las brasas* (1960), *El Santo Inocente* (1966), *Palabras a la oscuridad* (1966), *Aún no* (1971) (todos ellos reunidos en *Ensayo de una despedida,* 1974) e *Insistencias en Luzbel* (1977).

Los lemas que presiden algunos de sus libros o secciones de éstos dan una buena idea de los planteamientos y metas de Brines. Así, al frente de *Palabras...*, escribe: «En aquel lugar miraron sus ojos, por vez primera, la hermosura del mundo, y sintió amor. No habrá olvido nunca para ese recuerdo». En *Aún no,* decía

> Al hombre, algunas veces, le duele esa sombra que desconoce, y que está dentro de él. Sabe entonces cuán ruin sustentador es el cuerpo.
>
> Ama esa carne y su sombra, porque es eso a lo que llama vida. Y ama también el soplo que habrá de deshacerle para siempre, porque no existe otro destino.

En *Las brasas* contemplaba Brines el mundo y la experiencia individual como el resto de un fuego y meditaba con enorme serenidad sobre el existir humano y las inevitables trampas que le cercan, la finitud, el pasar inevitable, la soledad. Aunque pudiera entreverse un acento existencialista, no había grito sino resignada y triste conformidad con los implacables efectos del tiempo. Desde entonces hasta su última publicación —*Insistencias en Luzbel*— se ha completado esa visión temporalista de la vida con una lucidez que le lleva claramente al desengaño:

> Nacimos inocentes; hoy, culpables
> ¿Qué significa el tiempo? Devastados
> Nacemos inmortales; hoy, mortales.
> El nombre de la vida es el Engaño.

Si en algunos momentos de sus libros, Brines encuentra elementos de identificación —la familia, su tierra, algún recuerdo—, toda su poesía es un canto elegíaco al poder destructor del tiempo y a la inexorable marcha del hombre hacia la muerte.

Aunque ha obtenido mayor resonancia como novelista, José Manuel Caballero Bonald (1926) es uno de los más interesantes poetas de la generación del medio siglo; de hecho, fue poeta muy madrugador y ésa ha sido su inicial y más sostenida actividad durante mucho tiempo (cuando aparece su primera novela había publicado ya cuatro poemarios). En *Vivir para contarlo* (1969) reunió sus libros precedentes más algún poema inédito: *Las adivinaciones* (1952), *Memorias de poco tiempo* (1954), *Anteo* (1956), *Las horas muertas* (1959), *Pliegos de cordel* (1963). Tras un demorado silencio —fruto de meditaciones y transformaciones estéticas en el escritor, y no sólo en el poeta—, publica *Descrédito del héroe* en 1977.

La primera poesía de Caballero Bonald —entiendo por tal la anterior a *Descrédito...*— está urgida por dos tensiones complementarias: el impulso autorreflexivo y crítico de un joven disconforme con el mundo, por un lado; la afanosa búsqueda de unos medios que eviten un inmediato testimonialismo sin renegar de la realidad, por otro. Ambas inquietudes se mantienen en el conjunto de su obra, que se enriquece en visión del mundo, en recursos léxicos y en densidad imaginativa. Este enriquecimiento no es lineal en aquella primera etapa, pues la concepción mitológica de *Anteo* es anterior a la mayor simplicidad de *Pliegos de cordel* (posterior en publicación). Nos da la impresión de que Caballero Bonald lucha en su fuero interno entre su inclinación natural hacia una literatura de corte simbólico y las exigencias cívicas que comparte con los más significativos poetas de aquel momento. Debe advertirse, en cualquier caso, su búsqueda de una retórica apropiada para expresar esas inquietudes y su huida de una dicción simplista, de desmañado coloquialismo. En la década siguiente, libre de cualquier condicionamiento consciente o reflejo de utilitarismo, *Descrédito del héroe* despliega una gran variedad compositiva, notamos un regusto verbalista, una imaginación libre de trabas, una mayor dificultad en el sentido del poema y un llamativo culturalismo.

En general, Caballero Bonald es uno de los poetas de su generación que más preocupación ha mostrado por el lenguaje y por la confección del poema. Muy dado a una inclinación reflexiva que se sustenta sobre una persistente recurrencia a la memoria —juventud, experiencias, paisaje natal—, ha ido creando orbes significativos de acentuado carácter mítico en su último libro. Poco inclinado a la expresión en exceso sencilla, a veces sus poemas rozan el hermetismo. Buscador de la palabra evocadora y expresiva —que transmite con frecuencia contenidos fuertemente conceptuales e intelectuales—, en *Descrédito*... ha llegado a sustituir con toda naturalidad el verso por la prosa poemática. Ya en «Las adivinaciones» (del libro del mismo título) encontramos la búsqueda sustancial de Caballero Bonald:

> Mi palabra pronuncia nombres vivos,
> materias conocidas de todos,
> asuntos comunales que van de boca en boca.
> ¿Por qué entonces —me dije— mi voz conciliativa
> lucha y besa y contagia
> cuando ahora la fundo en el metal del tiempo,
> cuando quiero acuñarla con troqueles de indicios?

Esa búsqueda, mediante «adivinaciones» (podríamos decir que también a través de intuiciones, presentimientos, evocaciones o reflexiones) y análisis, conduce finalmente a una visión alegórica de la realidad, crítica, con fuertes sustratos culturalistas, pero siempre entrañada en un sentimiento de finitud, de limitación, de dolor, de la naturaleza humana. En Caballero Bonald su origen andaluz le lleva a una concepción ética, sobria, severa, reconcentrada, de la existencia.

Los seguros comienzos líricos de ELADIO CABAÑERO (1930) le merecieron ocupar uno de los cinco únicos puestos de la conocida antología de Ribes [1963], pero un persistente silencio ha hecho que su nombre haya quedado postergado en estos últimos lustros. Su obra, recogida en *Poesía 1956-1970* (1970), no es muy amplia: *Desde el sol y la anchura* (1956), *Una señal de amor* (1958), *Recordatorio* (1961), *María Sabia y otros poemas* (1963). Se trata de un poeta de corte narrativo pero de acendrado tono lírico que se caracteriza, ante todo, por su intenso entrañamiento en la cotidianeidad —ocupaciones, anhelos diarios— y en el paisaje manchego. Una veta testimonial lleva a su poesía aires críticos, aunque no creemos que ello permita adjudicarle el calificativo de poeta social que ha utilizado algún crítico, pues, en todo caso, es un escritor muy alerta en la búsqueda de un lenguaje de cuidadosa selección, de aparente pero muy expresiva sencillez. Una intensa emoción le rescata hacia un intimismo a medias sentimental, a medias reflexivo. Y siempre, una proyección de las vivencias, de la memoria sobre la realidad que concede a sus poemas un fuerte aire rehumanizador. Por ello muchos de sus versos tienen un acento cordial y entrañable, no exento de distancia y nostalgia, que alcanza gran lucidez en la autorreflexión:

> [...]
> Ser bueno es lo difícil. Hay que ser buenos. ¿Fuistes?
> Por ahora, lo dicho. Cállate. No respondas.
> Para ti nunca nada. Nunca has tenido nada.
> Para ti este poema, estos mortales datos.
> Mira: cuida tus ojos, tu conciencia, tu Dios,
> que estás tan solo, amigo, que hasta has de defenderte
> de ti mismo el primero, Eladio. No lo olvides...

JAIME GIL DE BIEDMA (1929) es un poeta de enorme personalidad, de arriesgada sinceridad, que desde una actitud cívica y denunciadora —pero sin caer en simplismos estilísticos— ha desembocado en una visión desencantada, negativa, irónica del mundo, en la que no falta un punto de escéptico nihilismo. En *Las personas del verbo* (1975) recogió su poco amplia producción anterior: *Compañeros de viaje* (1959), *Moralidades* (1966) y *Poemas póstumos* (1968). Los dos primeros títulos muestran una concepción comprometida de la poesía que le lleva, incluso, en alguna composición, a la denuncia explícitamente política (por ejemplo, en «Apología y petición», antes citado). Este tipo de poemas, sin embargo, ni son tantos ni tan significativos como la línea dominante en la mayor parte de ellos, basada en una recuperación de la memoria, de la experiencia civil y, a través de ella, de lo que puede denominarse la historia moral del propio poeta, e incluso de su generación (uno de sus más conocidos poemas de evocación juvenil, «Infancia y confesiones», va dedicado a Juan Goytisolo). Pero no se detiene en una auscultación del yo y de las limitaciones individuales, sino que entra en la presentación ácida, sarcástica de las clases medias acomodadas, a las que el propio autor pertenece.

Hay que insistir, sin embargo, en que no practica una estrecha estética real-socialista sino que busca un lenguaje que exprese con propiedad —a veces con inusitado vigor— esa visión matizada de emociones. Por ello mismo, se produce con naturalidad el paso a un ahondamiento en el propio poeta —no menos desgarrado ni cínico— que, entre lo colectivo y lo personal, opta por un radical pesimismo, por ejemplo de «De vita beata»:

> En un viejo país ineficiente,
> algo así como España entre dos guerras
> civiles, en un pueblo junto al mar,
> poseer una casa y poca hacienda
> y memoria ninguna. No leer,
> no sufrir, no escribir, no pagar cuentas,
> y vivir como un noble arruinado
> entre las ruinas de mi inteligencia.

Y ya en el terreno de lo personal, surge potente el enérgico autorreproche que alcanza la extraordinaria clarividencia de uno de sus más conocidos y logrados poemas, el titulado «Contra Jaime Gil de Biedma»:

> De qué sirve, quisiera yo saber, cambiar de piso,
> dejar atrás un sótano más negro
> que mi reputación —y ya es decir—,
> poner visillos blancos
> y tomar criada,
> renunciar a la vida de bohemio,
> si vienes luego tú, pelmazo,
> embarazoso huésped, memo vestido con mis trajes,
> zángano de colmena, inútil, cacaseno,
> con tus manos lavadas,
> a comer en mi plato y a ensuciar la casa?
> [...]
> Oh innoble servidumbre de amar seres humanos,
> y la más innoble
> que es amarse a sí mismo!

Mención especial merece la vertiente amorosa de la poesía de Gil de Biedma, en parte compilada en el volumen *A favor de Venus* (1965), de una expresión franca, muy libre de convenciones y de un intenso erotismo. También debe recordarse un libro en prosa, *Diario del artista seriamente enfermo* (1974), especie de memorias, a veces muy cotidianas y hasta deslenguadas, no ajenas a semejante pulsión lírica que el resto de su obra en verso.

ÁNGEL GONZÁLEZ (1925) es autor de obra de muy moderadas dimensiones recogida en un volumen de poesías completas que, por ahora, se ha incrementado dos veces bajo el mismo título: *Palabra sobre palabra* (1968 y 1972). En la última edición reúne *Áspero mundo* (1956), *Sin esperanza, con convencimiento* (1961), *Grado elemental* (1962), *Palabra sobre palabra* (1965), *Tratado de urbanismo* (1967), *Breves acotaciones para una biografía* (1971). Posteriormente ha editado un librito de larguísimo título, *Muestra de algunos procedimientos narrativos y de las actitudes sentimentales que habitualmente comportan* (1976).

Un acertado poema de autonominación de *Áspero mundo* da una clave, creo, del quehacer poético de Á. González, quizás entonces aún no muy explícita en el propio poeta. Comienza ese poema:

> Para que yo me llame Ángel González,
> para que mi ser pese sobre el suelo,
> fue necesario un ancho espacio
> y un largo tiempo: [...]

Si el primer verso nos lleva al hombre, al ser individual, los dos últimos nos conducen a la historia y a la geografía, el entramado colectivo. Ambas son, a mi parecer, las coordenadas visibles y en tensión a lo largo de toda su obra; las que le confieren ese aire singular de poeta entrañado, vivencial, pero, a la vez, testimonial. Á. González da noticia de su tiempo a partir de una intensa vivencia, de una emocionalización de la realidad. Según el momento en el que escriba, subrayará más una u otra de esas vertientes. Por ello en su poesía se pueden encontrar tonos distintos, desde el acento juanramoniano que han advertido varios críticos hasta una postura de neta denuncia. El primer título tiene un aire esencialista. En el segundo, hallamos una clara formulación del valor fundador de la palabra: «A cada cosa por su solo nombre. / Pan significa pan; amor, espanto; / madera, eso; primavera, llanto; / el cielo, nada; la verdad, el hombre.» Simultáneamente, encontramos ya un testimonio directo de la realidad sociohistórica, que irrumpe con fuerza en *Grado elemental*. El verso inicial de «Prohombre», seco y distante, avisa de su actitud condenatoria que se extiende por otros títulos: «Por sus ujieres lo conoceréis». El testimonio de Á. González busca una denuncia directa no exenta de coloquialismo, pero sus mejores hallazgos se producen cuando el poeta, con frecuencia, incorpora diferentes registros del humor, sobre todo la ironía y la sátira, con alguna punta de ácido sarcasmo. Una crítica más emotiva aparece en la «evocación» del indiano; distanciada e implacable es la «Nota necrológica» dedicada al perfecto funcionario, bronquítico y miope, con el privilegio de afeitarse tres veces por semana, en fin, «una existencia inexistente», que «nunca fue más real que ahora», en el momento de la muerte. La visión negativa de la naturaleza humana le lleva a Á. González, incluso, a escribir un singular fabulario en el que se propone al hombre como modelo de animalidad para diferentes especies zoológicas. («A toda bestia que pretenda / perfeccionarse como tal / [...] no cesaré de darle este consejo: / que observe al "homo sapiens", y que aprenda.») Esta poesía realista se soporta sobre una de las concepciones narrativas más explícitas de todos los años cincuenta y sesenta. Los libros posteriores a esta época, sin embargo, evolucionan hacia unos contenidos menos explícitos —sin que por ello deje de haber algún poema muy crítico—, un cierto retorno a la esencialización y al intimismo... Sin embargo, persisten en él algunos de sus rasgos sustanciales, por ejemplo, un humor distante y escéptico. Así, en una de las «Glosas a Heráclito» (de *Muestra*...): «Nadie se baña dos veces en el mismo río. / Excepto los muy pobres». O en esta otra: «(Traducción al chino). / Nadie se mete dos veces en el mismo lío. / (Excepto los marxistas-leninistas)». Un poema «A la poesía» de este mismo libro condensa lo que permanece y varía del arte de Á. González. Ya se dijo, afirma, lo más oscuro y lo más brillante. Él lo que quiere es tomar la poesía,

> Y sacarte a las calles,
> despeinada,
> ondulando en el viento
> —libre, suelto, a su aire—
> tu cabello sombrío
> como una larga y negra carcajada.

JOSÉ AGUSTÍN GOYTISOLO (1928) es uno de los poetas de los cincuenta en los que aparece con mayor claridad una nítida conciencia generacional. Tanto por el rechazo estético de la primera postguerra —recuérdese «Los celestiales», antes citado— como por su afirmación de entronque machadiano —más ético que artístico— que se patentiza en «Homenaje en Collioure» (de *Claridad*):

> [...] / yo no he venido para / llorar sobre tu muerte, / sino que alzo mi vaso / y brindo por tu claro / camino, y porque siga / tu palabra encendida, / como una estrella, sobre / nosotros ¿nos recuerdas? / Aquellos niños flacos, / tiznados, que jugaban / también a guerras, cuando, / grave y lúcido, ibas, / don Antonio, al encuentro / de esta tierra en que yaces.

Los primeros libros de Goytisolo se publican en los años cincuenta y su producción es regular pero despaciada: *El retorno* (1955), *Salmos al viento* (1958), *Claridad* (1961) (reunidos en *Años decisivos*, 1961), *Algo sucede* (1968), *Bajo tolerancia* (1973), *Taller de Arquitectura* (1977), *Del tiempo y del olvido* (1977). Su primer cuaderno tiene un aire elegíaco nunca del todo olvidado, pero sí preterido a favor de lo que es más característico de la temática y expresividad de Goytisolo: una recreación del entorno —personal, familiar, social— del poeta transmitida con registros que van de la denuncia seca a la ironía y la sátira. Con frecuencia Goytisolo parte de la experiencia autobiográfica —juvenil, adulta— para reconstruir el orbe moral de una educación. Sus poemas son como piedras que engarzan esa educación. Así en «Autobiografía» (de *Salmos al viento*):

> Cuando yo era pequeño / estaba siempre triste, / y mi padre decía, / mirándome y moviendo / la cabeza: hijo mío, / no sirves para nada // [...] De tristeza en tristeza / caí por los peldaños / de la vida. / Y un día, / la muchacha que amo, / me dijo, y era alegre: no sirves para nada. // Ahora vivo con ella, / voy limpio y bien peinado. / Tenemos una niña, / a la que, a veces, digo, / también con alegría: /no sirves para nada.

Así en «Yo quise» (de *Claridad*):

> Con la fe de hoy, contemplo / mi derrota de ayer. / Comprendedme, yo quise. / Pero no pudo ser.

Este sentido negativo, alcanza, a veces, alguna afirmación de fe:

> Sí, sed como la piedra, / como el canto rodado: / puros y resistentes, / terribles y obstinados («El canto rodado», de *Claridad*).

Ese orbe es considerado desde una perspectiva muy crítica, en los límites de la denuncia, presentada, con gran frecuencia, a través de diferentes registros del humor —sobre todo mediante la ironía—, que es una de las constantes de toda su producción. Esta denuncia asciende con energía y con sarcasmo cuando se refiere a las realidades sociales más próximas al propio escritor, a los usos y costumbres de la burguesía. En esta línea, uno de los poemas más mordaces y también más expresivos que se han escrito en estos años es «Sobre la temporada en Barcelona», recogido en *Del tiempo y del olvido*:

> Cuando llega el otoño las gentes de esta bendita ciudad
> comienzan a telefonearse rápidamente
> organizan tremendas fiestas y se besan y se saludan
> hola qué tal cuánto tiempo te quiero mucho llámame.
>
> Entonces yo me afeito con cuidado
> pongo una de mis caras más miserables
> guardo un par de Alka-Seltz en el bolsillo
> e inauguro mi vida social.
>
> Algunas veces aterrizo en blandas casas
> en donde me reciben con aparente sorpresa
> y después de saludar a los anfitriones
> tomo un vodka con hielo y comienzo a decir estupideces
> a fin de aterrorizar a la concurrencia.
> [...]

Parte integrante de ese orbe educacional es la propia actividad literaria, a la que Goytisolo se refiere no sólo porque refuerza el carácter de exploración autobiográfica de toda su obra sino porque le permite valorar la función de esa actividad en el entorno histórico en el que se mueve. Su visión también será negativa. Los poetas «Le piden a la vida más de lo que ésta ofrece», dice en «Así son» (de *Bajo tolerancia*), donde les llamará «las viejas prostitutas de la Historia».

De la brevedad de la obra de CLAUDIO RODRÍGUEZ (1934) da idea el magro grosor del reciente volumen, prologado por el propio poeta, *Desde mis poemas* (1983), que reúne su labor anterior: *Don de la ebriedad* (1953), *Conjuros* (1958), *Alianza y condena* (1965) y *El vuelo de la celebración* (1976). Con tan pocos cuadernos, la crítica tiende a situarle cada vez con más decisión en el primerísimo lugar de los poetas de estos años y debe anotarse la gran atención con que es leído y seguido por las generaciones posteriores. En apariencia, Claudio Rodríguez es un poeta ruralista, el gran presentador del campo castellano —zamorano— del medio siglo. Su primer libro, escrito en plena juventud, expresa, según el propio poeta:

> Poesía —adolescencia— como un don; y ebriedad como un estado de entusiasmo, en el sentido platónico, de inspiración, de rapto, de éxtasis, o, en la terminología cristiana, de fervor. [...] mis primeros poemas brotaron del contacto directo, vivido, recorrido, con la realidad de mi tierra [...] (en *Desde mis poemas*).

Más de una vez se ha señalado la riqueza y a la vez naturalidad del léxico de C. Rodríguez, que produce una poesía honda y sencilla, entrañada y entrañable. Y, a la vez, una poesía en el fondo muy meditativa, aunque la reflexión nunca aflore a la superficie del verso. Este carácter meditativo es el que se ha ido acentuando con el transcurso del tiempo. Desde el sentimiento de la tierra de *Don de la ebriedad* y de *Conjuros* ha desembocado en una exploración del destino humano, complejo —ya lo sugiere el propio rótulo, *Alianza y condena*—, contradictorio, asombroso y misterioso. Pero todo ello sin desprenderse de un vivo y emocionado sentimiento de las gentes, de los seres en general y del propio poeta en particular. En los dos primeros libros, como dice F. Martínez Ruiz [1971, p. 173], «A través de la cobertura jugosa de la forma respiramos un paisaje, traspasado de gozo primitivo». En el siguiente, añade el mismo crítico, «su personalísima entonación ante la paramera castellana, se riza aquí en un prurito reflexivo de menos espontaneidad, pero de absoluta maestría» (p. 174). Por otra parte, A. Hernández [1978, pp. 261-262] señalaba una menor espontaneidad en los dos últimos libros y aclaraba que el poeta, «rechazando sus inmensas posibilidades, arriesga menos de lo que en él sería deseable e insiste en las técnicas y temas de costumbre». Sobre el alto nivel medio de exigencia y fortuna, uno de sus poemas, «Con media azumbre de vino» (*Conjuros*), se ha convertido en una de las piezas antológicas de toda la promoción de los cincuenta.

Carlos Sahagún (1938) participa, en términos generales, de un habitual alejamiento del arte no comprometido y construye su poesía en función de una clarificación de las relaciones históricas del hombre; pero no del hombre en abstracto, sino del español de la postguerra. De ahí que la temática infantil sea el rasgo más continuado y poderosamente llamativo del conjunto de su poesía, más en sus libros iniciales. El escritor descubre el pasmo del joven ante un tiempo difícil, injusto y a veces atroz; es el tiempo de la guerra y sus consecuencias. Pero no sólo testimonia sino que también levanta su voz a favor de la pureza, de la inocencia, de la realidad no maleada. En esa línea pueden situarse *Profecías del agua* (1958) y *Como si hubiera muerto un niño* (1959). A la vez encontramos rasgos que preludian un mayor contenido de denuncia, por ejemplo el poema «El preso» (de *Profecías del agua*), escrito en memoria de Miguel Hernández. Esa denuncia entrará de manera más clara en *Estar contigo* (1973) y *Memorial de la noche* (1976). Los dos versos finales de un poema de *Estar contigo* («Octubre 1967») declaran nítidamente esa intención:

> Ser hombre significa desde ahora
> ser guerrillero de la libertad

En este libro puede considerarse a Sahagún como escritor que enlaza con las inquietudes noventayochistas, no por la expresión sino por el planteamiento del tema de España y por la profunda indagación sobre su patria. Sahagún escribe con amor pero, ante todo, comunica un estado de rabia por el secuestro de unas ideas que él quiere de todos y de las que espera que restablezcan la justicia.

En la mencionada antología de L. de Luis [1965, p. 315] escribía José Ángel Valente (1929) que entendía que su «[...] obra ha sido y sigue siendo profundamente solidaria de la necesidad histórica y social de los temas hacia los que la *poesía social* [...] ha apuntado». Sin embargo, pocas obras poéticas del momento muestran una menor carga testimonial directa que la suya. Al contrario, el conjunto de su producción es una marcha ascendente y decidida hacia esa concepción de la poesía como conocimiento, que él ha defendido. Se trata de un proceso creativo que desemboca en una ejemplificación del lema que preside el volumen *Punto cero* (1972):

> La palabra ha de llevar el lenguaje al punto cero, al punto de la indeterminación infinita, de la infinita libertad.

Ese proceso se materializa en los siete libros reunidos en *Punto cero: A modo de esperanza* (1955), *Poemas a Lázaro* (1960), *La memoria y los signos* (1966), *Siete representaciones* (1967), *Breve son* (1968), *Presentación y memorial para un monumento* (1970) y *El inocente* (1970). Su obra se completa con los «Treinta y siete fragmentos» incorporados a ese volumen y con *Interior con figuras* (1976), *Estancias* (1980) y *Mandorla* (1982). Una de las vertientes más interesantes de la poesía de Valente es precisamente su propensión metapoética, el continuado esfuerzo del escritor por reflexionar sobre la poesía y el acto creador desde la propia poesía, ejercicio que se complementa con una polémica e interesante actividad crítica (por ejemplo, en el volumen de ensayos *Las palabras de la tribu,* 1971). El poeta maduro de *El inocente* nos explicará en «Sobre el tiempo presente» los estímulos de su creación:

> [...] Escribo desde la sangre, / desde su testimonio, / desde la mentira, la avaricia y el odio, / desde el clamor del hambre y del trasmundo, / desde el condenatorio borde de la especie, / desde la espada que puede herirla a muerte, / desde el vacío giratorio abajo, / desde

> el rostro bastardo, / desde la mano que se cierra opaca, / desde el genocidio, / desde los niños infinitamente muertos, / desde el árbol herido en sus raíces, / desde lejos, / desde el tiempo presente
> [...] Escribo sobre el tiempo presente.

Y en otra composición, titulada precisamente «El poema», nos dirá cómo tiene que ser éste:

> Si no creamos un objeto metálico / de dura luz, / de púas aceradas, / de crueles aristas, / [...] Si no creamos un objeto duro, / resistente a la vista, odioso al tacto, / incómodo al oficio del injusto [...]

Este acto de reflexión artística le lleva, en otro texto más conocido, «Un joven de ayer considera sus versos» (también de *El inocente*), a una estimación negativa de la estética pasada

> Cómo han envejecido nuestros poemas
> (como cartas de amor destinadas a nadie),
> cómo han ido cayendo de sus dientes abajo,
> acribillados,
> asaeteados,
> náufragos.

No debe pensarse, sin embargo, que impliquen la ruptura de una estética precedente del todo distinta, pues en un libro temprano, *Poemas a Lázaro,* encontramos uno titulado «Objeto del poema» que puede considerarse como una juvenil manifestación de principios:

> Te pongo aquí / rodeado de nombres: merodeo. // Te pongo aquí cercado / de palabras y nubes: me confundo. // Como un ladrón me acerco: tú me llamas, / en tus límites cierto, en / tu exactitud conforme. / Vuelvo. / Toco / (el ojo es engañoso) / hasta saber la forma. La repito, / la entierro en mí, / la olvido, hablo / de lugares comunes, pongo / mi vida en las esquinas: / no guardo mi secreto. / Yaces / y te comparto, hasta / que un día simple irrumpes / con atributos / de claridad, desde tu misma / manantial excelencia.

La poesía de Valente se ha ido cargando de intención reflexiva, con algún rasgo irónico, se ha proyectado progresivamente hacia lo conceptual y se ha preocupado cada vez más por temas relacionados con la esencia y la trascendencia humanas. Sus últimos libros han adoptado nuevas formas y, además de incorporar la prosa, predomina el poema muy breve, casi una sentencia o una condensación de un pensamiento. Por ejemplo, estas composiciones de *Treinta y siete fragmentos* (números II y XII, respectivamente):

> Progresión enorme de la sombra abierta sobre la tarde contra ti.

> De la palabra hacia atrás
> me llamaste
> ¿con qué?

Finalizaremos este repaso por los poetas del medio siglo con una anotación sobre la obra de Félix Grande y Joaquín Marco, ambos, como se ha dicho, miembros más jóvenes de esa promoción y cuya obra en libro no aparece hasta los sesenta. El presentarlos por separado no responde, por otra parte, a una sutileza cronológica sino a la necesidad de subrayar un rasgo estilístico, muy acusado, en particular, en Grande. Aunque se trata de poetas de fuerte acento testimonial, no practican una estética socialrealista, ya que ésta se ha ido liberando por esos años de las más limitadoras ataduras. Así, FÉLIX GRANDE (1937) es un escritor de intensa entonación ética, pero no cae en un testimonialismo inmediato de realidades sociolaborales ni practica ninguna clase de simplificación estilística.

Grande ha sido repetidas veces mencionado en este libro como ensayista y, también, citado como narrador. En 1971 recoge su obra poética en *Biografía,* que contiene los libros anteriores —*Taranto,* escrito en 1961; *Las piedras,* 1964; *Música amenazada,* 1966; *Blanco spirituals,* 1967— más el inédito *Puedo escribir los versos más tristes esta noche.* Con posterioridad ha editado *Las rubáiyátas de Horacio Martín* (1978). «Biografía» nos parece un título muy intencionado y pensamos que ofrece una clave inicial para abordar toda la poesía de Grande, siempre, claro, que no pensemos en un egocentrismo, pues, al contrario, pocos poetas hallamos más volcados hacia el mundo real y hacia el sentido a la vez histórico y metafísico del hombre. Sucede, sin embargo, que la realidad accede a su poesía a través de vivencias lacerantes y no como estampas objetivistas; desde una subjetividad despiadada (ya en *Taranto* inventa un expresivo neologismo: «yoando»), siempre muy dramática, se agregan círculos concéntricos que terminan por encerrar todo lo existente. Así, esa rabiosa subjetividad puede tomar el camino de lo cotidiano para alcanzar lo genérico: «Acabo de ordeñar dos o tres cigarrillos / descendiendo por las cloacas de mi tristeza. / El siglo veinte me golpea como a un gong». Si continuamos con esa imagen concéntrica, vemos en la poesía de Grande un primer círculo que es el de la intimidad y sus terrores (el insomnio —motivo recurrente—, el amor, la soledad, la muerte...). Alrededor, en un segundo estadio, aparece lo más inmediato al escritor: la familia (los padres, la mujer, la hija), la tierra (recuerdos de infancia), la ciudad (la casa en que vive...). El poeta parte del presente, pero mediante la memoria desentraña el sentido histórico de su existencia. Así sucede, por ejemplo, en esa alucinante recuperación de la guerra de «Generación» (*Taranto*). En otras ocasiones, en cambio, avanza hacia el futuro y prevé el desastre de la vejez y la muerte. En cualquier caso, siempre está al fondo una estremecida vivencia del tiempo (véase, entre otros, el poema encabezado por «Donde fuiste feliz alguna vez», de *Música amenazada*). Si ensanchamos más el círculo, encontraremos lo que podemos llamar «los otros»: quienes comparten la existencia del poeta sin participar del círculo familiar, las relaciones eróticas, el conjunto de los seres humanos (vistos con una solidaridad fraternal)... Además, unas presencias muy vivas que proceden del mundo de la cultura (sobre todo la música y la literatura) y que se encarnan en sus versos con frecuencia como homenaje (A Vallejo en *Taranto*; algunas de sus admiraciones se encuentran en el libro de ensayos *Mi música es para esta gente,* 1975). En fin, el último y más amplio círculo acoge la conflictividad general del mundo, una visión muy negativa del ordenamiento político-social, de la vejación de la persona en cualquier lugar del planeta.

Por supuesto que esta ordenación del orbe temático de Grande no se encuentra en su poesía con semejante simplificadora esquematización. Sus libros abordan esos motivos como una sola realidad que emana de la vivencia del poeta. En alguna ocasión se acentuará la problemática más externa (*Blanco spirituals,* por ejemplo); en otras, se ahondará en el intimismo (*Las rubáiyátas*...), pero todos forman como elementos de un común *leitmotiv,* la precaria existencia del hombre. Seguramente, la manera más exacta de abordar esta poesía sería mediante un estudio lexicológico. Éste evidenciaría, creo, la recurrencia de una serie de términos (horror, amar, morir, llorar, feroz, duele, tiempo, furioso, sufrir, piedad, siniestro, espanto, desastre, calamidad, feliz, infeliz, vómito, infamia, sangre...) que, agrupados en campos semánticos, muestran las inquietudes sustanciales del poeta, centradas en torno a una básica preocupación: los múltiples terrores que acechan al ser humano, tanto en su dimensión individual como en su problemática histórica. De ahí que lo existencial y lo colectivo anden siempre tan perfectamente intrincados en esa poesía. El escritor, primero, reconoce esos terrores y luego, los afronta. En la expresión de ese proceso es donde radica lo peculiar de su estilo, de su personalidad como escritor: en hallar el léxico oportuno, la sintaxis precisa, la imaginería conveniente y el ritmo —no sólo lingüístico, también emocional— adecuado para transmitir una imprecatoria queja, una enérgica denuncia contra la injusticia, la soledad, el desvalimiento... Es la de Grande una poesía hecha con auténtica desgarradura, con un sentimiento torturado y agónico; necesaria porque surge de un imperativo interior de clamar hasta la exasperación. Así emergen esas anáforas y reiteraciones («[...] tanto odio eyaculando lápidas, / tanta diarrea de asesinatos, / tanta infección, tanto desprecio [...]», de *Música...*) o esas enumeraciones de infamias (la del primer poema, por ejemplo, de *Blanco spirituals*). Una poesía que busca la autenticidad en un mundo degradado y que exige la intensificación imprecatoria («ah cochino pedante servil lameculos loador») o el sarcasmo purificador (recordemos, entre otros textos irónicos, las estampas de la prostitución parisina). La degradación y el convencionalismo, fuera de cualquier maniqueísmo, afecta tanto al ser solitario que padece terrores intransferibles como a una sociedad humillada por la prepotencia y la bestialidad, por lo cual la poesía de Grande bordea el exabrupto, la visceralidad y la escatología, y practica una lacerante autoincriminación. («Tengo piedad de mi piedad de mí», llega a escribir.) En este sentido, *Las rubáiyátas...*, con su autobiografismo desgarrado, con su erotismo franco, con su reivindicación del cuerpo y del lenguaje —ambos concebidos como la patria del escritor—, es uno de los libros más hermosos, sinceros y valientes de la postguerra. Culmina, además, un proceso de atormentada peregrinación por el mundo después del cual se llega a la catarsis, del mismo modo que se podía llegar a la locura o a la autoaniquilación.

Paralela a esta aventura humana, corre otra artística en la poesía de Félix Grande. Aparte de ecos y débitos patentes y deliberados, es muy perceptible un deseo investigador en la forma, una inclinación renovadora que le lleva al autor a cultivar variedad de registros formales junto a una absoluta libertad de versificación: el versículo independiente, el verso narrativo, la narración lírica... En conjunto, además, toda la poesía de Grande se formula con una clara y lúcida poética de la transgresión. Así lo expresa claramente en *Puedo escribir...* La explicación del sentido del poeta es tajante:

> Todo mi oficio se reduce a buscar sin piedad ni descanso
> la fórmula con que poder vociferar socorro y que parezca
> que es el siglo quien está aullando esa maravillosa palabra.

A ella le corresponde rigurosamente esta concepción del poema:

> A veces un poema es un chorro de pus, un cuenco de infección, el termómetro de una peste, la cosa que el buitre picotea, la geología de una claudicación descomponiéndose; el túmulo corroído bajo el que una derrota yace, sin manos ya, en un silencio tumefacto.

En *Las rubáiyátas...*, además, practica el heterónimo con un magnífico efecto de distanciación y objetivación artística.

También de los más jóvenes de la promoción mediosecular es JOAQUÍN MARCO (1935), y uno de los últimos que se dan a conocer en libro. Su primer título, *Fiesta en la calle* (1961) inicia una sustancial visión del mundo que, no obstante, ha conocido fortísima evolución en los títulos siguientes: *Abrir una ventana a veces no es sencillo* (1965), *Algunos crímenes y otros poemas* (1971), *Aire sin voz* (1974), *Esta noche* (1978) y *El significado de nuestro presente* (1983). Esa visión general unitaria se plasma, incluso, en el último en una especie de afirmación de creencias al rechazar a los «desconcertados por elevar la voz y descubrir la belleza en la nadería de las vacuidades» y al afirmar que «resulta imposible poetizar sobre nada».

Las primeras entregas de Marco participan de ese aire generacional de testimonio y crítica, de reflexión y de conciencia histórica y cuentan —junto con poemas en sencillas estrofas tradicionales— dentro de un tono narrativo que es lo más persistente de su labor. A veces el poeta evoca la infancia sacudida por la guerra («Mira cómo arde el aire. / Éramos niños en los bombardeos / [...] Eran tiempos difíciles y oscuros»), en otros reflexiona sobre la patria. Sucesos inmediatos —españoles o no— forman el entramado de *Fiesta...*, con un propósito testimonial en el que conviene destacar el aire de confianza («llevadles mi voz y mi esperanza / a aquellos que más quiero») y de futuro. Marco trata de conciliar lo personal y lo colectivo (con carácter generacional) y en ello persiste en *Abrir una ventana...*, aunque conceda mayor importancia a la intimidad, sobre todo en los poemas de temática amorosa. A la vez, inicia una inclinación hacia un léxico personal y anticonvencional, una cierta desgarradura y la incorporación de la ironía. Todos estos elementos aparecerán en los libros posteriores, en los que, además, Marco se vuelca resueltamente hacia una innovación que le permite utilizar desde el valor expresivo de la grafía hasta directamente la prosa. Al humor y al sarcasmo une un abordar motivos tradicionalmente apoéticos y entrar en las zonas más reservadas por las convenciones sociales. Simultáneamente, con frecuencia los libros de Marco abordan la meta y los métodos del arte poético, por ejemplo, en «Tiempo cero» de *Aire sin voz,* o en el siguiente poema de *Esta noche*:

> Quiero mármol, no palabra.
> Tallar con cincel, no con pluma.
> Quiero materia, no aire.
> Busco dureza, no molicie.
> Quiero herirme, pero hacer.

También indaga la vinculación entre poeta y vida («El poeta que ha pasado ya los cuarenta años»), no sin fuerte escepticismo. El interés de Marco por la forma ha desembocado —dentro de su permanente preocupación por el biografismo lírico y el poema narrativo—, finalmente, en *El significado*..., en una búsqueda de esencialidad que se manifiesta en poemas brevísimos, entre la intuición y la sentencia.[9]

3) *Otras tendencias y algunas singularidades*

La historia de la literatura tiene sus inercias que hacen que durante largos períodos de tiempo se consideren como inamovibles determinados estados de reconocimiento crítico. De tarde en tarde, un cambio estético, una moda, a veces tan sólo una fuerte inclinación personal, remueve ese estado de cosas establecido y se incorpora un nombre nuevo a la lista canónica de autores privilegiados. En el recorte temporal que ocupa el presente epígrafe se dio una considerable riqueza poética, pero, desde el punto de vista de la historiografía literaria, solamente se ha subrayado la tendencia que acabamos de ver y dentro de ella se han

9. La mayor parte de los trabajos sobre los poetas de la «generación del 60» son artículos periodísticos que no podemos reseñar dadas las características de este libro. Por consiguiente, sólo indicamos algunas mínimas referencias a título de inicial orientación. Barral: cf. Gil de Biedma [1980], L. Izquierdo [1979]; Brines: cf. Bousoño [1972], J. O. Jiménez [1964]; Caballero Bonald: cf. A. de Albornoz [1970]; E. Cabañero: cf. F. Martínez Ruiz [1970]; Gil de Biedma: cf. P. Gimferrer [1966], S. Mangini González [1979]; A. González: cf. E. Alarcos [1969]; C. Rodríguez: cf. C. Bousoño [1971], E. Miró [1966], J. M. Sala [1978]; C. Sahagún: cf. J. Rodríguez Puértolas [1984]; J. A. Valente: cf. J. Rodríguez Padrón [1968], E. Engelson Marson [1978], P. Gimferrer [1978]; F. Grande: cf. E. Miró [1968], J. L. Cano [1974]; J. Marco: cf. J. M. Sala [1975].

Acertadas interpretaciones de algunos de estos poetas se encuentran en los libros de A. Debicki [1982] (Brines, Rodríguez, González, Fuertes, Valente, Gil de Biedma, Sahagún, Cabañero, Crespo y Mantero) y de J. O. Jiménez [1972] (Rodríguez, Brines, Gil de Biedma, Valente, Caballero Bonald). Más referencias pueden hallarse en el apéndice bio-bibliográfico de Rubio-Falcó [1981].

destacado los poetas recién mencionados. Me refiero, claro está, a valoraciones globales y generalmente establecidas y no a reivindicaciones personales, por justificadas y justas que sean. Esa tendencia general ha sido el bosque que no ha dejado ver muy singulares valores que, en consecuencia, han quedado preteridos. Si uno se dejara llevar por su gusto personal o por un sano propósito reivindicador, otros nombres pondría por encima de algunos reseñados, si bien no de todos. Sin embargo, en un libro como el presente no tiene lugar esa actitud porque, ante todo, debe guiarse por una claridad en la exposición que, en ocasiones, está reñida con la intrínseca complejidad de los movimientos artísticos. Si es conveniente, pues, aceptar esos esquemas más comúnmente utilizados, también se impone advertir con toda claridad de esta precaria situación. Así, se observa una mayor riqueza y, sobre todo, variedad, de la que las páginas anteriores pueden sugerir. Y ello por unas razones que también debemos apuntar, sin ánimo de establecer una completa casuística. Hay poetas, por una parte, que perteneciendo a la misma generación e incluso practicando una poesía en buena medida equivalente a la descrita, han quedado eclipsados, indebidamente, por su labor más silenciosa o callada, por haber escrito más al margen de cenáculos, por una mayor discreción personal, incluso por su alejamiento físico... Algunas de estas razones explican que dos poetas, entre otros, de enorme interés ocupen menos espacio del debido en los panoramas al uso; me refiero a Francisca Aguirre y a Alfonso Costafreda. Otros se alejan de los momentos estelares de un movimiento por la fecha de nacimiento o por la de publicación de su obra, y ésta encuentra difícil acomodo en un panorama histórico; pienso, por ejemplo, en Gloria Fuertes. Hay quienes han escrito con rabiosa personalidad al margen de modas y de modos y han convertido sus libros en islotes de disidencia que, aunque más tarde sean rescatados, siguen encajando muy mal entre las corrientes establecidas. Es el caso prominente de un Miguel Labordeta, y, en menor medida, el de poetas como G. A. Carriedo, A. Crespo, A. F. Molina, R. Defarges, J. Garcés. También se observa en las nóminas prestigiadas de la generación del medio siglo un predominio de los poetas nacidos o afincados en Madrid y Barcelona, en detrimento, sobre todo, de los andaluces, numerosos y muy estimables, que en esta época desarrollan una importante labor caracterizada —en términos genéricos y, por tanto, imprecisos— por un mayor gusto por la sonoridad del verso. Ya se verán en la inmediata mención a «algunas singularidades» las notorias voces andaluzas que no han logrado el mismo predicamento que quienes estuvieron más próximos a los círculos decisorios en la configuración de prestigios (curiosamente, unos pocos lustros más tarde adquirirá categoría intrínseca lo andaluz, al margen, por supuesto, de fáciles folklorismos). En fin, existen corrientes minoritarias —la poesía experimental y concreta— que suelen relegarse. Estímulos para la renovación experimental —auspiciados, entre otros, por Ángel Crespo y Julio Campal— se hallan en los años sesenta, pero las obras significativas de esta orientación se difunden en la década siguiente. Además, la biografía de sus más notorios cultivadores —un Fernando Millán, por ejemplo— hace que pertenezcan a una promoción posterior. En consecuencia, hablaremos de la poesía experimental en el epígrafe dedicado a «La renovación».

He decidido, por las razones expuestas, agrupar a esos poetas menos encasillables de la «generación del 60» en el presente apartado, que resultará algo misceláneo. Su propósito no es otro que el de dejar constancia de esos nombres y de sus respectivas orientaciones y ubicarlos en un lugar discretamente razonable. El menor espacio que se les dedica a algunos viene obligado por la misma concepción del presente libro y no debe tomarse como un juicio de valor implícito. Espero que no parezca inoportuna esta aclaración.

Francisca Aguirre (1930) surge como poeta en libro en fecha tardía en relación a la de su nacimiento. Cuando publica su primer título, *Itaca* (1972), los poetas de su promoción ya han editado una parte signicativa de su obra, e incluso han modificado sus primitivas estéticas. Esto explica el seguro instinto poético, la voz perfilada y propia —sin débitos a modas impuestas—, con que aparece. Además, la despaciosa redacción y la demorada publicación avalan a una autora que escribe desde una necesidad imperiosa de hablar de cosas sustanciales y no, simplemente, de hacer poesía. Así, hasta el momento, sólo ha dado a conocer dos nuevas entregas, *Los trescientos escalones* (1977) y *La otra música* (1978).

Itaca tiene en el título una engañosa connotación culturalista. No es que Aguirre menosprecie ni olvide la tradición humanista; al contrario, en ese y en los otros libros son abundantes las referencias, alusiones, menciones culturales; incluso, incorpora como homenaje algún verso de otro escritor sin explícita mención. Lo que sucede es que en ella no se da el culturalismo como meta, sino como medio de alcanzar unos objetivos que están en la vida de las gentes. Desde un motivo homérico —Itaca y el mito de Penélope— conforma una alegoría de la realidad, del mundo cotidiano, tanto en su aspecto exterior como en las secretas galerías, por decirlo con palabras machadianas, escritor muy de la devoción de Aguirre. Pronto percibimos que la mitología clásica funciona como una imagen de los tiempos modernos, que el libro habla no de épocas legendarias sino que «Itaca» se convierte en una isla personal, metáfora de la soledad. El segundo poema, de igual título que el libro, nos da una clave general: «¿Y quién alguna vez no estuvo en Itaca? / ¿Quién no conoce su áspero panorama, / el anillo de mar que la comprime, / la austera intimidad que nos impone, / el silencio de suma que nos traza?» En el poema siguiente («Desde fuera») el sentido de la isla es explícito:

> ¿Quién sería el extraño que quisiera
> conocer un paisaje como éste?
> Desde fuera, la isla es infinita:
> una vida resultaría escasa
> para cubrir su territorio.
>
> Desde fuera
>
> Pero Itaca está dentro, o no se alcanza. [...]

Se trata, por tanto, de un recorrido intimista por las preocupaciones y las angustias de la escritora, de un análisis emotivo, distanciado, entrañado y desgarrado —todo ello a la vez o sucesivamente— por el gran tema del libro, el de la soledad. Ésta, sin embargo, no es una especulación abstracta sino que reposa sobre decantadas vivencias personales. Por ello, en la segunda parte del volumen, «El desván de Penélope», entra declaradamente la autobiografía. En «Paisajes de papel» hallamos la experiencia directa, no metamorfoseada de la propia escritora: «Aquella infancia fue más bien triste. / Ser niño en el cuarenta y dos parecía imposible». Y, en los breves poemas que cierran el volumen aparece la autonominación: «Francisca, no debes olvidar / que la última recompensa es la muerte». El libro culmina ese recorrido por la soledad y la cotidianeidad con este rotundo y aislado verso: «Francisca Aguirre, acompáñate».

Partir de fenómenos culturales para entrelazar una interpretación del mundo es el sistema compositivo de *La otra música.* Como un *leitmotiv,* géneros y formas de la música, sonidos y silencios se suceden para hablar de ensoñaciones, de dolores y terrores..., en una palabra, de la vida, multiforme, compleja, esforzada, pero siempre digna de ser vivida, aunque sea sobre un volcán, «vivir sin descorazonarse, / sin dejarse arrancar el corazón», porque, desde una postura eticista y serena, la escritora nos da su clave del mundo:

> [...] sé bien que todo hay que regarlo con un poco de sangre.
> Vivir es un esfuerzo y un cansancio.

De todas formas, esa irrupción biográfica de la que antes hablaba, sin dejar de ser el sustrato de *La otra música,* en este libro está más soterrada. En cambio aparece con extraordinaria nitidez en *Los trescientos escalones,* para mí el mejor libro de Francisca Aguirre y uno de los más emocionantes de los setenta... Declaraba la poeta a propósito de *Itaca* que era «un análisis de la cotidianeidad como situación límite». Algo parecido podría decirse de *Los trescientos escalones,* sólo que ahora la cotidianeidad tiene un alcance diacrónico que recoge el existir día a día de la postguerra hasta el mundo presente. La familia, la infancia desvalida, el exilio, la hija, el marido, todo el entorno de la autora nutre de sustancia unos poemas doloridos pero extremadamente serenos que se convierten en la biografía moral de una de tantas víctimas que sobre la ruina, la humillación y el hambre ha encontrado un sentido a la vida muy entrañado y consciente, nada metafísico. La memoria, es claro, tiene un papel destacadísimo en ese proceso de clarificación personal. No sólo como reviviscencia de anécdotas del pasado sino como elemento que enraíza a la persona con su historia —la historia, en general— y, a la vez, permite la distancia suficiente para alejar la innecesaria crispación. Aguirre es uno de los escritores mejor dotados para expresar con serenidad pero sin claudicaciones unas estremecidas vivencias, una maltrecha biografía, una cotidianeidad amenazada. Quizás porque en su dolorido sentir siempre hay un hueco para el pálpito diario, cálido y amargo, de la vida.

A GABINO-ALEJANDRO CARRIEDO (1923) bien podría habérsele situado en el apartado que anteriormente dedicamos al postismo, por su relación personal con algunos mentores de aquel movimiento. Como fundador de la revista *El pájaro de paja* también habría que vincularle con movimientos vanguardistas. Otras razones de peso —sin desmentir aquellas— aconsejan emplazarle en la corriente general del medio siglo. Por una parte, sus libros más vanguardistas —*La piña sespera*, 1948 y *La flor del humo,* 1949— permanecieron inéditos hasta hace muy poco. Por otra, algunos de sus títulos poseen un contenido crítico y una intencionalidad de denuncia tan intensa que entran de pleno derecho en la corriente social.

Los mencionados títulos inéditos participan de un aire de ruptura y presentan un poeta desenfadado, anticonvencional, un tanto irreverente y hasta provocador que emplea un tono de jugosa burla. Bien se ve en el final de su ingenioso «Baño de asiento con estrambote»:

> Me sale sin querer un cuesco etrusco
> rebotando feliz de risco en risco,
> y dicen malas lenguas que es un fresco
>
> de buen olor mi culo que confisco.

El humor posee un acertado soporte verbal que se basa, en parte, en aliteraciones y otros juegos sonoros: «Trajo frijoles el hijo, / rijas trajo, trajos tojos, / trajo, trajo, trajo, trajo / un trajín como un repollo. / ¡Ay, qué hijo más canijo, / ay, qué pijo más rijoso!». Este tipo de poesía lleva inevitablemente implícito un distanciamiento del autor respecto de la realidad que conduce a una postura crítica. Lo anuncia uno de los versos de «Pequeño tratado del mundo», en *Del mal, el menos* (1952):

> el mundo en que vivimos es algo que no entiendo.

Ese mismo poema ofrece una cosmovisión que está repleta de singular fauna: renacuajos, ratas, saltamontes crudos. De manera orgánica y con proyección antropomórfica aparecían una larga lista de animales en *Los animales vivos* (1965, de redacción muy anterior). Este bestiario —en el que alcanza la densidad de observación, por ejemplo, de «gato»— relaciona, además, a Carriedo con otros poetas de los cincuenta que acudieron a motivos relacionados con la zoología. En *El corazón en un puño* (1961) y, sobre todo, en *Política agraria* (1963) aparece la voz social y crítica de Carriedo. El «Pórtico» de este último título es bien explícito (el subrayado es mío):

> [...] de prisa escribo, / *me dirijo a los hombres de conciencia,* / [...] Con angustiada voz ahora / mi palabra y el verso se entremezclan, / pero afirmo que no soy yo quien habla: / *habla un pueblo que tiembla*

En ellos aparecen materiales y oficios, recuerdos de infancia y ecos sangrientos de la guerra, las ocupaciones del campo, el tema de España. Lo que le distancia de la estricta poesía social —con serlo ésta bastante— es la persistencia de rasgos de humor que produce, incluso, una parábola indirecta en «Parte de guerra para la paz», en la que las «tropas» con niveladoras, hormigón, cosechadoras, gavilladoras arrasan la injusticia y, concluye, «Nuestro estado mayor espera pronto / darles la tierra a quienes la trabajan.». La afición de Carriedo por la arquitectura da un libro distinto, *Los lados del cubo* (1973), en el que se mantiene su afición a lo concreto y su inclinación a nombrar los seres (tanto animados como objetos). Algunas de esas constantes permanecen en los poemas inéditos incorporados al libro antológico *Nuevo compuesto descompuesto viejo* (1980). El gusto por la aliteración se acompaña ahora, además, de la imagen visual de la escritura. Por ejemplo en «Castilla»:

Casta astilla Castilla
amarilla
amor de arcilla
Llana dura llanura
andadura
honda y dura
Castilla amarilla
mar de arcilla
[...]

La de ALFONSO COSTAFREDA (1926-1974) es una de las voces más llamativas de la época. Precocísimo en sus primeros poemas sueltos dados a conocer (por ejemplo, «Selva de la vida» aparece en el número 19 de 1945 de *Espadaña*), su obra en libro es, sin embargo, muy reducida: *Nuestra elegía* (1950), *Ocho poemas* (1951), *Compañera de hoy* (1966). Póstumo apareció *Suicidios y otras muertes* (1974). Aunque él haya hablado de una poesía épico-social y aunque mantuviera estrechas relaciones con el grupo barcelonés del medio siglo (C. Barral cuenta en su mencionada novela cómo se aventaron sus cenizas desde un barco del propio editor catalán), poca, en general, es la relación de la poesía de Costafreda con la de sus compañeros de promoción. Le distingue, desde su primera publicación, un decidido tono elegíaco y una preocupación profundísima por la muerte que debió ser una vivencia muy lacerante en el poeta. El tema surge a raíz del fallecimiento de su padre, al que dedica, sobre todo, una estremecida e inquisitiva composición de *Nuestra elegía,* «Yo pregunto»:

Ha muerto mi padre.
Se repite su ausencia cada día
en el hogar vacío.
Yo pregunto,
y además de la ausencia y además
de perder los caminos de esta tierra,
¿qué es la muerte?

Yo te pregunto, padre, ¿qué es la muerte?
¿Has hallado la paz que merecías?
¿Encontraste cobijo en nueva casa
o vas errante, y sufres bajo el frío
del invierno más grande, del total
desamor?

Yo te pregunto, padre, si son algo
los muertos, o si la muerte es sólo
una inmensa palabra que comprende
todo lo que no existe.

En ese suceso biográfico puede estar el motivo inmediato de su preocupación, pero debía tener raíces profundísimas, pues de hecho es el asunto que vemos desfilar constantemente por su obra. Si descartamos el tono más vitalista de las composiciones de amor de *Compañera...*, comprobaremos que el de la muerte —y lo conexo con ella: el sentimiento de fugacidad, de limitación— es su auténtico motivo, y alcanza dimensiones casi exclusivas en su último título. Lucidez y desgarramiento se entremezclan y surge, como final de esa trayectoria, incluso la contemplación complacida del suicidio y del acabamiento. Por eso, en uno de sus más bellos poemas de *Suicidios...*, «El poeta desaparecido», pasa revista a las cosas sencillas —pensar y poseer una mujer, charlar con los amigos, dedicarse a la filología—, pero descubre la «inútil vocación», el oficio «de sorda maledicción» y concluye con un «Consciente y solitario / dejaste al fin este absurdo destino».

En un par de volúmenes —*En medio del camino* (1971) y *El bosque transparente* (1983)— ha reunido ÁNGEL CRESPO (1926) la nutrida colección de títulos que ha publicado con regularidad desde 1950. Crespo forma parte de las corrientes innovadoras y marginales de la poesía del medio siglo. Vinculado con empeños renovadores y propulsor de literaturas y culturas relegadas —sobre todo la brasileña, y a través de ésta de los movimientos vanguardistas—, su propia obra participa de semejante propósito de apartarse de las formas convencionales. Diferentes críticos han hablado de un realismo mágico en su poesía. Ello puede deberse a que, en muchos casos, aunque no siempre, el punto de partida es un estímulo directo bien reconocible en términos realistas, pero sobre él Crespo realiza una labor de metamorfosis que lo rodea si no de magia, al menos de encanto. Esos estímulos inmediatos son, a menudo, bien poco frecuentes en la poesía española de las pasadas décadas; por ejemplo, los abundantes entornos nórdicos. En ocasiones avanzan una motivación culturalista —poemas a partir de pintores o de poetas— que sería habitual en fechas más recientes. Alguna vez enraíza con lo cotidiano («El trigo», «El pan moreno») mas sin un propósito testimonial. Un emotivo acento elegíaco alcanza en «Un vaso de agua para la madre de Juan Alcaide», uno de sus mejores poemas, y una mezcla de denuncia e ironía impregna «Todos los hombres vamos». Bastantes títulos, en cambio, tienen un decir menos directo y se aproximan al irracionalismo. En fin, los espacios italianos de *Docena florentina* (1966) avanzan aficiones muy extendidas años después.

Esta variedad de registros posee un sustrato bastante unitario en cuanto a las metas del poeta. Uno de sus primeros poemas, «Mi palabra», empezaba preguntando «¿A dónde irás cuando te deje suelta?» y concluía: «No te puedes perder, palabra mía. / ¿A dónde irás, iremos?» Mucho más tarde, mediados los sesenta escribirá en «Orillas del Meno»:

> Cuando Goethe ponía la mano / derecha —con la pluma— / sobre una página, los dioses / le miraban, temiendo / que, al escribir, acaso / les robase su lengua, / en la que cada cosa tiene un nombre / vedado a los mortales

Ese sustrato es, creo, una fe en la capacidad fundadora y descubridora de la palabra poética. Sin embargo, el poema no es un objeto autónomo, mera iluminación interior del poeta, sino que debe mezclarse con la vida. Así lo describe en «Vida del poema»: hay que ponerlo a la intemperie, dejarlo en la calzada, arrojarlo por la ventana..., entonces, añadirá, sentiremos «algo que es a la vez / descomunal y delicado».

Una sección de «Primeros poemas» más dos libros, *El arbusto* y *La libertad* integran el *corpus* de *Poesía* (1974) de RICARDO DEFARGES (1933) entre 1956 y 1973. Más tarde dio a conocer *Del tiempo extraño* (1979). Si un día se hiciera un estudio de los campos semánticos de Defarges, tal vez se vería el predominio aplastante del léxico que tiene relación con la idea de desasistimiento. Sin hacer un recuento exhaustivo, una parte importante de sus poemas hablan de «solo», «soledad» y otras variantes. Esto da a la poesía de Defarges un enorme sentido unitario. A partir de una visión elegíaca de la vida, vuelve una y otra vez a la precaria existencia del hombre con acentos muy singulares y sinceros. Aunque en una ocasión afirme «Buscas la vida, donde / lo bueno es ser feliz», nunca habla de satisfacción ni de plenitud. Al contrario, se agarra a seres, cosas y paisajes porque, en su limitación, es lo único real, aunque insatisfactorio. Ese entrañamiento —muy precario— lo hace desde una viva y nítida emoción que potencia el recuerdo; en «(Londres)» escribirá: «Muchos años después, muy claramente / veo la tiendecilla, una entre mil, / donde paré cansado a media tarde, / buscando un río de la ciudad grande». Como una impresión de melancolía, de decadencia transmiten sus poemarios, en los que incluso la alegría o el amor no son sino tenues rayos imposibles:

> ERA una hora muy tardía, y surgió una luz entre las tinieblas. Me pareció un destello de alegría, pero no era sino la propia vida, oscilando sin apresuramientos al viento del destino.
>
> Era inacabable la ruta, y en aquella lumbre de su orilla creí reconocer el fuego del amor. Hallé sólo la pequeña brasa del corazón, ardiendo cada vez más débil frente a la nada inmensa y glacial.

Con semejante visión del mundo, la existencia será un algo dado, un algo que está ahí, pero que tiene muy escasa consistencia («Cuando yo pierda la vida, / ya no tendré esta esperanza / de gastarla sin objeto»). Por eso desemboca en la reflexión de la muerte, que no ofrece dramáticos acentos, porque es como un episodio más de ese vivir precario; así, en la necrología a Cernuda escribirá: «[...] Bien lo sabes: / sólo la vida se ausenta, / no hay huecos en el vacío». Lo distintivo de Defarges —como de cualquier poeta auténtico— es, más que ese tema, su peculiar modo de afrontarlo. Deliberadamente lo intenta, según «Un arte poética» («Aun quisieras tú decir algo / que se diga por vez primera»), con el propósito de explicar su auténtico *leitmotiv*:

> Habla, pues, y cuéntale al hombre
> esta aventura, para él vieja,
> de irse apagando sin remedio.

F. Brines [1974] subrayó la contradictoria condición de la poesía de Defarges: extrínseca sencillez e intrínseca dificultad. Rica en diferentes recursos que el propio Brines estudia, esa poesía es de una apariencia externa muy gris, casi hasta rozar la pobreza léxica. Sin embargo, muy en la línea del machadiano cantar la emoción y no contar la historia, está preñada de honda emoción que potencia los valores connotativos de una dicción sólo en su superficie elemental.

Es muy discutible la ubicación de GLORIA FUERTES (1918) en este panorama, pues por fecha de nacimiento debiera hablarse de ella junto a los poetas de la primera generación de postguerra; pero, si atendemos a sus primeras publicaciones y a algunos de sus estímulos fundamentales, más bien coincide con los poetas de los cincuenta. De cualquier manera, en ella resalta una poderosa singularidad, aun no evidente en los títulos iniciales, pero mostrada con independencia en sus restantes libros. Desde *Isla ignorada* (1950), sus obras más significativas han ido jalonando su trayectoria personal: *Antología y Poemas del suburbio* (1954), *Aconsejo beber hilo* (1954), *Todo asusta* (1958), *Ni tiro, ni veneno, ni navaja* (1966), *Poeta de Guardia* (1968), *Cómo atar los bigotes del tigre* (1969), *Historia de Gloria* (1980), aparte algunos volúmenes de poesía infantil. En cuanto a la temática, suele haber una preocupación comunitaria que bordea el testimonialismo en los libros editados en los años cincuenta, además de muy directas preguntas a Dios que rehuyen los consabidos términos de la primera postguerra. Luego, da entrada a la imaginación, a la fantasía, pero predominando siempre un intento de comunicar. Más que los temas, lo característico de Fuertes es su estilo, y más aún su léxico. En sus poemas introduce la frase hecha, la expresión tópica, los juegos verbales. Incluso, como ha señalado F. Ynduráin [1970] en una certera aproximación a la escritora, «el deliberado desmaño del lenguaje, la carencia de ritmos marcados de antemano, la mezcla de un prosaísmo coloquial desde el que, imprevistas, inesperadas, se disparan imágenes de ágil vuelo o con cachazuda sorna; entre ingenua y cachazuda, se hace quebrar la llana andadura del verso». Tampoco debe olvidarse, como señala Ynduráin, el carácter oral de la poesía de G. Fuertes.

De todas las injusticias críticas de la postguerra, tal vez la más llamativa sea la perpetrada con MIGUEL LABORDETA (1921-1969). Ya en los años cuarenta publica dos libros de enorme singularidad: *Sumido 25* (1948) y *Violento idílico* (1949). Hasta la fecha de su temprana muerte, edita *Transeúnte central* (1950), *Epilírica* (1961) y *Los soliloquios* (1969). Estos títulos se recogieron en unas naturalmente incompletas *Obras completas* (1972) y póstumos aparecieron *Autopía* (1972) y *La escasa merienda de los tigres* (1975). La *Obra completa* (1983) preparada por C. Alonso Crespo ha suscitado en algunos críticos reservas relativas a los criterios de edición.

Labordeta es uno de los recuperadores más valientes en la postguerra del surrealismo. No se trata en su caso de una práctica de escuela sino de un decir que acoge procedimientos del surrealismo para expresar una de las visiones más desgarradas y anticonvencionales de la realidad contemporánea que se haya dado en la literatura española. Porque, en el fondo, la imaginería onírica de Labordeta es el soporte de una implacable denuncia de los tiempos modernos. Así, si alguien le aplicara el calificativo de poeta social, no andaría descaminado, sólo que de ninguna manera se encuentra en él un testimonialismo costumbrista. Esta visión caótica del mundo parte en Labordeta, en primer lugar, de un buceo desgarrado en sí mismo. De este modo, es uno de los escritores que con mayor acierto y dramatismo —y también con gran persistencia— ha cultivado la autonominación. La emplea ya —junto a la valiosa imagen del espejo— en el primer poema de *Sumido 25*: «Dime Miguel: ¿quién eres tú?». Este verso inicial da paso a unas acuciantes interrogaciones que concluyen en el exasperado «Miguel ¿quién eres? ¡dime!». No se trata sólo de una nominación retórica sino impregnada de estremecido autobiografismo. Sabemos, por ejemplo, el lugar o el momento precisos en que se emplaza el poema. Conocemos, con frecuencia, la calva del poeta o su edad: los «veinticinco años visitantes» del mentado «Espejo», «sepultado en mis 27 años recién cumplidos» de «Transmigración» (*Transeúnte central*); incluso, la edad de esa especie de heterónimo: «Yo / Valdemar Gris / habitante de este mundo / niño antiguo de 25 ríos secos de edad» («Mensaje de amor...», de *Sumido 25*). De este modo desemboca en la irónica y nítida autobiografía de «Recordatorio» (*Epilírica*) o en el magistral «Un hombre de treinta años pide la palabra», acusatorio centón de agravios no ya individuales sino colectivos: «en nombre de mi generación yo os acuso».

Entre la ironía y el desgarro existencialista, entre el juego y la imprecación, entre el tremendismo y la oscuridad, entre el yo y la colectividad... va presentando Labordeta la crónica puntual del sinsentido, el desamor, la soledad de la existencia. Imágenes deslumbrantes e insólitas la iluminan, sorprendentes hallazgos lingüísticos la transmiten. Un estremecimiento de rabia, de duda, de despegado distanciamiento sacude al poeta y lo dirige, con la contundencia de un golpe sordo y sorpresivo, al lector. Por ello, su poesía resulta, en el fondo, bastante más revolucionaria —y, desde luego, mucho más revulsiva— que la de tantos poetas comprometidos con opciones concretas.

De lo dicho se deducirá que la poesía de Labordeta es una apuesta a favor de la libertad. En consecuencia, también la forma se desprende de cualquier innecesaria sujeción y penetra en el campo de la investigación. Labordeta estuvo vinculado con los grupos experimentales y sus últimas creaciones entran en el terreno de la expresividad de la grafía, del poema en el que lo visual tiene gran importancia, del montaje, e, incluso, de lo lúdico (el poema en blanco para que escriba el lector). Estos textos no carecen de gracia, pero tampoco superan la ingeniosidad o la ocurrencia, y deben considerarse como muestras menores de un poeta no por completo regular, aunque nada restan a la enorme singularidad e importancia del resto de su obra.

Una de las más llamativas e injustas ausencias de la generalidad de estudios panorámicos y antologías es la de JOSÉ LUIS PRADO NOGUEIRA (1919). No puedo referirme al conjunto de su amplia obra porque no me ha sido accesible, pero sí subrayar dos libros excepcionales, *Oratorio del Guadarrama* (1956) y *Miserere en la tumba de* R. N. (1960). Antes de dedicarles unas palabras conviene anotar que no es del todo firme la ubicación de Prado Nogueira en este apartado, pues por fecha de nacimiento pertenece a la primera generación de postguerra; con ella, y más en particular con la tendencia neoclasicista, se vincula también durante los años cuarenta. Sus primeros libros, sin embargo, no aparecen hasta la década siguiente y ello explica su completa madurez, su tono muy personal, siempre dentro de un decir clásico, que oscila entre la serenidad y el apasionamiento. Aquella es la que preside el *Oratorio,* poema unitario, resultado de «cien jornadas de amor» («Ofertorio») pasadas en el Guadarrama. Poesía narrativa e intimista a la vez, desde lo cotidiano —la familia, el campo, los animales, la naturaleza— alcanza valores trascendentes —Dios, el amor— por medio de unas decantadas vivencias de intensísimo lirismo. La de Prado Nogueira es una visión del mundo que podríamos calificar de comunión con la vida, entrañada, complaciente, gozosa que alcanza todo lo que tiene existencia. Así lo dice en «Despedida»:

> [...] He amado todo:
> la luz, el aire, la belleza, el árbol
> y la piedra, las bestias y los hombres,
> lo que de mí tomó razón y vida
> y aquello que me dio vida y aun muerte

Por ello su mirada amorosa se extiende por lo más inmediato y aparecen en sus poemas menciones del día (por ejemplo, Bahamontes o Loroño, en «El niño de la leche...») y peticiones al borde del costumbrismo: «Señor, haz que los cerdos de Fermina / engorden mucho y tengan muchos hijos» (en «Los ausentes»). El soporte de esta poesía es una concepción arraigada de la vida que descansa sobre una profunda religiosidad de afirmación —son numerosas las invocaciones a Dios— hasta el punto de que la guilleniana idea de que el mundo está bien hecho la afirma Prado desde unas creencias positivas.

El apasionamiento entra en el *Miserere...* y subvierte el sereno sentir del *Oratorio...* De nuevo se trata de un largo poema, no ya en estampas, monólogo desgarrado del poeta frente a la tumba de su madre. La elegía surge de modo natural a partir de ese suceso inmediato, pero, desde él, se convierte en una amplia indagación sobre el sentido de la vida y de la muerte:

> [...] Ay, dime, dime
> para qué son los muertos, de qué sirven,
> a quién servís, que así, en un breve instante,
> podéis cesar en el amor causado.

Aunque el poeta trata de contener una emoción tumultuosa, el decir se le encrespa y la pasión aflora con enorme naturalidad en medio de interrogaciones, exclamaciones, expresivos encabalgamientos. El sentido religioso, además, cambia de signo; ya no encontramos una visión complacida sino imprecatoria y el Dios positivo se metamorfosea en una variada y angustiosa onomástica: «[...] eh, Tú; eh Tú, a Quien sea / o a Lo que sea, eh, Tú [...]»; «Eh, Tú, Quien seas, como seas, donde / seas, apiádate de mí». De este libro dijo F. Grande [1970]: «Tengo a *Miserere* por uno de los poemas sobre la muerte más grandes de la lírica española».

Copioso y más variado de lo que suele afirmarse es el panorama poético de los años cincuenta y sesenta, según se habrá podido observar. Los nombres mentados suelen ser atendidos por la crítica y casi todos se reflejan en los trabajos informativos sobre la poesía de postguerra. Sin embargo, no constituyen la nómina completa de lo más destacado de aquel momento y otros cuantos autores deben ser mencionados. De nuevo, condicionamientos de extensión obligan a una sucinta noticia, casi información telegráfica, que no pretende, por el momento, otra cosa que evitar la injusticia que supondría no citar siquiera sus nombres. Repetiré otra vez que estas relaciones no implican necesariamente un juicio de valor, una minusvaloración de la importancia intrínseca de una obra por el menor espacio que se le concede.

Ya hemos recordado a CARLOS ÁLVAREZ (1933) como representante destacado de la poesía comprometida de claros perfiles políticos. Su historia como autor en libro constituye uno de los capítulos más duros de persecución por la censura, mientras sus títulos se editaban regularmente en otros países. Su poesía más directa, testimonial, incluso de agitación, aparece en volúmenes como *Estos que ahora son poemas* (1969), *Tiempo de siega y otras yerbas* (1970), *Como la espuma lucha con la roca* (1976). C. Álvarez nunca abandona el testimonio —a veces con recuerdos carcelarios, en ocasiones con elogios políticos—, pero evoluciona hacia la incorporación de la imaginación y la fantasía en *Aullido de licántropo* (1976) sin por ello abandonar la intencionalidad crítica, ahora, a través de la alegoría.

Muy conocido como traductor de poesía, MANUEL ÁLVAREZ ORTEGA (1923) no ha logrado el prestigio como creador que parece reclamar su exigente obra. Por las fechas de publicación de sus primeros títulos —*La huella de las cosas,* 1948; *Clamor de todo espacio,* 1950— y por su labor al frente de la revista cordobesa *Aglae* (1949-1953), casi podría considerársele entre los poetas de la primera postguerra. Sin embargo, se distancia de las líneas entonces de mayor vigencia para interesarse por un lenguaje más elaborado y por una poesía más imaginativa; progresivamente se acerca a un neorromanticismo dramático que gira en torno a los temas de la destrucción y la muerte y que alcanza una desoladora visión del mundo en *Carpe diem* (1972), con una imaginería personal y difícil, sugeridora pero poco transparente. Semejantes temas, aunque sin notables adquisiciones, aparecen en *Templo de la mortalidad* (1982).

ALFONSO CANALES (1923) ha publicado una amplia obra desde *Sobre las horas* (1950) que se incrementa en densidad, madurez y cantidad a partir de la década siguiente hasta nuestros días. Precisión y riqueza de lenguaje, metaforismo intenso y algo oscuro, realidad transfigurada por medio de elipsis y alusiones, son rasgos destacados de sus libros, entre otros, *Port-Royal* (1968), *Réquiem andaluz* (1972), *Épica menor* (1973); de *Aminadab* (1965) se ha dicho —F. Rubio [1981]— que es el libro magistral de todo el decenio anterior a su publicación. En *Glosa* (1982) practica una interesante y emocionada metapoesía a partir de un poema de Rubén Darío

AQUILINO DUQUE (1931), también novelista, suele ser asociado por la crítica con una sonoridad y verbalismo que le vendría de su tierra natal andaluza. Musicalidad del verso, metaforismo, en cuanto a la forma; eticismo, preocupación por la muerte, temática amorosa, evocaciones culturales, por lo que concierne a los motivos. Entre sus libros: *La calle de la luna* (1958), *El campo de la verdad* (1958), *De palabra en palabra* (1968), *El invisible anillo* (1971).

MIGUEL FERNÁNDEZ (1931) puede tener algo, también, del regusto andaluz por la sonoridad y la perfección formal, pero no es un poeta nada superficial. Un solitario libro en los cincuenta —*Credo de libertad*, 1958— abrió paso a una producción más regular recogida en *Poesía completa* (1983: *Sagrada materia*, 1967; *Juicio final*, 1969; *Monodía*, 1974; *Atentado celeste*, 1975; *Eros y anteros*, 1976; *Entretierras*, 1978; *Las flores del Paracelso*, 1979). M. Fernández a veces se inclina hacia la memoria y otras hacia un fortísimo culturalismo de signo bastante retórico. Una vertiente surrealista de su poesía conduce a unos contenidos complejos y difíciles, muy abstractos aunque un sentimiento de soledad y un enfrentamiento con la juventud los humanice en ocasiones. Con altibajos, con sorprendentes cambios de tono, el conjunto de la obra de M. Fernández constituye una de las muy interesantes trayectorias poéticas de las dos últimas décadas.

A ANTONIO F[ERNÁNDEZ] MOLINA (1927) ya lo hemos mencionado como novelista de singular y decidida práctica surrealista. Dentro de estos mismos cauces de inspiración discurre la mayor parte de su poesía, aun cuando en ella se pueda encontrar también una vertiente testimonial. En cualquier caso, ambas perspectivas surgen de una común actitud crítica y de denuncia del mundo, de la injusticia y del absurdo de la existencia. Algunos de sus libros de poesía: *Una carta de barro* (1953), *El cuello cercenado* (1955), *Semana libre. Las fuerzas iniciales* (1956), *Sueños y paisajes terráqueos* (1960), *En la tierra* (1966).

ÁNGEL GARCÍA LÓPEZ (1935) ha sido, igualmente, acusado por los críticos de exuberancia lingüística, de barroquismo, de sensorialidad y de deleitación en la belleza. Si algo de ello hay en sus primeros poemarios (*Emilia es la canción,* 1963; *Tierra de nadie,* 1968), luego ha limitado esa inclinación muy natural, ha recuperado la memoria y ha dejado paso a la emoción y la reflexión en *A flor de piel* (1970), *Volver a Uleila* (1970) y *Mester andalusí* (1978).

MANUEL MANTERO (1930) une a registros coloquiales y a una temática de cierto tono testimonial una vertiente religiosa muy poco frecuente —en su dimensión de aceptación de creencias positivas— en los poetas de su generación. Se inicia con *La carne antigua* (1954), volumen desautorizado por el poeta, continúa con *Tiempos del hombre* (1960) y *La lámpara común* (1962) y en *Misa solemne* (1966) plantea con vigor esa problemática religiosa. Más tarde publica *Ya quiero amanecer* (1975). No puede desligarse de la poesía de Mantero un acento crítico —incluso algún apunte costumbrista—, una reflexión eticista sobre la condición humana y notas de distanciamiento e ironía.

JULIO MARISCAL (1925-1977) es autor de nueve poemarios de hondo sentimiento que se extienden entre *Corral de muertos* (1953) y *Trébol de cuatro hojas* (1976). Una línea de su poesía pasa por una indagación sobre su tierra andaluza con una proyección general hacia cualquier lugar en el que el hombre sufra y de limitados pero inexcusables acentos sociales (sobre todo en *Tierra de secanos,* 1962 y *Tierra,* 1965). La crítica ha destacado muy oportunamente otra gran preocupación de Mariscal, el tema del amor, junto al que suele aparecer la preocupación por la muerte, conectada, a su vez, con un sentimiento religioso. También la crítica ha subrayado cómo el intimismo amoroso le distingue como cultivador de una temática relegada en el momento en que Mariscal escribe. *Poemas de ausencia* (1956) tal vez sea el libro más certero en la expresión de esta preocupación, en la que oscila entre la sentimentalidad y un franco erotismo, demorado en el tacto, en los sentidos, en la epidermis carnal.

FERNANDO QUIÑONES (1930), también narrador popular, estudioso del flamenco, tiene una amplia obra poética iniciada en los cincuenta dentro de moldes clasicistas (*Ascanio o el libro de las flores,* 1956; *Cercanía de la gracia,* 1956). Sus libros más personales son posteriores y se construyen sobre una recuperación del poema narrativo; de ellos destacan *Las crónicas de mar y tierra* (1968), *Las crónicas de Al-Andalus* (1970), *Las crónicas del 40* (1970), *Las crónicas americanas* (1973). Estos títulos revelan lo que la poesía de Quiñones tiene de indagación del ámbito cultural hispánico en dos de sus grandes vertientes, la americana y la árabe (de «revivir en poemas de hoy algo de lo que fue la Andalucía árabe» hablaba el autor en los poemas de *Al-Andalus*). La crónica —término común a estos títulos— se hace desde una perspectiva que recoge lo histórico, lo documental, lo popular, lo mítico, y que incorpora numerosas referencias culturales (incluidos documentos antiguos).

MARIANO ROLDÁN (1932) ha publicado una decena de libros, varios de ellos en los años cincuenta. Seguramente en *Hombre nuevo* (1961), su quinto poemario, se encuentra una suma de su poesía, que se debate entre la elegía, la desesperanza, la meditación... En títulos posteriores —*Elegías convencionales,* 1974; *Alerta, amantes,* 1978— consolida ese núcleo de preocupaciones con sencillez de dicción y, a la vez, con unos poemas condensados, esenciales, casi elípticos respecto de la anécdota de que parecen partir.

El valenciano CÉSAR SIMÓN pertenece también a esta generación mediosecular (desconozco el año preciso de nacimiento) y de ella se distancia por su alejamiento de un realismo inmediato. Su poesía —escasa hasta ahora y de tardía aparición: *Pedregal* (1971), *Erosión* (1971), *Estupor final* (1977)—, sin embargo, no se aparta de la realidad sino que la presenta mediante la intensidad de las vivencias. Escritor al margen de modas —y por ello indebidamente relegado—, ni cae en la comunicación directa ni gusta tampoco del verbalismo preciosista; así, su obra queda en tierra de nadie entre dos estéticas predominantes que le son ajenas y que la han ahogado.

RAFAEL SOTO VERGÉS (1936) es poeta de pocos títulos: *La agorera* (1958), *Epopeya sin héroe* (1967), *El gallo ciego* (1975). La variedad de temas que trata parece que está determinada por dos grandes inclinaciones; por una parte, una poesía de la tierra, de la naturaleza como paisaje humano; por otra, un desvelar arcanos, situaciones misteriosas, lo cual le lleva a un cierto componente irracionalista, o, más bien, mágico.

Más poetas publican con alguna regularidad y sus nombres ayudan a completar lo que debiera ser la nómina exacta de la poesía del medio siglo. Recordemos a Javier Alfaya, Enrique Badosa, Joaquín Benito de Lucas, Jaime Ferrán, Lorenzo Gomis, Rafael Guillén, María Elvira Lacaci, Julio Maruri, Rafael Montesinos, Pedro Pérez-Clotet, Carlos Salomón. Varios de estos poetas merecerían un comentario de cierta extensión; sin embargo, su obra no me ha sido accesible como para poder enjuiciarlos.[10]

4. La renovación

1) *Signos de cambio*

Gil de Biedma habló en su mencionado *Diario...* de poetas de «receta» para referirse a la lírica mediosecular. Tal vez lo más característico de la poesía española de los años sesenta sea el deliberado propósito de abandonar recetas, de superar imposiciones temáticas y limitaciones estilísticas; en pocas palabras, el empeño por hallar cada poeta para sí mismo una voz personal y por encontrar —entre todos, pero sin un programa definido— los medios con que renovar una situación literaria estancada. El relevo de la antorcha machadiana por el acento cernudiano —más tarde también denostado— fue decisivo en ese proceso. En él tienen un papel estelar los poetas de la generación del medio siglo, según hemos visto, que alcanzan, por lo común, su plena madurez poética a partir de 1960. El nuevo acento que aportan —eticismo y realismo, pero no explícito compromiso ni testimonio narrativo— es fundamental para la consolidación de un nuevo clima poético que puede darse por definitivamente asentado a mediados de los años sesenta y que se preveía desde las poéticas

10. Al igual que indicábamos en la nota 9, también la mayor parte de los comentarios sobre los poetas incluidos en este epígrafe son artículos periodísticos que no podemos aquí reseñar, por lo cual remitimos a la bio-bibliografía de Rubio-Falcó [1981]. Mencionamos, no obstante, algunos trabajos algo más extensos. G.-A. Carriedo: cf. A. Martínez Sarrión [1980]; A. Costafreda: cf. J. Ferrán [1980]; R. Defarges: cf. F. Brines [1974]; G. Fuertes: cf. F. Ynduráin [1970]; M. Labordeta: cf. R. Senabre [1972], AA. VV. [1977] y el número extraordinario de *Samprasarana* (febrero, 1970); M. Fernández: desconozco R. Rincón [1978]; A. Canales: cf. J. Piera [1975]; A. Duque: cf. M. Alvar [1979]; J. Mariscal: J. de D. Ruiz Copete [1978]. Particular interés para algunos poetas sevillanos posee Ruiz-Copete [1971]. En conjunto, para los autores incluidos en este apartado y en el anterior, consúltese J. L. Cano [1974].

incorporadas un par de años antes en la *Poesía última* (1963), de Francisco Ribes. Este fenómeno —junto con las anotaciones que ahora haremos— convierte a esta última década en uno de los momentos más sugestivos de la historia de nuestra lírica, y no sólo de la postguerra. Porque, además de los logros alcanzados por los poetas a los que nos hemos referido en los dos epígrafes precedentes, el panorama poético de este momento muestra una gran riqueza a causa de la variedad y complejidad de tendencias —consagradas o admitidas, en vías de aceptación o de desarrollo— que conviven.

En efecto, parece haberse convertido en un cierto comodín de la crítica histórica el predominio de los poetas del medio siglo, pero la fisonomía del momento debe completarse con otros fenómenos no menos relevantes. Ni los poetas supervivientes de la generación del 27 ni los de la primera promoción de postguerra han acallado sus voces y publican en estos años varios poemarios singulares. De aquéllos, Vicente Aleixandre sigue siendo una presencia viva —lo ha sido, en varias dimensiones, durante toda la postguerra— y en 1968 da a conocer un libro importante en su trayectoria, *Poemas de la consumación*. Entre los líricos de la inmediata postguerra, recordemos algunos datos de estos años más recientes. Bousoño edita en los sesenta dos de sus libros de mayor riqueza y densidad (*Invasión de la realidad* y *Oda en la ceniza*). Celaya y Otero, ya muy hecho su estilo (y sin que ignoremos su evolución), publican algunos títulos que confirman su vigencia. Incluso un poeta que parecía olvidado por las nuevas generaciones, García Nieto, publica en esta década nada menos que seis libros (*Geografía es amor, Corpus Christi y seis sonetos, Circunstancia de la muerte, La hora undécima, Memorias y compromisos, Hablando solo*) en los que recoge algunos de sus poemas más certeros. Por otro lado —y aunque sin un reconocimiento generalizado—, en esta misma época han venido dando a conocer parte destacada de su obra esos otros poetas a los que nos hemos referido en el epígrafe anterior a éste bajo el rótulo «Otras tendencias y algunas singularidades».

Ese conjunto de datos debe completarse con otros síntomas no menos interesantes. Hacia finales de la década se producen dos fenómenos que poseen un gran valor individual y que representan, a la vez, la cristalización de un estado de ánimo colectivo. El primero es la reivindicación de Carlos Edmundo de Ory, en buena medida debida a la perspicacia de un poeta y crítico de la generación precedente, Félix Grande, según antes se ha recordado. En segundo es la incorporación con aires de normalidad del gran poeta aragonés Miguel Labordeta, uno de los grandes ausentes —junto con Ory y otros varios nombres— de casi todas las antologías, incluso de las más generosas e indiscriminadoras. En fin, también en el terreno de los síntomas, hay un texto de inapreciable valor como testimonio de la conciencia del cambio de sensibilidad, incluso de la ruptura y superación del pasado inmediato que se produce en este momento. Se trata del «Colofón» que añade José María Valverde al corregir pruebas de *Enseñanzas de la edad* a comienzos de 1971 (la fecha no puede ser más sintomática). Entre la nostalgia y la ironía, Valverde recapitula su experiencia literaria en un poema que resume todo un capítulo de la historia próxima pasada. Creo que un texto tan significativo y clarificador merece su transcripción íntegra:

> Compañeros, poetas del futuro,
> sed buenos con nosotros; intentad
> comprender cómo pudo ser tan duro
> este inútil vivir en vaguedad,
> este fracaso, al fin debilidad.
> Ahorcados nos veis, en vuestros días,
> hacia el olvido, ya en bibliografías,
> sólo borroso haber tradicional,
> huesos al viento en las antologías,
> seco polvo de tesis doctoral.
>
> Hermanos, los poetas del mañana:
> si queda entonces imaginación,
> pensad qué mal negocio es esta vana
> conciencia nunca en paz de los que son
> poetas de una «edad de transición».
> Diréis: «No dieron una, pobre gente:
> hechos a lo sublime, de repente
> quisieron ser reales, y era tarde».
> Y no sabréis que hoy damos por valiente
> al que no es peor cosa que cobarde.
>
> Vosotros no andaréis tan divididos,
> queriendo al mismo tiempo estar atentos
> al yo en sus más recónditos latidos
> y al dolor de los prójimos hambrientos
> pisados por los ricos y violentos.
> Nacidos en justicia y en cultura,
> tal vez seréis voz lúcida y madura
> del mundo, y, en hermosa perspectiva,
> ya ni recordaréis, desde esa altura,
> nuestro torpe tanteo, a la deriva.
>
> Pero si sois benévolos, hermanos,
> y encontramos merced en vuestras manos,
> por ese corazón os querrán bien
> poetas de otros siglos más lejanos:
> ¡y buena falta os puede hacer también!

El hecho decisivo del cambio de orientación, de la aparición franca y neta de unas nuevas corrientes y de unas muy distintas concepciones poéticas ofrece ya una señal evidente en 1966. Conviene destacar esta fecha para subrayar cierta simultaneidad de los fenómenos artísticos, pues, si en el capítulo segundo hacíamos hincapié en ese mismo año a propósito de la renovadora aparición de *Señas de identidad,* de Juan Goytisolo, ahora tenemos que constatar la aparición en el mismo de *Arde el mar,* de Pedro Gimferrer, que desempeña un papel semejante —en cuanto a significación histórica— en el campo de la lírica. El libro de Gimferrer obtuvo una extraordinaria acogida por parte de la crítica y abría fuego en la aparición de una serie de títulos —por otra parte, distintos entre sí— que, editados en los años inmediatos, confirman ese nuevo clima poético: *Teatro de operaciones* (1967), de Antonio Martínez Sarrión; *Dibujo de la muerte* (1968), de Guillermo Carnero; *Cepo de nutria* (1968), de Félix de Azúa; *La muerte en Beverly Hills* (1968), de Gimferrer; *Baladas del dulce Jim* (1969), de Ana María Moix; *Ritual para un artificio* (1971), de Jenaro Talens.

A estos títulos podrían añadirse, por supuesto, otros significativos de ese ambiente de renovación, pero no se trata de hacer un catálogo, sino de subrayar indicios reveladores. Con este mismo propósito, es interesante recordar un par de antologías —suele resultar útil acudir a ellas para constatar estados poéticos, a pesar de todos sus consabidos inconvenientes— aparecidas a finales de la década y que mostraban, tal vez de forma intuitiva, esa situación de cambio. La *Antología de la joven poesía española* (1967), de E. Martín Pardo, incluía nombres que denotaban la convivencia de una pluralidad de vías que alejaba el fantasma del predominio tanto de la lírica realista como de la renovada de la generación del medio siglo. En efecto, Antonio Hernández o Fernando Millán implican no sólo posturas distintas a estas recién mencionadas sino también muy diferentes y casi antagónicas entre sí. Por otro lado, allí estaban varios de los luego preferidos por Castellet: J. M. Álvarez, Carnero, Gimferer y Vázquez Montalbán. La otra compilación, preparada por José Batlló, *Antología de la nueva poesía española* (1968), incluía algunas voces nuevas —por ejemplo, las de Gimferrer o Vázquez Montalbán— junto a la mayoritaria presencia de los poetas de los años cincuenta. Permítaseme recalcar el valor sintomático de las fechas de estas compilaciones: 1967 y 1968. Por otra parte, también puede recordarse como indicativa la publicación de *Docena florentina* (1966), de Ángel Crespo, libro en el que —según hemos recalcado unas páginas atrás— el ambiente italiano, incluso la presencia veneciana, adelantaba, muy por libre, y fuera de esquematismos de escuela, algunos de los motivos que unos años después serán emblemáticos de los más jóvenes escritores.

Este conjunto de indicios iba a cristalizar —o, mejor, a recibir un estado público— con la aparición de uno de los libros más polémicos de toda la postguerra, la compilación preparada por José María Castellet y editada bajo un título que pasó inmediatamente a convertirse en fórmula de valor histórico descriptivo, *Nueve novísimos poetas españoles* (1970). Ahora mismo hablaremos de los rasgos característicos de la poesía presentada por el crítico catalán, pero antes conviene hacer una breve mención generacional que enlaza con lo que hemos dicho en el capítulo primero de este libro. Por las fechas de nacimiento de esos nuevos poetas que encarnan los indicios recién apuntados, vemos que estamos ante la irrupción pública de un conjunto de poetas que coinciden en el rasgo externo de no haber conocido directamente la guerra civil. Además, escriben al margen de la poética de los mayores, no tanto enfrentados con ellos como ajenos o indiferentes a los valores que éstos habían difundido (eticismo, realismo...). Al contrario, encontrarán su tradición en actitudes anteriores o hasta entonces marginadas. Nada querrán saber de la realidad inmediata, ni de las consecuencias de la contienda. Estos rasgos permiten hablar —sin atender a minuciosas exigencias generacionales— de una promoción —o como quiera denominársele— con peculiares rasgos distintivos a la que, por coincidir con un movimiento de alcance internacional, tal vez le resulte adecuada la etiqueta de «generación del 68».[11]

2) *Los «novísimos» y otras actitudes renovadoras*

La polémica desatada por los *Nueve novísimos* de Castellet —de enorme e infrecuente repercusión en los medios de comunicación— fue muy positiva para una reflexión pública —que trascendió los limitadísimos círculos en que suele encerrarse la lírica— sobre el estado de nuestra poesía en aquel momento. No

11. Es natural que no exista mucha bibliografía específica sobre los movimientos y autores mencionados en estos últimos apartados. Para este epígrafe, son útiles algunas de las referencias citadas en las notas 12 y 14. Por otra parte, tanto para este apartado como para toda la poesía de poetas jóvenes y mayores de nueva publicación —primeras ediciones o reediciones significativas— son imprescindibles los comentarios de Emilio Miró en cada número de la revista *Ínsula.* A través de ellos se puede seguir al día la actividad lírica en nuestro país, no sólo en lo que se refiere a información, pues también ofrecen un primer y razonado análisis de las novedades.

es ésta la ocasión de hacer un catálogo de los epítetos, bastantes negativos, que se le adjudicaron al antólogo. Se dio, creo, una alta dosis de incomprensión respecto de lo que el volumen pretendía, que se basó, fundamentalmente, en dos equívocos: el primero, suponer que Castellet entonaba la palinodia respecto de sus anteriores inclinaciones histórico-realistas en un acto de oportunismo; el segundo, atribuirle una nueva dictadura estética, semejante a la que, en cierto sentido, había desempeñado su no menos famosa compilación de 1960. Leído el prólogo de los *Nueve novísimos* sin apasionamiento, queda claro que Castellet sólo trataba de describir —y con cautelosas matizaciones— unas nuevas tendencias artísticas y que resultaba mucho menos dogmático que en ocasiones anteriores. Además, es necesario reconocer su perspicacia a la hora de señalar los signos distintivos más sobresalientes de este momento de transformación de nuestra poesía (algunos, sin embargo, le acusaron de haber hecho una antología a la medida del panorama diseñado en el prólogo, por lo cual aquella forzaría la realidad hasta adaptarla a los designios previos del crítico). Veremos cuáles eran los rasgos fundamentales subrayados por Castellet.

Los *Nueve novísimos* partían del deseo de constatar «la aparición de un nuevo tipo de poesía cuya tentativa es, precisamente, la de contraponerse —o ignorar— a la poesía anterior» (p. 13), por lo cual se centraba en poetas que representaban «la ruptura». Estos poetas, muy jóvenes en los años sesenta, se han formado —frente a lo habitual en las generaciones precedentes— no en los supuestos del «humanismo literario» sino en los *mass media*. Este hecho determina la configuración de una nueva sensibilidad, ajena a la de los mayores. La literatura sufre un retroceso en la formación cultural del escritor y es sustituida por la cultura de los medios de comunicación, que ejerce fuerte influencia sobre las nuevas creaciones. Esto implica la aceptación —más o menos sincera— del gusto *camp*, y la participación en una mitología de origen popular (procedente del cine, de los deportes, del *comic*). También debe anotarse el escaso influjo de la cultura literaria española (salvo excepciones) y la admiración por lo extranjero. La ruptura implica, igualmente, transformaciones en el sentido de la lírica, se proclama el valor absoluto de la poesía y la autosuficiencia del poema: éste «sería, pues, antes un signo o un símbolo, según los casos, que un material literario transmisor de ideas o sentimientos» (p. 32).

Sobre ese conjunto de actitudes generales, se establece la forma adoptada por los poetas «novísimos», en la que predominan los rasgos que se enumeran. 1. Despreocupación hacia las formas tradicionales (libertad absoluta, falta de preocupación preceptiva). 2. Escritura automática, técnicas elípticas, de sincopación y de «collage» (se trata de evitar el discurso lógico; se incorporan al poema citas literarias o referencias populares). 3. Introducción de elementos exóticos, artificiosidad (implica una actitud snob: temas orientales, motivos misteriosos o extraños, gusto por la literatura gótica o modernista, horror por lo español, abundante mitología contemporánea).

Ya hemos mencionado en el capítulo primero la significación estética y generacional de los poetas recopilados por Castellet. Nacidos entre 1939 y 1948, los nombres seleccionados por Castellet eran los de M. Vázquez Montalbán, Antonio Martínez Sarrión, José María Álvarez (los «seniors», nacidos, en 1939, los dos primeros y en 1942 el tercero), Féliz de Azúa, Pedro Gimferrer, Vicente Molina Foix, Guillermo Carnero, Ana María Moix y Leopoldo María Panero (la «coqueluche», nacidos, respectivamente, en 1944, 1945, 1946, 1947 —Carnero y Moix— y 1948). Repasemos las poéticas que cada «novísimo» pone al frente de su selección y obtendremos una sucinta información de las pretensiones de la nueva poesía.

Destaca, en primerísimo lugar, una ostensible actitud de ruptura con la literatura anterior, que abarca varios frentes. Uno de ellos es la manifestación expresa del distanciamiento de la poética inmediatamente predecesora. Gimferrer confiesa que en el momento de su formación descubrió que en sus inclinaciones había «algo que en algún modo difería de lo que venía siendo la literatura española en años anteriores y que, lejos de tratarse de un simple suceso personal mío, yo participaba a mi manera en un fenómeno más amplio» (p. 157). Otro es el enfrentamiento declarado y la negación de esa estética. Las razones que se exhiben pueden ser la limitación o invalidez de ésta. Según Martínez Sarrión, los poetas sociales «olvidaron la relativa autonomía de la creación artística y la resistencia de la palabra poética» (p. 89). Para Molina Foix, a la poesía se le habían adjudicado misiones «terapéuticas» y se había «perdido interés por el estudio del lenguaje y por la creación de obras sistemáticas, edificios del estilo, mundos aparte, por sí mismos válidos, no sujetos a alcances de corto plazo» (p. 187). La actitud frente a lo anterior es de franca y negativa crítica. Muy intencionadamente escribía Carnero:

> no hay ningún asunto, ninguna idea, ninguna razón de orden superior, ningún sentimiento respetable (quedan poquísimos), ningún catálogo de palabras nobles, ninguna filo-

> sofía (aunque esté *cargada de futuro*) que por el hecho de estar presentes en un escrito lo justifiquen desde el punto de vista del Arte (p. 203; la cursiva es de Carnero).

Y más lejos iba Molina Foix en su ataque al denunciar el influjo abusivo de Machado, Neruda, Vallejo y N. Guillén, y al decir de los dos últimos que

> ostentan el ejemplo de lo que no se ha de hacer, de lo que se debe desterrar: la vanagloria de la palabra, la escritura sin sistema, la ausencia de todo matiz, de toda autorreflexión sobre lo que la inspiración en estado bruto dicta (p. 187).

(Advirtamos, sin embargo, que admite el valor de puente del grupo poético de los cincuenta, mediante el que se enlaza con la poesía del 27). Conexas con estas afirmaciones están otras que perfilan la estética renovadora. Gran trascendencia posee —aunque nada más sea por su oposición a creencias hasta no mucho antes generalizadas— la declaración de la inutilidad del arte. Negativamente afirmaba Azúa: «Toda una parte de nuestra poesía actual está convencida de que un poema es un objeto arrojadizo y cuanto más arrojadizo, más poético; por el contrario, yo creo que lo único arrojadizo son esos poetas» (p. 139). No menos tajante resultaba Vázquez Montalbán: «Creo que la poesía, tal como está organizada la cultura, no sirve para nada» (p. 59). Y añadía irónicamente que «escribir es un ejercicio gratuito que satisface las necesidades de unos 2.000 culturizados progresistas».

Este conjunto de criterios acarrean otros rasgos también explícitos en las poéticas. Así, una concepción lúdica de la poesía («Escribir [...] me parece una especie de juego»: J. M. Álvarez) o una inclinación elitista (afirma Azúa: «La poesía es un arte sutil y requiere mucha sutileza para poder disfrutarla»). Por ello no es de extrañar la sentencia de Carnero: «Poetizar es ante todo un problema de estilo» (p. 203). En estas confesiones autocríticas se descubren, además, otros rasgos que serían característicos del manierismo novísimo: la avidez por el conocimiento de las vanguardias mundiales (Martínez Sarrión), la pasión por el cine (declarada, ante todo, por Gimferrer y Molina Foix), el influjo surrealista, la confesión de la escritura automática (Gimferrer). A pesar de este completo alejamiento de la estética precedente, conviene recordar, sin embargo, que al menos dos de los novísimos (Vázquez Montalbán y Martínez Sarrión) confiesan haber hecho unos primeros versos de tipo social.

Los *Novísimos,* pues, significaban la confirmación de una corriente poética suficientemente diferenciada de los grupos o tendencias anteriores. En resumen, notas distintivas de esa corriente iban a ser intenso esteticismo, vocación surrealista, fuerte concesión a los factores lúdicos, afán de experimentación formal, reivindicación de los *mass media* y una apertura sin límites a la imaginación. Partían de una afirmación, no exenta de crítica, de aquello que designaba el primer título de Vázquez Montalbán, *Una educación sentimental.* Sus referencias literarias, además, eran antagónicas de las de las generaciones precedentes (Pound, Elliot, St. John Perse, Paz, Sade, Lautreamont, Rimbaud...). Abordaban, por otra parte, una revisión de los mitos de su juventud que se convertía en una especie de historia de sí mismo. Ello es especialmente evidente en uno de los más interesantes poemas de la antología, «Recuento», de P. Gimferrer.

Entre los poetas seleccionados por Castellet había, no obstante, diferencias, y su evolución así lo ha confirmado. La estética novísima —si es que como tal puede entenderse ese conjunto de caracteres— apenas constituyó un momento de sus trayectorias líricas. PEDRO GIMFERRER, quizás el más elogiado por los críticos, pronto abandonó el castellano para cultivar el catalán como lengua poética (recoge los primeros títulos en *Poesía 1970-1977,* 1978, con versiones del mismo autor). Antes de este cambio había dado, sin embargo, uno de los libros capitales de los sesenta, ya mencionado, *Arde el mar,* «una elegía de la adolescencia no vivida», según García Martín [1980]. Anterior era el juvenil y clasicista *Mensaje del tetrarca* (1963) y con posterioridad publicó un volumen más próximo a la sensibilidad *camp, La muerte en Beverly Hills* (1968). Aquí el característico y «novísimo» mundo del cine —no ausente en el resto de su obra— alcanza importancia primordial. Gimferrer es poeta de intenso culturalismo, no sólo por las referencias de este tipo que se hallan en sus poemas sino porque éstos, con frecuencia, reflexionan sobre los caracteres y hasta las técnicas poéticas. A la vez, no es un escritor exento de emotividad, aunque la oculte bajo su expresión un tanto barroca y su fuerte tendencia al surrealismo. Una característica de la poesía de Gimferrer, subrayada por la crítica, es su especial capacidad para sugerir, para recrear el «medio» del poema, para lograr un ambiente de sugestiva indefinición. La visión fragmentada del mundo tiene, no obstante, una composición unitaria en el largo poema de *La muerte...* Señalemos que desde la medida clásica del primer libro, se ha desembarazado de toda sujeción formal y en el último libro acude al poema en prosa. En su poesía catalana, sin embargo, a veces vuelve a las formas tradicionales.

GUILLERMO CARNERO se convirtió rápidamente en una de las voces más sugestivas de su generación. Se dio a conocer entre 1967 y 1970 con unos títulos que desconozco y que no ha incorporado a la compilación de 1979 de sus poesías, *Ensayo de una teoría de la visión*. De 1967 es también *Dibujo de la muerte*, título que sorprendió y entusiasmó a la crítica. Más tarde ha publicado *El sueño de Escipión* (1971), *Variaciones y figuras sobre un tema de La Bruyère* (1974) y *El azar objetivo* (1975). En *Ensayo...* reunió los títulos anteriores más una sección de igual título que el volumen, que está precedido por un insustituible estudio de C. Bousoño [1979]. Hondura y reflexividad caracterizan el decir poético de Carnero, junto con un densísimo culturalismo y con algún gesto irónico. En su primer poemario, predominaban el mundo de la literatura y la pintura, los escenarios estilizados, un cierto decadentismo... y un léxico de llamativa sonoridad. Sin perder algunos de estos caracteres, en lo sucesivo se acentúa el culturalismo y la reflexión y ésta se vuelca hacia la propia creación poética. Ya no es que el poema hable del propio poema (uno muy característico de este género, «El sueño de Escipión» da título al segundo libro) sino que se le incorporan citas y notas y adquiere un aire ensayístico. Éste es tan deliberado que uno de los poemas se rotula «Discurso del método». Carnero se inició como poeta de modo sorprendente y brillante y su nombre fue punto de referencia inexcusable de los nuevos modos literarios. Desde *Ensayo...*, sin embargo, se ha dedicado más intensamente a los estudios filológicos.

MANUEL VÁZQUEZ MONTALBÁN se ha dispersado en numerosos géneros y la poesía no se ha convertido en el más sobresaliente, aunque no carezca de interés. Ha publicado *Una educación sentimental* (1967), *Movimientos sin éxito* (1969), *Coplas a la muerte de mi tía Daniela* (1973), *A la sombra de las muchachas sin flor* (1973), *Happy end* (1974), *Praga* (1982). La poesía de Vázquez Montalbán, de raíz autobiográfica (pero no egocentrista, pues se refiere a las condiciones de las gentes del tiempo del propio autor) constituye un lúcido y desencantado testimonio de la situación moral y material de nuestro país, por lo cual entronca, en cierto sentido, con la poesía de la promoción que le precede, aunque le alejen de ella sus procedimientos expresivos. Entre la cultura popular —la canción, el cine, los medios de comunicación impresa o visual— y la tradición humanista, sus poemas conjugan ironía, distanciamiento y crítica. A la vez, su soltura verbal implicaba —el propio autor lo advierte en la reedición de las *Coplas...* (1983)— un desafío a la retórica cultural al uso. Lo más característico de la evolución de Vázquez Montalbán es un distanciamiento autocrítico, un escepticismo que lleva el relativismo a sus poemas sin que éstos pierdan nada —aunque parezca paradójico— de sus posibilidades revulsivas y, si se quiere —y por utilizar una palabra no muy de moda— de denuncia.

JOSÉ MARÍA ÁLVAREZ (1942) constituye una extraña presencia en la selección de Castellet, sobre todo por la imagen revolucionaria y populista que le precedía. De hecho, ha despreciado a sus compañeros de antología con un «me parecen literariamente muy pobres y políticamente reaccionarios». Desde muy principios de los sesenta publicó poemas sociales que luego ha desautorizado, a la vez que han arreciado sus ataques a la estética comprometida. En 1965 aparece *Libro de las nuevas herramientas,* que más tarde poda y modifica; una selección titulada *87 poemas* (1970) y la edición primera de *Museo de cera* (1974). Éste se convierte en *Museo de cera (Manual de exploradores)* (1978) en un volumen selectivo y totalizador de la obra de J. M. Álvarez. Como libro de muy larga gestación, posee registros muy distintos. Algunas composiciones destacan por su emocionante contenido amoroso. Otras, apenas son una sentencia, más o menos ingeniosa. Pero, en conjunto, lo que más llama la atención es el enorme culturalismo del libro, tan grande que casi ocupan más espacio las citas de otros autores que los propios versos de J. M. Álvarez; además, estos versos tienen como meta, frecuentemente, una ilustración o apostilla de esas citas.

ANTONIO MARTÍNEZ SARRIÓN (1939) construyó sus primeros libros con signos que había subrayado Castellet. Resaltaba su inclinación surrealista —que en alguna ocasión bordeaba el hermetismo— más una tendencia culturalista que le llevaba a incorporar al propio verso abundantes citas de otros autores que casi nunca se subrayaban. Estos caracteres se hallan en *Teatro de operaciones* (1967), *Pautas para conjurados* (1970), *Una tromba mortal para los balleneros* (1975) y en dos breves cuadernos, *Ocho elegías con pie en versos antiguos* (1972) y *Canción triste para una parva de heterodoxos* (1976). Al recopilar esta obra en *El centro inaccesible* (1981) añadía un libro de igual título en el que se observaba una evolución hacia un cauto intimismo y una mayor presencia de la realidad; destacaba también —según señala J. Talens en el prólogo— la presencia de poemas amorosos. La elogiosa introducción que Martínez Sarrión había dedicado a las poesías de G. A. Carriedo antes citadas indica su admiración por algunos procedimientos que más recientemente surgen en su poesía —*Horizonte desde la rada* (1983)— y que parecen situarle en un nuevo camino de búsqueda y autenticidad. En este título se acentúa la presencia de la realidad, recupera la sentimentalidad y, ante todo, da paso libre a un humorismo chispeante, burlesco y crítico que es como una veta sostenida y reprimida de su poesía anterior.

Diverso ha sido el porvenir de otros de los antologados por Castellet. FÉLIX DE AZÚA (1944), tras una intensa actividad inicial (*Cepo para nutria,* 1968; *El velo en el rostro de Agamenón,* 1970; *Edgar en Stephane,* 1971; *Lengua de cal,* 1972) ha distanciado más sus poemarios (*Pasar y siete canciones,* 1978; *Farra,* 1983). En todos ellos ha mantenido una inclinación al hermetismo que es la más extremada y persistente de todo su grupo generacional, en el que no abundan los poetas precisamente fáciles.

LEOPOLDO MARÍA PANERO (1948) ha seguido con decisión implacable la práctica de una poesía de negación total del mundo, de absoluto escepticismo en *Así se fundó Carnaby Street* (1970), *Teoría* (1973), *Narciso* (1979), *Last river Together* (1980), *Dioscuros* (1982). Entre la locura y la lucidez suicida, L. M. Panero trae a su libro las zonas siempre marginadas del individuo y de la sociedad con un aire de provocación, e, incluso, de deliberada marginación; la suya es una poesía que rinde tributo sistemáticamente a la transgresión de cualquier clase de normas y conduce a la aniquilación.

De todos los seleccionados en los *Novísimos,* la que menor atención posterior ha suscitado por su poesía es ANA MARÍA MOIX (1947), que parece, incluso —después de haber publicado un par de novelas—, apartada de la creación literaria. Los muy delgados volúmenes que editó (*Baladas para el dulce Jim,* 1969; *Call me Stone,* 1969; *No time for flowers,* 1971) preferían la prosa poemática —y aun a veces narrativa— al verso y presentaban una sentimentalidad ajena a sus compañeros de promoción. En fin, VICENTE MOLINA-FOIX (1946) ha relegado la poesía y su actividad más sostenida es la de narrador.

Quienes vieron un cierto exclusivismo en los *Novísimos* no percibieron que el propio Castellet señalaba la existencia de otras actitudes poéticas que no le interesaba inventariar. De hecho, con un criterio más amplio, J. L. García Martín [1980] señalaba tres grandes características en la que denomina generación del setenta: culturalismo —pronto transformado en metapoesía—, sensibilidad *camp* —en seguida superada— y amplia recuperación de la tradición vanguardista. En efecto, en el momento de superación de la poética de los cincuenta aparecen otros nombres que generacionalmente se sitúan en la órbita de la nueva poesía de los setenta y de los que no haremos otra cosa que dar muy sucinta noticia, dado el carácter de este libro. Pero antes debe subrayarse que el equívoco mayor producido por la antología de Castellet —y para el que, repito, no había lugar desde una lectura atenta del prólogo del crítico catalán— fue el de convertir la etiqueta de «novísimos» en un marbete que designaba el conjunto de la situación poética en la nueva década que aquel libro abría. Por eso advierte bien J. L. Falcó [1981] del error a que puede inducir este hábito de utilizar el apellido novísimo con un carácter generalizador y propone la fórmula más conciliadora de «poetas del 70». Semejante diversidad ha sido también notada por otros críticos que han hecho diferentes propuestas, también útiles. Bousoño [1979] ha hablado de «generación de la marginación» y de «generación del mayo francés o de 1968» y Luis Alberto de Cuenca tituló muy expresivamente un artículo «La generación del lenguaje» (*Poesía,* 5-6, 1979-1980).

Una antología aparecida en 1979, *Joven poesía española,* preparada por Concepción G. Moral y prologada por Rosa María Pereda, mostraba la continuidad de algunos supuestos básicos de la poética novísima, a la vez que evidenciaba —aunque en el estudio preliminar no se insista en ello— la considerable evolución que se apreciaba en algunos de los poetas seleccionados. Recogía la nómina de Castellet (excepto Vázquez Montalbán y Ana María Moix) y añadía una lista menos limitada que permitía contemplar de una forma más panorámica las manifestaciones generales de la estética de los setenta. Los restantes mencionados son Jesús Munárriz, José Luis Giménez Frontín, José Miguel Ullán, Marcos Ricardo Barnatán, Antonio Colinas, Jenaro Talens, José Luis Jover, Luis Alberto de Cuenca, Jaime Siles y Luis Antonio de Villena.

Luis Alberto de Cuenca (1950) y Luis Antonio de Villena (1951) encarnan el profundo culturalismo de esta época. Ambos habían aparecido ya en una compilación de «poesía española última», preparada por Antonio Prieto, *Espejo del Amor y de la muerte* (1971), que constituye otra de las muy relevantes muestras del tan mentado cambio estético en los setenta. R. M. Pereda [1979] afirma de L. A. de Cuenca que la atracción por la cultura le lleva casi a la erudición. Destaca en él una inusitada amplitud de campos de interés que va de la cultura popular actual al mundo grecolatino del que es, profesionalmente, experto conocedor. Se diría, incluso, que se trata de un escritor de raigambre deliberadamente libresca, aunque según va ampliando su obra (*Los retratos,* 1971; *Elsinore,* 1972; *Scholia,* 1975; *Museo,* 1978) se aprecie un mayor vitalismo.

En Villena, las referencias literarias de su poesía son múltiples, manifiestan un gusto refinado y un premeditado distanciamiento de la realidad inmediata y de las formas narrativas (*Sublime solarium,* 1971; *El viaje a Bizancio,* 1976 y 1978; *Hymnica,* 1979; *Huir del invierno,* 1981). Sus dos primeros libros presentan un intenso esteticismo —un claro preciosismo en el inicial— con alguna veta irracionalista y una neta inclinación al decadentismo (no es ocioso recordar que en 1983 ha publicado un ensayo sobre el dandysmo). Todos estos elementos, más una persistente búsqueda de la belleza en los objetos (con frecuencia en los cuerpos humanos) y en la palabra permanecen en los dos últimos, pero añade algunas novedades. Muy destacable es un cierto escepticismo respecto de la posibilidad de alcanzar la belleza; repetidamente señalados por la crítica han sido dos nuevos factores: la presencia de una inclinación vitalista y la aparición en el poema de la experiencia. También se aprecia un autobiografismo declarado y un tanto marginal más una ironía algo ácida (en la sección «Epigramas» del último título).

En un estudio mencionado, destacaba José Olivio Jiménez [1972] la presencia de tres jóvenes poetas valencianos, Talens, Simón y de la Peña. Valenciano, en efecto, puede considerarse a JENARO TALENS (1946), estudioso y teórico de la literatura, y poeta muy madrugador: *En el umbral del hombre* (1964), *Los ámbitos* (1965), *Vísperas de la destrucción* (1970), *Una perenne aurora* (1970), *Ritual para un artificio* (1971), *El vuelo excede el ala* (1973), *El cuerpo fragmentario* (1977), *Reincidencias* (1979), *Otra escena / Profanación(es)* (1980). Quizás a su preocupación por la semiología y por la teoría poética se deba el que el rasgo fundamental de su creación consista en una persistente exploración metapoética, muy lúcida en cuanto que no es un juego gratuito sino que busca indagar en la esencia de la comunicación literaria. Tal vez dicha preocupación sea como un nuevo frente de su dedicación profesional y, desde luego, es prueba de una de las estéticas más definidas en su voluntad de hablar sobre el propio lenguaje. Se trata de un signo de época —ya lo señaló Bousoño, con un sentido algo distinto, en el prólogo al mencionado *Ensayo...*, de Carnero— que encuentra en Talens uno de sus más decididos cultivadores. Debe agregarse que la metapoesía de Talens encierra, más allá de un tema referido a la propia creación poética, una pregunta o una reflexión sobre la realidad y su posibilidad de «objetivarla» en el texto literario. Para ello adopta una actitud antiintimista y antiutilitaria y aborda el sentido de la creación desde una postura explícitamente discursiva. El frecuente culturalismo de sus poemas no es sólo una referencia iluminadora o de homenaje sino que se integra como sustancia del poema. Por ejemplo, la tercera parte de *El cuerpo...* se titula muy intencionadamente «La máquina de significar», y su primer poema (de no menos intencionado rótulo: «Método del discurso») tiene esta expresiva disposición, creo que muy clarificadora de lo que hemos dicho:

MÉTODO DEL DISCURSO

la poesía es un arma sin futuro un | juego
insensato escribir alguna discipli | na co
mo las alternancias de la codifica | ción
que acepta convenciones estos sign | os se inscriben
siguiendo una disposición prevista | un orden
tal que en ayora veinte digamos do | nde escri
bo al dictado unos versos nada me | comunican so
lo mis contorsiones (relativas) lo | que algun libro llama
ría sin duda una función poética (|
para una más perfecta comprensión | cfr.
El Arte del Poema) y resultando (e | s una posibilidad)
esta maravillosa historia de guirn | aldas rompen
su espacio ya sin huellas algun go | lpe de dados
finalmente abolido el acto de leer |
entró nelle abitudini como la eufo | ria pulsional que re
produce la poesía es un arma sin f | uturo etcétera

"toda denominación es una tentativa de alcanzar la imagen" (Nietzsche)

"todo el provecho que saco de mi tiempo lo debo a la confusión, pues de la claridad no se obtiene provecho alguno" (B. Brecht)

Conviene subrayar que la práctica metapoética —en el sentido de Talens, o en otros más amplios— es frecuente en numerosos poetas de los setenta y, unida a un habitual culturalismo, se ha señalado en numerosos casos singulares. Debe recordarse también la práctica metapoética de JORGE URRUTIA (1945), sobre todo por su libro *El grado fiero de la escritura* (1977); Urrutia no figura en las antologías mencionadas y su labor creativa ha quedado eclipsada por sus trabajos como investigador; este riesgo de simultanear ambas actividades —con el peligro de que una se sobreimponga a la otra— es tal vez una nota más distintiva de los poetas del setenta.

La trayectoria personal de los nombres incluidos en la antología de Moral-Pereda es bastante diferente. Luego mencionaremos a Ullán, ejemplo de la voluntad renovadora y experimental que caracteriza a la poesía de este momento. El culturalismo de M. R. BARNATÁN (1946) tiene como signo distintivo su preocupación por temas judíos y ha publicado ya ocho poemarios; en los más recientes aparecen con nitidez esas preocupaciones: *El libro del talismán* (1970), *Arcana Mayor* (1973), *La escritura del vidente* (1979). J. L. GIMÉNEZ FRONTÍN (1943) era uno de los que representaban la nueva sensibilidad de la antología de V. Pozanco luego citada. Sus poemarios *La Sagrada Familia* (1972) y *Amor Omnia* (1976) cultivan el culturalismo y la meditación personal y una expresión poco transparente. J. L. JOVER (1946) practica una poesía de imágenes tal vez subconscientes; en ella aflora un mundo interior complejo y resulta bastante hermética. Entre sus títulos están *Memorial* (1978), *En el Grabado* (1979). J. MUNÁRRIZ (1940), editor de poesía, ha publicado *Viajes y estancias* (1975) y *Cuarentena* (1977) y persigue, según dice en su «poética», «sé siempre muy exacto, / que lo que digas surja desde dentro, / que las cosas se nombren a sí mismas»; menos culturalista que otros antologados, practica, a veces, un verso sentencioso e irónico. Aunque la mayor difusión o aceptación de un escritor no sea siempre garantía de preeminencia, dentro de los limitados ámbitos a los que llega la poesía, los dos poetas de esta antología que han obtenido un mayor reconocimiento, incluido el de la crítica, son ANTONIO COLINAS (1946) y JAIME SILES (1951).

La serenidad de dicción, que se corresponde con una semejante concepción del mundo, es característica de Colinas, junto con un regusto por la decadencia material del pasado (*Poemas de la tierra y de la sangre*, 1969; *Preludios a una noche total*, 1969; *Truenos y flautas en un templo*, 1972; *Sepulcro en Tarquinia*, 1975; *Astrolabio*, 1979 —recogidos con alguna adición en *Poesía 1967-1980*—; *Noche más allá de la noche*, 1983). El culturalismo de Colinas es bastante intenso —muy llamativo por sus temas de evocación clasicista— y la lengua y la forma de sus poemas tienen también un gusto clásico que busca la belleza y la sonoridad en el decir.

También un decir clásico y sereno parece caracterizar a J. Siles, cuya poesía crece con regularidad y unidad: *Génesis de la luz* (1969), *Biografía sola* (1971), *Canon* (1973), *Alegoría* (1977), *Música de agua* (1983). Se observa en él una reprimida inclinación a la poesía pura, matizada por una actitud muy reflexiva. En sus versos parece que una emoción subterránea quiere aflorar, pero la mano del escritor —y la propia temática abstracta de su preferencia— la sujeta e, incluso, cada vez más la reprime hasta aparecer, en sus últimos títulos, casi, en algún momento, un poeta de neto corte especulativo.

En estos cambios estéticos que se producen entre mediados y finales de los sesenta y que determinan la nueva poesía de los setenta, no todo es la corriente que se encuentra en la línea culturalista de los que hemos mencionado. Otros nombres más —y siempre la relación quedará incompleta— certifican esa renovación por diferentes líneas. ANTONIO HERNÁNDEZ (1943) hunde sus raíces en una poesía de la memoria y de testimonio. Es de los poetas que enlazan una concepción realista de la poesía —superado, por supuesto, un inmediato testimonialismo—, de acentos críticos y reivindicadores, y a la vez entrañada en una desgarrada problemática interior, con una gran preocupación formal, que puede advertirse en una obra ya amplia. Si aquel tono, o la temática amorosa surgen en sus primeros libros (*El mar es una tarde con campanas,* 1966; *Oveja negra,* 1968), su actitud artística se revela en el título siguiente, de muy intencionada y expresiva rotulación, *Metaory* (1979). Entrañado en la tierra (*Donde da la luz,* 1978), de un andalucismo nada folklórico ni tópico; sincero poeta elegíaco (*Diezmo de madrugada,* 1982) o escritor de acentos reflexivos (*Homo loquens,* 1981): «Dicen que todos escribimos / el mismo poema para la muerte. / Pero yo resucito cada vez que comprendo [...]». Esta variedad de inquietudes puede causar la falsa impresión de excesiva dispersión y, sin embargo, la de A. Hernández es una obra bastante unitaria. Lo que sucede es que el poeta busca, mediante una pluralidad de registros —admiración por Ory, homenaje a Miguel Hernández, influjo de Rosales...— una visión moral e histórica del hombre, tras la cual despliega diferentes procedimientos. Quizás el título y el sentido de *Con tres heridas yo* (1983) resuma, en una sola entrega, las inquietudes terrenas y trascendentes del poeta...

En 1963 aparece en León la revista *Claraboya* que, en una primera etapa, parte de un explícito deseo de superación de las decadentes formas social-realistas e intimistas. El propósito de los integrantes del grupo —José Antonio Llamas, Luis Mateo Díez, Ángel Fierro y Agustín Delgado— es lograr una «poesía dialéctica» que, más allá de su imprecisa etiqueta, representa, ante todo, y para lo que aquí nos interesa, un deseo de modernización de nuestra lírica. La poesía de este grupo se halla dentro de unos supuestos que la aproximan a la poesía mediosecular por una actitud crítica que, sin caer en el documentalismo, posee semejante intencionalidad de denuncia. Incluso en el distanciamiento irónico coincide con algunos poetas de los cincuenta. La línea representativa de las diferentes etapas de la revista se presentó con cierto tono de manifiesto teórico en el volumen *Equipo «Claraboya»* (1971), en el que se recogían textos de los cuatro poetas citados. De ellos, L. M. Díez ha destacado como narrador y es AGUSTÍN DELGADO (1941) el que ha mantenido una producción poética más sostenida. En la recopilación de su obra poética —*De la diversidad,* 1983— agrupa su producción en dos etapas. En la primera existe un mayor sentido crítico y testimonial (*El silencio,* 1965; *Nueve rayas de tiza,* 1966; *Cancionero civil,* 1967; *Aurora boreal,* 1968-1969), mientras que en la siguiente predomina la imaginería de cierto corte surrealista (*Espíritu áspero,* 1970-1974; *Discanto,* 1975-1980).

Los ecos y, en algún sentido, el homenaje a Machado —en momento de escaso fervor por éste— son patentes en el primer cuaderno de VÍCTOR POZANCO (1940), *Soria pura* (1970). Sus obras posteriores —*El oráculo de Numeria* (1974), *Historia de manuscritos* (1977), *Cantos eróticos* (1979), *Ucronía* (1983)— constituyen un persistente esfuerzo por lograr la voz personal que pronto alcanza. No olvida Pozanco una problemática histórica del hombre en casi ningún momento, pero progresivamente se va inclinando hacia una elaboración entre intelectual y emotiva del mundo —en el que conviven conflictos externos y pulsiones íntimas— que presenta con un verso de sugestivo ritmo, de léxico vivo y exigente —pero nunca elitista ni culturalista—, atento a las formas tradicionales y, a la vez, renovador y de imaginería muy valiosa. Pozanco es, además, de los escasos poetas españoles que practican una previa reflexión teórica sobre la poesía, la cual, además, se incorpora como sustancia viva a sus propios libros. Sin embargo, este carácter metapoético de parte de sus obras poco tiene que ver con el aire de época que varias veces hemos mencionado en este epígrafe. Pozanco persigue una poesía que responda a una ciencia artística pero sin que ello suponga restarle misterio, pasión, imprevisibilidad en el decir. De este modo, la poesía será reflexiva y exacta. No se piense, no obstante, que estamos ante textos especulativos o retóricos. El mundo del amor y de las cosas, de la cultura y la vida, de la meditación y la experiencia, tienen en su poesía emocionada vibración.

ANTONIO CARVAJAL (1943) se está convirtiendo en un poeta caudaloso, pues desde *Casi una fantasía* (1963) ha reunido el considerable volumen de libros y poemas que revelan las poesías recogidas en *Extravagante jerarquía* (1983), a las que hay que añadir *Servidumbre de paso* (1983). Poeta muy culturalista, con fuerte tendencia barroquizante, representa en la línea renovadora de los años sesenta una actitud singular: el retorno a las formas de sabor clásico en lo que éstas tienen de complejo dispositivo retórico. Su poesía, así, posee un fuerte sabor arcaizante, a medias entre el homenaje y la antigua teoría de la imitación, abandonada en nuestras letras desde, por lo menos, Zorrilla. Algunos de sus artificios habían caído prácticamente en desuso, por ejemplo la rima partida, y no recordamos en toda la postguerra ningún cultivador tan persistente. Otros muchos recursos formales emplea, con los que se podría reconstruir un manual de figuras. No es sin embargo la de Carvajal una poesía tan sólo anclada en el pasado o mimética, pues, aparte la soltura en el manejo desusado de esos recursos, no carece de personalidad.

JUAN LUIS PANERO se ha visto indebidamente postergado, entre los jóvenes poetas, tal vez por la llamativa irrupción de su hermano Leopoldo María. Es, sin embargo, un escritor que merece mucha atención, pues su primer libro, *A través del tiempo* (1968), manifiesta la acertada realización de una poesía de la experiencia, bien decantada en su transformación lírica.

La ya mencionada variedad de registros de los años setenta tenía su confirmación, a finales de la década, en la antología de José Luis García Martín [1980], *Las voces y los ecos,* precedida de un interesante prólogo. El antólogo sigue el criterio de seleccionar poetas nacidos después de 1939 y cuyas primeras obras hayan aparecido en la pasada década. Este criterio hace que algunos de los poetas preferidos por García Martín pertenezcan a la órbita que venimos describiendo en el presente epígrafe, mientras que otros deben ser mencionados en el dedicado a la poesía posterior a 1975. En virtud de la trayectoria histórica que perseguimos en el presente libro, esta antología presenta nombres con caracteres todavía no por completo definidos y previsiblemente mutables, pero que deben tenerse en cuenta en el panorama de la reciente poesía española. Reafirman, además, no sólo la superación de la estética novísima sino algunas de esas otras posibles líneas que configuran el presente de nuestra poesía. En concreto, García Martín anota la disminución de la mitología camp y del vanguardismo más disonante, la plena vigencia y diversificación del culturalismo, la presencia de la poesía intelectual y un tanto hermética y algún ejemplo de poesía entrañada y emocional. Sin otro propósito que el de una simple mención recordaremos esos nombres:

Justo Jorge Padrón (1943): *Los oscuros fuegos* (1971), *La mar de la noche* (1973), *Los círculos del infierno* (1976), *El abedul en llamas* (1978), *Otesnita* (1979).

Pedro J. de la Peña (1944): *Fabulación del tiempo* (1971), *Círculo del amor* (1971), *Ciudad del horizonte* (1973), *Teatro del sueño* (1980).

Miguel D'Ors (1946): *Del amor, del olvido* (1972), *Ciego en Granada* (1975).

Carlos Clementson (1944): *Canto de la afirmación* (1970), *Los argonautas y otros poemas* (1975), *De la tierra, del mar y otros caminos* (1979).

José A. Ramírez Lozano (1950): *Canciones de cara y cruz* (1974), *Antifonario para un derrumbe* (1977).

También entre los sesenta y setenta empiezan a publicar algunos otros poetas de esta misma promoción que no hemos citado hasta ahora y que poseen una obra en marcha de interés dentro de diferentes vías estéticas:

Angélica Becker (1942): *Figuras y meditaciones* (1965), *Definiciones* (1968).

Clara Janés (1944): *Las estrellas vencidas* (1964), *Límite humano* (1965), *Libro de Alienaciones* (1980), *Eros* (1981), *Vivir* (1983).

Diego Jesús Jiménez (1942): *Grito de la sangre* (1962), *La valija* (1963), *Ámbitos de entonces* (1963), *La ciudad* (1965), *Coro de ánimas* (1968), *Fiesta es la oscuridad* (1976).

Octavio Uña Juárez (desconozco la fecha de nacimiento): *Antemural* (1979), *Mediodía de Angélica* (1983).

Ana María Navales (desconozco la fecha de nacimiento): *Otra virtud* (1970), *En las palabras* (1970), *Junto a la última piel* (1973), *Resto de lacre y ceras de vigilias* (1975), *Del fuego secreto* (1978), *Mester de amor* (1979), *Tentación de la sombra* (1980), *Los espías de Sísifo* (1981), *Nueva, vieja estancia* (1983).

Lázaro Santana (1940): *Con la muerte al hombro* (1963), *El hilo no tiene fin* (1966), *Efemérides* (1973).[12]

12. Con carácter general, sobre este apartado véase, en el apéndice de F. Grande [1970], el epígrafe «Poetas novísimos, vieja confusión»; asimismo, el prólogo de J. L. García Martín [1980] y, para la poesía andaluza, M. Urbano [1976]. Por su significación histórica, recordamos la mesa redonda de *Cuadernos para el diálogo,* núm. 87, diciembre, 1970. Anotemos también algunos comentarios particulares sobre poetas. De J. O. Jiménez [1972], véanse las «notas» dedicadas a Gimferrer, Carnero, Panero y Talens. Para el primer Gimferrer, cf. de la Concha [1972]; para Carnero, cf. Bousoño [1979]; para Martínez Sarrión, cf. J. Talens [1981]; para Talens, cf. los artículos de Juan M. Company y Juan José Romero Cortés en *El cuerpo fragmentario* (Valencia, 1980^{2}).

3) *Poesía experimental*

La poesía —y más en general, la literatura— vanguardista tiene un escaso arraigo en las letras españolas que, en contra de la tradición occidental moderna, tiende a recluirse en las convenciones artísticas más arraigadas. Ello explica el lugar marginal que suele ocupar en los panoramas descriptivos más conocidos. De todas maneras, España no se sustrajo a los grandes movimientos renovadores de entreguerras, dada la importancia que los diferentes -ismos alcanzan en la cultura occidental. Al margen de la significación de algunas tendencias más o menos arrraigadas entre nosotros en los años veinte y treinta, la huella del surrealismo, antes y después de la guerra civil, ha sido muy intensa, aunque de carácter guadianesco. En concreto, después de la lucha, que es el período que aquí nos interesa, pasa por momentos de absoluta clandestinidad en los que quienes lo cultivan sufren una casi completa marginación. El mencionado Miguel Labordeta puede representar muy bien esta situación. Más adelante, con la renovación llevada a cabo en los años sesenta, cobra auge e informa en buena medida lą poética de quienes escriben desde entonces. Pero no es el propósito de estas líneas trazar el desarrollo del surrealismo en la postguerra —y sus huellas se advierten al mencionar a cada poeta— sino tan sólo recordar su difícil radicación en estos tiempos recientes, al igual que ha ocurrido con el resto de las actitudes vanguardistas. Éstas, además, han tenido la dificultad añadida de no contar con movimientos internacionales de apoyo, también muy debilitados en la Europa posterior a la segunda gran guerra. De este modo, quienes intentaron una renovación que alterara las líneas más establecidas en la postguerra se vieron condenados al fracaso o al silencio. Es el caso, ya mencionado, del movimiento postista.

Sin embargo, no han faltado designios personales que han luchado con tenacidad, y contra la incomprensión, por introducir en nuestro país aires renovadores y experimentales. Se trata, ante todo, de esfuerzos personales y voluntaristas que han tardado mucho en ser reconocidos, si es que lo han logrado. En el ámbito de estas iniciativas particulares deben recordarse algunas revistas y algún nombre concreto. Las revistas que han acogido la renovación han tenido la misma precaria existencia que las más tradicionales, pero han sido todavía más minoritarias y restringidas. *Deucalión* (1951-1953), *El pájaro de paja* (1950-1954), entre las predecesoras, *Artesa*, ya en los años setenta, acogieron este tipo de poesía. En cuanto a los nombres, hay que recordar al ya mencionado Ángel Crespo porque, aparte su personal producción, impulsa los movimientos renovadores de origen brasileño —sobre todo el grupo experimental Noigandres— desde la *Revista de Cultura Brasileña.*

Crespo puede ser, pues, el nombre que sirva de puente con el desarrollo de una poesía vanguardista experimental en castellano, que se irá asentando y cobrando interés y caracteres específicos a lo largo de los años sesenta (una significación especial posee el grupo *Dau al Set* con poetas en catalán como Joan Brossa, o en castellano, el ya recordado Cirlot). Tal vez la persona decisiva en esta renovación fuera JULIO CAMPAL (uruguayo de nacimiento; 1934-1968), impulsor del experimentalismo con su propia obra y mediante el influjo que ejerce en otros poetas más jóvenes que proseguirán en su misma línea. De éstos, son FERNANDO MILLÁN (1944) y JESÚS GARCÍA SÁNCHEZ (1945) quienes harán una labor más sostenida para la difusión del vanguardismo internacional, que adquiere un cierto eco gracias a la publicación de una extensa antología, *La escritura en libertad* (1975), en una colección de amplia distribución y de gran prestigio. La obra de los poetas citados orienta la poesía experimental española —o al menos un significativo sector de ella— en la línea de lo que se conoce como poesía concreta, etiqueta quizás discutible e imprecisa, pero que funciona ya como adjetivo definidor y caracterizador de una específica manera de entender la poesía.

La poesía concreta (desarrollada inicialmente en Brasil a mediados de los años cincuenta) cierra la idea tradicional del verso como unidad rítmico-formal e incorpora a la expresión el espacio gráfico, los elementos visuales, el ideograma. Otras formas expresivas tienen puntos de contacto con ella, y también sus diferencias, como el letrismo, el happening, el espacialismo, la poesía visiva, la poesía semiótica..., pero, para nuestro propósito descriptivo, la poesía concreta puede resumir los puntos comunes de estos movimientos que reivindican la visualidad y la no discursividad. Los procedimientos particularse de materialización de estas metas admiten interesantes variaciones: desde poemas que se basan en la frase o en la palabra hasta otros que utilizan sistemas de significación no lingüísticos o, sencillamente, que incorporan el collage, el dibujo, la fotografía. Unos pocos ejemplos de *Textos y antitextos* (1970), de Fernando Millán, darán idea de las diversas posibilidades de esta poesía (véanse las pp. 456-459).

En cuanto práctica particular de la poesía experimental puede recordarse la llamada «poesía permutatoria», en la que a partir de un poema inicial se componen otros cambiando el orden de

cuatro

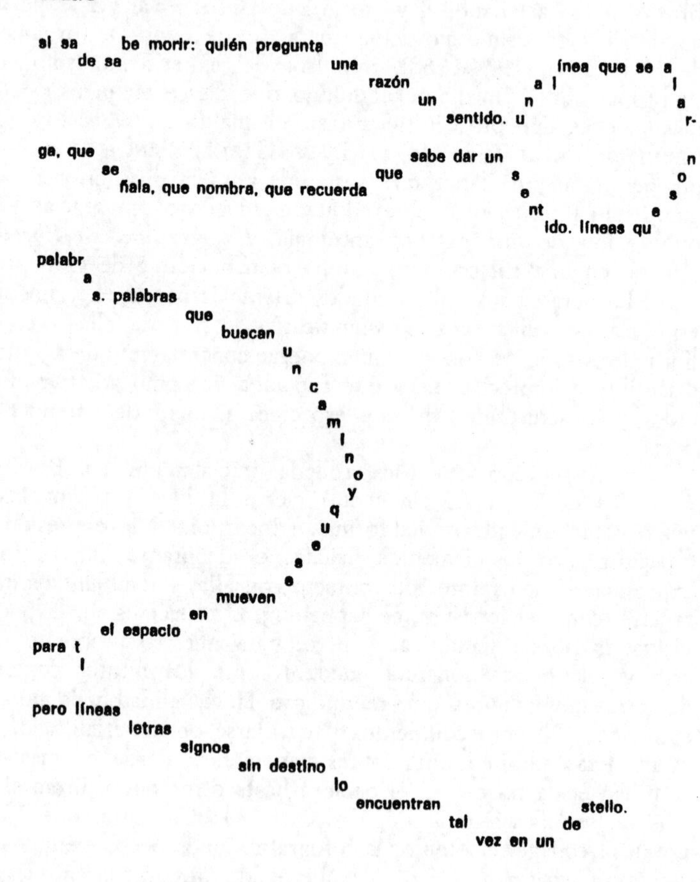

si sa be morir: quién pregunta
de sa
una
ínea que se a
razón
a l
l
un
n
a
sentido. u
r-
ga, que
sabe dar un
n
se
que
s
o
ñala, que nombra, que recuerda
e
s
nt
e
ido. líneas qu
palabr
a
s. palabras
que
buscan
u
n
c
a
m
i
n
o
y
q
u
e
s
e
mueven
en
el espacio
para t
i
pero líneas
letras
signos
sin destino
lo
encuentran
stello.
tal
de
vez en un

MENOS
AHORA
TAL VEZ SI VAN
SOMOS
ALTO
OLVIDA
TIEMPO

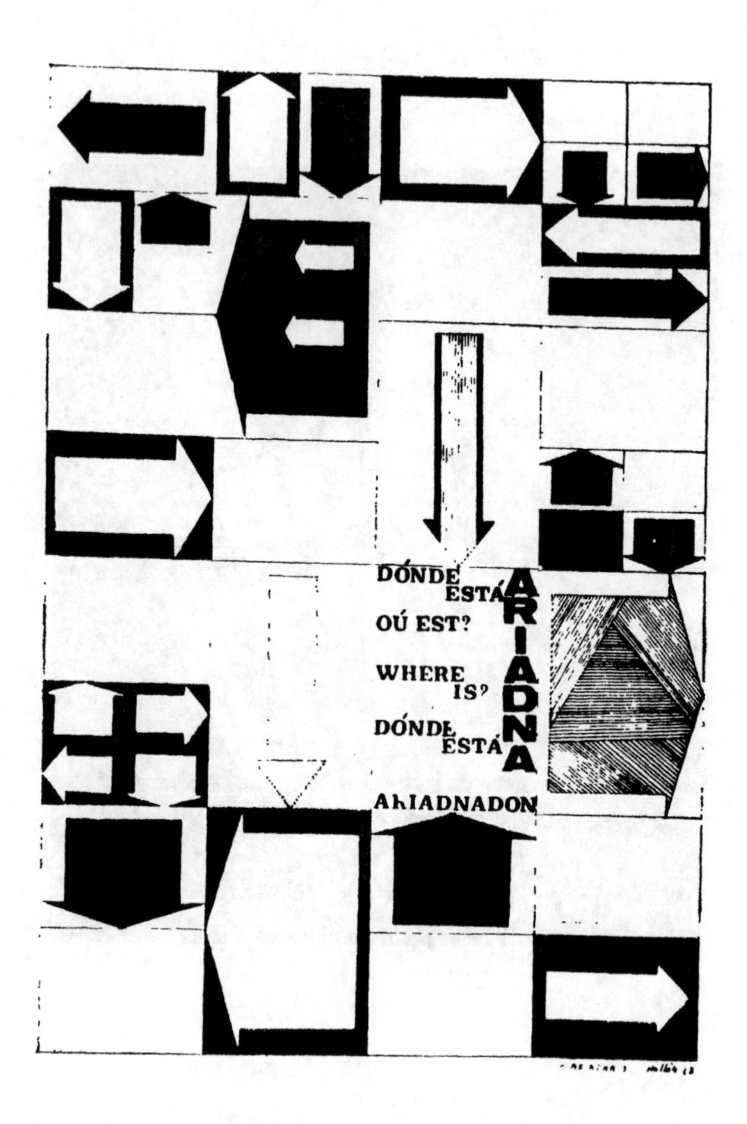
DÓNDE ESTÁ
OÚ EST?
WHERE IS?
DÓNDE ESTÁ
ARIADNADON
ARIADNA

los versos o de las palabras (de esta manera, se ofrece al lector la posibilidad de participar en el poema mediante variaciones que él mismo puede sugerir). También debe señalarse que la poesía concreta no tiene siempre la estricta finalidad de la publicación en libro; y, de hecho, sólo una pequeña parte se ha recogido en volúmenes (tampoco hay que olvidar las dificultades editoriales que conlleva). A veces se ha presentado en exposiciones, en otras ocasiones se ofrece como un cartel.

El grupo «Problemática 63», fundado por J. Campal, fue el primer impulsor de este tipo de poesía. Pero otro grupo, «N. O.», ha sido quien la ha mantenido viva. En «N. O.» participan Fernando Millán (*Este protervo zas,* 1969; *Textos y antitextos,* 1970; *Mitogramas,* 1978) y Jesús García Sánchez (con obra recogida en diferentes antologías). Otros autores más practican esta corriente: ENRIQUE URIBE (*Concretos uno,* 1969); AMADO RAMÓN MILLÁN (*Nnnno,* 1970); FELIPE BOSO (*T de trama,* 1970); JOSÉ MARÍA MONTELLS (*La cabellera de Berenice,* 1971); JOSÉ LUIS CASTILLEJO (*El libro de las dieciocho letras,* 1971); JUAN HIDALGO (*De Juan Hidalgo,* 1971), Juan Carlos Aberasturi, Juan Antonio Cáceres. Representativa es la antología de poesía N. O. titulada *Situación uno* y tampoco pueden olvidarse los carteles de J. Campal titulados «Caligramas». Recordemos, también, que algunos de los más recientes poemas de G. Celaya se vinculan con estas orientaciones. Mención particular merece JOSÉ MIGUEL ULLÁN (1944) quien, desde una inicial poesía de corte testimonial (*El jornal,* 1965; *Un humano poder,* 1966 y otros) ha pasado a una abierta experimentación que participa del discuso libre (*Soldadesca,* 1979). El llamativo cambio operado en la poética de Ullán debe entenderse como una de las posibles vías —aunque no la más frecuentada— de renovación buscadas para superar la estética dominante en los sesenta. En fin, algún otro poeta preocupado por una temática más amplia ha cultivado también la poesía experimental. Es el caso de ALFONSO LÓPEZ GRADOLÍ (1943), poeta ante todo de la evocación y la temporalidad en sus libros de los años sesenta (*Los instantes, Las señales del tiempo*) que, en *Quizás Brigitte Bardot venga a tomar una copa esta noche* (1971), practica la composición visual mediante el uso de fotografía y de textos.[13]

13. Para la vertiente internacional de la poesía experimental, véase el citado F. Millán y J. García Sánchez [1975]. Sobre la poesía concreta española puede consultarse: J. E. Miranda [1973], A. del Villar [1973] y el número 19 (enero-febrero, 1973) de *El Urogallo.* En relación con el surrealismo, cf. J. Marco [1973], que debe tenerse en cuenta también para algunos poetas vistos en el epígrafe 3.1.

5. La poesía desde 1975

A la vista de la evolución de la poesía peninsular en castellano con posterioridad a la aparición de la compilación de novísimos de Castellet, casi hay que darles la razón a quienes sostuvieron que el crítico catalán no había desvelado un nuevo movimiento sino un momento de éste en el que se presentían síntomas de disolución. La proliferación por revistas de poemas manieristas en la misma dirección de la estética despectivamente apellidada veneciana contradice esa hipótesis. Sin embargo, otras notas parecen avalar, al menos, una rápida periclitación de aquellos principios enumerados por Castellet y el predominio de esas otras voces que participaban en la aventura renovadora de los setenta al lado de los novísimos, pero desde supuestos diferentes, como antes he dicho. Un indicio no en exceso llamativo pero de incuestionable significación lo constituye otra antología, también de José Batlló, *Poetas españoles poscontemporáneos* (1974), en la que ya se advertían signos de distanciamiento. Planteamientos diferenciados, y en buena parte contrarios, a los de los novísimos se harán notar muy pronto. Cierto aire de manifiesto opositor revela Víctor Pozanco en el prólogo de *Nueve poetas del resurgimiento* (1976). Más tarde, Elena de Jongh Rossell cree constatar una situación diferente en *Florilegium* (1982). En seguida volveré a estas dos compilaciones.

Ya he comentado con anterioridad la decisión de abrir un apartado para las manifestaciones literarias desde 1975, aun en contra de las opiniones —respetables, por otra parte— de quienes sostienen que no hay razones estéticas —claros fenómenos artísticos distintivos— para ello. Sin embargo, pienso que esa fecha —de trascendencia política— coincide con un fenómeno al que también aludí y que no se puede ignorar: la aparición de una nueva promoción de escritores —en este caso poetas— que empiezan a publicar en los alrededores o después de ese año, que aparecen por primera vez en las compilaciones antológicas de este momento y que, además, constituyen, en cuanto a las fechas de nacimiento, un grupo diferenciado. En efecto, se trata de poetas que nacen desde o con posterioridad a 1950. Estamos, pues, frente al grupo —todavía de inciertos perfiles— que toma el relevo de los poetas que pueden llamarse de los setenta o de la generación del 68. Dentro de unos momentos nos referiremos a ello porque antes hay que abordar algunas cuestiones generales previas.

La primera advertencia es casi obvia. Son tan numerosos los poetas que en un momento dado coexisten y dan a conocer su obra no sólo en libro —a veces en edición de autor— sino en efímeras publicaciones —surgidas en los más insólitos lugares— que ni siquiera una dedicación exclusiva a la catalogación y descripción de lo que se edita podría dar cumplida cuenta del fenómeno. Ello contando con que el estudioso pudiera acceder o, siquiera, tener conocimiento de lo que se publica. Así pues, una cierta tradición crítica es imprescindible para una primera —y por muy provisional y revisable que resulte— decantación de valores. Por consiguiente, al referirse a fenómenos que son casi del día no tenemos mínima certeza en las opiniones, ni siquiera podemos presumir de información satisfactoria (lo cual decimos en nuestro descargo, por si alguien se sintiera indebidamente postergado; y en la seguridad de que trataremos de subsanarlo en siguientes ediciones de este libro, si es que las hay). La producción teatral —y en especial los espectáculos— puede seguirse bastante bien; más difícil resulta lograrlo en novela, sobre todo por el tiempo de lectura que requiere; casi imposible es conseguirlo en poesía a causa de esas circunstancias extraliterarias.

La otra advertencia general también es obvia, pero conviene explicitarla. La poesía desde 1975 conoce la incorporación de nuevas voces —como decíamos—, pero se enriquece con la labor continuada de los poetas de las generaciones precedentes, aparte las frecuentes recuperaciones nacionales y foráneas que se producen en estos años. La de los escritores de la anteguerra o primera postguerra es en estos años muy escasa —otra cosa es su posible influjo—, bien por la desaparición física de algunos de ellos (Otero, Panero, Ridruejo, Vivanco...) o la escasa actividad de otros (Aleixandre, Alonso, Valverde...). Tampoco ha sido muy notable la creatividad de los poetas de la generación del medio siglo que, aunque hayan publicado algún título, guardan, por lo común, un silencio prolongado, sólo interrumpido por la edición de compilaciones de su labor anterior. Cabe, sin embargo, la razonable esperanza de que se trate de un silencio reflexivo y fructífero que depare, a lo largo de los ochenta, una obra renovada. Por fin, los poetas más activos son los que se corresponden con lo que hemos llamado «generación del 70». No sólo por la regularidad de sus publicaciones sino por desarrollar una evolución respecto de sus estéticas más juveniles que los sitúa en un momento de plena madurez intelectual, de dominio técnico y de consecución de una voz artísticamente personal.

Volvamos a la poesía joven desde 1975. Nos referíamos antes al grupo poético que toma el relevo desde esa fecha. Se imponen, también, unas precisiones. No es del todo exacto hablar de grupo porque, a diferencia de lo que ocurre con algunas tendencias anteriores, los nuevos poetas no se identifican con una estética colectiva y predomina, creemos, la práctica de una poesía personal —dicho de otro modo, las individualidades— aunque dentro de una cierta tónica de época. También conviene destacar su alejamiento respecto de la corriente inmediata anterior, la de los novísimos. No es que, como suele ocurrir en los cambios generacionales, postulen un parricidio de sus predecesores, sino que actúan al margen de ellos, con indiferencia respecto de lo que históricamente suponen. Sin embargo, sí se aprecia la continuidad de algunos supuestos básicos de aquéllos, sobre todo la creencia en la autonomía del arte y un extraordinario interés por el lenguaje. Incluso parece que bajo tales preocupaciones se oculte, a veces, una incapacidad para hablar de temas concretos, de preocupaciones intensas que se camufla bajo un excesivo verbalismo. En fin, varios de los poetas más jóvenes de la promoción precedente (L. A. de Cuenca, J. Siles, L. A. de Villena...) habían aparecido —alguno muy precozmente— en fechas anteriores al año que hemos elegido para esta compartimentación. En cierto sentido, actúan como gozne que articula ambas promociones. Su obra inicial merece consideración, pero se asientan definitivamente en esta segunda mitad de los setenta y comienzos de los ochenta. En el momento en que aparecen unos poetas más jóvenes, tienen ya un nombre literario hecho y por ello hemos preferido mencionarlos en un apartado anterior.

Afirmábamos que existía como un intento de ruptura con la estética novísima; o quizás fuera más exacto precisar que con el lugar preeminente que ésta había ocupado desde 1970. Una destacada fractura era la propiciada por la mencionada antología de V. Pozanco, *Nueve poetas del resurgimiento,* ampliada en 1980 en *Segunda antología del resurgimiento.* Los planteamientos teóricos de Pozanco que precedían a su selección venían a suponer el negativo de Castellet. En cuanto a la expresión, el antólogo trataba de mostrar la presencia de unas voces que planteaban el poema de manera diferente y bien caracterizada: confianza en la capacidad fundadora de la palabra, neobarroquismo, simbología de carácter atemporal. Estos rasgos no eran, en realidad, tan distintivos, pero sí el modo en que se daban, pues Pozanco advertía que junto a la aceptación del simbolismo se retornaba a un cierto realismo. Se renunciaba, por otra parte, al influjo de los *mass media.* En fin, este movimiento podía denominarse del «resurgimiento» y de él era signo distintivo su enraizamiento en las culturas ibéricas y su aprecio por los valores poéticos nacionales (en absoluta contraposición con lo advertido por Castellet). En el epílogo que yo mismo escribí para esta antología (Sanz

Villanueva [1976]) señalé mis propias cautelas frente a algunos de aquellos supuestos, pues no me parecían tan claros ni tan definidores como decía su compilador en el prólogo. Lo cierto es que en la poética que precedía a los nombres seleccionados podía detectarse una especial insistencia en la capacidad de la poesía de crear orbes autónomos.

La otra antología antes mencionada, *Florilegium,* también trata de encontrar nuevos caminos diferenciadores en la poesía actual. El prólogo de Jongh Rossell en el que defiende las notas dominantes de esa nueva poesía es tan caótico y confuso que muchas de sus afirmaciones lo mismo podrían servir para la corriente que postula que para casi cualquier otro momento histórico (al fin y al cabo, la historia de la poesía es una continuada tensión entre intimismo, vitalismo y esteticismo). Lo que interesa resaltar, sin embargo, desde la perspectiva del presente libro, es el deseo de comprobar que, a la altura de los años 80 se han establecido unas líneas poéticas suficientemente diferenciadas de las inmediatas anteriores.

Hemos dicho que tal vez una de las notas características de este último período de nuestra poesía sea la inexistencia de corrientes poéticas organizadas. Sin embargo, sí son detectables algunas grandes tendencias. J. L. García Martín [1983] presentaba este estado de la cuestión en su descripción de la poesía más joven entre mediados de 1982 y 1983: «La continuación de diversas tradiciones [...] parece ser el único común denominador» (p. 15). El crítico precisaba más esas tendencias:

> Los poetas de la denominada «nueva sentimentalidad» (Egea, García Montero) se acogen al manifiesto de Gil de Biedma. La herencia surrealista es patente en Fernando Beltrán y Blanca Andreu. La poesía barroca o Juan Ramón Jiménez constituyen también modelos. [...] La línea de la poética del silencio sigue recibiendo aportaciones (Armando López Castro, Amparo Amorós), así como otros autores prefieren continuar la tradición cernudiana (Sánchez Chamorro).

Pienso que estas palabras reflejan, en efecto, los rasgos característicos de la última poesía española, y de ellos, y por lo que atañe al punto de vista histórico de este libro, creo que posee especial relieve la tradicionalidad desde la que hoy se hace buena parte de nuestra poesía. Por supuesto que esto implica, además, la pervivencia de otras formas. Por ejemplo, de un narrativismo histórico-biográfico —en la línea de algunos poetas de los años cuarenta— cuya huella se advierte en ocasiones. O, también, de prácticas vanguardistas generalmente minoritarias. Algún movimiento presentado con pretensiones teóricas creo que no responde a ninguna corriente de fondo sino a rasgos dispersos que, en efecto, sí pueden ser relacionables; me refiero a la «poesía épica» propugnada por Julio López [1982], dentro de la que su patrocinador ha incluido poetas de diferentes promociones: A. Canales, M. Álvarez Ortega, F. Quiñones, R. Soto Vergés, todos ellos ya mencionados, y otros más jóvenes: José A. Ramírez Lozano, César Antonio Molina y Julio Alonso Llamazares.

Arriesgar nombres de los nuevos poetas es un ejercicio muy difícil por la abundancia y falta de tradición crítica antes señaladas. Las antologías —con todos sus riesgos, tan denunciados— pueden ser siquiera un primer índice de atención. Recordemos, entre los poetas ya mencionados, la presencia de J. Siles en las compilaciones de Jongh y Pozanco. O de Colinas, Giménez Frontín, Francisco del Pino y Luiz Izquierdo (estos dos algo mayores de edad) en la de este último. O de L. A. de Cuenca y Villena en aquélla. De las voces más jóvenes, también aparecen en ambas selecciones CÉSAR ANTONIO MOLINA (1952), que ha publicado *Épica* (1974), *Proyecto preliminar para una arqueología del campo* (1978), *Últimas horas en Lisca Blanca* (1979), *Ocho poemas* (1982) y JOSÉ LUPIÁÑEZ (1955; *Ladrón de fuego,* 1975; *Río solar,* 1978; *El jardín de ópalo,* 1980; *Amante de gacela,* 1980). Mencionaremos también otros poetas acogidos a alguna de estas compilaciones y que han desarrollado una obra de cierta continuidad: JOSÉ LUIS GARCÍA MARTÍN (1952), más conocido como crítico (*Marineros perdidos en los puertos,* 1972; *Autorretrato de desconocido,* 1979; *El enigma de eros*, 1982); ANDRÉS SÁNCHEZ ROBAYNA (1952), estudioso de la poesía (*Clima,* 1978; *Tinta,* 1981).

En otra antología publicada en la fecha inicial de nuestra década —la de García Martín [1980]— aparecen algunos de los nombres mencionados, más otros a los que también habrá que prestar atención: Francisco Bejarano (1945): *Transparencia indebida,* 1977; *Amar es bien,* 1978; *Pasolini,* 1979; *Recinto murado,* 1981. Víctor Botas (1945): *Las cosas que me acechan,* 1979. José Gutiérrez (1955): *Ofrenda en la memoria,* 1976; *Espejo y laberinto,* 1978; *El cerco de la luz,* 1978. Abelardo Linares (1952): *Mitos,* 1979. Julio Alonso Llamazares (1955): *La lentitud de los bueyes,* 1979; *Memoria de la nieve,* 1982. Manuel Neila (1950): *Clamor de lo incesante,* 1978. Fernando Ortiz (1947): *Primera despedida,* 1978; *Cuaderno de otoño,* 1979; *Personae,* 1981. Eloy Sánchez Rosillo (1948): *Maneras de estar solo,* 1978. En fin, otros más, dentro de diferentes tendencias, son nombres bien acogidos por la crítica y traen con sus primeros títulos promesas de un futuro esperanzador para su propia obra y para un enriquecimiento y variedad de nuestras letras. Cuando una obra más amplia lo facilite o una mayor distancia cronológica nos lo permita, daremos de ellos noticia que no sea tan sólo esta sucinta nómina: Antonio Abad (1949): *El ovillo de Ariadna,* 1972; *Miserecor de mí,* 1980. Alejandro Amusco (1949): *Esencia de los días,* 1976; *El sol en sagitario,* 1978. Blanca Andreu (1959): *De una niña de provincias que se vino a vivir en un Chagall,* 1983. Juan Barja (1951): *Horizonte de entrada,* 1983; Emilio Barón (1954): *De este lado,* 1983. Fernando Beltrán (1956): *Aquelarre en Madrid,* 1983. Felipe Benítez (1960): *Paraíso manuscrito,* 1982. Julia Castillo (1956): *Urgencias de un río interior,* 1975; *Poemas de la imaginación barroca,* 1980. Fernando G. Delgado (1947): *Proceso de adivinaciones,* 1981. Javier Egea (1952): *Paseo de los tristes,* 1982. Luis García Montero (1958): *El jardín extranjero,* 1983. Armando López Castro (1949): *Revelaciones,* 1983. Javier Lostalé (1942): *Jimmy, Jimmy,* 1976; *Figuras en el paseo marítimo,* 1981. Pedro J. de la Peña (1944): *Fabulación del tiempo,* 1970; *Círculo del amor,* 1971; *Ciudad del horizonte,* 1973; *Ojo de pez,* 1981. Vicente Presa (1952): *Pandemonium,* 1978; *Teoría de los límites,* 1980. José Ramón Ripoll (1952): *La tauromaquia,* 1980. Fanny Rubio (1948): *Retracciones,* 1982. Álvaro Salvador (1950): *De la palabra y otras alucinaciones,* 1975; *Las cortezas del fruto,* 1980. Rafael Soler (1947): *Los sitios interiores,* 1980. Ramón Irigoyen (1942): *Ciclos e inviernos,* 1979; *Los abanicos del caudillo,* 1983.

Si las circunstancias históricas se reflejan siempre en la creación artística, aunque no sea de manera inmediata, debemos pensar que los últimos tiempos de la evolución política española habrán dejado alguna huella en la literatura. Posiblemente estas circunstancias hayan propiciado un mayor desarrollo del sentimiento regional en nuestra poesía, no nuevo, por supuesto, pero sí muy acentuado de los últimos tiempos. No nos referimos, claro está, a la práctica de un localismo terruñero sino a la aparición de una acentuada conciencia regional que lleva a agrupar a los autores por el lugar de nacimiento, por el de residencia o por su temática regional. El fenómeno se dio también en la narrativa: la novela canaria, la nueva novela andaluza, los narradores aragoneses antologados por Ana María Navales (1980), los andaluces seleccionados por José Antonio Fortes (1981) o por Rafael de Cózar (1981), los murcianos presentados por Mariano Baquero Goyanes (1983)... En la poesía, sin embargo, ha alcanzado especial relieve. Algunos títulos tienen un carácter panorámico que abarca todo el siglo, por ejemplo la *Antología de la poesía navarra actual* (1982), preparada por Ángel Urrutia y prologada por Francisco Ynduráin, o los *82 años de poesía en Lorca* (1983), historiados por José Luis Molina Martínez (quien, con Juan Guirao, ha reivindicado justamente a Eliodoro Puche —1885-1964— en una oportuna *Antología general,* 1983). Otros presentan sólo poesía más reciente (por ejemplo, *Círculo en nieve,* 1979, de poetas valencianos) y, de ellos, llama la atención la abundancia de obras referidas a la poesía andaluza. No estamos seguros de conocer todas, pero hemos fichado esta amplia relación: José Ramón Ripoll, *Nueva poesía 1: Cádiz* (1976); Rafael de Cózar, *Nueva poesía 2: Sevilla* (1977); Francisco Gálvez Moreno, *Degeneración del 70* (1979); *Qadish (Muestra de la joven poesía gaditana),* 1979; Manuel Urbano, *Antología consultada de la nueva poesía andaluza* (1980); «Antología de la joven poesía andaluza», *Litoral,* 118-120 [1983]. Las propuestas artísticas amparadas por estos libros son muy diferentes —del realismo al esteticismo— y lo que nos interesa ahora señalar es tan sólo ese resurgir regional que, en el caso de Andalucía parece coincidir, además, con un período en que los poetas del sur peninsular —con independencia de su presencia o no en esas antologías— ocupan mayoritariamente el panorama lírico (anecdótica, pero significativa, puede resultar la constatación del elevado número de premios literarios que obtienen maduros y jóvenes poetas andaluces). No creemos que el nacer al sur de Despeñaperros sea un aval lírico, pero parece interesante —o, al menos, curioso— dejar constancia de este hecho. Esa conciencia regional, por otra parte, está confirmando en los últimos años la magnífica tradición mantenida a lo largo de toda la postguerra de editar revistas de gran altura fuera del habitual centralismo cultural español. Por su calidad —incluso por su esmero tipográfico— merecen citarse la albaceteña *Barcarola* y la gaditana *Fin de siglo.*[14]

14. Dada la proximidad temporal de este período, no existe amplia bibliografía sobre él, aunque sí contamos con varios e interesantes trabajos generales. Recordamos, en primer lugar, los respectivos capítulos de *El año literario español* (ed. Castalia, desde 1974), redactados por Joaquín Marco, en los que se encuentra un detallado estado de la cuestión. El mismo carácter de anuario —pero con mayor amplitud y con una actitud muy crítica— posee el trabajo de J. L. García Martín [1983], que se anuncia como el primero de los volúmenes de una crónica periódica de nuestra poesía. También puede recordarse el número monográfico de *Camp de l'arpa* (86, abril, 1981), que se refiere al período 1970-1980 y del que son especialmente útiles los artículos de M. Vilumara [1981], B. Vignola [1981] y J. L. García Martín [1981]. Artículos panorámicos destacados son los de F. Rubio [1982], de la Concha [1983] y G. Carnero [1983]. En fin, habrá que prestar atención a los informes periódicos sobre poesía última que desde 1983 publica Pablo Jauralde en la revista *Libros.*

BIBLIOGRAFÍA

Capítulo 1

El Marco histórico-literario

AA. VV., *La cultura bajo el franquismo,* Barcelona, Ediciones de bolsillo, 1977.

—, *España bajo la dictadura franquista (1939-1975),* t. X de «Historia de España», Barcelona, Labor, 1980.

—, *El exilio español en México (1939-1982),* México, Fondo de Cultura-Salvat, 1982.

Abellán, José Luis, *La cultura en España,* Madrid, Edicusa, 1971.

—, ed., *El exilio español de 1939,* Madrid, Taurus, 6 vols., 1976-1978.

Abellán, Manuel L., *Censura y creación literaria en España (1939-1976),* Barcelona, Península, 1980.

Anónimo, *Obra impresa del exilio español en México. México 1939-1979,* Catálogo de la exposición presentada por el Ateneo español de México, México, 1979.

Aznar Soler, Manuel, *Segundo Congreso Internacional de Escritores Antifascistas (1937),* Barcelona, Laia, 3 vols., 1978.

Barral, Carlos, *Años de penitencia,* Madrid, Alianza Ed., 1975.

—, *Los años sin excusa,* Barcelona, Barral ed., 1978.

Beneyto, Antonio, *Censura y política en los escritores españoles,* Barcelona, Euros, 1975.

Blanco Aguinaga, Carlos, Rodríguez Puértolas, Julio y Zavala, Iris M., *Historia social de la literatura española,* Madrid, Castalia, t. III, 1979.

Bonet, Laureano, *Gabriel Ferrater. Entre el arte y la literatura,* Barcelona, Publicacions i Edicions de la Universitat, 1983.

Bozal, Valeriano, «La edición en España. Notas para su historia», *Cuadernos para el diálogo,* XVI Extr., mayo, 1969.

Campbell, Federico, *Infame Turba,* Barcelona, Lumen, 1971.

Cisquella, G.; Erviti, J. L.; Sorolla, J. A., *Diez años de represión cultural. La censura de libros durante la Ley de Prensa (1966-1976),* Barcelona, ee.vv., 1977.

CLOTAS, Salvador y GIMFERRER, Pedro, *30 años de literatura en España*, Barcelona, Kairós, 1971.
DÍAZ, Elías, *Pensamiento español. 1939-1973*, Madrid, Edicusa, 1974 (reed.: *Pensamiento español en la era de Franco (1939-1975)*, Madrid, Tecnos, 1983).
DÍAZ PLAJA, Fernando, *Si mi pluma valiera tu pistola, Los escritores españoles en la guerra civil*, Barcelona, Plaza Janés, 1979.
EQUIPO RESEÑA, *La cultura española durante el franquismo*, Bilbao, Ed. Mensajero, 1977.
FERNÁNDEZ AREAL, Manuel, *La libertad de prensa en España (1938-1971)*, Madrid, Edicusa, 1971.
FRESCO, Mauricio, *La emigración republicana española. Una Victoria de México*, México, Editores Asociados, 1950.
FUENTES, Víctor, *La marcha al pueblo en las letras españolas. 1917-1936*, Madrid, Ed. de la Torre, 1980.
G[ARCÍA] RICO, Eduardo, véase, RICO, Eduardo G.
GODOY GALLARDO, Eduardo, *La infancia en la narrativa española de postguerra*, Madrid, Playor, 1979.
GÓMEZ MARÍN, José Antonio, «Los fascistas y el 98», *Aproximaciones al realismo español*, Madrid, Castellote, 1975.
GUBERN, R. y FONT, D., *Un cine para el cadalso. Cuarenta años de censura cinematográfica en España*, Barcelona, Euros, 1975.
ILIE, Paul, *Literatura y exilio interior*, Madrid, Fundamentos, 1981.
LAÍN ENTRALGO, Pedro, *Descargo de conciencia*, Barcelona, Barral, 1975.
LAMANA, Manuel, *Literatura de postguerra*, Buenos Aires, Nova, 1965.
LIZCANO, Pablo, *La generación del 56. La Universidad contra Franco*, Barcelona, Grijalbo, 1981.
LLORENS, Vicente, *Memorias de una emigración, Santo Domingo, 1939-1945*, Barcelona, Ariel, 1975.
MAINER, José Carlos, ed., *Falange y Literatura. Antología*, Barcelona, Labor, 1971.
—, «La revista "Escorial" en la vida literaria de su tiempo», en *Literatura y pequeña-burguesía en España*, Madrid, Edicusa, 1972.
—, «Recuerdo de una vocación generacional. Arte, política y literatura en "Vértice"» en *Literatura y pequeña burguesía* [1972].
—, «La vida cultural (1939-1980)» en *Historia y crítica de la literatura española*, Francisco Rico ed., Barcelona, Crítica, t. 8, 1981.
—, «Prólogo» a F. Valls [1983].
MARTÍNEZ, Carlos, *Crónica de una emigración (La de los republicanos españoles en 1939)*, México, Libro Mex, 1959.
MESA, Roberto, ed., *Jaraneros y alborotadores*, Madrid, Universidad Complutense, 1982.
MORÁN, Fernando, *Explicación de una limitación*, Madrid, Taurus, 1971.
OTAOLA, *La librería de Arana*, México, El Aquelarre, 1952.
RICO, Eduardo G., *Literatura y política (en torno al realismo español)*, Madrid, Edicusa, 1971.
RIDRUEJO, Dionisio, «La vida intelectual española en el primer decenio de la postguerra», en *La cultura en la España del siglo XX, Triunfo*, 507, junio, 1972.

—, *Casi unas memorias*, Barcelona, Planeta, 1976.
RUIZ RICO, Juan José, *El papel político de la Iglesia católica en la España de Franco (1936-1971)*, Madrid, Tecnos, 1977.
SAMBRICIO, Carlos, *Cuando se quiso resucitar la arquitectura*, Murcia, Colegio Oficial de Aparejadores, 1983.
SANTOS, Dámaso, *Generaciones juntas*, Madrid, Bullón, 1962.
SOLDEVILA, Ignacio, Reseña de *Historia y crítica de la literatura española* en *Anales de la literatura española contemporánea*, 7-2, 1982.
SOPEÑA, Federico, *Defensa de una generación*, Madrid, Taurus, 1970.
TAMAMES, Ramón, *La República. La era de Franco*, t. VII de *Historia de España Alfaguara*, Madrid, Alianza-Alfaguara, 1973.
TIERNO GALVÁN, Enrique, *Desde el espectáculo a la trivialización*, Madrid, Taurus, 1961.
VÁZQUEZ MONTALBÁN, Manuel, *Crónica sentimental de España*, Barcelona, Lumen, 1971.
VILAR, Sergio, *Manifiesto sobre arte y libertad*, Barcelona, Fontanella, 1964.
VILLANUEVA, Darío, «El tema infantil en las narraciones de Ana María Matute», *Miscellanea di studi ispanici*, Pisa, 1971-1973.
VELILLA BARQUERO, Ricardo, *La literatura del exilio a partir de 1936*, Madrid, Cincel, 1981.
ZAMBRANO, María, *Los intelectuales en el drama de España*, Santiago de Chile, Panorama, 1939 (reed., Madrid, 1977).

Capítulo 2

LA NOVELA

AA. VV., *Prosa novelesca actual*, Madrid, Universidad Internacional Menéndez Pelayo, 1968.
—, *Novelas y novelistas. Reunión de Málaga 1972*, Málaga, Diputación, 1973.
—, *Juan Goytisolo*, Madrid, Fundamentos, 1975.
—, *Novela española actual*, Madrid, Fundación March, 1976.
—, *Ignacio Aldecoa. A Collection of Critical Essays*, Ed. R. Landeira y C. Mellizo, University of Wyoming, 1977.
—, *Juan sin Tierra*, Madrid, Fundamentos, 1977 b.
—, *Juan Goytisolo*, Barcelona, Montesinos, 1981.
—, *Estudios sobre Miguel Delibes*, Madrid, Universidad Complutense, 1983.
—, *Ramón J. Sender. In Memoriam*, Zaragoza, Diputación General de Aragón et alii, 1983 b.
—, *El cosmos de «Antagonía»*, Barcelona, Anagrama, 1983 c.
AGUIRRE, Francisca, «Rosa Chacel, como en su playa propia», *Cuadernos Hispanoamericanos*, 296, febrero, 1975.
ALBORG, Juan Luis, *Hora actual de la novela española*, Madrid, Taurus, 2 vols., 1958 y 1962.
ALBORNOZ, Aurora de, «La España peregrina», en *La cultura en la España del siglo XX, Triunfo*, 507, junio, 1972.
ALONSO, Santos, *La novela en la transición*, Madrid, Libros Dante, 1983.

Alonso de los Ríos, César, *Conversaciones con Miguel Delibes,* Madrid, Emesa, 1971.

Álvarez Palacios, Fernando, *Novela y cultura española de postguerra,* Madrid, Edicusa, 1976.

Amorós, Andrés, «Notas para el estudio de la novela española actual (1939-1968)» en *The New Vida Hispánica,* XVI, 1, 1968.

—, Prólogo a *Obras narrativas completas* de Francisco Ayala, México, Aguilar, 1969.

—, *Bibliografía de Francisco Ayala,* New York, Syracuse University Press, 1973.

Andújar, Manuel, *Grandes escritores aragoneses en la narrativa española del siglo XX,* Zaragoza, Heraldo de Aragón, 1981.

Asún, Raquel, *Camilo José Cela. La colmena,* Barcelona, Laia, 1982.

Baquero Goyanes, Mariano, «La novela española de 1939 a 1953», *Cuadernos Hispanoamericanos,* 67, julio, 1955.

Bartolomé Pons, Esther, *Miguel Delibes y su guerra constante,* Barcelona, Ámbito Literario, 1979.

Basanta, Ángel, *40 años de novela en España. Antología 1939-1979,* Madrid, Cincel-Kapelusz, 2 vols., 1979.

Bertrand de Muñoz, Maryse, *La guerra Civil española en la novela. Bibliografía comentada,* Madrid, José Porrúa Turanzas, 2 vols., 1982.

Bosch, Rafael, *La novela española del siglo XX,* vol. II, «De la República a la postguerra», New York, Las Américas, 1971.

Brandenberger, Erna, *Estudios sobre el cuento español contemporáneo,* Madrid, Ed. Nacional, 1973.

Buckley, Ramón, *Problemas formales de la novela española contemporánea,* Barcelona, Península, 1968.

Burunat, Silvia, *El monólogo interior como forma narrativa en la novela española,* Madrid, José Porrúa Turanzas, 1980.

Cabrera, Vicente y González del Valle, Luis, *Novela española contemporánea. Cela, Delibes, Romero, Hernández,* Madrid, SGEL, 1978.

Carbonell, Delfín, *La novelística de Juan Antonio de Zunzunegui,* Madrid, Dos Continentes, 1965.

Carrasquer, Francisco, *«Imán» y la novela histórica de Sender,* Londres, Tamesis Books, 1970.

—, *La verdad de Ramón J. Sender,* Leiden, Ed. Cinca, 1982.

Castellet, José María, «Veinte años de novela española», *Cuadernos Americanos,* CXXVI, 1, enero-febrero, 1963.

Compitello, Malcolm A., «Juan Benet and His Critics», *Anales de la novela de postguerra,* 3, 1978.

Conte, Rafael, «La novela española del exilio», *Cuadernos para el diálogo,* XIV Extr., mayo, 1969.

—, Prólogo a su antología *Narraciones de la España desterrada,* Barcelona, Edhasa, 1970.

Corrales Egea, José, *La novela española actual,* Madrid, Edicusa, 1971.

Curutchet, Juan Carlos, *Introducción a la novela española de postguerra,* Montevideo, Alfa, 1966.

—, *Cuatro ensayos sobre la novela española,* Montevideo, Alfa, 1973.

DOMINGO, José, *La novela española del siglo XX*, Barcelona, Labor, 2 vols., 1973.

ELLIS, Keith, *El arte narrativo de Francisco Ayala*, Madrid, Gredos, 1964.

EOFF, Sherman H., *El pensamiento moderno y la novela española*, Barcelona, Seix Barral, 1961.

ESTEBAN SOLER, Hipólito, «Narradores españoles del medio siglo», *Miscellanea di studi ispanici*, Universitá di Pisa, 1971-1973.

FERRERAS, Juan Ignacio, *Tendencias de la novela española actual (1939-1969)*, París, Ediciones Hispanoamericanas, 1970.

FRAILE, Medardo, «Panorama del cuento contemporáneo en España», en *Caravelle*, 17, 1971.

FUENTES MOLLA, Rafael y RODRÍGUEZ SANTOS, Carmen, *Bibliografía de «Corpus Barga»*, Madrid, Universidad Complutense, 1982.

GIL CASADO, Pablo, *La novela social española*, Barcelona, Seix Barral, 1968 (2.ª ed., muy ampliada, 1973).

GIMÉNEZ, Alicia, *Torrente Ballester*, Barcelona, Barcanova, 1981.

GONZÁLEZ-GRANO DE ORO, Emilio, *El español de José L. Castillo-Puche*, Madrid, Gredos, 1983.

GRANDE, Félix, «Tres fichas para una aproximación a la actual narrativa española» en *Occidente, ficciones, yo*, Madrid, Edicusa, 1968.

—, «Narrativa, realidad y España actuales: Historia de un amor difícil», *Cuadernos Hispanoamericanos*, 299, mayo, 1975.

GUBERN, Román, *«Raza» (Un ensueño del general Franco)*, Madrid, Ediciones 99, 1977.

GUILLERMO, Edenia y HERNÁNDEZ, Juana Amelia, *La novelística española de los 60*, New York, Torres Library..., 1971.

HERAS, Antonio R. de las, *Ángel M.ª de Lera*, Madrid, Epesa, 1971.

HICKEY, Leo, *Cinco horas con Miguel Delibes*, Madrid, Prensa Española, 1968.

IGLESIAS LAGUNA, Antonio, *Treinta años de novela española (1938-1968)*, Madrid, Prensa Española, 1969.

ILIE, Paul, *La novelística de Camilo José Cela*, Madrid, Gredos, 1963.

ILLANES ADARO, Graciela, *La novelística de Carmen Laforet*, Madrid, Gredos, 1971.

IRIZARRY, Estelle, *Teoría y creación literaria en Francisco Ayala*, Madrid, Gredos, 1971.

—, *La inventiva surrealista de E. F. Granell*, Madrid, Ínsula, 1976.

—, *Rafael Dieste*, New York, Twayne, 1979.

—, *La creación literaria de Rafael Dieste*, La Coruña, Ediciós do Castro, 1980.

LASAGABASTER, José María, *La novela de Ignacio Aldecoa. De la mimesis al símbolo*, Madrid, SGEL, 1978.

LÁZARO, Jesús, *La novelística de Juan Goytisolo*, Madrid, Alhambra, 1984.

LEVINE, Linda Gould, *Juan Goytisolo: La destrucción creadora*, México, Joaquín Mortiz, 1976.

LONGORIA, Francisco A., *El arte narrativo de Max Aub*, Madrid, Playor, 1977.

LÓPEZ MARTÍNEZ, Luis, *La novelística de Miguel Delibes*, Murcia, Universidad, 1973.

LYTRA, Drosonla, ed., *Aproximación crítica a Ignacio Aldecoa,* Madrid, Espasa-Calpe, 1984.
MAINER, José Carlos, «Prólogo» a *Cazador en el alba*..., de F. Ayala, Barcelona, Seix Barral, 1971.
—, «José López Pinillos en sus dramas rurales» en *Literatura y pequeña-burguesía en España* [1/1972].
—, *Análisis de una insatisfacción: Las novelas de W. Fernández Flórez,* Madrid, Castalia, 1975.
MARCO, Joaquín, «Las narraciones de Gonzalo Torrente Ballester» en AA. VV. [1976].
MARRA-LÓPEZ, José R., *Narrativa española fuera de España (1939-1961),* Madrid, Guadarrama, 1962.
MARTÍNEZ CACHERO, José María, *La novela española entre 1939 y 1969. Historia de una aventura,* Madrid, Castalia, 1973 (2.ª ed., ampliada, 1979).
MARTÍNEZ TORRÓN, Diego, *La fantasía lúdica de Alvaro Cunqueiro,* La Coruña, Ediciós do Castro, 1980.
MIGUEL, Emilio de, *La primera narrativa de Rosa Montero,* Salamanca, Universidad, 1983.
MONTERO, Isaac, «La novela española de 1955 hasta hoy. Una crisis entre dos exaltaciones antagónicas», *Triunfo,* Extra, 507, junio, 1972.
MORÁN, Fernando, *Novela y semidesarrollo (Una interpretación de la novela hispanoamericana y española),* Madrid, Taurus, 1971.
NÁÑEZ, Emilio, *La lengua del coloquio,* Madrid, ed. Coloquio, 1982.
NAVAJAS, Gonzalo, *La novela de Juan Goytisolo,* Madrid, SGEL, 1979.
NAVALES, Ana María, *Cuatro novelistas españoles,* Madrid, Fundamentos, 1974.
NORA, Eugenio G. de, *La novela española contemporánea,* Madrid, Gredos, 1958 (la primera edición de los tres volúmenes de esta obra se publicó entre 1958 y 1962; del tomo III debe utilizarse la reed. 1970).
ORTEGA, José, *Juan Goytisolo. Alienación y agresión en Señas de identidad y Reivindicación del Conde don Julián,* New York, E. Torres, 1972.
PACO, Mariano de, «El drama rural en España», *Anales de la U. de Murcia,* XXX, 1-2, curso 1971-1972.
PALOMO, María del Pilar, «La novela española en lengua castellana. 1939-1965», *Historia general de las literaturas hispánicas,* Barcelona, Vergara, t. VI, 1968.
—, «Álvaro Cunqueiro: Vida y fugas de Fanto Fantini della Gherardesca», *El comentario de textos II,* Madrid, Castalia, 1974.
PAUK, Edgar, *Miguel Delibes: Desarrollo de un escritor (1947-1974),* Madrid, Gredos, 1975.
PEÑA, Pedro J. de la, «Prólogo» a *Juan Gil-Albert,* Madrid, Júcar, 1982.
PEÑUELAS, Marcelino C., *Conversaciones con Ramón J. Sender,* Madrid, Emesa, 1970.
—, *La obra narrativa de Ramón J. Sender,* Madrid, Gredos, 1971.
PÉREZ MINIK, Domingo, *Novelistas españoles de los siglos XIX y XX,* Madrid, Guadarrama, 1957.
PONCE DE LEÓN, José Luis S., *La novela española de la guerra civil (1936-1939),* Madrid, Insula, 1971.

PRATS RIVELLES, Rafael, *Max Aub,* Madrid, Epesa, 1978.

PRJEVALINSKY, Olga, *El sistema estético de Camilo José Cela; expresividad y estructura,* Madrid, Castalia, 1960.

REY, Alfonso, *La originalidad novelística de Miguel Delibes,* Santiago de Compostela, Universidad, 1975.

—, *Construcción y sentido de «Tiempo de silencio»,* Madrid, José Porrúa Turanzas (1.ª ed. 1977), 1980.

RÍO, Emilio del, *Novela intelectual,* Madrid, Prensa española, 1971.

ROBERTS, Gemma, *Temas existenciales en la novela española de postguerra,* Madrid, Gredos, 1973.

RODRÍGUEZ PADRÓN, Jorge, «Manuel Andújar: un ejemplo», *Camp de l'arpa,* 9, enero, 1974.

—, *Jesús Fernández Santos,* Madrid, Ministerio de Cultura, 1982.

ROMA, Rosa, *Ana María Matute,* Madrid, Epesa, 1971.

RUBIO, Rodrigo, *Narrativa española. (1940-1970),* Madrid, Epesa, 1970.

SÁINZ DE ROBLES, Federico Carlos, *La novela española en el siglo XX,* Madrid, Pegaso, 1957.

SÁNCHEZ LOBATO, Jesús, *Alonso Zamora Vicente,* Madrid, Ministerio de Cultura, 1982.

SANZ VILLANUEVA, Santos, *Tendencias de la novela española actual,* Madrid, Edicusa, 1972.

—, *Lectura de Juan Goytisolo,* Barcelona, Ámbito Literario, 1977.

—, «La narrativa del exilio», *El exilio español de 1939,* Madrid, Taurus, vol. IV, 1977 b.

—, *Historia de la novela social española (1942-1975),* Madrid, Alhambra, 2 vols., 1980.

SCHWARTZ, Kessel, *Juan Goytisolo,* New York, Twayne, 1970.

SHERZER, William M., *Juan Marsé entre la ironía y la dialéctica,* Madrid, Fundamentos, 1982.

SOBEJANO, Gonzalo, *Novela española de nuestro tiempo (en busca del pueblo perdido),* Madrid, Prensa española, 1975 (1.ª ed. 1970).

SOLDEVILA, Ignacio, *La obra narrativa de Max Aub (1920-1969),* Madrid, Gredos, 1973.

—, «Nueva lectura de *Javier Mariño*», *Anales de la novela de postguerra,* vol. II, 1977.

—, «Para una hermenéutica de la prosa vanguardista española (A propósito de Francisco Ayala)», *Cuadernos Hispanoamericanos,* 329-330, nov.-dic., 1977 b.

—, *La novela desde 1936,* Madrid, Alhambra, 1980.

SPIRES, Robert C., *La novela española de postguerra,* Madrid, Cupsa, 1978.

SUÁREZ SOLÍS, Sara, *El léxico de Camilo José Cela,* Madrid, Alfaguara, 1969.

TIJERAS, Eduardo, *Últimos rumbos del cuento español,* Buenos Aires, Ed. Columba, 1969.

UMBRAL, Francisco, *Miguel Delibes,* Madrid, Epesa, 1970.

URRUTIA, Jorge, *Cela: La familia de Pascual Duarte. Los contextos y el texto,* Madrid, SGEL, 1982.

VALBUENA PRAT, Ángel, «Prólogo» a A. Prieto, *Elegía por una esperanza,* Madrid, Narcea, 1972.

VILLANUEVA, Darío, *El Jarama de Sánchez Ferlosio. Su estructura y significado,* Santiago de Compostela, Universidad, 1973.
—, «Las narraciones de Juan Benet», en AA. VV. [1976].
—, *Estructura y tiempo reducido en la novela,* Valencia, Bello, 1977.
VILLEGAS, Juan, *La estructura mítica del héroe,* Barcelona, Planeta, 1973.
YERRO, Tomás, *Aspectos técnicos y estructurales de la novela española actual,* Pamplona, Eunsa, 1977.
YNDURÁIN, Francisco, «La novela desde la segunda persona. Análisis estructural», *Clásicos Modernos,* Madrid, Gredos, 1969.
ZAMORA VICENTE, Alonso, *Camilo José Cela,* Madrid, Gredos, 1962.

Capítulo 3

EL TEATRO

AA. VV., *El teatro de humor en España,* Madrid, Ed. Nacional, 1966.
—, «Teatro español», *Cuadernos para el diálogo,* Extraordinario III, junio, 1966 b.
—, *Teatro español actual,* Madrid, Fundación March-Cátedra, 1977.
—, [AMORÓS, A., MAYORAL, M., NIEVA, F.], *Análisis de cinco comedias (Teatro español de la postguerra),* Madrid, Castalia, 1977 b.
ALIAGA, J. A. y OLIVA, C., *El proceso de creación de «Los fabricantes de héroes se reúnen a comer», de Matilla y López Mozo,* Murcia, Cuadernos de la Cátedra de Teatro, 1978.
ANDERSON, Farris, *Alfonso Sastre,* New York, Twayne Publishers, 1971.
ARAGONÉS, Juan Emilio, *Teatro español de postguerra,* Madrid, Publicaciones españolas, 1971.
ARIZA VIGUERA, Manuel, *Enrique Jardiel Poncela en la literatura humorística española,* Madrid, Fragua, 1974.
AYESA, Guillermo, *Joglars. Una historia,* Barcelona, La Gaya Ciencia, 1978.
BERENGUER, Ángel, «Introducción» a F. Arrabal, *Pic-Nic* [etc.], Madrid, Cátedra, 1977.
—, «Preliminar» a F. Arrabal, *Teatro completo, I,* Madrid, Cupsa, 1979.
BERTRAND, Maryse, «La pluma y la espada. La literatura del conflicto (1936-1939)» en Hugh Thomas, *La guerra civil española,* Madrid, Urbión, vol. VI, 1980.
BILBATÚA, Miguel, «Presentación» de aa.vv., *Teatro de agitación política. 1933-1939,* Madrid, Edicusa, 1976.
BONET GELABERT, Juan, *El discutido indiscutible,* Madrid, Biblioteca Nueva, 1946.
DÍEZ CANEDO, Enrique, *Artículos de crítica teatral. El teatro español de 1914 a 1936,* México, Joaquín Mortiz, 4 t., 1968.
DOMÉNECH, Ricardo, «Cinco estrenos para la historia del teatro español, *Primer Acto,* 100-101, sept.-oct., 1968.
—, *El teatro de Buero Vallejo,* Madrid, Gredos, 1973.
—, «Notas a una lectura del teatro de Ángel García Pintado», *Primer Acto,* 168, mayo, 1974.

—, «Aproximación al teatro del exilio», *El exilio español de 1939*, Madrid, Taurus, t. IV, 1977.

—, «El teatro desde 1936», *Historia de la literatura española*, Madrid, Taurus, vol. IV, 1980.

FERNÁNDEZ SANTOS, Ángel, «García Pintado y las dificultades de la farsa», *Primer Acto*, 123-124, agosto-sept., 1970.

FLÓREZ, Rafael, *Mío Jardiel*, Madrid, Biblioteca Nueva, 1966.

—, *Jardiel Poncela*, Madrid, Epesa, 1969.

GARCÍA LORENZO, Luciano, «Introducción» a *Teatro selecto* de Jacinto Grau, Madrid, Escelicer, 1971.

—, *El teatro español hoy*, Barcelona, Planeta-Ed. Nacional, 1975.

—, «El teatro español después de Franco (1976-1980)», *Segismundo*, 27-32, 1978-1980 (recogido en *Documentos...*).

—, *Documentos sobre el teatro español contemporáneo*, Madrid, SGEL, 1981.

GARCÍA PAVÓN, Francisco, *Teatro social en España*, Madrid, Taurus, 1962.

GARCÍA PINTADO, Ángel, «En el fondo sabemos que no habrá tiempos mejores», *Primer Acto*, 123-124, agosto-sept., 1970.

—, «El Dante Riaza entre el más acá y el más allá» (entrevista), *Primer Acto*, 172, sept., 1974.

GARCÍA TEMPLADO, José, *Literatura de la postguerra: el teatro*, Madrid, Cincel, 1981.

GUERRERO ZAMORA, Juan, *Historia del teatro contemporáneo*, Barcelona, Juan Flors, 1961 (t. I y II), 1962 (t. III), 1967 (t. IV).

HALSEY, Martha T., «La generación realista: A Selected Bibliography», *Estreno*, III, 1, 1977.

HORMIGÓN, Juan Antonio, *Teatro, realismo y cultura de masas*, Madrid, Edicusa, 1974.

IGLESIAS, FEIJOO, Luis, *La trayectoria dramática de Antonio Buero Vallejo*, Santiago de Compostela, Publicaciones de la Universidad, 1982.

ISASI ANGULO, Armando C., *Diálogos del teatro español de la postguerra*, Madrid, Ayuso, 1974.

—, «El teatro de Mediero», *Teatro antropofágico*, Madrid, Fundamentos, 1978.

MARQUERÍE, Alfredo, *Desde la silla eléctrica*, Madrid, Editora Nacional, 1942.

—, *En la jaula de los leones*, Madrid, Ediciones Españolas, 1944.

—, *Alfonso Paso y su teatro*, Madrid, Escelicer, 1960.

MARRAST, Robert, *El teatre durant la guerra civil espanyola*, Barcelona, Publicaciones del Instituto del Teatro, 1978.

MATHIAS, Julio, *Alfonso Paso*, Madrid, Epesa, 1971.

MATILLA, Luis, *La maravillosa historia de Alicia y los intrépidos y muy esforzados Caballeros de la Tabla Redonda*, Madrid, Ed. Campus, 1978.

MEDINA, Miguel Ángel, *El teatro español en el banquillo*, Valencia, Fernando Torres Ed., 1976.

MIGUEL MARTÍNEZ, Emilio de, *El teatro de Miguel Mihura*, Salamanca, Ediciones de la Universidad, 1979.

MIRALLES, Alberto, *Nuevo teatro español: una alternativa social*, Madrid, Ed. Villalar, 1977.

—, «¡Es la guerra, más madera!», *Pipirijaina*, 10, sept.-oct., 1979.

MOLERO MANGLANO, Luis, *Teatro español contemporáneo,* Madrid, Ed. Nacional, 1974.
MONLEÓN, José, «Morales, un español en la inmensa ninguna parte», en J. R. Morales, *Teatro,* Madrid, Taurus, 1969.
—, «Matilla y sus monstruos familiares», *Primer Acto,* 123-124, agosto-sept., 1970.
—, *Treinta años de teatro de la derecha,* Barcelona, Tusquets, 1971.
—, *El teatro de Max Aub,* Madrid, Taurus, 1971 b.
—, *4 autores críticos,* Granada, Universidad, 1976.
—, *«El mono azul». Teatro de urgencia y romancero de la guerra civil,* Madrid, Ayuso, 1979.
MORALES, Antonio, «Estudio preliminar» de J. Martín Recuerda, *Las conversiones...,* Murcia, Godoy, 1981.
NIEVA, Francisco, «Lo que he escrito», *Primer Acto,* 132, mayo, 1971.
—, «La magia anecdótica y el realismo psíquico», *Primer Acto,* 132, mayo, 1971 b.
—, «Auto-biobibliografía», *Primer Acto,* 153, febrero, 1973.
—, «Confesiones en voz alta» [entrevista], *Primer Acto,* 153, febrero, 1973 b.
—, *Teatro furioso,* Madrid, Akal, 1975.
—, «Introducción» a *Retrato de dama con perrito,* de Matilla, Madrid, Fundamentos, 1976.
OLIVA, César, *Cuatro dramaturgos «realistas» en la escena de hoy: sus contradicciones estéticas,* Murcia, Publicaciones de la Universidad, 1978.
—, ed., *El Fernando,* Madrid, Campus, 1978 b.
—, *Disidentes de la generación realista,* Murcia, Publicaciones de la Universidad, 1979.
PÉREZ COTERILLO, Moisés, «Entrevista» (con Ángel García Pintado), *Primer Acto,* 168, mayo, 1974.
—, «Introducción» a *Teatro furioso,* Madrid, Akal, 1975.
—, «Política de recambios», *Pipirijaina,* 10, sept.-oct., 1979.
PÉREZ-STANSFIELD, María Pilar, *Direcciones de* [*sic*] *teatro español de postguerra,* Madrid, Ed. José Porrúa Turanzas, 1983.
RIAZA, Luis, «Pequeño paseo ante el retrato de una dama y sus perritos resplandecientes», en *Retrato de dama con perrito,* Madrid, Fundamentos, 1976.
—, «Epílogo tras epílogo» en *Antígona... ¡Cerda!,* Madrid, La Avispa, 1983.
RODRÍGUEZ ALCALDE, Leopoldo, *Teatro español contemporáneo,* Madrid, Epesa, 1973.
RUGGERI MARCHETTI, Magda, *Il teatro di Alfonso Sastre,* Roma, Bulzoni, 1975.
RUIZ RAMÓN, Francisco, *Historia del teatro español. Siglo XX,* Madrid, Cátedra, 2.ª ed., 1975.
TORRENTE BALLESTER, Gonzalo, *Teatro español contemporáneo,* Madrid, Guadarrama, 2.ª ed., 1968.
TORRES NEBRERA, Gregorio, «Estudio» preliminar de *Teatro* de Pedro Salinas, Madrid, Narcea, 1979.

URBANO, Victoria, *El teatro español y sus directrices contemporáneas,* Madrid, Ed. Nacional, 1972.
VALBUENA PRAT, Ángel, *Historia del teatro español,* Barcelona, Noguer, 1956.
VERDÚ, Joaquín, *Luz y oscuridad en el teatro de Buero Vallejo,* Barcelona, Ariel, 1977.
VILCHES DE FRUTOS, M.ª Francisca, *La temporada teatral española. 1982-1983,* Madrid, Anejos de *Segismundo,* C.S.I.C., 1983.
WELLWARTH, George E., «Teatro español de vanguardia», *Primer Acto,* 119, abril, 1970.
—, *Spanish Underground Drama,* The Pennsylvania University Press, 1972 (cito por la traducción española, con el mismo título, Madrid, Ed. Villalar, 1978).

Capítulo 4

LA POESÍA

AA. VV., *Miguel Labordeta, una poeta en la postguerra,* Zaragoza, Alcrudo Ed., 1977.
—, *Entre la cruz y la espada. En torno a la España de postguerra,* Madrid, Gredos, 1984.
ALARCOS LLORACH, Emilio, *La poesía de Blas de Otero,* Salamanca, Anaya, 1966.
—, *Ángel González, poeta,* Oviedo, Universidad, 1969.
ALBORNOZ, Aurora de, «La vida contada de José Manuel Caballero Bonald», *Revista de Occidente,* 87, 1970.
—, «Poesía de la España peregrina: crónica incompleta», *El exilio español de 1939,* Madrid, Taurus, vol. IV, 1977.
—, «Aproximación a la obra poética de José Hierro», *Cuadernos Hispanoamericanos,* 341, noviembre, 1978.
—, «Introducción» a *José Hierro,* Madrid, Júcar, 1982.
ALLER, César, *La poesía personal de Leopoldo Panero,* Pamplona, Eunsa, 1976.
ALONSO, Dámaso, *La poesía de Vicente Gaos,* Valencia, Diputación, 1982.
ALVAR, Manuel, «Aquilino Duque y *Los cuatro libros cardinales*», AA. VV., *Estudios sobre Literatura y Arte* [Homenaje a E. Orozco], Granada, Universidad, 1979.
AMORÓS, Amparo, «Luis Cernuda y la poesía española posterior a 1939», AA. VV. [1984].
ANDÚJAR, Manuel, «La poesía española en el transtierro mexicano», AA. VV. [1984].
ASÍS, María Dolores de, *Antología de poetas españoles contemporáneos,* Madrid, Narcea, 2 vols., 1977.
BARRAL, Carlos, «Reflexiones acerca de las aventuras del estilo en la

penúltima literatura española», *Cuadernos para el diálogo,* XIV Extraord., mayo, 1969.

BATLLÓ, José, *Antología de la nueva poesía española,* Madrid, Ciencia Nueva, 1968.

—, *Poetas españoles postcontemporáneos,* Barcelona, El Bardo, 1974.

BENITO DE LUCAS, Joaquín, *Literatura de postguerra: la poesía,* Madrid, Cincel, 1981.

BRINES, Francisco, «La poesía de Ricardo Defarges», R. D., *Poesía,* Madrid, Insula, 1974.

BOUSOÑO, Carlos, «La poesía de Vicente Gaos», *Papeles de Son Armadans,* XVIII, 1960.

—, «La poesía de Claudio Rodríguez», C. R., *Poesía (1973-1966),* Barcelona, Plaza Janés, 1971.

—, «Situación y características de la poesía de Francisco Brines», F. B., *Ensayo de una despedida,* Barcelona, Plaza Janés, 1972.

—, «Ensayo de autocrítica», C. Bousoño, *Antología poética. 1945-1973,* Barcelona, Plaza Janés, 1976.

—, «La poesía de Guillermo Carnero», G. Carnero, *Ensayo de una teoría de la visión,* Pamplona, Ed. Peralta, 1979.

—, «Introducción» a *Selección de mis versos,* Madrid, Cátedra, 1980.

BRINES, Francisco, «Carlos Bousoño: una poesía religiosa desde la incredulidad», *Cuadernos Hispanoamericanos,* 320-321, febrero-marzo, 1977.

CALAMAI, Natalia, *El compromiso de la poesía en la guerra civil española,* Barcelona, Laia, 1979.

CANO, José Luis, *Poesía española contemporánea. Generaciones de postguerra,* Madrid, Guadarrama, 1974.

CANO BALLESTA, Juan, *La poesía española entre pureza y revolución (1930-1936),* Madrid, Gredos, 1972.

—, «El enfrentamiento de dos retóricas: la poesía de la guerra civil», AA. VV. [1984].

CARNERO, Guillermo, *El grupo «Cántico» de Córdoba,* Madrid, Ed. Nacional, 1976.

—, «Poesía de postguerra en lengua castellana», *Poesía,* 2, agosto-sept., 1978.

—, «La corte de los poetas», *Revista de Occidente,* 3, abril, 1983.

CASTELLET, José María, *Veinte años de poesía española (1939-1959),* Barcelona, Seix Barral, 1960 (2.ª edición, *ibidem, Un cuarto de siglo de poesía española (1939-1964),* 1965).

—, *Nueve novísimos poetas españoles,* Barcelona, Barral, 1970.

CERNUDA, Luis, *Estudios sobre poesía española contemporánea,* Madrid, Guadarrama, 2.ª ed., 1970.

CIPLIJAUSKAITÉ, Biruté, *El poeta y la poesía,* Madrid, Ínsula, 1966.

CONCHA, Víctor de la, véase GARCÍA DE LA CONCHA, Víctor.

CONNOLLY, Eileen, *Leopoldo Panero: la poesía de la esperanza,* Madrid, Gredos, 1969.

CÓZAR, Rafael de, «Introducción» a C. E. de Ory, *Metanoia,* Madrid, Cátedra, 1978.

CRÉMER, Victoriano, «Un cuestionario sobre poesía social y de la otra», *Poesía española,* 11, noviembre, 1952.

CRUZ, Sabina de la, «Introducción» a B. de Otero, *Historias fingidas y verdaderas,* Madrid, Alianza Ed., 1980.
DEBICKI, Andrew, *Dámaso Alonso,* Madrid, Cátedra, 1974.
—, *Poetry of Discovery. The Spanish Generation of 1956-1971,* Kentucky, University Press, 1982.
DOMÍNGUEZ, Gustavo, «Introducción» a G. Celaya, *Memorias inmemoriales,* Madrid, Cátedra, 1980.
D'ORS, Miguel, *Los «Poemas del Toro» de Rafael Morales,* Pamplona, Eunsa, 1972.
ENGELSON MARSON, Ellen, *Poesía y poética de José Ángel Valente,* New York, E. Torres Libr., 1978.
FALCÓ, José Luis, 1981, véase RUBIO, Fanny y..., 1981.
FERNÁNDEZ VALLADARES, Mercedes, *Bibliografía de Rafael Morales,* Madrid, Universidad Complutense, 1981.
FERRÁN, Jaime, *Alfonso Costafreda,* Madrid, Júcar, 1980.
GALÁN, Joaquín, *Blas de Otero, palabras para un pueblo,* Barcelona, Ámbito Literario, 1978.
GARCÍA NIETO, José, *La poesía de Leopoldo Panero,* Madrid, Ed. Nacional, 1963.
GALLEGO MORELL, Antonio, «Poesía española de postguerra», *Diez ensayos sobre literatura española,* Madrid, Revista de Occidente, 1972.
GARCÍA CANTALAPIEDRA, Aurelio, *Tiempo y vida de José Luis Hidalgo,* Madrid, Taurus, 1975.
GARCÍA DE LA CONCHA, Víctor, «*Espadaña.* Biografía de una revista de poesía y crítica», *Cuadernos Hispanoamericanos,* 230, agosto, 1969.
—, «Primera etapa de un "novísimo": Pedro Gimferrer: *Arde el mar*», *Papeles de Son Armadans,* CXC, enero, 1972.
—, *La poesía española de postguerra. Teoría e historia de sus movimientos,* Madrid, Prensa Española, 1973.
—, «La poesía española actual», *Boletín informativo,* F. J. March, núm. 131, noviembre, 1983.
GARCÍA HORTELANO, Juan, *El grupo poético de los años cincuenta (Una antología),* Madrid, Taurus, 1978.
GARCÍA MARTÍN, José Luis, *Las voces y los ecos,* Madrid, Júcar, 1980.
—, «Nuevo viaje al Parnaso o la sucesión de los novísimos», *Camp de l'arpa,* 86, abril, 1981.
—, *Poesía española. 1982-1983. Crítica y antología,* Madrid, Hiperión, 1983.
GARCÍA POSADA, Miguel, *40 años de poesía española,* Madrid, Cincel-Kapelusz, 1979.
GIL DE BIEDMA, Jaime, *El pie de la letra,* Barcelona, Crítica, 1980.
GIMFERRER, Pedro, «La poesía de Jaime Gil de Biedma», *Cuadernos Hispanoamericanos,* 202, octubre, 1966.
—, *Radicalidades,* Barcelona, Antoni Bosch, 1978.
—, véase CLOTAS, Salvador, [1/1971].
GINER DE LOS RÍOS, Francisco, «La poesía desterrada», *Hora de poesía,* 10-11, julio-oct., 1981.
GONZÁLEZ, Ángel, Prólogo a G. Celaya, *Poesía,* Madrid, Alianza Ed., 1977.
GONZÁLEZ MARTÍN, Jerónimo Pablo, *Poesía Hispánica, 1939-1969,* Barcelona, Ed. Saturno (El Pardo), 1970.

GONZÁLEZ MUELA, Joaquín, *La nueva poesía española*, Madrid, Alcalá, 1973.
GRANDE, Félix, *Apuntes sobre poesía española de postguerra*, Madrid, Taurus, 1970 (en 1969 en *Cuadernos para el diálogo*, XIV Extr.).
—, Prólogo de C. E. de Ory, *Poesía (1946-1969)*, Barcelona, Edhasa, 1970 b.
GUERRERO, Obdulia, *José Luis Hidalgo*, Madrid, Epesa, 1971.
HERNÁNDEZ, Antonio, *Una promoción desheredada: la poética del 50*, Madrid, Zero, 1978.
IZQUIERDO, Luis, «Con la poesía de Carlos Barral», *Hora de poesía*, 6, nov.-dic., 1979.
JANÉS, Clara, «Introducción» a J.-E. Cirlot, *Obra poética*, Madrid, Cátedra, 1981.
JIMÉNEZ, José Olivio, *Cinco poetas del tiempo*, Madrid, Ínsula, 1964 (2.ª ed. 1972).
—, *Diez años de poesía española (1960-1970)*, Madrid, Insula, 1972.
—, «La presencia de Antonio Machado en la poesía española de postguerra», *Cuadernos Hispanoamericanos*, 304-307, oct.-enero, 1975-1976.
—, «La conciencia del tiempo histórico en la poesía española de postguerra» en AA. VV. [1984].
LECHNER, J., *El compromiso en la poesía española del siglo XX*, Leiden, Universitaire Pers, 1968-1975.
—, «Preliminares para un estudio de las poéticas de postguerra», en AA. VV. [1984].
LEY, Charles D., «La poesía de Carlos Bousoño», *Papeles de Son Armadans*, XXIV, 1962.
LÓPEZ, Julio, *Poesía y realidad en Rafael Morales*, Barcelona, Ed. Pozanco, 1979.
—, *Poesía épica española (1950-1980)*, Madrid, Ediciones Libertarias, 1982.
LÓPEZ ANGLADA, Luis, *Caminos de la poesía española*, Madrid, Mundo del Trabajo, 1967.
LÓPEZ DE ABIADA, José Manuel, «Eugenio de Nora, poeta, crítico, maestro», AA. VV. [1984].
LUIS, Leopoldo de, *Poesía social*, Madrid, Alfaguara, 1965.
MANGINI GONZÁLEZ, Shirley, *Gil de Biedma*, Madrid, Júcar, 1979.
MANRIQUE DE LARA, José Gerardo, *Poesía española de testimonio*, Madrid, Epesa, 1973.
—, *Poetas sociales españoles*, Madrid, Epesa, 1974.
MARCO, Joaquín, *Ejercicios literarios*, Barcelona, Taber, 1969.
—, *Nueva literatura en España y América*, Barcelona, Lumen, 1972.
—, «Muerte o resurrección del surrealismo en España: aproximación en notas», AA. VV., *Convergencias / Divergencias / Incidencias*, Barcelona, Tusquets, 1973.
—, «La poesía» en *Historia crítica de la literatura española*, t. 8, Barcelona, Crítica, 1981.
MARTÍN PARDO, Enrique, *Nueva poesía española*, Madrid, Escorpio, 1970.
MARTÍNEZ RUIZ, Florencio, «Prólogo» a E. Cabañero, *Poesía (1956-1970)*, Barcelona, Plaza Janés, 1970.
—, *La nueva poesía española (Antología crítica)*, Madrid, Biblioteca Nueva, 1971.

MARTÍNEZ SARRIÓN, Antonio, «Prólogo» a G.-A. Carriedo, *Nuevo compuesto descompuesto viejo*, Madrid, Ed. Peralta, 1980.
MILLÁN, Fernando y GARCÍA SÁNCHEZ, Jesús, *La escritura en libertad*, Madrid, Alianza, 1975.
MIRANDA, Julio E., «Poesía concreta española: jalones de una aventura», *Cuadernos Hispanoamericanos*, 273, marzo, 1973.
MIRÓ, Emilio, «Claudio Rodríguez: *Alianza y condena*», *Cuadernos Hispanoamericanos*, 201, 1966.
—, «Félix Grande entre el verso y la prosa», *Cuadernos Hispanoamericanos*, 228, 1968.
—, "La poesía desde 1936», AA. VV., *Historia de la literatura española*, Madrid, Taurus, t. IV, 1980.
ORY, Carlos Edmundo de, «Historia del postismo», C. E. de Ory, *Poesía (1945-1969)*, Barcelona, Edhasa, 1970.
PALOMO, María del Pilar, véase A. Valbuena Prat [1983].
PAULINO AYUSO, José, *La poesía en el siglo XX: desde 1939*, Madrid, Playor, 1983.
PEÑA, Pedro J. de la, *Individuo y colectividad: El caso de José Hierro*, Valencia, Facultad de Filosofía, 1978.
PÉREZ GUTIÉRREZ, Francisco, *La generación de 1936*, Madrid, Taurus, 1976.
PIERA, José, «Recorrido último por Alfonso Canales», *Cuadernos Hispanoamericanos*, 299, 1975.
POZANCO, Víctor, *Nueve poetas del resurgimiento*, Barcelona, Ámbito Literario, 1976.
—, *Segunda antología del resurgimiento*, Barcelona, Ámbito Literario, 1980.
PRIETO, Antonio, *Espejo del amor y de la muerte*, Madrid, Azur, 1971.
QUIÑONES, Fernando, *Últimos rumbos de la poesía española. La postguerra: 1936-1966*, Buenos Aires, Columba, 1966.
RIBES, Francisco, *Antología consultada de la joven poesía española*, Valencia, Marés, 1952.
—, *Poesía última*, Madrid, Taurus, 1963.
RINCÓN, F., *La poesía de Miguel Fernández*, Valencia, Biblioteca Filológica, 1978.
RODRÍGUEZ ALCALDE, Leopoldo, *Vida y sentido de la poesía actual*, Madrid, Ed. Nacional, 1956.
—, *Vida y sentido de la poesía de José Luis Hidalgo*, Madrid, Ed. Nacional, 1956 b.
RODRÍGUEZ PADRÓN, Jorge, «La poesía de José Ángel Valente», *Cuadernos Hispanoamericanos*, 222, 1968.
RODRÍGUEZ PUÉRTOLAS, Julio, «La poesía de Carlos Sahagún: memoria de una generación», AA. VV. [1984].
RUBIO, Fanny, «La poesía española en el marco cultural de las primeros años de postguerra», *Cuadernos Hispanoamericanos*, 276, junio, 1973.
—, *Las revistas poéticas españolas (1939-1975)*, Madrid, Turner, 1976.
—, Prólogo a Anónimo [Eugenio de Nora], *Pueblo cautivo*, Pamplona, Ed. Peralta, 1978.
—, «Teoría y polémica en la poesía española de postguerra», *Cuadernos Hispanoamericanos*, 361-362, julio-agosto, 1980.

—, «Un alto en la poesía actual [...] o la Bella derrota de los jóvenes en cinco tiempos», *Camp de l'arpa*, 101-102, julio-agosto, 1982.

—, y FALCÓ, José Luis, *Poesía española contemporánea (1939-1980)*, Madrid, Alhambra, 1981.

RUIZ-COPETE, Juan de Dios, *Poetas de Sevilla. De la generación del «27» a los «taifas» del cincuenta y tantos*, Sevilla, Caja de Ahorros de San Fernando, 1971.

—, Estudio de J. Mariscal, *Antología poética*, Sevilla, Universidad, 1978.

SALA, José María, «La trayectoria poética de Joaquín Marco», *Cuadernos Hispanoamericanos*, 296, febrero, 1975.

—, «Algunas notas sobre la poesía de Claudio Rodríguez», *Cuadernos Hispanoamericanos*, 334, abril, 1978.

SALAÜN, Serge, ed., *Romancero de la guerra de España. 1. Romancero libertario*, París, Ruedo Ibérico, 1971.

SANZ VILLANUEVA, Santos, «Los inciertos caminos de la poesía de postguerra», epílogo a *Nueve poetas del resurgimiento*, de V. Pozanco, Barcelona, Ámbito Literario, 1976.

SCHMIDT, Hans Peter, *Dionisio Ridruejo, ein Mitglied der spanischen «generation» von 36*, Bonn, Rom. Sem. der Universitat, 1972.

SENABRE, Ricardo, «Prólogo» a *Obras completas* de M. Labordeta, Zaragoza, Javalambre, 1972.

SIEBENMANN, Gustav, *Los estilos poéticos en España desde 1900*, Madrid, Gredos, 1973.

SIERRA DE CÓZAR, A., «Poesía en armas: Dionisio Ridruejo y la poética del fascismo», *Camp de l'arpa*, 48-49, marzo, 1978.

SOLADANO CARRO, Amaro, «Eugenio de Nora, poeta de la elementalidad» AA. VV., [1984].

TALENS, Jenaro, «Prólogo» a A. Martínez Sarrión, *El centro inaccesible*, Madrid, Hiperión, 1981.

URBANO, Manuel, *Andalucía en el testimonio de sus poetas*, Madrid, Akal, 1976.

VALBUENA PRAT, Ángel, *Historia de la literatura española*, Barcelona, Gustavo Gili, 9.ª ed. revisada por M. del Pilar Palomo, 1983.

VALVERDE, José María, «Introducción» al t. I de las *Poesías Completas* de G. Celaya, Barcelona, Laia, 1977.

—, «Introducción» a *Antología de sus versos*, Madrid, Cátedra, 1978.

VELILLA, Ricardo, «Introducción» a *Poesía española 1939-1975*, Tarragona, Ed. Tarraco, 1977.

VIGNOLA, Beniamino, «La manía de Venecia y las letras españolas», *Camp de l'arpa*, 86, abril, 1981.

VILLAR, Arturo del, «La poesía experimental española», *Arbor*, 330, junio, 1973.

VILUMARA, Martín, «Notas para un estudio de poesía española de postguerra», *Camp de l'arpa*, 86, abril, 1981.

VIVANCO, Luis Felipe, *Introducción a la poesía española contemporánea*, Madrid, Guadarrama (1.ª ed., 1957), 1971.

YNDURÁIN, Francisco, «Prólogo» a *Antología poética* de Gloria Fuertes, Barcelona, Plaza Janés, 1970.

ÍNDICE ONOMÁSTICO

ÍNDICE